VIOLENCES URBAINES,
VIOLENCE SOCIALE

DES MÊMES AUTEURS

Stéphane Beaud et Michel Pialoux, *Retour sur la condition ouvrière*, Fayard, 1999.

Stéphane Beaud, *80 % au bac. Et après ?... Les enfants de la démocratisation scolaire*, La Découverte, 2002.

Stéphane Beaud
Michel Pialoux

VIOLENCES URBAINES,

VIOLENCE SOCIALE

Genèse des nouvelles classes dangereuses

Fayard

Avertissement

L'émeute au centre de ce livre se passe à Sochaux-Montbéliard. Elle aurait pu se dérouler tout aussi bien dans la banlieue parisienne, lyonnaise ou toulousaine, comme dans des petites villes telles que Saint-Dizier, Sens, Thonon-les-Bains où se sont également déroulées, ces dernières années, des « émeutes urbaines ».

L'usage veut de rendre anonymes les noms de lieux et de personnes lorsqu'on publie des comptes rendus d'enquêtes de terrain. Si nous ne l'avons pas fait ici pour le nom de la ville et de la principale entreprise – mais bien pour les communes proches et les entreprises sous-traitantes –, c'est uniquement parce que ce livre peut être lu et compris comme une suite du précédent, *Retour sur la condition ouvrière*, qui était quant à lui fortement ancré à Sochaux.

Il va donc sans dire que nous n'avons pas écrit cet ouvrage « contre » la région de Sochaux-Montbéliard. Bien au contraire ! Nous y avons séjourné assez longtemps pour avoir pu apprécier, entre autres qualités, le sens très vif de l'hospitalité de ses habitants...

Introduction

Montbéliard, 12 juillet 2000 : une émeute éclate dans la ZUP de la Petite-Hollande (13 000 habitants, un peu moins de la moitié de la population de la ville). Environ trois cents jeunes du quartier, d'origine maghrébine pour la plupart, s'opposent violemment aux CRS et à la police qui cherchent à arrêter un braqueur – un jeune de vingt-cinq ans, appelé Momo. Celui-ci a commis plusieurs attaques de banques au cours de la semaine précédente. Connu des services de police, fiché au grand banditisme, il avait, depuis quelques années déjà, disparu du quartier. Lors de son dernier braquage, il a été filé par la police mais n'a pas pu être arrêté sur la voie publique ; il s'est alors réfugié en début de matinée à la ZUP dans l'appartement d'un de ses anciens copains du quartier. Il est armé et fait croire à une prise d'otages. Des forces de police sont dépêchées en urgence, et le GIPN de Strasbourg sera appelé par la suite en renfort pour l'arrêter.

Le quartier est bouclé, personne ne peut y pénétrer, la radio locale rend compte, tous les quarts d'heure, des événements sur place. La présence policière, imposante, excite les jeunes du quartier – c'est le moment des vacances, beaucoup d'entre eux (notamment les douze-seize ans) sont dehors : ils veulent « libérer » Momo.

Peu à peu la tension monte dans le quartier, les rumeurs les plus folles commencent à circuler. Par l'intermédiaire des téléphones portables, les jeunes de la ZUP qui travaillent à l'usine de Sochaux et dans les autres PME de la région sont tenus informés en temps réel de l'évolution de la situation. La mère du braqueur, qui travaille à l'extérieur (comme femme de service), est prévenue et vient au pied de l'immeuble implorer son fils de se rendre. Des habitants du quartier essaient de calmer les jeunes. Momo, dans un état second (il a bu), tire par moments de courtes rafales de mitraillette en l'air, suscitant les encouragements à « tirer plus » de la part des jeunes. « L'ancien président de l'association des travailleurs marocains intervient, commente un journaliste sur place, invite les jeunes à se calmer mais les mots ne passent plus. "C'est un des nôtres, notre copain. On est là pour lui. Y'en a marre des flics, des contrôles, marre de tout", hurle un jeune[1]. »

Finalement, au milieu de l'après-midi, après de longues tractations menées par le commandant des forces de police, Momo se rend. Au moment de son arrestation, les jeunes les plus agités, furieux de voir leur héros d'un jour défait et la victoire des forces de l'ordre, se mettent à lancer canettes, pierres et autres projectiles contre les policiers qui embarquent sous haute protection le jeune braqueur. « Alors que [le fourgon de police] démarre, les projectiles se mettent à voler de partout, une poignée de jeunes se lance à sa poursuite, des voitures de police sont canardées un peu plus loin. Les vitres explosent, les cris fusent. Munis de boucliers anti-émeutes, des policiers essuient des pavés et des bouteilles. Un policier est blessé au genou par un éclat de verre. Vers 16 h, la tension tombe enfin. Alors qu'un dispositif de sécurité est maintenu sur place, 70 hommes d'une compagnie de CRS investissent la Petite-Hollande en fin de journée. »

Quelques heures après l'arrestation, dans la soirée et durant une grande partie de la nuit, des groupes de jeunes (y compris des 10-14 ans), emmenés par une trentaine de « meneurs », cherchent à en découdre avec les CRS présents sur les lieux et à s'attaquer à divers symboles (la cité de justice, la caisse d'épargne, quelques boutiques du centre commercial). Malgré les appels au calme des plus âgés, les jeunes continuent leur entreprise de casse, opérant par petits groupes extrêmement mobiles. Résultats : plusieurs policiers et pompiers sont blessés, deux compagnies de CRS sont obligées d'intervenir, de nombreux bâtiments sont incendiés. Le centre commercial des Hexagones est attaqué, plusieurs magasins sont mis à sac. En revanche, le collège et les écoles primaires sont épargnés...

---

1. *Le Pays de Montbéliard*, 13 juillet 2000.

Le lendemain, le quartier se réveille traumatisé par ces événements qui vont occuper pendant plusieurs jours la une des deux journaux locaux. Les habitants viennent sur place constater les dégâts de la veille : une partie du centre commercial est saccagée. Le maire (RPR) et son principal opposant (PS) se rendent dès le lendemain sur les lieux recueillir les doléances des habitants ; tous deux en appellent à des sanctions exemplaires contre les fauteurs de troubles. Au cours des discussions qui se déroulent entre les anciens du quartier, les « petits immigrés » sont montrés du doigt, un tract du MNR est distribué dans toutes les boîtes aux lettres du quartier. Quelques jours plus tard, des graffitis « Nique ton Mohamed » seront inscrits en grosses lettres sur les murs de la cité de justice et du supermarché proche et, en ville, devant le siège du PS. Les membres des associations du quartier, catastrophés par ce qui ne peut qu'aggraver l'image très négative de la ZUP dans la région, essaient d'organiser le lendemain une contre-manifestation pour sauver la réputation du quartier. Mais celle-ci sera peu suivie – à peine 200 personnes, et pour la plupart des responsables d'associations, des représentants d'immigrés, une quinzaine de mères maghrébines qui crient « Non à la violence ! ». Tout le monde reconnaît l'échec. La grande masse des jeunes a regardé défiler le cortège sans le rejoindre : s'ils ne sont pas d'accord avec les violences, ils n'ont pas voulu apparaître ce jour-là du côté des donneurs de leçons de morale...

1. « L'émeute, on l'a sentie venir... »

La ZUP de la Petite-Hollande, n'est pas, loin s'en faut, une cité-dortoir – grise, triste et décrépie comme il en existe un peu partout en France. Elle est située sur une butte qui domine un paysage verdoyant, à proximité du centre-ville, et bien desservie par de nombreuses lignes de bus qui relient les différents quartiers et villes de l'agglomération. Une population relativement mélangée (des ouvriers, français et immigrés, des employés), peu de grandes tours ou de barres, des espaces verts et de nombreux arbres, un centre commercial actif (un supermarché, deux boulangeries, trois cafés, une pharmacie, des petits commerces), des institutions présentes en nombre, comme la poste, la caisse d'épargne, le centre des impôts, la cité de justice, la Sécurité sociale, la CAF, deux collèges et quatre écoles primaires. Bref, elle passerait presque, du point de vue de la conception et des équipements collectifs, pour une ZUP modèle, équilibrée, où les immigrés représentent environ 30 % de la population (même s'ils sont concentrés dans certains endroits). Rien à voir avec un ghetto noir aux États-Unis[1]. Longtemps le mélange social s'est opéré à la ZUP, où ont cohabité des ouvriers, des employés, des enseignants, des cadres moyens. Jusqu'au milieu des années 1980, la file d'attente était longue pour venir y habiter, la demande émanant surtout de familles lassées par les problèmes de voisinage dans les autres quartiers HLM de la région – ceux qui faisaient alors parler d'eux dans la presse locale. La Petite-Hollande était un quartier qui, jusqu'au début des années 1990, ne posait pas de problèmes particuliers, si ce n'est autour d'un petit îlot de bâtiments – appelé la Cour Fauré, et surnommé « la Gabrielle » par ceux qui y habitaient, ou « la Cour des Miracles » par ceux qui y voyaient une concentration de familles à problèmes. Mais cet îlot a été en partie rasé au début des années 1990. L'attention de l'opinion publique se focalisait logiquement sur d'autres quartiers d'habitat social de la région, à forte concentration d'immigrés et où une délinquance plus importante sévissait.

Cette « émeute urbaine », selon l'expression consacrée, peut être comprise, dans un premier temps, comme le révélateur d'une lente dégradation des relations sociales dans la ZUP. Elle est l'expression violente d'un malaise diffus qui était perceptible par les habitants du quartier et qui n'a cessé de croître dans les années 1990. Lorsque, deux ou trois mois après les « événements » (terme qui est le plus usité pour désigner l'émeute), les habitants du quartier (commerçants, concierges, animateurs, enseignants) sont interrogés sur le déroulement et le sens de cette violence, ils recourent fréquemment à la même expression – « Vous savez, on l'a sentie venir » – qui indique bien l'absence de surprise et le sentiment d'une certaine fatalité. En fait, depuis quelques années, la tendance était à la dégradation.

---

1. Tel que le décrivent Loïc Wacquant (*Corps et âme. Carnets ethnographiques d'un apprenti boxeur*, Paris, Agone, 2001) ou Philippe Bourgois (*En quête de respect. Le crack à New York*, Paris, Seuil, 2001).

À la rubrique des « faits divers » de la presse locale, on note l'accroissement des violences qui alimentent chaque jour le commérage négatif autour du quartier : des voitures brûlées (l'exemple strasbourgeois faisant tache d'huile), le « caillassage » des bus qui traversent la ZUP (et rejoignent deux autres quartiers « ennemis » de la région), des bagarres toujours plus fréquentes entre bandes de jeunes « des quartiers », la petite délinquance (cambriolages, vols, agression sur la place publique).

Il est aussi important de prendre en compte des facteurs comme la dégradation souterraine des relations entre habitants, et plus particulièrement entre les jeunes et les autres, l'agressivité des jeunes vis-à-vis de tout ce qui incarne l'autorité (police, bien sûr, mais aussi justice, enseignants, animateurs...), les conflits au bas des immeubles, les provocations permanentes de certains jeunes vis-à-vis des vieux habitants.

Il est difficile de reconstituer après coup la logique qui a présidé à la dégradation du quartier. Lorsqu'on demande, à l'occasion d'un entretien, aux divers habitants quand le processus s'est amorcé, ils n'ont pas de réponse précise à apporter, ni date ou événement. Cependant, lorsqu'on les sollicite pour donner une évaluation temporelle, aussi sommaire soit-elle, ils s'accordent pour indiquer approximativement la période du milieu des années 1990. Mais ce sur quoi ils insistent avec force, c'est sur la rapidité, inimaginable à leurs yeux, avec laquelle la dégradation s'est produite, un peu à la manière d'une contamination qui se répand sans rencontrer de résistance. Or, avec le recul, on s'aperçoit que cette période du milieu des années 1990 (1994-95) correspond étroitement à la forte montée du chômage des jeunes des cités (qui suit de près la forte dépression de 1993) et aux premières voitures brûlées dans le quartier (l'année 1995), date qui fournit un repère sûr pour expliquer l'espèce de « guéguerre » qui ne va cesser de s'amplifier entre les jeunes du quartier et la police.

Le cercle vicieux, qui est à l'œuvre dans maints quartiers sensibles d'aujourd'hui, se met alors en place : chômage structurel des jeunes, montée du « bizness », déstructuration des familles populaires, incivilités et violences urbaines, interventions de plus en plus fréquentes de la police, exaspération des habitants et fuite de ceux qui en ont les moyens vers le pavillon, paupérisation sociale du quartier et concentration des familles immigrées les plus vulnérables dans les mêmes secteurs géographiques du quartier (« on a créé des ghettos ici » est un leitmotiv qui revient sans cesse dans les entretiens avec des enfants d'immigrés qui ont vu le processus de ségrégation sociale se développer sous leurs yeux), usure des travailleurs sociaux et déclin des institutions d'encadrement de la jeunesse, constitution de sous-quartiers où sont concentrés le trafic de drogue et les jeunes sans travail, renforcement des bandes et d'une logique de territoire, heurts de plus en plus fréquents avec la police, climat croissant d'agressivité des jeunes vis-à-vis des autres habitants du quartier (qui expriment une forte demande d'intervention des pouvoirs publics), mise en place de la police de proximité perçue par les jeunes comme un renforcement de la traque policière et d'un arbitraire qui vise en priorité les « basanés », escalade dans la logique de destruction qui passe de plus en plus souvent au stade de l'autodestruction collective (dégradation des équipements du quartier : écoles, gymnase, salles de la MJC), exploitation politique par la droite et l'extrême droite des problèmes du quartier (devenu dans la presse une « zone de non-droit »), appels de plus en plus clairs à une politique de répression et abandon de toute politique de prévention, etc.

Une fois que le cercle vicieux est engagé, on le sait, il a tendance à se développer en spirale, si bien que, peu à peu, la ZUP devient *le* quartier « à problèmes » de la région. C'est ainsi que la Petite-Hollande a commencé à faire la une des faits divers locaux et ne l'a plus quittée. Les luttes entre bandes rivales relevant des différents quartiers sensibles de la région ont pris en compte ce paramètre : il faut se mesurer aux gars de la ZUP (les « vrais durs »). C'est pourquoi des bagarres éclatent de plus en plus régulièrement au centre-ville ou dans les lycées professionnels, dont un des enjeux est le maintien ou non de la suprématie locale des jeunes de la ZUP.

En revanche, dans les autres cités de la région (où la proportion d'immigrés est pourtant beaucoup plus élevée qu'à la ZUP), le climat social, à défaut d'être au beau fixe, s'est sensiblement amélioré au cours de ces cinq dernières années : soit parce qu'il existe un tissu associatif dense qui médiatise les relations entre générations et qui socialise les jeunes, soit parce que le contrôle social d'une population plus homogène socialement s'effectue plus facilement. Il faudrait évoquer aussi le rôle joué par ceux que l'on appelle, localement, les « barbus », souvent des jeunes issus du quartier et devenus, à l'occasion de leurs études, très religieux et préoccupés de sauver leurs frères cadets pris dans la nasse de la petite délinquance (par dérision, certains jeunes les appellent « la PJ », police de la [d]Jémaa). Comparée à ces quartiers, la ZUP est un espace très hétérogène socialement, dénué de tissu associatif développé et de contrôle social de type communautaire.

La sociologie urbaine, notamment les recherches sur les grands ensembles, nous invite à ne pas tomber dans le piège d'une représentation homogénéisante et uniformisante des quartiers d'habitat social[1]. Même si un processus d'homogénéisation sociale est en cours depuis quinze ans, les quartiers d'habitat social se caractérisent par une certaine forme d'hétérogénéité des résidents, elle-même liée au mode de constitution des populations des immeubles (l'offre institutionnelle jouant un grand rôle en ce domaine). La ZUP de Montbéliard (13 000 habitants) n'échappe pas à la règle. Des « coins tranquilles », des immeubles bien tenus et propres coexistent avec des « zones à problèmes », notamment des immeubles dégradés, facilement localisables par le nom des rues où ils se situent (au centre géographique de la ZUP, près du centre commercial). C'est dans ces rues et dans ces immeubles, lieux qui fonctionnent comme autant de zones de marquage négatif, que sont concentrées les populations dites à problèmes, c'est-à-dire un périmètre étroit (200 m sur 500 m). « Ça, c'est le cœur de la ZUP », dit un animateur en désignant les jeunes en bas des blocs. Ceux-ci forment des attroupements, barrent l'accès des immeubles. Ils ne sont pas menaçants à proprement parler, notamment pour les habitants du quartier, mais, par leur constante présence dehors et par leur façon de vivre en groupe, ils font régner une atmosphère particulière dans le quartier, faite d'un mélange de suspicion a priori et d'hostilité sourde au monde environnant.

---

1. Voir l'article fondateur de Jean-Claude Chamboredon et Madeleine Lemaire, « Proximité spatiale et distance sociale. Les grands ensembles et leur peuplement », *Revue française de sociologie*, t. XI, 1970, n° 1, p. 3-33.

2. L'émeute urbaine comme symptôme

Cette émeute à la ZUP de Montbéliard n'est pas exceptionnelle : bien d'autres ont éclaté depuis une dizaine d'années dans les quartiers sensibles des banlieues françaises et ont déjà suscité maintes analyses sociologiques[1]. Elle met en scène des individus et des situations qui sont aujourd'hui connus et sont bien souvent l'objet de présentations stéréotypées : des quartiers en voie de paupérisation (« les banlieues » devenues les « quartiers »), de jeunes « délinquants », d'autres jeunes issus de l'immigration postcoloniale, une violence qui paraît gratuite (mais dont la composante autodestructrice est fondamentale), une opposition frontale entre jeunes, police et justice. Le discours de la violence urbaine, qu'il soit tenu par les représentants des institutions (police, justice, école) ou par les politiques, s'attache presque toujours à la recherche et à la désignation des « coupables » – ceux qui ont participé directement aux événements (les « casseurs » ou les « voyous », comme on dit aujourd'hui) – qu'il conviendrait de neutraliser au plus vite.

À entendre les innombrables commentaires qui sont faits autour de ce type d'événements, on a l'impression que, pour rétablir le calme et pacifier le quartier, il suffirait de cibler les « microgroupes » qui se constituent autour des meneurs (les « caïds ») et de les isoler durablement. Ce discours sécuritaire[2] a pour particularité d'occulter la genèse des attitudes et des groupes étiquetés comme

1. Ce type d'événements a déjà fait l'objet d'analyses fouillées. On consultera notamment les travaux de Christian Bachmann et Nicole Le Guennec qui, dans *Autopsie d'une émeute urbaine* (Albin Michel, 1997), établissent la chronique détaillée du déroulement d'une émeute dans les quartiers nord de Melun, en 1993, puis tentent de donner des éléments d'explication en regardant à la fois du côté de l'action publique et du côté des « acteurs de l'ombre » (les jeunes de la cité, les meneurs, les suiveurs, les desperados). Leur méthode d'enquête, si l'on se fie à ce qui est indiqué dans la note méthodologique qui clôt l'ouvrage, accorde une place centrale aux points de vue des acteurs les plus institutionnels (police, RG, justice, institutions sociales...). L'accès à ces données est évidemment précieux mais il éloigne d'une perspective ethnographique, que l'on a privilégiée dans le présent travail.

2. Pour l'analyse de ce discours, voir *Actes de la recherche en sciences sociales* n° 136-137 (notamment les articles de Gérard Mauger, Annie Collovald, Laurent Bonelli), et Laurent Bonelli et Gilles Sainati (dir.), *La Machine à punir*, Paris, L'Esprit frappeur, 2001.

déviants. Il se nourrit d'une étiologie sommaire du phénomène de violence qui repose, au fond, sur une dichotomie rassurante : il y aurait, d'un côté, un noyau de « violents », d'« irréductibles », de « sauvages », dont on n'ose pas dire qu'ils sont irrécupérables et non rééducables (ce que pensent pourtant nombre de responsables...) et, de l'autre, les jeunes « non violents », qui se « laisseraient entraîner » et qu'il conviendrait donc de protéger contre la contamination des premiers[1]. En fait, ce discours essentialiste qui a des visées pratiques – empêcher « les jeunes » de nuire – est fondé non seulement sur l'ignorance de la genèse des attitudes et des comportements violents mais aussi sur une certaine forme de dénégation de cette genèse sociale.

Il se trouve qu'ayant enquêté depuis 1985 dans cette région, dans différents domaines de l'espace socio-économique local – les usines et les transformations des rapports de travail, le système scolaire et le rapport à la scolarité dans les familles ouvrières, les changements des relations entre générations et du mode de vie dans les cités –, nous avions la possibilité de replacer ces événements dans une perspective historique de longue durée, pour en dégager notamment une signification qui nous semble mal perçue par les analyses courantes de la « violence urbaine ». En effet, la plupart d'entre elles font largement l'impasse sur ce qu'on pourrait appeler son ressort socio-économique[2].

---

1. En fait, on ne saurait opposer des sous-groupes, réifiés ensuite en catégories, pour rendre compte d'un phénomène aussi multidimensionnel qu'une émeute urbaine. En privilégiant le terrain, en retournant au matériel (observations, entretiens, données sociohistoriques, presse locale), on est en quelque sorte conduit à renoncer aux analyses trop simples, par couples d'opposition, et à raisonner plutôt en termes de *continuum* des positions, de volatilité des attitudes et des opinions en fonction de la conjoncture. Cette approche permet de rendre compte, pour chaque individu, de l'éventuel passage, brusque à l'occasion, d'un état à l'autre. Par exemple, un jeune réputé « sans problème » par l'entourage peut très bien receler en lui un potentiel de violence et de révolte qu'il exprimera soudain à telle ou telle occasion. C'est cette ambiguïté des rôles et des positions qu'il nous paraît justement intéressant d'analyser dans le cas d'une émeute urbaine.

2. Elles font apparaître une sorte de face-à-face entre les jeunes du quartier concerné et les forces de police (et/ou les CRS), sur fond d'hostilité latente et d'un travail de harcèlement de la part des jeunes (*cf.*, ici encore, le livre cité de Christian Bachmann et Nicole Le Guennec, *Autopsie d'une émeute*). Ces études peuvent laisser émerger le thème des « quartiers d'exil » (F. Dubet, D. Lapeyronnie) ou, selon les travaux de Jacques Donzelot, celui de la fracture urbaine, des quartiers qui « font

Ce qui nous intéresse ici, fondamentalement, c'est non seulement de restituer la toile de fond sociohistorique d'un tel événement mais aussi de dégager l'enchevêtrement des causes sociales susceptibles de l'expliquer – c'est précisément l'objet de la sociologie. Nous avons ainsi choisi d'analyser cette émeute urbaine comme un symptôme.

De quoi précisément ? D'un ensemble de phénomènes de durée et d'importance variables, situés dans des sphères différentes de la vie sociale, qui affectent en priorité depuis vingt ans les classes populaires : chômage de masse et précarité, affaiblissement des mécanismes de défense collective au travail, effondrement d'une représentation politique proprement ouvrière, déstabilisation des familles populaires, constitution de lieux de relégation spatiale et renforcement de la ségrégation résidentielle[1] sur une base ethnoraciale. Autant de processus que l'on peut regrouper sous l'expression de déstructuration et de décomposition du groupe ouvrier – groupe qui structurait et agrégeait autour de lui (et autour de ses acquis et de ses valeurs, de ses représentants syndicaux et politiques) les autres fractions des classes populaires. En ce sens, ce livre se situe dans le prolongement de notre *Retour sur la condition ouvrière*[2].

Dans les études sociologiques consacrées aux émeutes urbaines, même lorsqu'elles sont fouillées, la description de la situation de travail des adultes ou des jeunes est présentée à l'aide de quelques statistiques comme un état de fait, comme s'il s'agissait d'une sorte de « réalité » sur laquelle il n'y a pas à s'interroger, dont il faut admettre l'existence. De même, le chômage de longue durée des non-diplômés, la précarité du travail subie par les jeunes générations, la discrimination à l'embauche à l'encontre des enfants d'immigrés, etc., sont le plus souvent mentionnés pour composer une sorte de toile de fond socio-économique des violences urbaines. Notre démarche, qui cherche à mettre

---

sécession « ou, dans un registre plus alarmiste, des zones de non-droit. D'autres travaux, inspirés par une perspective constructiviste, mettent surtout l'accent sur l'imbrication entre la construction médiatique du problème, la demande politique de rétablissement de l'ordre et la nouvelle offre de sécurité qui surdéterminent cette question.

1. Phénomène bien mis en évidence dans les récents travaux de Hugues Lagrange. *Cf.* en particulier *De l'affrontement à l'esquive*, Paris, Syros, 2001.

2. Fayard, 1999.

étroitement en rapport émeute urbaine et processus de paupérisation-précarisation des classes populaires, invite à aller au-delà de cette perspective. Elle vise à éclairer les mécanismes structurels qui ont, au cours du temps, contribué à fabriquer les dispositions sociales et les systèmes d'attitudes de ces jeunes des cités. Car ceux-ci se sont construits socialement et individuellement en intériorisant un certain nombre de normes et d'attitudes liées aux expériences fondatrices de leur prime enfance et de leur adolescence. Les moins diplômés d'entre eux l'ont fait en référence à des « chances de vie » restreintes, pour paraphraser Max Weber. C'est en ce sens que l'expression, souvent usitée, de jeunes « sans repères » est trompeuse car elle tend à ignorer les repères que ces mêmes jeunes ont dû s'inventer, en rupture avec le passé et en liaison étroite avec ce qu'ils ont vu, connu, appris de la vie dans le quartier, des expériences de leurs pères au travail.

Au-delà de l'événement, on tentera donc d'analyser la manière dont le rapport à l'avenir des différentes générations des habitants des cités a été brouillé, dont leurs conditions d'existence et leurs modes de vie ont été déstabilisés, dont la précarisation s'est étendue, la façon aussi dont se sont développées chez les jeunes, au fil du temps, diverses modalités d'autodestruction individuelle (suicides, plongée dans la drogue dure ou l'alcoolisme) ou collective[1]. On se situera ainsi à rebours de la politique sécuritaire en vigueur actuellement qui vise, à des fins électoralistes et démagogiques, à stigmatiser les jeunes des classes populaires. Il s'agira ici tout simplement de chercher à comprendre.

L'entreprise est ardue, le propos des sociologues difficilement audible dans l'espace public tant l'attente sécuritaire est grande (nous lui ferons, bien sûr, sa place dans l'analyse). À tel point que ce souci de comprendre, précepte de base des sciences sociale, est le plus souvent interprété – et disqualifié ! – comme relevant d'une entreprise visant à « excuser » les fauteurs de troubles, les « voyous » (comme

---

1. En effet, une des caractéristiques qui surprennent toujours les observateurs lorsqu'on évoque les émeutes urbaines, c'est que celles-ci visent le plus souvent des biens collectifs qui, en pratique, bénéficient aux habitants du quartier. C'est ce qu'on pourrait appeler le caractère violemment autodestructeur que prennent ces émeutes. *Cf.* A. Begag et C. Delorme, « Rites sacrificiels des jeunes dans les quartiers en difficultés », *Annales de la recherche urbaine*, n° 54, 1992, p. 45-52.

on s'est mis à les appeler au « vingt heures » sur TF1). Ce qui suppose, pour un temps, que l'on suspende son jugement, que l'on écoute les uns et les autres, que l'on tente de saisir la manière dont se sont constituées, dans le temps, les personnalités sociales des jeunes des cités, les raisons de leur agressivité, de leur violence[1].

Il s'agit fondamentalement, pour le sociologue, de tenter de comprendre la logique de constitution de leurs dispositions. Par exemple, l'agressivité de certains jeunes du quartier n'est pas une donnée *sui generis* ou réductible à sa seule dimension écologique (comme tend à le faire accroire l'étiquette infamante de « jeunes de la ZUP »), mais le produit d'une histoire plus large qui englobe diverses sphères de l'existence sociale : le marché du travail des jeunes, le mode de scolarisation, les formes de logement dans le quartier et le mode de constitution de la population habitante, les formes locales d'encadrement de la jeunesse, etc. C'est ainsi que, pour éclairer la genèse sociale de l'agressivité des jeunes du quartier, qui est elle-même un préalable nécessaire à l'étude d'une émeute urbaine de ce type, il est indispensable de réintroduire dans l'analyse des questions importantes comme la précarisation sociale, l'insécurité au travail, les modes de socialisation dans les familles et dans le quartier, l'héritage social des vingt années de crise, le poids démographique dans la région de la génération des enfants d'immigrés et les obstacles que beaucoup de ses membres rencontrent pour se faire une place dans la société.

À travers le cas de la Petite-Hollande, il s'agit, au fond, de réfléchir à la façon dont se sont recomposés les rapports de classes au cours de ces quinze dernières années (au niveau local comme au niveau national) et la manière dont ces rapports se sont inscrits spatialement. Il faut insister sur le fait que de nouvelles configurations sociospatiales se sont établies dans les quartiers populaires. Les enquêtes statistiques et ethnographiques convergent toutes pour établir la paupérisation des quartiers d'habitat social.

---

1. Ce qui revient à démontrer, en acte, la fécondité heuristique du précepte selon lequel la sociologie c'est de l'histoire (pour Durkheim, du « passé cristallisé », pour Bourdieu, de l'histoire « objectivée et incorporée »). C'est cette perspective sociohistorique qui manque le plus, nous semble-t-il, aux études sur les émeutes urbaines.

Il n'est pas exagéré d'évoquer, à ce propos, un mouvement de « sauve qui peut », une fuite accélérée de ces lieux de relégation par les familles qui entendent préserver ce qui peut encore l'être, à savoir l'avenir des enfants[1]. Les autres familles, celles qui restent, sont contraintes de le faire : elles sont de plus en plus « prises au piège de la cité[2] ». On y voit se développer de manière ouverte ou sourde une lutte entre générations, et tout particulièrement entre les vieux ouvriers (retraités, préretraités) et les jeunes. À la ZUP de Montbéliard, comme dans beaucoup de quartiers sensibles des villes au passé industriel, ce sont les jeunes d'origine maghrébine – précisons aussitôt : surtout les garçons, qui n'ont pas trouvé de place stable sur le marché du travail – qui sont perçus comme menaçants, notamment par les membres du groupe des ouvriers stables (français comme immigrés, « ouvriérisés » sur vingt à trente ans).

Cette manière de réintroduire les rapports de classes, et de rappeler ainsi la réalité de rapports de force et de rapports de sens en insistant sur les divers processus de fragilisation sociale vécus par les membres des classes populaires, peut éviter la dérive, fréquente aujourd'hui, qui consiste à penser la question des violences urbaines soit en termes seulement urbains, soit en termes seulement

---

1. Pour fuir ces lieux repoussoirs que sont devenus les cités HLM, un nombre croissant de familles populaires a tenté l'aventure du pavillon ou réalisé leur rêve d'accession à la propriété, le plus souvent dans des lotissements plus ou moins éloignés des lieux de travail (dans des zones périurbaines ou dans des départements proches des grandes métropoles). Ce choix de devenir propriétaire est lourd de conséquences sociales qui pèsent fort dans la vie quotidienne : allongement sensible des temps de transport, accroissement des charges budgétaires pour s'adapter à la norme de consommation pavillonnaire (double voiture, élévation du montant des taxes d'habitation et foncières, souvent choix de l'école privée), surendettement pour certains, repli sur le foyer familial pour beaucoup, perte des protections rapprochées autrefois offertes par l'habitat collectif, peur d'être rattrapé par l'insécurité qu'on a voulu fuir quelques années plus tôt en quittant les HLM. En tout cas, voilà peut-être une piste à explorer pour comprendre le vote FN urbain et rural. Ceux qui ont fui les cités, et ont effectué des sacrifices pour cela, vivent dans la hantise de se retrouver à nouveau confrontés aux problèmes issus de la paupérisation sociale, avec en particulier la peur que les « barbares » ne viennent perturber leur tranquillité nouvellement et chèrement acquise.
2. *Cf.* Olivier Masclet, « Les familles immigrées prises au piège de la cité », *Cultures et conflits*, 4ᵉ trimestre 2002.

moraux, le moralisme prenant souvent un déguisement politique.

Plus spécifiquement, nous nous efforcerons de répondre aux questions suivantes : pourquoi cette émeute survient-elle dans une période de forte reprise de l'emploi qui bénéficie aussi aux jeunes des quartiers ? Quel sens donner à ce déferlement de violence et de haine, et surtout : comment expliquer que tant de jeunes du quartier se soient solidarisés avec ce « braqueur » ?

3. Le poids du passé et la prise en compte des différents temps de l'histoire

Le paradoxe de cette émeute urbaine, la première de cette ampleur dans la région, est qu'elle survient dans une période de forte reprise économique (depuis 1998) : le taux de chômage au niveau local chute de 10 % à 7 % entre septembre 1999 et septembre 2000, la demande de travail s'accroît considérablement, l'usine de Sochaux compte plus de 3 000 intérimaires en juillet 2000 (4 700 à la fin de juin 2001), la main-d'œuvre disponible se raréfie et Peugeot fait appel, via les grandes agences, à des intérimaires du Nord et du Centre de la France. La sélection de la main-d'œuvre n'est plus nécessaire : « Aujourd'hui, on accepte tout le monde » est une phrase que l'on entend alors aussi bien à l'usine (chefs d'équipe, syndicalistes, ouvriers ordinaires) qu'à l'extérieur (conseillers à l'Agence nationale pour l'emploi ou à la Mission locale, proviseurs de lycées professionnels, etc.). Tout cela contraste fortement avec l'époque antérieure (notamment les années 1990-98), lorsque les jeunes, postulant à un emploi ouvrier, étaient soumis à de multiples et drastiques procédures de sélection qui ne laissaient à peu près aucune chance à ceux issus des quartiers durs (désignés par leur faciès, leur nom et leur résidence).

Il est évident que l'amélioration rapide de la conjoncture économique ne saurait se traduire mécaniquement par une baisse de la délinquance. Il n'en est pas moins vrai qu'une période nouvelle s'était ouverte avec cette reprise de l'embauche, que des possibilités stratégiques s'offraient désormais aux jeunes issus de l'immigration et que, pour comprendre leurs attitudes de rejet, il convient de réfléchir à la façon dont s'est constitué, au cours de ces années de crise, leur rapport à l'avenir, la façon dont ce dernier a structuré – et en profondeur – leur vision du monde.

Pendant les années de stagnation économique (1991-98) – les « années noires », disent les jeunes –, la plupart des non ou peu diplômés ont attendu un emploi, se sont morfondus dans des petits boulots, ont traîné dans le quartier. Cette expérience sociale du chômage récurrent ou de longue durée a produit, au sein de la fratrie et au sein du groupe des pairs, des effets de découragement, un sentiment d'inutilité sociale et une révolte sourde contre l'ordre social, contre tout ce que représentent les institutions. L'avenir leur est alors apparu bouché, les perspectives de s'établir professionnellement et socialement étant sans cesse reportées à des jours meilleurs. Beaucoup de garçons des familles immigrées ont alors été contraints de rester à la maison et de cohabiter avec leurs parents, en s'inventant un mode de vie compatible avec celui de la famille (où le père, le plus souvent ouvrier vieillissant à l'usine ou en invalidité, supporte mal le chômage persistant de ses fils[1]). L'expérience du chômage s'est largement diffusée dans la famille, notamment des frères aînés aux cadets. Chacun constate que, de plus en plus, la possession d'un diplôme supérieur n'est pas suffisante pour protéger du chômage et de la précarité. Au cours de ces années difficiles (on ne compte pas le nombre des suicides dans les « quartiers »), le découragement, le sentiment de *no future* se sont propagés, notamment au sein des fratries des familles immigrées et parmi les plus jeunes.

Il faut avoir à l'esprit que les « casseurs » de l'émeute de la Petite-Hollande (les douze-vingt ans) ont grandi aux côtés de leurs frères aînés, les ont vus devenir les victimes structurelles de la crise, en sortir « abîmés » physiquement et psychologiquement ; certains ont même plongé dans la déprime, le désastre s'étalant alors aux yeux de tous dans la famille et dans le quartier. Dans le cas des enfants d'immigrés, un thème est devenu omniprésent – « on n'a pas notre place ici », « on se sent rabaissés »[2] –, alimentant une

---

1. Voir, pour une illustration exemplaire de ce point, le texte de Abdelmalek Sayad, « La malédiction », in Pierre Bourdieu (dir.), *La Misère du monde*, Paris, Seuil, 1993.
2. Stéphane Beaud, « Paroles de militants beurs. Notes sur les contradictions d'une mobilisation politique », *Genèses*, n° 40, mars 2000.

profonde amertume. Les enseignants des écoles primaires et des collèges de ZEP ont souvent mentionné devant nous ce qui leur était apparu comme caractéristique de la rupture des années 1990 : la fin de l'effort scolaire pour une partie croissante de leurs élèves qui leur répondaient amèrement : « À quoi bon ? » ou « Pour finir chômeurs ? ». Bref, il s'agit d'une période où, dans ces quartiers, on a fabriqué en masse des jeunes aigris, révoltés, enragés[1], des jeunes qui ont aujourd'hui de vingt-cinq à trente ans...

Pour comprendre cette émeute urbaine, de même que pour analyser le vote des classes populaires le 21 avril 2002 (abstentionnisme massif, rejet de la gauche de gouvernement, vote aux extrêmes[2]), il nous semble essentiel de revenir à l'étude de leurs conditions matérielles d'existence et de leurs transformations au cours des vingt dernières années, à ces « fondamentaux » de la vie sociale que sont le travail, le salaire, le logement, le niveau de vie et le mode de vie.

Avec le recul, on s'aperçoit mieux que la reprise économique de 1998-2001 a eu tendance à faire oublier à quel point le chômage de masse et la précarité sociale institués depuis deux décennies en France ont fini par peser sur les pratiques et les représentations des membres des classes populaires. Outre la peur du chômage et la précarité, épée de Damoclès suspendue au-dessus de la tête des salariés les moins diplômés, le monde du travail, et en tout premier lieu celui des exécutants (ouvriers-employés), a subi au cours de ces années une véritable agression dont témoigne l'accumulation des faits suivants : licenciements « boursiers »,

---

1. Comme en témoigne leur rapport à la formation ; un travailleur social qui connaît bien la question de l'emploi dans la région nous confie : « Les jeunes en ont ras le bol de la formation... On a essayé de viser les publics en difficulté pour les informer... de les mener vers une employabilité parce qu'il s'agissait plus d'une attitude comportementale... On a eu beaucoup de difficultés... énormément... » (décembre 2000). Pour une analyse plus développée du sens des nouvelles pratiques d'insertion économique, cf. l'article de Gérard Mauger, « Les politiques d'insertion. Une contribution paradoxale à la déstabilisation du marché du travail », Actes de la recherche en sciences sociales, n° 136-137, mars 2001, p. 5-14.

2. Les circonscriptions électorales de la région de Sochaux-Montbéliard ont été parmi celles qui en France ont voté le plus à l'extrême droite (32 % au premier tour pour celle d'Audincourt), ce qui leur a valu les honneurs de la presse nationale.

accroissement du nombre des accidents du travail, envolée des maladies professionnelles dues à l'intensification du travail, concurrence institutionnalisée entre catégories de salariés, nouvelles formes de domination au travail, culpabilisation et harcèlement moral, etc.

Entre 1997 et 2001, certes, l'emploi est reparti, le chômage a reculé (y compris dans les « cités »), on a même parlé un moment de « plein-emploi précaire », notamment dans les PME, dont on sait aujourd'hui qu'elles sont majoritairement sous le contrôle de groupes industriels et qu'elles ont été créées dans le cadre d'une stratégie de contournement des collectifs de travail. Dans ces entreprises de main-d'œuvre qui, pour certaines, disparaîtront quelques années plus tard, dont d'autres sont prévues pour durer quelques années seulement, on voit fleurir de nouvelles formes de *sweat shops* (les ateliers de la sueur du XIXe siècle) reléguées dans certaines zones rurales désertes ou dans les nouvelles zones industrielles, sans contact avec la ville et ses réseaux de sociabilité, interdites au regard extérieur.

Prenons l'exemple des équipementiers automobiles, que l'on peut considérer comme idéal-type des nouvelles entreprises célébrées par la presse manageriale. Le tableau que l'on peut faire des conditions de travail qui y prévalent est extrêmement sombre : cadences de travail effrénées, rapports entre ouvriers très violents, maladies professionnelles fréquentes et survenant de plus en plus rapidement (les médecins du travail tirent, en vain, la sonnette d'alarme depuis quelque temps sur ce problème de santé publique[1]). Sans compter, ce qui est peut-être le plus important, la dégradation des relations sociales au sein des collectifs de travail, l'effondrement de la morale ouvrière qui tenait lieu de ciment.

Ce point, à nos yeux fondamental, passe souvent inaperçu dans les commentaires sur le monde ouvrier, tout simplement parce que nombre de journalistes et de sociologues ont, jusqu'à récemment, renoncé à aller voir ce qui se passe sur ces lieux de travail soustraits aux regards extérieurs (des cinéastes documentaristes ont parfois tenté de

---

1. Voir, par exemple, les différents numéros de la revue de la Mutualité, *Santé et Travail*.

prendre le relais des sociologues pour forcer l'entrée de ces univers). Du coup, on ne prend pas la mesure de la peur, du besoin de se défouler sur les autres. Pour comprendre le caractère de protestation désespérée que revêt souvent le vote FN en milieu populaire, il faut toujours avoir à l'esprit cette dégradation multiforme des conditions de travail, forme majeure de l'insécurité, celle justement dont on parle si peu dans les médias et que la gauche de gouvernement n'est pas parvenue à saisir dans ses conséquences pratiques, au jour le jour : rétrécissement de l'horizon temporel, réduction des possibilités de prévoir et de se protéger dans l'avenir[1], peur et inquiétude pour la santé, exposition croissante aux risques du travail comme le montre l'enquête exemplaire d'Annie Thébaud-Mony sur les intérimaires du nucléaire[2] ou l'explosion de l'usine AZF.

4. La construction de l'univers mental de la génération de précaires

Une des hypothèses qui guident ce livre est qu'il faut s'efforcer d'inscrire ces processus dans le temps. Voilà, en effet, plus de vingt ans que se produit une déstructuration en profondeur des modes de vie et des styles de vie des classes populaires, sous l'effet de choc produit par le chômage de masse, la raréfaction des emplois non qualifiés et/ou la disqualification de la force de travail simple, l'institutionnalisation de diverses formes d'insécurité économique et sociale[3]. Or, ce sont les jeunes – on l'oublie trop souvent dans notre société vieillissante – qui ont payé le plus lourd

---

1. Il y a là un signe d'une forme de régression au stade antérieur de l'esprit capitaliste dans les milieux populaires. En prolongeant les découvertes de Weber sur l'esprit du capitalisme, Bourdieu et son équipe, dans *Travail et travailleurs en Algérie* (Paris, Mouton, 1964), ont montré, dans le contexte algérien, que la prévisibilité et la calculabilité des conduites économiques des travailleurs algériens qui parvenaient à s'affranchir du sous-prolétariat allaient de pair avec la pénétration du système capitaliste.

2. Annie Thébaud-Mony, *L'Industrie nucléaire : sous-traitance et servitude*, Paris, INSERM, 2000.

3. *Cf.* notamment Jean-Pierre Faguer, « Pour une histoire de la précarité : transformation des emplois précaires et des modes de management », *Lettre n° 57 du CEE*, 1999 et, plus récemment, Margaret Maruani, *Les Mécomptes du chômage*, Paris, Bayard, 2002.

tribut lors de ces deux dernières décennies[1]. Et il faut bien comprendre qu'une sorte de sédimentation de ces différentes expériences sociales s'est opérée dans l'esprit des jeunes des quartiers qui, pour le dire de manière schématique, ont grandi avec la crise.

Dans la mesure où nous étions souvent sur le terrain au cours de cette décennie 1990, nous avons pu suivre dans le temps, parfois observer directement, un certain nombre de ces processus. Ce qui nous a permis d'opérer des coupes synchroniques pertinentes dans la période considérée et donc d'isoler les moments de cristallisation des expériences sociales fondatrices pour les enquêté(e)s[2]. Car il faut bien avoir à l'esprit que, derrière les mots chômage de masse ou précarité, il y a des expériences sociales très concrètes – sentiment de relégation scolaire, sociale et résidentielle, racisme[3] – qui ont laissé des traces profondes, inscrites dans les manières d'être et d'agir, par exemple dans la façon de parler ou dans les *hexis* corporelles. En outre, ces traces de la violence sociale – Christian de Montlibert va, lui, jusqu'à parler de « guerre sociale[4] » – subie par ces jeunes se sont

---

1. Ce constat a été établi très sûrement par les enquêtes de sociologie quantitative de Louis Chauvel (*Le Destin des générations*, Paris, PUF, 1998) – et de Christian Baudelot et Roger Establet (*Avoir 30 ans*, Paris, Seuil, 1999). Ces travaux montrent très clairement que ce sont, en France, les jeunes qui ont supporté le plus gros du poids de la crise : les non ou peu diplômés promis à une succession de stages et de petits boulots sans avenir, les jeunes d'origine immigrée victimes, dès le début des années 1980, ne l'oublions pas, du processus de discrimination à l'embauche, et de l'explosion de la précarité (recours massif à l'intérim et de plus en plus systématique aux CDD). Voir aussi les travaux du CEREQ et d'Éric Verdier au LEST (voir la bibliographie en fin de volume).

2. Depuis la parution de notre livre *Retour sur la condition ouvrière*, *op. cit.*, sont parus deux livres sur Peugeot, riches en informations objectives et en perspectives théoriques : Nicolas Hatzfeld, *Les Gens d'usine. 50 ans d'histoire à Peugeot-Sochaux*, Paris, Éditions de l'Atelier, 2002, et Jean-Pierre Durand, Nicolas Hatzfeld, *La Chaîne et le réseau. Peugeot-Sochaux, ambiances d'intérieur*, Lausanne, Éd. Page Deux, 2002.

3. Le témoignage d'Abd Samad Moussaoui, frère de Zacarias, est à cet égard accablant. Il fait sentir en finesse comment l'expérience du racisme ordinaire, notamment lors des années d'apprentissage, est au principe de la constitution de la personnalité de Zacarias, de la progressive « haine » qu'il va développer pour son pays d'accueil, si peu accueillant. *Cf.* Abd Samad Moussaoui, Florence Bouquillat, *Zacarias Moussaoui, mon frère*, Paris, Denoël, 2002.

4. Christian de Montlibert, *La Violence du chômage*, Strasbourg, Presses universitaires de Strasbourg, 2001.

peu à peu accumulées, et comme coagulées, dans la mémoire collective de cette génération de précaires, contribuant de manière certainement décisive à produire le type de personnalité sociale qui paraît si étrange, si incompréhensible, aux générations plus anciennes. D'une certaine manière, le terme de « sauvageon », qui n'avait peut-être pas la coloration de racisme de classe qu'on lui a prêtée lorsque Jean-Pierre Chevènement l'a prononcé, exprime bien la manière dont sont perçues les générations nées dans l'après-trente glorieuses (les « vingt piteuses », dit Nicolas Baverez).

Un des objectifs de ce livre est précisément de faire entrer le lecteur dans l'univers mental de ces jeunes (et de leurs familles) et d'examiner sous différentes facettes le laboratoire de production des habitus sociaux tel qu'il a fonctionné au cours de ces quinze dernières années. Pour y parvenir, il a été nécessaire d'emprunter bien des détours : observer le fonctionnement des institutions de gestion de l'emploi (comme la mission locale), étudier la logique de sélection et de gestion du personnel dans les nouvelles entreprises sous-traitantes de l'automobile, étudier les transformations des familles populaires et les effets sociaux de la crise de la masculinité ouvrière, les histoires individuelles et familiales des jeunes des cités, la vie dans le quartier, etc. Tout cela nous l'avons étudié dans le cadre d'une enquête monographique, le terrain de Sochaux-Montbéliard, car nous croyons, sans avoir à le démontrer ici, à la pertinence de la généralisation en matière d'enquête ethnographique[1].

Dans une première partie, nous traitons du temps long de la crise (les années 1990-98) en rendant compte, d'une part, de l'expérience fondatrice qu'a constituée pour des jeunes non ou peu diplômés leur fausse entrée sur le marché du travail (chapitres 1 et 2) et, d'autre part, en examinant

---

1. On peut se demander pourquoi ce droit à la généralisation que l'on accorde sans hésiter aux ethnologues travaillant en terrain exotique est si fortement contesté aux sociologues-ethnologues des terrains métropolitains. Lors des nombreux débats que nous avons eus dans la France entière, notamment grâce aux *Amis du Monde diplomatique*, après la parution du livre *Retour sur la condition ouvrière*, nous avons eu la confirmation, indirecte, que les processus analysés dans le livre se retrouvaient sous des formes étonnamment semblables dans d'autres régions de France.

les effets sociaux du processus de sélection à l'embauche dans l'usine de Sochaux (chapitre 3) ainsi que le durcissement des conditions de travail dans les usines d'équipementiers (chapitre 4).

Dans une deuxième partie, nous montrons comment la « divine surprise » de la reprise des années 1998-2001 a redistribué les cartes sur le marché du travail local : les entreprises, face à la pénurie dramatique de main-d'œuvre, découvrent alors le gisement que représentent les « quartiers ». Les jeunes des cités entrent en masse à l'usine. Mais en intérim ou en CDD renouvelés ! Cette ouverture économique et matérielle s'accompagne assez vite de frustrations, et surtout de la crainte d'être floués dans leurs aspirations à la stabilisation professionnelle.

Enfin, dans une troisième partie, qui couvre toute la décennie 1990, nous nous attarderons sur ce qui nous apparaît comme l'un des nœuds de la question sociale dans la France d'aujourd'hui : la place faite – ou plus précisément non faite – aux enfants d'immigrés, tant dans l'entreprise que dans la cité.

Liste des sigles

AFPA : Association de formation professionnelle pour adultes.
APF : Agent de production et fabrication.
APL : Allocation personnalisée au logement.
BAC : Brigade anticriminalité.
BEP : Brevet d'études professionnelles.
BTS : Brevet de technicien supérieur.
CAF : Caisse d'allocations familiales.
CAP : Certificat d'études professionnelles.
CDD : Contrat à durée déterminée.
CDI : Contrat à durée indéterminée.
CES : Contrat emploi-solidarité.
CFA : Centre de formation des apprentis.
CFAO : Conception de fabrication assistée par ordinateur.
CIO : Centre d'information et d'orientation.
CN : Commande numérique.
CSP : Catégories socioprofessionnelles.
DARES : Direction de l'animation, de la recherche et des enquêtes statistiques.
DASS : Direction des affaires sanitaires et sociales.
DIJ : Dispositif d'insertion des jeunes.
ETAM : Employés, techniciens, agents de maîtrise.
FONGECIF : Fonds de gestion du congé individuel de formation.
GRETA : Groupement d'établissements publics locaux d'enseignement.
IUT : Institut universitaire de technologie.
LEP : Lycée d'enseignement professionnel.
ML : Mission locale.
MRAP : Mouvement contre le racisme et l'antisémitisme et pour l'amitié entre les peuples.
ORSU : Outillage et réglage des systèmes d'usinage.
PME : Petite et moyenne entreprise.
SAFC : Organisme de logements en Franche-Comté.
SEGPA : Section d'enseignement général et professionnel adapté.
SES : Section d'études spécialisées.
SMIC : Salaire minimum de croissance.
TO : Technicien opérateur.
TRE : Technique de recherche d'emploi.
UD-CGT : Union départementale CGT.
ZEP : Zone d'éducation prioritaire.
ZUP : Zone à urbaniser en priorité.

Première partie

LE TEMPS LONG DE LA CRISE

L'arrêt de l'embauche ouvrière aux usines Peugeot depuis la fin des années 1970 jusqu'à 1986-87, puis la faiblesse du recrutement et l'élévation continue du niveau de qualification exigé ont profondément détérioré les conditions d'entrée des jeunes sortis précocement du système scolaire sur le marché du travail[1]. Les jeunes non ou peu diplômés de la région ont été les premières victimes de ce chômage de masse. Le taux de chômage dans certains quartiers sensibles de la région a pu atteindre 30 à 40 % au début des années 1990. La Mission locale, les stages et les petits boulots ont constitué pour eux, pendant ces années, le seul horizon d'attente. Lorsqu'ils ne pouvaient pas être maintenus dans le système scolaire parce que trop âgés, l'avis du conseil de classe était sans appel et lapidaire : « Vie active ! » Ces mots ont souvent sonné aux oreilles de ces jeunes, souvent dépourvus de relations[2], comme une sorte d'arrêt de mort sociale.

Notre enquête nous a permis d'accumuler, dans les années 1990-94, un matériel conséquent sur les jeunes précaires à partir de lieux d'observation différents : jeunes intérimaires de l'usine de Sochaux, extérieurs à la région, et

---

1. « Pendant six ans, de 1982 à 1988, on a formé des chômeurs », nous dit un chef de travaux d'un LEP industriel, longtemps spécialisé dans les métiers traditionnels de la mécanique (ajusteurs, fraiseurs, soudeurs...) avant de prendre, à la fin des années 1980, le tournant de la « modernité » technologique (création de bacs professionnels de maintenance des équipements automatisés, de plasturgie et de productique).
2. L'époque où l'on embauchait en priorité les enfants du personnel Peugeot était révolue depuis longtemps.

jeunes ouvriers locaux en quête de formation rencontrés à la Mission locale, familles ouvrières où cohabitent lycéens, étudiants et chômeurs ou stagiaires (chapitres 1 et 2). Le champ de l'enquête, au départ circonscrit aux seuls intérimaires de l'usine[1], s'est ensuite élargi en 1994-98 de manière à faire apparaître les processus qui, aujourd'hui, unifient, par-delà leurs différences de statut, les expériences sociales des jeunes ouvriers : la disqualification de la force de travail « simple » et le risque accru de « désaffiliation sociale[2] » (chapitre 3), et la vulnérabilité croissante des salariés dans les nouvelles entreprises sous-traitantes de la filière automobile (chapitre 4).

---

1. Voir nos articles « Permanents et intérimaires » et « Le rêve de l'intérimaire », dans *La Misère du monde, op. cit.*

2. Voir Robert Castel, « De l'indigence à l'exclusion : la désaffiliation », *in* Jacques Donzelot (éd.), *Face à l'exclusion*, Paris, Éditions Esprit, 1999, p. 137-168.

CHAPITRE PREMIER

Des jeunes en quête d'emplois
(observations à la Mission locale)

La Mission locale de l'emploi, ouverte en 1982, a pour vocation d'accueillir un public de jeunes non ou peu diplômés, sortis du système scolaire et en quête d'emploi. Pour comprendre l'état d'esprit de ces derniers quand ils s'y inscrivent – à ce moment de l'enquête, c'est-à-dire au début des années 1990 –, il faut rappeler qu'ils éprouvent le plus souvent un sentiment d'échec scolaire – interruption d'études ou échec au CAP ou au BEP – avivé par l'ouverture permise par la politique des « 80 % au bac ». Sortis de l'école, ils se retrouvent dans la « vie active », euphémisme pour camoufler l'inévitable chômage qui attend ces élèves devenus indésirables au collège ou au lycée.

Ayant perdu le statut de « scolaire » ou d'étudiant, ils se font d'abord enregistrer à l'ANPE, puis se rendent à la Mission locale qui se charge de les accueillir, de leur faire passer un premier entretien (le « primo-entretien », dans le langage de l'institution) pour ensuite les orienter, en fonction de leur niveau d'études et des opportunités de stages, vers différents types de formation.

Pour étudier le rapport à l'emploi de cette catégorie de jeunes non ou peu diplômés, qui en très grande majorité, sont d'origine populaire et habitent en cité, nous avons privilégié la voie de l'observation, afin de saisir en acte à la fois leurs attentes, leurs aspirations et leurs manières d'être, de parler et de se tenir ; aussi afin de saisir sur le vif le type de rapport qu'ils entretiennent avec ceux qui ont un pouvoir sur eux. Comme l'interaction évoque, par certains aspects, un entretien d'embauche (par le caractère officiel du dialogue, la nécessaire présentation de soi, le questionnement sur l'identité sociale, la nécessité d'offrir la meilleure image de soi), on obtient par ce biais une vision approchée de ce que serait leur comportement dans une situation d'embauche vraie, laissant entrevoir comment la présentation de soi de la plupart d'entre eux peut constituer un handicap sur le marché du travail[1]. En outre, ce type d'entretien peut être analysé comme une forme d'« institutionnalisation du moi » et, à ce titre, fait aujourd'hui partie d'un ensemble de dispositifs mis en place dans différentes institutions pour « écouter » et « faire parler » les « gens ». « Par le biais de structures d'offres variées, les agents sociaux sont progressivement invités à élaborer des récits autobiographiques, psychologisants, sociologisants ou historicisants[2]. »

Cette observation directe des interactions entre demandeurs et offreurs de stages de formation opère au fond comme un révélateur du fonctionnement d'un segment particulier du marché du travail local – celui des jeunes non ou peu diplômés – et de la formation de la valeur sociale des individus qui offrent leur force de travail. L'enquête effectuée à un niveau microsociologique laisse en effet entrevoir la manière dont l'institutionnalisation de la recherche d'emploi non qualifié par la Mission locale[3] contribue à la construction sociale de l'offre de travail des jeunes. On fait ici l'hypothèse que l'allongement et l'indétermination de la phase de transition professionnelle des jeunes exclus du système scolaire ou faiblement diplômés (prenant la forme concrète d'une succession de « stages » ou d'alternance entre phases de formation et de travail précaire) tendent à modifier durablement leurs aspirations socioprofessionnelles[4].

---

1. L'observation directe fait apercevoir les choses à un moment donné et laisse échapper le déroulement des événements dans le temps : que s'est-il passé en amont et en aval de l'observation ? Que font réellement les stagiaires en formation ? Quelles sont leurs ressources sociales, les possibilités de se « débrouiller » ? On n'en a ici que des récits et des traces indirectes. Pour une première version publiée de cette recherche, *cf.* Stéphane Beaud, « Stage ou formation ? Les enjeux d'un malentendu. Notes ethnographiques sur une Mission locale de l'emploi », *Travail et Emploi*, n° 62, avril-juin 1996.

2. Bernard Pudal, « Du biographique entre "science" et "fiction". Quelques remarques programmatiques », *Politix*, n° 27, 1994, p. 7.

3. « Mission locale » sera désormais noté ML.

4. Bien sûr, pour pouvoir mener vraiment à bien ce travail, il aurait fallu pouvoir s'appuyer sur des données statistiques fiables. Or, ce n'est pas le cas, les fiches manuelles des primo-entretiens comportant de

1. « Je viens pour un stage... »

L'enquête ethnographique donne un éclairage instructif sur les modalités de la recherche d'emploi des jeunes non ou peu diplômés de la région. En allant au-delà de la seule étude des différents dispositifs d'emploi mis en œuvre pour les jeunes, elle permet de comprendre la formation de la valeur sociale de ces laissés-pour-compte de l'emploi stable ou intérimaire. Lorsque ces jeunes, tout juste sortis du système scolaire, viennent s'inscrire à la ML, ils voient basculer soudain leur existence du côté de la zone floue et indéterminée de la « vie active » qui fluctue entre chômage et « occupation ».

Diminués socialement, fragilisés psychologiquement, ils entrent comme à reculons dans un avenir professionnel qui se dérobe largement devant eux[1]. L'entretien d'inscription à la ML (le fameux « primo-entretien »), première étape de l'entrée dans la vie active, donc, est un moment fondateur dans la « stratification de l'expérience » (Karl Mannheim), comme une sorte de « scène primitive » qui marque moins le début d'une carrière professionnelle que d'une carrière de « stagiaire ». À ce titre, il opère comme un miroir grossissant du nouvel âge de la vie de ces jeunes issus des classes populaires locales, caractérisé par l'allongement et l'indétermination de la période de transition entre l'école et l'emploi stable, et ce à l'opposé de l'ancien calendrier des âges en milieux populaires[2].

Cependant, il faut garder à l'esprit que l'observation des entretiens isole un aspect très particulier du marché de la formation et empêche de voir la « chaîne d'interdépendances » (pour parler comme Norbert Elias) dans laquelle

---

nombreux « trous » et étant remplies diversement selon les conseillers. C'est faute de mieux que nous utilisons les données recueillies pour ouvrir sur une réflexion plus générale.

1. Il est significatif que certains d'entre eux viennent accompagnés par leurs parents, dont l'inquiétude se lit sur le visage, comme si le rendez-vous à la ML venait, outre clore la série des entretiens avec différents conseillers d'orientation (au collège, au lycée, au CIO, etc.), solder les comptes de l'échec scolaire de leurs enfants.

2. Sortie précoce du système scolaire, entrée comme ouvrier à l'usine, rites d'intégration à l'univers de l'atelier, continuité dans le mode de succession des générations ouvrières, imitation et incorporation des habitudes de travail, des manières d'être et de sentir des ouvriers locaux, etc.

se situent et prennent sens ces interactions. Celles-ci s'inscrivent dans le cadre plus large des activités professionnelles des conseillers (ne se comprenant qu'à partir de leurs modes antérieurs de socialisation professionnelle) et ne peuvent pas non plus être isolées des autres sphères de la vie sociale (l'école, le quartier, l'usine, les loisirs, etc.) où se construisent les différents aspects de la personnalité sociale de ces jeunes.

Dans la salle d'accueil, les jeunes sont reçus par la secrétaire chargée de prendre les rendez-vous pour les conseillers. Lorsque celle-ci leur demande les raisons de leur venue, beaucoup répondent très naturellement, d'un air presque dégagé : « Je viens pour un stage. » Cette expression, on l'entend aussi très souvent lors des premiers échanges en primo-entretien, prononcée comme une sorte de mot de passe, de formule magique qui ouvrirait les portes d'un statut social autre que celui de jeune chômeur. Cette demande identitaire semble surtout le fait des jeunes habitants des quartiers HLM[1].

Au café du centre commercial d'un quartier HLM de la région (qui sert de lieu de rendez-vous des jeunes au chômage), il m'a été donné d'assister à plusieurs discussions qui tournaient autour du travail, de la recherche d'emploi. L'un d'entre eux, par exemple, racontait qu'il « ne trou[vait] pas de boulot », qu'il n'y avait « rien en intérim » ; un de ses copains lui avait conseillé d'aller à la ML : « Tu leur dis que tu viens pour un stage et c'est bon. » Certains avaient même des combines à proposer, donnant le prénom ou le nom du conseiller qu'il fallait aller voir pour réussir à décrocher un stage, et, à l'inverse, de celui ou celle qu'il fallait éviter. Lorsqu'ils prennent rendez-vous, si la secrétaire de l'accueil les dirige vers un conseiller qui a mauvaise réputation, ils refusent donc (« Ah non, pas celui-là ») et tentent de négocier un rendez-vous avec un autre conseiller ; certains

---

1. Philippe, un ancien de la ML, que j'accompagne lors de sa permanence dans une antenne de l'institution à 25 km de Montbéliard, m'explique la différence, en matière de recherche d'emploi, entre les jeunes du district de Montbéliard (se recrutant majoritairement dans les quartiers HLM), qui sont toujours impatients de trouver du travail « tout de suite et qui surtout ne veulent pas attendre », et ceux de cette région rurale, qui se montrent, eux, moins impatients, et ne cherchent souvent du « boulot » que pour trois mois.

s'en vont s'ils n'obtiennent pas satisfaction. Ils reviendront, le cas échéant, plusieurs jours de suite pour obtenir le rendez-vous qu'ils souhaitent.

Lorsqu'un nouveau conseiller arrive à la ML, il est souvent très demandé pendant une courte période, testé en quelque sorte par les habitués qui essaient d'obtenir par son intermédiaire ce que les autres leur ont refusé. « Ici, c'est beaucoup par le bouche-à-oreille », disent les conseillers pour désigner ce processus de propagation rapide des nouvelles de la ML vers « les quartiers ». Le bouche-à-oreilles fonctionne aussi lorsque de nouveaux stages de formation sont mis en place par la ML. Une nouvelle conseillère, à qui je demandais ses premières impressions quatre mois après son arrivée, évoqua la spécificité du comportement des jeunes des cités à partir de l'exemple suivant : « C'est pas rare qu'ils arrivent en disant : "Je veux faire un stage en tournage, c'est le tournage qui me plaît." En fait, c'est parce que le copain a fait du tournage et qu'il a su par ailleurs qu'il y avait des stages en tournage. » Cette attitude rationnelle de la part des jeunes (le stage est rémunéré environ 2 200 F par mois) est parfois sévèrement jugée par certains conseillers (« ils sont là pour les 2 000 F et puis c'est tout », dit l'une des conseillères).

Dans le cas des jeunes des cités, il semble que les usages de la ML soient très différenciés selon le sexe et l'ancienneté au chômage. Les garçons non diplômés ne se rendent à la ML qu'après avoir examiné les autres possibilités d'emploi[1]. Tous savent plus ou moins que la ML ne leur proposera pas un « vrai boulot », mais encore une fois une formation, un « stage ». Ils hésitent toujours un peu à y aller, se promettent d'y aller un jour (« Faudrait que j'aille à la ML », disent-ils pour clore une conversation où, entre copains, ils ont fait le tour d'horizon des solutions envisageables). Ils retardent le plus souvent le moment de s'y rendre, en prétextant d'autres choses à faire toujours plus urgentes. Il y a dans cette attitude vis-à-vis de la ML un mélange de méfiance et de crainte, la peur d'affronter une

---

1. Les travaux non qualifiés en intérim, les « boulots » d'ouvrier dans l'industrie des matières plastiques à 100 km constituaient autant de débouchés professionnels temporaires dans les années 1990-91. La récession de 1992, et surtout de 1993, a entraîné la quasi-disparition des emplois d'intérimaires et un afflux de jeunes non qualifiés à la ML.

image négative d'eux-mêmes (celle qu'ils ont héritée de l'école) que la ML, assimilée peu ou prou à une institution scolaire, risque de leur renvoyer. On a l'impression qu'ils ne décident de s'y rendre qu'en dernière extrémité, après avoir épuisé toutes les autres possibilités. Une fois sur place, ils ont tendance à vouloir tout de suite un rendez-vous, comme s'ils ne supportaient pas d'attendre, désireux d'en finir avant même d'avoir commencé.

> *Jeudi 16 août 1990* : Je rencontre Kamel (que j'ai vu deux jours plus tôt à la radio du quartier de Gercourt et qui a « oublié » de venir au rendez-vous qu'on s'était fixé) le lendemain à une terrasse de café du centre-ville. Il doit faire un contrat d'emploi-solidarité à la radio locale, s'excuse longuement du « lapin » qu'il m'a posé la veille. Il aimerait faire un BEP vente action marchande mais il ne sait pas comment faire. Je lui parle de la ML, il m'interrompt tout de suite : « J'y suis déjà allé, il y avait deux secrétaires, deux gamins, il fallait attendre, je suis pas resté. » Je lui propose de l'accompagner à la ML, il accepte ; arrivé là-bas, je le laisse faire. Il a vu un conseiller et, finalement, revient content de l'entretien qu'il a eu. Il a décroché un CES et préparera en même temps un BEP de vente. La ML m'apparaît comme un lieu où les jeunes du quartier vont à reculons, certains sachant à l'avance que cela ne servira à rien : la moindre attitude (ou le ministre signe) est saisie pour ne pas s'y inscrire, pour reculer devant l'obstacle. Comme s'ils avaient peur d'y aller. De quoi est faite cette peur ? Du fait, je crois, que la ML trace des limites, leur assigne une place, objective leur propre condition sociale, présente et future. Kamel s'aperçoit après coup qu'il a des droits, qu'il y a de véritables possibilités de formation, que son handicap initial n'est peut-être pas insurmontable, que son retard peut être comblé. (*Extrait du journal de terrain.*)

En ce début des années 1990, les filles sans diplôme sont beaucoup plus touchées que les garçons par le chômage, du fait de la pénurie d'emplois tertiaires dans la région et de la très grande difficulté à trouver un travail dans l'intérim ou dans l'industrie. Il y a bien quelques petites filières (comme la restauration, l'hôtellerie, en Suisse notamment) où elles peuvent espérer trouver du travail, mais elles ne sont accessibles qu'à celles qui peuvent se déplacer. La ML constitue donc pour beaucoup d'entre elles la seule chance de décrocher un contrat, d'entrer par la petite porte sur le marché du travail. Les filles habitant en cité y viennent presque toujours par deux, les copines s'épaulant et faisant front face au conseiller. Elles se retrouvent au sortir de l'école un peu « paumées », comme elles disent, « déboussolées ». Celles qui possèdent un CAP ou un BEP (vente, secrétariat, etc.) s'aperçoivent subitement que leur diplôme, largement dévalorisé, ne leur permettra pas d'entrer sur le marché du travail local, ce qui provoque souvent chez elles une sorte de fuite en avant. Elles changent subitement, sur un coup de tête, de projet d'avenir, et rêvent alors de faire tout autre chose (passer de la « cuisine » à la « vente » par exemple), comme pour échapper au destin tout tracé des petits boulots et des stages. Les faibles chances d'insertion dans un monde professionnel stable font qu'elles éprouvent beaucoup de difficultés à se projeter dans l'avenir, se réfugiant alors dans le rêve social de métiers « inaccessibles[1] ».

Venir à la ML correspond ainsi au moment où la galère devient insupportable, comme une tentative de conjurer une angoisse grandissante, une démarche de la dernière chance : l'intérim n'a rien donné, ni les petites annonces. C'est un lieu qui leur paraît comme moins immédiatement hostile que l'ANPE, où « on ne fait que pointer » : ici, on peut échapper (temporairement en tout cas) à la sanction du marché du travail. L'attente vis-à-vis de la ML est d'autant plus grande que celle-ci apparaît comme la dernière assistance que peut offrir l'État. Le stage est alors, aux yeux de beaucoup d'entre eux, comme quelque chose qu'on ne saurait leur refuser. Ainsi qu'en témoignent ces deux extraits du journal de terrain (juillet-août 1990) :

> J'ai assisté à deux primo-entretiens cet après-midi (Soraya, Aline). Même si les conseillers s'opposent fortement à tout ce qui peut faire ressembler la ML à une « ANPE pour jeunes », il n'empêche : la plupart des jeunes viennent y chercher, à défaut d'un emploi, un « stage ». La première rencontre ressemble à un entretien d'embauche. Les « candidats » sont souvent intimidés, ils parlent d'une voix basse, parfois enrouée, bloquée par une certaine émotion (celle de se retrouver à la « Mission locale », de devoir avouer leur échec au CAP ou au BEP par exemple). Soraya comme Aline fuient le regard du conseiller qu'elles perçoivent comme un « interrogateur », de l'autre côté de la table, avec

---

1. La ML est à ce titre un observatoire pertinent de l'état de démoralisation de la fraction de la jeunesse populaire exclue du système scolaire.

« ses » questions, « ses » papiers à remplir, « ses » phrases toutes faites.

Soraya, dix-neuf ans, vit chez ses parents dans une cité HLM de la région, elle a quatre frères et une sœur. Au moment de s'inscrire à la ML, elle vient d'échouer à son CAP de couture et n'a pas été admise à redoubler dans son lycée. Elle s'est inscrite à l'ANPE dès qu'elle a reçu la notification de refus d'admission. Elle vient à la ML de la part de l'ANPE (« c'est le bonhomme... le monsieur de l'ANPE qui me l'a dit ») qui lui a conseillé de venir pour faire un crédit-formation. Elle est venue « habillée » à la ML : en chemise bleue, jupe longue bleue, souliers noirs vernis, lui donnant un air un peu endimanchée, son petit sac à main serré contre son buste, intimidée. Il y a toujours un goût de défaite dans la visite à la ML : lorsqu'on demande à Soraya si c'est la première fois qu'elle vient à la ML, elle répond : « Oui, malheureusement. » Elle souhaiterait obtenir un diplôme supérieur à un CAP de couture, au moins un BEP, mais dans un tout autre domaine, en secrétariat, comptabilité, « parce qu'avec un CAP couture, on n'a rien, c'est complètement bouché ». Mais à la fin de l'entretien, elle avoue comme dans un rêve : « J'aimerais bien travailler avec les enfants. » C'est quelque chose qui revient presque à chaque premier entretien à la ML, ce désir « irrationnel » de changer de CAP, de changer de voie (passer de la « couture » au travail avec les enfants). Ensuite la conseillère, après l'avoir laissée parler et mise à l'aise, revient sur le « fond » de l'affaire : les propositions de stage, les questions « administratives ». Elle lui propose un « stage de mobilisation sur projet », explique le terme (« ça dure deux mois, un stage de douze personnes, c'est une formation pour apprendre à connaître les différents métiers »). Soraya écoute attentivement, silencieuse, je prends des notes. On remplit alors le dossier personnel, dernière phase de l'entretien. Soraya commente au fur et à mesure que la conseillère remplit la longue fiche : « J'ai quatre frères, d'ailleurs j'en ai un qui est venu à la ML... ça va maintenant, il est intérimaire à Peugeot. » Lorsqu'on lui pose la question de savoir si elle est mobile, elle fait la moue. Chantal [la conseillère] lui propose Strasbourg, elle répond vivement : « Oh non ! Pas Strasbourg... Belfort à la rigueur... (*Puis, sur un ton de reproche qu'elle se fait à elle-même et comme pour s'excuser :*) Je suis difficile, hein ! (*Rires.*) La faible « mobilité » des jeunes locaux, c'est toujours quelque chose qui surprend les conseillers dont la plupart ne sont pas d'ici. Une fois la fiche remplie, Chantal teste la motivation des candidats et cherche à savoir ce que Soraya « voudrait faire ». Celle-ci, un peu décontenancée par la question, hésite avant de répondre : « Moi, je voudrais travailler, je sais pas » (*elle hésite puis se lance*). « Moi je voudrais savoir ce que c'est que travailler. » Chantal demande « Pourquoi ? » « Je sais pas.. on est quand même six dans la famille. C'est aussi pour mon avenir, c'est pour moi... (*Elle réfléchit, hésite à se livrer et à raconter des choses "privées", et finalement se lance une dernière fois :*) Par exemple, je peux pas m'acheter un jean à 300 francs. Bon, un jean à 180 francs, ça va, mes parents comprennent, mais moi je ne peux pas leur demander plus. » Chantal lui demande ensuite ce qu'elle a fait comme recherche d'emploi depuis sa sortie de l'école. Elle doit avouer qu'elle n'a rien fait du 10 juin (jour de ses résultats de CAP) au 30 juin (jour de son refus de redoublement) avant d'essayer de prouver sa bonne volonté : « Non, pour être franc, après le 30 juin j'ai fait que ça ! J'ai été dans toutes les boîtes d'intérim, mais ils recherchent plutôt des hommes, j'ai aussi fait les grandes surfaces... Rien ! De toute façon, je peux pas rester sans rien faire, il faut que je bouge. Mais c'est vrai, les commerçants, je suis un peu dégoûtée... »

Pour revenir au premier après-midi passé à écouter les jeunes se présenter à la ML, il est frappant de voir l'attente, les espoirs qui sont mis par ces jeunes dans l'institution : celle-ci est perçue comme ce qui va permettre de trouver un stage, un « boulot », ce qui à la fois permet d'être occupé, d'avoir un statut par rapport à la famille (*cf.* le pourcentage élevé d'enfants d'immigrés) et de percevoir un petit revenu (environ 2 200 francs). Ce sont des jeunes qui ne savent pas, ou ne peuvent pas, mobiliser un réseau de relations et qui viennent donc à la ML pour que celle-ci leur trouve « quelque chose ». Mais dans le cas des premiers entretiens, on les sent en situation de vulnérabilité, comme s'ils se retrouvaient à passer un examen avec une demande qui ne correspond que rarement à l'offre proposée. Il y a d'abord tout ce jargon administratif, la complexité de la procédure administrative qui fait que la ML ne peut intervenir pour eux qu'après le DIJ (Dispositif insertion jeunes) pour ceux qui viennent juste de sortir du système scolaire, que le crédit-formation ne peut être envisagé qu'un an après la fin des études.

Le primo-entretien, nous l'avons suggéré, peut être considéré comme le substitut d'un premier entretien d'embauche : il conduit le jeune à effectuer une sorte de présentation de soi, aussi minime soit-elle, qui aide à comprendre les difficultés que nombre d'entre eux éprouvent lorsqu'ils sont confrontés à un véritable employeur. Or, l'observation directe des interactions révèle, à celui qui y prête attention, des « malentendus », des incompréhensions liés d'abord à des différences entre les manières de s'exprimer, et plus généralement à des effets de position sociale et de rapport au monde. Il règne parfois une grande tension au cours de ces entretiens, comme si la violence liée à l'exclusion du marché du travail était en quelque sorte redoublée par la violence du questionnement.

Mais les conseillers jouent surtout un rôle de modérateurs : en fonction des perspectives offertes par le marché du travail local et des offres de stages AFPA, ils cherchent à conduire les jeunes vers des projets réalistes, en usant bien souvent d'euphémismes. La démarche consiste, semble-t-il, à parvenir à mieux cerner leurs perspectives professionnelles et leur motivation et à faire correspondre leurs « profils » aux mesures institutionnelles disponibles (stages de « mobilisation sur projet », contrat de qualification), et ensuite, mais ensuite seulement, à leur proposer un stage de formation, un certain type de contrat, etc.

Ce qui transparaît de ces premiers entretiens à la ML, où le jeune doit justifier sa présence, l'expliquer à un inconnu et retracer rapidement l'itinéraire qui le conduit à ce point (qui symbolise un échec scolaire et augure mal de l'avenir), c'est toute la difficulté qu'il éprouve à s'imposer. Beaucoup d'entre eux sortent de LEP et pressentent bien que ce sont leurs « faiblesses » qui vont être identifiées, repérées, voire accentuées par le cadre officiel de l'entretien. Le conseiller note leurs propos, il y a des papiers à remplir, des questions précises sur leur scolarité (souvent perçues comme autant de questions indiscrètes). Ils s'en sortent souvent (ou cherchent à échapper à la situation) par des phrases courtes, de brefs récits, se refusant le plus souvent à médire de l'institution scolaire.

Cette situation d'entretien a tendance à les mettre sur la défensive. Car ce sont leurs manques qui sont révélés à cette occasion : non seulement leur passé scolaire, mais aussi ce qui est décelable au cours même de l'échange (les fautes de français, les impropriétés, l'accent, le malaise, etc.). C'est une situation sociale qui objective l'échec scolaire et social du jeune, face auquel il est conduit, presque immédiatement, à opérer une rationalisation spontanée, à tenter de fuir la situation en projetant dans l'avenir des aspirations difficilement réalisables ou « utopiques ». Tout se passe comme si, au moment même où l'on reconstruit face au conseiller son histoire scolaire, on se mettait à rêver à voix haute – ne serait-ce qu'un instant – d'un autre destin, celui qu'on aurait voulu avoir (il semble bien qu'alors le meilleur BEP est toujours celui de l'autre). Moment un peu irréel, où l'on peut encore s'autoriser un certain nombre d'espoirs socioprofessionnels. Dernières illusions ?

2. La réponse institutionnelle : le détour par la formation

Face à cette demande pressante et indéterminée de stages, les conseillers répondent en termes de « formation », de « métier », de « débouchés », en apportant informations et conseils. En laissant exposer librement les raisons pour lesquelles le jeune vient à la ML, le conseiller peut rapidement l'identifier, fixer au plus vite les règles du jeu, redéfinir la situation, notamment en écartant la représentation (dominante) de la ML comme simple « offreur de stages » et en cherchant à imposer celle d'un organisme de conseil en formation et d'aide à la recherche d'emplois.

Lors d'un primo-entretien réalisé par un nouveau conseiller[1], Nora, une jeune fille d'origine algérienne, se présente accompagnée de sa copine, comme elle d'origine maghrébine, qui a échoué au même examen. Elle a dix-neuf ans, son père est OS chez Peugeot, elle vient d'échouer à son CAP de couture. Habillée en jean, lunettes à monture verte, cheveux tirés en arrière, elle se montre très intimidée au début de l'entretien. Elle et son amie parlent avec un accent local très prononcé. Nora aura un rire gêné lorsqu'elle donnera son nom de famille qui sonne « arabe ».

Lorsque le conseiller lui demande pourquoi elle vient, elle répond sur le mode de l'évidence : « J'ai terminé mes études. On m'a dit de venir ici... Parce que j'ai fini mes études et le mois de septembre je fais rien. Je me suis dit : "Bon, je vais faire des stages." » Elle explique ensuite qu'elle aurait voulu repasser son CAP, poursuivre en BEP et « aller en

---

1. Débutant dans le métier, peu assuré (recruté avec un brevet d'éducateur sportif), il applique à la lettre les recommandations de travail qu'on lui a faites et livre en quelque sorte la vérité du métier. Travailler à ses côtés permet d'approcher au plus près la définition officielle du poste de travail et de voir à l'œuvre la pratique du métier, sans la distorsion que provoque la distance au rôle conquise par les « anciens ».

bac » (passer un bac professionnel), mais son redoublement a été refusé. Quand Luc lui demande si elle est « toujours branchée couture », elle répond en baissant la voix : « Je voudrais faire autre chose », sans en dire plus. Invitée à préciser cet « autre chose », elle hésite à en parler et finalement s'en sort par un « je sais pas » que suit un long silence – qui laisse le conseiller désemparé. Luc revient ensuite brièvement sur son parcours scolaire : son orientation en CAP en fin de cinquième, le « choix » de la couture, les raisons de son échec au CAP (« on nous a donné un imperméable et puis on l'avait pas fait dans l'année »). Une fois ces présentations faites, sur un ton de bonne compagnie, le conseiller change subitement de registre et de ton lorsqu'il entre dans le vif du sujet, et évoque son avenir professionnel, son « projet » de formation :

> Luc [le conseiller] – Et puis alors là vous souhaiteriez faire quoi ? (*Silence.*) Parce que à la Mission locale, nous on fait pas de stages... (*silence*). Vous savez qu'on fait pas des stages (*silence*). Non, vous le saviez pas ?
>
> Nora – Si, on m'a dit ça...
>
> Luc – Qui c'est « on » ?
>
> Nora – C'est une amie...
>
> Luc – Elle t'a dit ? Du moins elle vous a dit : « Va à la ML, ils font des stages »...
>
> Nora – Ouais... (*silence*).
>
> Luc – Ouais... parce qu'ici, on fait pas tellement de stages... on est un organisme d'accueil, d'information et d'orientation professionnelle (*en détachant chacune des syllabes pour bien lui signifier sa méprise*)... On aide à orienter... (*Silence.*) À la rigueur, c'est vrai qu'on participe à l'organisation de stages, ce qui est différent. Autrement, on n'en organise pas.
>
> Nora – On m'a mal renseignée... peut-être (*d'une petite voix coupable*).

Le conseiller la remet en confiance, elle se jette à l'eau, exprime ses souhaits professionnels : « Ben, j'aimerais bien faire... (*elle hésite*) caissière... n'importe ! Je sais pas... » Mais lorsqu'on aborde la question de sa mobilité géographique, travailler loin de Montbéliard (comme dans la région parisienne), les choses se compliquent de nouveau (« Travailler là-bas... Oh je sais pas... il faut que je réfléchisse... »). On revient sur sa formation, elle exprime son désir de repasser son CAP couture en candidate libre (« pour rattraper les points que j'ai pas... »). Ensuite, le conseiller explique les diverses solutions : le crédit-formation individualisé (dont Nora ignore l'existence), le contrat de qualification (qui exige de trouver un tuteur en entreprise). Nora, abreuvée d'informations, ne sait pas sur-le-champ quelle solution adopter. À la fin de l'entretien, lorsqu'on lui fait remplir la fiche d'inscription, le conseiller lui demande machinalement : « Pas de diplôme ? » Et là, surprise, Nora nous apprend qu'elle a obtenu le BEPC, qu'elle a passé lors de sa troisième préparatoire industrie-habillement. La découverte de ce niveau scolaire permet au conseiller de lui proposer autre chose que « couture » (débouché saturé au niveau local), une formation d'aide soignante (où il y a encore de la place dans les stages et sur le marché du travail). Nora se montre intéressée et dit timidement : « Moi, j'aimerais bien... m'occuper des malades... je sais pas si mon niveau, il sera [suffisant]. »

Le résultat du primo-entretien dépend en partie de l'apparence du jeune, de sa conduite, de ses attitudes. L'orientation vers la recherche d'un stage de formation ou d'un emploi, qui se fait essentiellement sur l'instant, dépend finalement moins de critères objectifs ou formels (comme par exemple le niveau de qualification) que de critères subjectifs. Le conseiller travaille principalement à l'intuition : il ne peut bien souvent que « sentir » les choses, se fonder sur l'impression que lui fait son interlocuteur (« J'essaie de me baser sur le niveau de la personne, et encore c'est pas évident », me dit une conseillère).

Les primo-entretiens sont le théâtre d'un véritable travail de persuasion de la part des conseillers – celle de la nécessaire formation contre le travail immédiat, du « bon » parcours de formation –, qui prend des formes détournées car il ne faut pas heurter de front le jeune. Dans un premier temps, le conseiller fait comme si son « client » avait la liberté de choisir dans un échantillon de formations possibles ouvrant sur un large éventail de métiers. Les questions de départ, très ouvertes (« Dans quels domaines vous souhaiteriez travailler ? » etc.), désarçonnent des jeunes qui ont déjà intériorisé la fermeture du champ des possibles professionnels liée à leur échec scolaire[1]. Les plus démunis sont prêts, au contraire, à accepter n'importe quel type de travail, faisant de nécessité vertu. Ainsi, lorsqu'on demande à Nora dans quels domaines elle souhaiterait travailler, elle répond, après un court moment d'hésitation, comme si la question lui paraissait incongrue : « Ben, j'aimerais bien faire caissière... n'importe... je sais pas. » Pour obtenir un stage, la plupart des jeunes veulent bien – temporairement – jouer le jeu de la formation, entrer – en surface – dans un cadre mental qui leur est étranger, raisonner à nouveau en termes de niveau de diplôme, d'orientation, etc.[2]. Et l'on peut se demander finalement si le « choix » de la formation n'est pas une sorte de fiction à laquelle chaque partie adhère ou veut croire pour des raisons différentes, les jeunes par nécessité, les conseillers parce qu'elle est constitutive de leur idéologie et de leurs intérêts professionnels, qu'elle légitime une compétence floue qui repose presque entièrement sur la connaissance des métiers et des formations.

Les conseillers, pour mener à bien leur tâche d'orientation, s'appuient essentiellement sur des procédures d'évaluation, étape obligée et décisive dans l'orientation du jeune. Que celui-ci soit orienté vers un projet professionnel ou vers un stage de préorientation professionnelle (dit « stage de mobilisation sur projet »), le conseiller lui demande toujours de passer un « bilan de compétences » qui comprend des tests de logique, de mathématiques et de français, et un test psychologique. Ce conseiller considère que le travail du centre de bilans local est sérieux, « scientifique » même, car son directeur, ancien enseignant et conseiller en formation continue de l'EN, « connaît Piaget par cœur ». Quand le jeune dispose de son « bilan », les

---

1. De manière, bien sûr, inégale selon la filière scolaire suivie. Ceux qui sortent de l'école avec un BEP par exemple ont acquis un minimum d'assurance que n'ont pas ceux qui sont sans aucun diplôme ou qui ont interrompu leurs études en cours de CAP ou de BEP...

2. Il faut toujours avoir à l'esprit que la plupart de ceux qui sortent du système scolaire pour se retrouver directement au chômage sont profondément marqués par leur échec. L'idée d'une nouvelle formation leur paraît difficilement imaginable et parfois incongrue, tant ils ont intériorisé un sentiment d'infériorité sociale. On pourrait, à partir de ce point de vue, développer une critique des travaux à tonalité psycho-sociale sur l'insertion qui négligent totalement cet aspect des choses.

animateurs du centre (pour l'essentiel des enseignants) doivent, dans un premier temps, l'interpréter et préciser quel type de formation est souhaitable ou interdit à partir de cette évaluation. Ensuite, le stagiaire revient à la ML et le transmet pour information à son correspondant – qui prend théoriquement appui sur lui pour orienter vers tel ou tel stage[1]. Les avis sont partagés sur l'utilisation pratique du bilan. Philippe est plutôt sceptique (« De toute façon, dans 70 % des cas, les tests sont médiocres ou mauvais ») et prêt à reconnaître, en confidence, que « le bilan ce n'est quand même pas la panacée. Pour nous, correspondants, ils ne nous apportent pratiquement rien. Chacun se l'approprie comme il le veut, cette fiche de synthèse ».

Pourtant, même si le bilan ne fait pas l'unanimité parmi les conseillers, les formateurs, eux, y semblent très attachés : il fonctionne en pratique comme un critère objectif de mesure des capacités et comme un instrument de rationalisation de l'orientation professionnelle. Au fond, ces bilans offrent une réponse bureaucratique aux problèmes quotidiens de gestion des orientation en formation.

En 1991, chacun des trois correspondants CFI avait en charge 130 dossiers individuels (« c'est très lourd », me dit Philippe). S'appuyer sur des critères formels comme le bilan (et sur des comptes rendus de stage) permet de gagner du temps, car il leur est, bien sûr, impossible de connaître avec précision tous les cas individuels. Les tests n'en produisent pas moins des effets symboliques : en « authentifiant » le handicap culturel (évalué en mathématiques, français, logique) et en redoublant le verdict scolaire, on peut même

---

1. Les résultats figurent sur une « fiche de synthèse » qui résume en quatre pages les résultats de l'évaluation et qui est transmise au centre de bilans des compétences. Le jargon psychologisant qui fleurit sur les quatre pages du bilan fonctionne comme un discours d'imposition. La partie IV du bilan contient un tableau à quatre cases qui correspondent à différents « scénarios », prenant en compte deux hypothèses de niveau de formation (I et II) et deux horizons temporels (de court terme et de moyen terme). Lorsqu'un stagiaire inscrit en CFI a réalisé son bilan de compétences, il est plus ou moins tenu de revenir voir son correspondant à la ML avec les résultats de « son » bilan pour une future orientation (« Je viens vous ramener mon bilan »). On s'aperçoit que, bien souvent, le stagiaire ne l'a même pas lu. (« Tu l'as regardé ? – Ben non. ») Le correspondant se charge alors de lui expliquer ce qu'il signifie, en s'efforçant de le traduire en langage compréhensible – mais le plus souvent en des termes très évasifs.

se demander si le bilan ne fragilise pas davantage la plupart d'entre eux. Ils les font en outre replonger dans l'univers scolaire auquel ils ont longtemps espéré échapper. La procédure d'évaluation lors des stages impose l'idée qu'il faut encore et toujours plus de qualification, qu'il leur faut améliorer leur « niveau » de formation. Les tests disent de façon euphémisée qu'ils n'ont pas réussi à atteindre les bons niveaux – le « niveau 1 » – et peuvent laisser croire qu'ils ont peu de chances de pouvoir occuper un jour un emploi, même non qualifié.

Les conseillers reçoivent les jeunes tous les après-midi de 14 h à 17 h 30. Ceux qui reviennent voir « leur » conseiller ont un rendez-vous, mais ceux qui viennent pour s'inscrire viennent « sur le flux » (comme disent les conseillers) et doivent donc parfois attendre.

Une petite salle d'attente, dénommée « Accueil », est prévue à l'intention des usagers (quatre places assises), mais la plupart d'entre eux préfèrent attendre debout contre le mur du couloir, en discutant entre eux. Si l'attente se prolonge un peu, beaucoup repartent en maugréant et en parlant assez fort pour être entendus (« On va pas attendre des plombes ici »). Ils reviendront plus tard, pour voir s'il y a moins de monde. Les conseillers se déplacent eux-mêmes pour aller chercher dans la salle d'attente leur « client ». Ils l'accompagnent ensuite jusqu'au bureau en engageant rapidement la conversation. Ils se montrent aimables, prévenants, décontractés, cherchant à mettre à l'aise et à dédramatiser la situation[1]. Cette attitude du conseiller n'est pas explicitement enseignée, elle fait partie du code de conduite implicite du personnel.

Les primo-entretiens sont strictement codifiés. Ils se concluent toujours par le remplissage d'une fiche personnelle, classée ensuite dans le fichier « manuel » de la ML. Les entretiens durent en moyenne entre trente minutes et trois quarts d'heure, un peu moins au moment de la rentrée de septembre-octobre. Le questionnement suit en général

---

1. Comme en témoigne le style vestimentaire adopté, qui est à la fois décontracté (aucun conseiller homme ne porte de cravate, laquelle semble réservée au directeur), parfois élégant, mais reste toujours correct (par exemple une veste pour l'hiver, pantalon de toile et tee-shirt en été). Les secrétaires sont très aimables, participant à leur manière à l'entreprise de pacification des rapports entre le personnel de la ML et les jeunes.

un ordre défini à l'avance par les rubriques du questionnaire : la scolarité passée, la formation espérée et le métier envisagé, les indications biographiques et quelques questions sur les loisirs, les « hobbies », les sports susceptibles de mettre en valeur des qualités dans un CV. Les conseillers évitent d'aborder en premier les questions « sensibles » d'état civil (nom, prénom, année de naissance, adresse, profession du père et de la mère, nombre de frères et sœurs), qu'ils ne posent qu'à la fin de l'entretien.

Le résultat est une sorte d'abrégé d'identité sociale où la dimension généalogique de la personne – son ancrage social – est peu prise en compte, comme le confirme le fait que les conseillers prêtent peu attention aux expériences scolaires ou professionnelles des frères et sœurs ou aux conditions de travail des parents. Le stagiaire tend à être perçu comme un sujet autonome et libre (les manuels des psychosociologues font autorité auprès des conseillers), qui, idéalement, devrait être tendu vers un seul objectif : la recherche d'un emploi. Si chaque conseiller a, en fonction de son histoire et de sa formation scolaire ou universitaire, sa manière propre de mener l'entretien, tous s'efforcent de mettre à l'aise leurs interlocuteurs, de briser la glace lors du premier entretien : un regard bienveillant, un sourire de connivence, des mimiques d'encouragement à parler pour certains, le tutoiement, un air de sympathie plus prononcé et une attitude « cool » pour d'autres. Le conseiller essaie de faire sentir au jeune (terme le plus souvent utilisé par le personnel de la ML pour désigner l'usager) qu'il est là pour l'aider, pour débrouiller la situation, « progresser » avec lui. L'entretien commence souvent par des questions relativement ouvertes, qui permettent au jeune de définir lui-même sa situation.

Le conseiller conduit l'entretien de bout en bout. Mais le dialogue du début, aussi minime soit-il, cesse le plus souvent lorsqu'il s'enquiert du « projet » du jeune et explique la démarche de formation à suivre. Il expose alors ce qu'il a appris – démarches, projets, motivations, etc. –, en s'appropriant une certaine vision du monde sous la forme d'automatismes de pensée et de langage (des mots d'institution étrangers au profane). Cette parole d'expert est écoutée d'une manière plus ou moins distraite par le jeune : les propos abstraits du conseiller ne le convainquent pas vraiment, un certain doute persiste. La procédure institutionnelle décrite par les conseillers dans le jargon administratif (dans lequel je me perds aussi) est le plus souvent incomprise par les jeunes. Mais ceux-ci n'osent pas l'avouer, même quand ils sont perdus dans un brouillard de mots. Beaucoup d'entretiens engendrent donc des quiproquos, des malentendus liés à des différences de vocabulaire et au décalage entre des attentes très différentes de part et d'autre. Face aux mots de l'institution, les jeunes sont sans ressource, ils ne peuvent opposer que leurs mots de tous les jours ou leur silence résigné[1]. Étant placés dans une position ou ils sont tenus de répondre à des questions, très peu prennent l'initiative de la parole, tentent de se justifier ou de se défendre. Lorsqu'ils répondent, ils le font surtout par des hochements de tête, ou parlent à demi-mot, lancent des bouts de phrase que, bien souvent, ils n'ont pas envie de finir et qui restent en suspens.

On a surtout l'impression que la plupart laissent dire, comme si c'était souvent la seule façon de rester sur son quant-à-soi et de couper court à d'autres questions susceptibles de les mettre dans l'embarras. Certains baissent la tête, évitent le regard du conseiller, se tournent de côté ; peu d'entre eux « font les malins » ou révèlent un esprit de bravade. Pour surmonter l'épreuve, on l'a déjà vu, ils viennent souvent à deux (avec leur copain ou leur copine) pour « faire face », pour ne pas être coupé de leur groupe. Le sens de l'entretien se niche essentiellement dans ce qui ne se dit pas, ou plutôt dans ce qui ne peut pas se dire – les fameux non-dits qui en sont comme le cœur absent – et qu'expriment les hésitations à parler, à « répondre », les manières obligées d'acquiescer, les longs silences qui ponctuent les courtes réponses arrachées (un simple « oui », « non », « je sais pas », ou une seule phrase...).

Mais la parole en dit parfois moins long que la composition scénique adoptée : gestes de dépit ou de lassitude et parfois d'agacement, attitude résignée, ou bien regards qui cherchent à se dissimuler, gestes d'impuissance, mouvement de repli sur soi comme pour défendre une identité menacée, petites mimiques d'abattement, de soumission et

---

1. On n'assiste pas ici à des batailles de mots – à la différence de ce qui peut se passer, au même moment, dans certains ateliers de l'usine de Sochaux.

parfois même de honte, que l'on observe à la dérobée au détour d'une question qui a de prime abord toute l'apparence de la neutralité et qui est ressentie très violemment.

En fait, les jeunes sont sommés de répondre à des questions auxquelles, de toute évidence, ils ne peuvent pas répondre parce qu'ils ne se sentent pas autorisés à le faire ou parce qu'elles n'ont pas de sens pour eux, notamment lorsqu'on leur demande leur opinion sur telle ou telle formation ou qu'on les invite à se projeter dans un lointain avenir. Comme la « non-réponse » est impossible dans une situation de face-à-face, il leur faut inventer sur-le-champ une réplique et, à défaut, une posture, une contenance. Certains se réfugient alors dans le silence, d'autres inventent une réponse dont ils devinent par avance qu'elle est celle que leur interrogateur attend, d'autres enfin font semblant d'acquiescer en espérant être quittes. On observe là, non sans gêne, parfois la détresse, souvent une forme de soumission à l'institution. Impossible, dans ces conditions, de riposter.

En définitive, pour bien comprendre l'attitude de retrait de ces jeunes privés de ressources scolaires et sociales, il faut se placer provisoirement de leur point de vue. Ils se retrouvent face à un autre type d'examen de passage, et ont appris – l'expérience de l'école qu'on sent par moments affleurer est là décisive – à ne pas trop en dire, à se méfier de ces conseillers (qui appartiennent, dans leur esprit, au monde des autorités sociales). L'échange entre les deux parties à la ML symbolise d'une certaine manière l'opposition tranchée entre ce monde des « eux » et leur propre univers social, le monde des « nous », celui de la cité HLM et du lycée professionnel (les deux vont souvent de pair), de la bande de copains ou de copines. Pour les jeunes habitant dans les cités, dont on a vu qu'ils constituent la majorité du public de la ML, ce type d'entretien tend à redoubler des expériences vécues sur leur lieu d'habitat, où il est facile de constater que malgré les actions prises (classement du quartier en « quartier sensible », classement des établissements scolaires en ZEP, etc.), les choses ne changent pas véritablement pour eux, ou très lentement. Le contexte officiel de ces primo-entretiens permet donc de saisir sur le vif l'autre face de leur identité sociale : une « identité blessée » (comme le dit Michael Pollak),

d'individus diminués, fragilisés, qui souvent partent
« battus » – et donne à voir la manière dont s'actualise, dans
ce type d'échange, leur dévalorisation.

3. Un ordre négocié

Ces entretiens ne prennent tout leur sens que si l'on a en
tête le type de formation qu'ont reçu les conseillers et le
système de contraintes dans le cadre duquel ils travaillent à
la ML.

Les conseillers agissent à la marge sur le marché du
travail, les possibilités de « placer » des jeunes étant minces
et se réduisant sensiblement en période de récession. Ils
sont placés dans une position difficile et parfois contradictoire : d'un côté ils tendent à valoriser dans l'exercice de
leur métier l'aide à la recherche d'emploi (cet aspect de leur
travail est même constitutif de leur idéologie professionnelle[1]), ce qui leur permet de se considérer voir comme des
« intermédiaires » entre l'offre et la demande de formation
des jeunes ; d'un autre côté, le fonctionnement au jour le
jour de l'institution les oblige à faire des choix, à sélectionner, à hiérarchiser, et surtout à travailler en permanence
dans l'urgence. Ils doivent prendre des décisions sur le
moment, après un entretien unique, en ayant une vue
nécessairement approximative du « cas ». En effet, après un
« primo-entretien », le conseiller se doit de proposer une
formation, un stage, un « contrat », car il ne peut pas (ou
très difficilement) laisser repartir le jeune sans rien, sinon,
comme on me l'a souvent dit, « après on le revoit plus, le
jeune ». En outre, ils sont fortement contraints par le
nombre de places en formation, par le type de stages mis
en place[2], et doivent réorienter les jeunes en fonction des
places en stage disponibles.

Schématiquement, le conseiller doit montrer qu'il est là
pour « aider », qu'il agit en faveur des jeunes en leur offrant

---

1. Pour calmer un jeune qui s'impatiente, voire s'emporte contre le
conseiller (parce qu'il n'a pas eu de réponse, qu'il ne comprend pas la
logique de fonctionnement de l'institution), ce dernier dit volontiers :
« Je suis là pour t'aider, je ne suis pas responsable. »
2. Qui ne dépend pas uniquement de la ML, loin de là. Le Conseil
régional et les autorités politiques locales jouent un rôle-clé en ce
domaine.

des services. Il doit donner le bon exemple, prouver qu'il ne ménage pas sa peine et qu'il est d'une certaine façon à leur disposition. Une fois cette démonstration faite, il peut agir plus librement, « travailler » ses interlocuteurs, bousculer leur inertie ou leur timidité culturelle. Le premier entretien est un moment de mise en scène de son travail où il doit – en une demi-heure – convaincre son interlocuteur de sa compétence de conseiller en formation et de médiateur auprès des entreprises. Il fait preuve d'un véritable activisme : un accord provisoire a-t-il été trouvé sur la définition d'un secteur d'emploi à prospecter qu'il passe aussitôt un ou plusieurs coups de téléphone, directement en présence du jeune, à des employeurs « fiables ». Il est fréquent que le conseiller, pour convaincre l'employeur et réussir à placer le candidat, en vienne à louer ses mérites et ses qualités personnelles. Le conseiller est d'autant plus enclin à faire des efforts, à chercher une solution, que le demandeur lui apparaît « motivé », présente « bien », c'est-à-dire ne souffre pas d'antécédents, ni d'un « parcours » trop instable (multiplicité de petits boulots, abandons, ou « accrochages »). Le bon demandeur est celui qui affiche une certaine disponibilité et de la bonne volonté, laissant entrevoir des « possibilités » et des espérances.

Une fois qu'une solution de formation et de métier apparaît, la première précaution à prendre c'est de ne pas laisser de trop grands espoirs, de ne pas dissimuler la difficulté de la tâche. En primo-entretien, le conseiller est finalement contraint de jouer un jeu subtil : à la fois éveiller un espoir, entretenir une flamme, et ramener à la raison, inviter à remettre les pieds sur terre, bref souffler le chaud et le froid.

Les conseillers déploient aussi, au cours de ces premiers entretiens, un véritable travail pédagogique auprès des jeunes qu'ils reçoivent. Ils les font entrer dans les arcanes du droit social, les initient aux mots de l'institution, aux mystères des sigles et des appellations (DIJ, CES, CA, CQ, « exojeunes », etc.), et au monde de la formation professionnelle[1]. Plus encore, ils contribuent à leur manière à lutter contre la représentation personnalisée que les demandeurs

---

1. Les conseillers jouent aussi un rôle de protection vis-à-vis de certains organismes privés de formation, qui se comportent parfois comme autant de marchands de rêves.

aux plus faibles ressources socioculturelles se font – ou plus exactement veulent se faire – du marché du travail local : celle qui privilégie le « piston » comme seul mode d'accès à un emploi non qualifié. Lorsque je lui demande si les jeunes qu'elle rencontre espèrent encore entrer à l'usine (« Peugeot, ils y pensent ? »), une conseillère qui a accepté de se prêter au jeu de l'interview sur son travail répond :

> Non, Peugeot, c'est la grosse industrie qui (*elle hésite*)... qu'est sale, si vous voulez, dans le sens où on ressort pas propre, on a les mains sales parce qu'on a travaillé dans le caca en quelque sorte. C'est l'image négative de l'industrie. Et il ne connaissent que Peugeot et ils voient que leurs parents ont du mal, en bavent. En fait c'est l'image du père qui petit à petit a été donnée. Et ils n'ont pas idée que tout le monde est propre, qu'il y a un certain savoir. Par contre, par rapport à Peugeot, c'est pas mal les jeunes qui n'ont aucun niveau, qui nous disent : le papa, le beau-frère ou le cousin travaille chez Peugeot, il y a pas de problèmes, dans un mois je suis embauché. Alors là c'est le gros rêve ! Et c'est pas la peine de rien dire, d'essayer de leur expliquer, c'est : « Je serai embauché ». Alors j'ai beau leur dire : « Peugeot, sans qualification, vous serez pas embauché, que vous ayez le frère, le beau-frère, toute la famille chez Peugeot, vous serez pas embauché. – Non, non, c'est certain, tel mois, quand je veux, ils m'embauchent. » Alors moi je dis : « C'est très bien, si jamais il y a un problème, revenez me voir. » [...] Alors je téléphone au patron, il me dit : « Non, non, je lui ai dit qu'il y avait encore une possibilité de se former vu l'âge qu'il avait, mais de toute façon il sera pas employé parce que pour l'instant on ne recherche pas. »

Contre cette vision fausse, et surtout dépassée, du marché du travail, le travail des conseillers consiste à apprendre au plus vite à ces jeunes le code de conduite (ou le code d'espérance), à leur faire mesurer le chemin (étroit) qui mène à l'emploi, et à les munir des petits « trucs », des « sésames » qui permettent de « réussir ».

Il s'agit d'abord de leur donner confiance, de leur faire sentir qu'on s'occupera vraiment d'eux, qu'on est là pour les aider, dans la limite bien sûr de leurs moyens. Les conseillers opèrent dès les premiers échanges une sorte de repérage quasi sociologique pour identifier rapidement le type de « client » auquel ils ont affaire dans l'entretien (le jeune rural, le « jeune des quartiers » selon leur expression, le jeune avec ses parents, etc.). Le handicap du « nouveau » (conseiller), c'est qu'il ne sait pas le faire. Ce repérage, exercice de sociologie spontanée, s'effectue à partir des manières d'être, de parler, de se tenir. Lorsque je demande à une conseillère comment on parvient à repérer qu'un jeune vient de tel ou tel quartier, elle répond :

> Dans sa façon d'être, de se comporter, et puis de parler par rapport à ce qu'il veut. Et beaucoup aussi par rapport à la comparaison qu'il fait avec le copain qui est en stage. Ça veut dire là, quelque part, qu'il y a un groupe qui circule et que le bouche-à-oreille fonctionne très bien. Petit à petit, on les regroupe, on sait très bien qui est copain avec qui, etc. Et puis dans l'attitude, dans les vêtements, je me doute que la personne a des problèmes quelque part, et puis la façon de s'exprimer, etc. Par exemple, pour eux, ça paraît logique (*imitant leur ton provocant*) : « Ben quoi je m'installe !... Je peux dire n'importe quoi, et puis pourvu que vous me trouviez quelque chose... » Alors on calme tout et puis on reprend à zéro. Alors qu'une personne qui a une maison individuelle dans un quartier plus calme est beaucoup plus posée... Dans sa demande, dans sa façon d'être, dans les positions aussi, c'est flagrant, mais j'en fais pas une sélection. Maintenant que vous m'en parlez, j'y pense, mais sur le coup...

Les conseillers découvrent vite que certains jeunes « profitent » de la situation, « utilisent » le système, se comportent en « assistés » (autant de mots qui reviennent rituellement dans les conversations informelles entre eux). Une conseillère, lors d'un entretien réalisé six mois après son arrivée[1], raconte ce qu'elle a retenu de ses premiers mois de travail à la ML :

> L'attitude qu'ont les jeunes, ce n'est pas dans les trois premiers mois que ça m'a le plus marquée, c'est de plus en plus maintenant. L'attitude qu'ont les jeunes, comment ils agissent envers nous, comment ils en profitent parce qu'en fait la petite nouvelle est arrivée, on va vite la voir, elle, parce qu'elle va vite nous trouver un stage ou autre chose. Tout le problème est là... Parce que les « anciens » finissent par

---

1. Après une formation de conseillère en économie familiale et sociale, elle a travaillé pendant deux ans dans des milieux durs, avec des sans domicile fixe, avant d'entrer à la ML.

connaître un certain nombre de jeunes, ils savent qu'il faut limiter... Alors que moi je savais pas, et c'est vrai que des fois je me suis fait prendre. Ce sont des jeunes qui connaissent le système, qui font un turnover au niveau des conseillers, et ça, nous, on le voit pas tout de suite. Donc, il faut sans arrêt être en relation avec les collègues pour vérifier ce qui s'est fait, ce qui s'est dit, etc. [1].

Le sentiment d'avoir été au début de leur travail « utilisés » par certains peut éclairer les attitudes de méfiance/défiance des conseillers vis-à-vis des jeunes des cités et expliquer cette manière de durcir les contraintes liées à la formation lors des primo-entretiens. L'expérience des premiers mois les endurcit et les désenchante en faisant apparaître les comportements des jeunes comme autant de conduites « intéressées ». Elle leur apprend aussi qu'un aspect essentiel (jamais avoué) du métier est de savoir doser l'offre de stages, de savoir « limiter », d'imposer une autre représentation de la ML que celle d'une sorte de « boutique » de stages. Le travail en entretien, « l'accueil », comme ils disent entre eux, constitue la partie routinière de leur métier (« on en a vite faite le tour », nous dira un ancien [2]). Les affrontements verbaux et les conflits ne sont pas rares, la violence semblant s'accroître à mesure que la situation de l'emploi s'aggrave [3].

Une règle implicite dans la conduite des entretiens consiste à ne pas brusquer les choses, à les dire progressivement, à exposer la vérité à moitié. Le conseiller ne

---

1. Un an plus tard, le problème a été réglé par l'informatisation de l'accueil. D'une part les nouveaux venus ne peuvent plus choisir leur conseiller : la secrétaire a pour consigne de leur donner un rendez-vous sur un créneau horaire sans spécifier le nom du conseiller. D'autre part, elle enregistre dans son ordinateur les demandes de rendez-vous (date, heure et nom du conseiller rencontré), si bien que lorsque l'un d'entre eux revient à la ML, la secrétaire sort son dossier sur écran et l'affecte à son conseiller.

2. Les anciens réduisent le temps passé à l'accueil pour élargir leur domaine d'action, enrichir leur qualification professionnelle et pénétrer des réseaux socioprofessionnels qui peuvent constituer autant de débouchés lors de leur départ de la Mission.

3. En 1990-91, l'offre de stages était abondante, la marge d'action des conseillers était grande. En 1993-94, les stages se firent plus rares, le délai d'attente pour en obtenir un s'allongea, et la tension était parfois vive lors des entretiens à cette époque (deux conseillers se sont même inscrits à des séances de formation continue sur la gestion de la violence institutionnelle).

s'oppose jamais brutalement aux vœux de formation des jeunes. Il ne force donc jamais la main, conduit en douceur ceux-ci vers la solution adaptée. Il est important pour lui d'éviter les dérapages, de trouver la bonne distance, qui varie selon les interlocuteurs et les moments de l'échange[1]. La tension monte plus rapidement lorsque les jeunes sont dotés de ressources (morales, culturelles) leur permettant de revendiquer et de ne pas se laisser « embobiner ».

Le ton du conseiller au cours de l'entretien est un bon indice de la qualité du travail de construction d'un accord. Au départ presque toujours bonhomme (sauf lorsqu'on a affaire à un[e] « récidiviste » bien connu[e]), il peut se faire soudainement plus sévère, et même sermonneur à l'occasion lorsqu'il s'agit de ramener à la raison de la « formation qualifiante » quelqu'un qui persiste dans ses choix. Le travail du conseiller lors de ces entretiens consiste ainsi essentiellement à trouver la bonne distance et le ton juste avec les jeunes. Il doit éviter de se laisser déborder, garder une certaine distance, conserver une certaine marge de manœuvre, en élevant parfois artificiellement le niveau des exigences de formation. C'est un moyen de se mettre à l'abri des mauvaises surprises (comme la « rébellion » du jeune en question), de minimiser les risques liés à l'entretien (risques parfois réels quand un jeune pris de colère renverse le bureau d'une conseillère). L'interaction ne se comprend qu'à partir de ce jeu d'attentes croisées.

Ce sont surtout les jeunes « qui viennent des quartiers », comme disent les conseillers, qui testent ceux-ci, explorent les limites qu'ils ne doivent pas dépasser, tentent parfois de les faire entrer dans le jeu de la complicité (en se mettant

---

1. Lorsque l'un des conseillers veut exprimer son scepticisme par rapport à une orientation professionnelle choisie, il ne le fait jamais ouvertement mais plutôt en reprenant les expressions utilisées par son interlocuteur, sur un ton interrogatif, en jouant sur la modulation de sa voix. L'objectif ultime de l'échange (et l'art du négociateur) est d'amener progressivement le jeune vers le point de vue de l'institution en faisant comme si le résultat final de la discussion (tel ou tel type de formation) résultait d'un accord entre les deux parties. Les expressions récurrentes et les tics de langage des conseillers – comme ces expressions interrogatives qui suggèrent le libre choix, qui préparent un accord (les « d'accord ? » et les « hein ») qui ponctuent la plupart de leurs phrases – témoignent du fait que l'entretien est au fond une quête d'assentiment, une construction qui se veut collective d'une « solution » toujours proposée, jamais imposée.

soudain à les tutoyer) pour parvenir à leurs fins : décrocher un stage. Souvent ils viennent à la ML armés de la connaissance des types de stages qui y sont offerts, ayant appris de leurs aînés ou de leurs copains comment se conformer aux attentes du conseiller pour apparaître sur le moment ajustés à l'offre de formation. Ils cherchent, si besoin est, à infléchir le jugement du conseiller, à le faire plier, comme le raconte Christiane lorsque je lui suggère que dans l'entretien gît un élément de rapport de force :

> Oui, c'est dur parfois. Ils agressent ! Ils agressent verbalement. J'ai des jeunes [filles] qui ont énormément d'arguments, parce qu'elles sont allées pêcher des infos et puis elles argumentent en disant : « Oui, j'ai pas de stage pour telle raison et je veux faire ça pour telle raison, je vois pas pourquoi vous voulez pas le faire ! » Et elles argumentent tellement que... Pfff ! Au début, le temps d'une demi-seconde, elles déstabilisent, quoi ! Bon, j'essaie de rattraper le coup rapidement. Et puis de montrer que, attention, hein ! je suis quand même là pour l'aider et pas pour l'enfoncer ! Parce que c'est l'argument qu'elle a : « Vous voulez pas m'aider ! » Mais ça, ce sont des fortes têtes.

Le jeu le plus délicat pour les conseillers porte sur le type d'espérance qu'ils doivent ou non faire naître. Ils ne peuvent jamais dire tout à fait la vérité et s'efforcent, au contraire, de toujours laisser ouverte une porte de sortie. Ils doivent trouver le ton juste dans la gestion des attentes et des émotions des jeunes, dans la réorganisation, la retraduction de leurs aspirations sociales et professionnelles. Ils le font dans une situation particulière, en face à face, dans un moment critique de l'histoire de ces jeunes, et donc toujours sous la menace du dérapage. Et si la majorité de leurs interlocuteurs sont calmes, il faut aussi s'occuper des cas les plus difficiles (« c'est du cas par cas »).

Une des difficultés que rencontre le conseiller en entretien, c'est qu'il ne sait jamais avec certitude, au moment même de celui-ci, ce que sera le comportement du demandeur une fois le stage obtenu. Les anticipations que le conseiller peut faire à ce sujet sont difficiles : face à l'incertitude, il adopte un comportement de précaution, de minimisation des risques, d'« aversion pour le risque », disent les économistes. Ce comportement ne se traduit pas par un pur et simple refus de stage, mais le plus souvent par une sorte de mise à distance du jeune en entretien. Le conseiller présente en fait au demandeur une offre d'identité – celle du stagiaire modèle – qui est très éloignée de l'identité sociale du demandeur.

Tout se passe donc comme si les conseillers étaient parfois piégés par l'effet d'annonce institutionnel de la ML – l'offre sans condition de stages – et par leur rôle officiel, avec lequel ils ne prennent que très peu de distance et que résume l'expression souvent entendue : « on est là pour vous aider ». S'ils n'« aident » pas, ils se font ainsi rappeler à l'ordre par les jeunes les plus combatifs, et s'ils le font, le risque est grand de se « faire avoir », de se faire « embobiner » par un jeune déguisé en « faux stagiaire », qui cherche une formation « pour les 2 200 balles ». Pour faire face à ce dilemme, qui se pose à tous les conseillers dans le travail d'entretien, chacun d'eux est amené à définir sa propre ligne d'action, son propre code de conduite. Deux sortes de réactions coexistent : les partisans de ce qu'on pourrait appeler une ligne dure prônent un langage de vérité et cherchent à démasquer les « faux stagiaires » ; les autres, plus conciliants, concèdent que cet aspect des choses fait aussi partie du métier et n'en sont pas pour autant choqués[1].

Chaque partie avance masquée dans l'entretien. Si le conseiller a toujours intérêt à ne dévoiler son jeu qu'à la fin de l'échange, le jeune, lui, doit toujours rester à couvert et faire croire à une « vraie » recherche de stage. Cependant, personne n'est entièrement dupe du jeu de l'autre, chacun joue sa partie, avec ses armes et ses moyens.

L'offreur (de stage) est ici en position de force : l'offre est limitée, le demandeur ne peut pas vraiment négocier les termes de l'échange, mais il n'est pas dénué de ressources : notamment celle qui consiste à jouer sur la mauvaise

---

1. Cette différence d'attitude pourrait être rapportée aux histoires scolaires et sociales différentes des conseillers et à des calendriers d'insertion professionnelle décalés dans le temps, comme l'a fait Francine Muel-Dreyfus dans *Le Métier d'éducateur* (Paris, Minuit, 1983). La « ligne dure » est plutôt tenue par des conseillers sans formation universitaire, qui ont déjà connu un autre univers professionnel que la ML (parfois dans le secteur privé) et qui croient aux bienfaits des sanctions, etc., tandis que les conseillers qui se montrent moins regardants sur les principes ont généralement été étudiants en faculté, se sont dirigés tôt vers le travail social (notamment comme assistantes sociales) et ont souvent reçu une formation en psychologie.

conscience du conseiller, sur l'image qu'il se fait de son métier – celle d'un travail social (« on est là pour les aider, finalement ») – et sur la connaissance du marché des stages. Mais le demandeur peut parfois, en dernier recours, tenter l'intimidation, car une fois connue l'existence de stages, le refus ne peut se justifier que par des raisons *ad hominem* obligeant le conseiller à justifier son refus.

L'idée qui hante les conseillers est qu'ils puissent être tenus pour responsables de l'« exclusion ». Alors qu'ils effectuent clairement, au bénéfice des démunis, un travail du type de l'accompagnement de patient souffrant d'une longue maladie (ici l'insuffisance de formation) vers une autre thérapie, plus longue et incertaine : la « remise à niveau » et la formation.

4. Le difficile travail de reconversion des aspirations

Les conseillers ont des atouts dans la négociation qu'ils conduisent sous couvert d'« entretien ». Ils possèdent d'abord la connaissance des entreprises et des emplois au niveau local et régional, ainsi que celle du champ régional et national de la formation. Si ces arguments d'autorité ne suffisent pas à faire plier celui ou celle qui résiste, ils peuvent tenter des manœuvres de déstabilisation, le mettre en difficulté en lui posant des questions auxquelles ils savent très bien qu'il ne pourra pas répondre. En mettant dans l'embarras son interlocuteur – situation maintes fois observée –, le conseiller se donne les moyens de vaincre certaines résistances ou de faire baisser d'un ton le jeune qui commence à revendiquer. Une des armes favorites du conseiller consiste à placer son interlocuteur face à ses apparentes « contradictions » (par exemple : affirmer chercher un « boulot » et refuser toute formation générale), à l'acculer pour finalement lui proposer une porte de sortie mûrement réfléchie (tel ou tel stage de formation). Symétriquement, les jeunes ne sont pas dénués de moyens de résistance dans la négociation. Ils peuvent notamment s'appuyer sur les faiblesses de l'institution. Ils savent en effet que celle-ci est tenue de remplir son rôle, qu'elle doit leur offrir quelque chose (un contact, un stage, un CES, etc.). En l'espace d'une demi-heure ou de trois quarts d'heure, le jeune doit se transformer en un stagiaire en puissance, un « client » qui entamera son « parcours de formation ».

Ce que l'on observe finalement à la ML, et au premier coup d'œil pourrait-on dire, c'est le contraste saisissant entre les attentes des jeunes, qui sont de l'ordre de l'immédiat (trouver au plus vite un stage, un boulot, en tout cas une occupation), et la réponse de l'institution, toujours différée, floue et indéterminée. L'art du conseiller est de savoir reformuler la demande de très court terme du jeune en projet de formation à moyen et long terme, parvenant ainsi à concilier deux systèmes d'attentes opposés.

Le discours sur la formation déconcerte et prend à revers des jeunes qui, pour beaucoup d'entre eux, veulent rompre avec le monde scolaire, acquérir au plus vite une situation, et par là une forme de dignité sociale (ne serait-ce que pour calmer l'impatience des parents et fixer leur statut vis-à-vis de leurs copains lycéens). C'est ainsi que le décalage entre les attentes et les calendriers des deux parties impose une reconversion de l'horizon temporel et des aspirations souvent irréalistes des jeunes, qui se retrouvent « diminués » en entrant dans la vie active comme « chômeurs » inscrits à l'ANPE. Il faut, dans un premier temps, les rassurer, leur redonner confiance, en quelque sorte les réarmer socialement et psychologiquement. Dans un deuxième temps, on leur apprendra le réalisme, on effectuera avec eux (et souvent contre eux) un patient travail d'accompagnement psychologique. L'apprentissage du réalisme passe, fondamentalement, par une transformation du rapport au temps, marqué par l'immédiateté ou par une sorte d'urgence. Il faut leur apprendre le « temps long » et parfois réapprendre les règles de la vie sociale (arriver à l'heure aux rendez-vous, aux cours ou chez le patron, etc.). L'effet d'annonce, par le conseiller en primo-entretien, de l'allongement nécessaire de la période de formation frappe le jeune de plein fouet. D'autant que, pour s'assurer d'être bien entendus, il n'est pas rare que les conseillers développent une rhétorique qui consiste à tenir un discours hyperréaliste, presque brutal, qui ne laissera que très peu d'illusions au « jeune ». Le conseiller insistera toujours, dans un premier temps au moins, sur les très grandes difficultés de trouver un emploi aujourd'hui sans une formation véritable.

Entre les jeunes des cités et les conseillers, bien souvent, la méfiance est réciproque : d'un côté le conseiller soupçonne ses interlocuteurs, étiquetés « jeunes des quartiers », de demander un stage dans le cadre du CFI pour s'assurer une rémunération. De l'autre, le jeune sait bien que les techniques proposées (la fameuse « liste d'employeurs », le « démarchage individuel » des patrons, par exemple) sont très insuffisantes. La plupart savent aussi que bien d'autres facteurs interviennent dans l'obtention d'un emploi et se demandent s'il n'y a pas beaucoup d'hypocrisie dans cette mise en scène : les conseillers de la ML, l'institution elle-même, ne font-ils pas comme si tous les jeunes se présentaient à égalité sur le marché du travail, dotés des mêmes chances, quand l'expérience de la vie dans la cité démontre le contraire ?

5. *La Mission locale, refuge pour les enfants d'immigrés*

Comme on l'a dit, la ML accueille une proportion importante d'enfants d'immigrés – principalement maghrébins et turcs – habitant pour la majorité d'entre eux dans les grands quartiers HLM de la région[1] : les « jeunes des quartiers », donc, pour reprendre l'expression qui s'est imposée au début des années 1990. Non seulement ils appartiennent au groupe des jeunes non ou peu diplômés de la région, mais ils sont aussi, et de façon très marquée, victimes d'un processus insidieux – et qui s'aggravera au fil des années 1990 – de discrimination à l'embauche.

Dans les nouvelles usines de la région qui se sont développées en relation avec le développement accéléré des nouvelles formes de sous-traitance, l'embauche des enfants d'immigrés, qu'ils soient de nationalité française ou étrangère, est restée très limitée jusqu'à la forte reprise de 1998-2001. Durant ces années de disette d'emplois, il leur était très difficile de se faire embaucher. Pour y parvenir, il fallait que quelqu'un – un frère, un père – se porte garant d'eux dans l'usine. Mais la pléthore de candidats pour un poste était telle qu'un refus ne pouvait jamais être imputé à

---

1. Les fiches d'inscription ne permettent pas de fournir une proportion statistique fiable (la plupart d'entre eux sont de nationalité française), mais nos comptages personnels établissent une moyenne de 60 % environ.

une manifestation de discrimination de la part des employeurs. Et puis l'entreprise se protégeait souvent contre cette accusation en embauchant quelques Portugais ou tel Maghrébin...

Évidemment, à cette époque, moins le postulant est diplômé, plus les probabilités qu'il soit écarté de l'emploi sont grandes, et il est tout à fait exceptionnel qu'un jeune qui a un nom à consonance maghrébine soit embauché. Certains petits patrons l'admettent d'ailleurs ouvertement. Et les propos tenus par certains responsables de l'enseignement professionnel cherchant à procurer des stages à leurs élèves dans les petites entreprises de mécanique ou de plasturgie sont à cet égard fort édifiants : la situation s'est profondément dégradée à partir du début des années 1990, bien des patrons acceptant jusqu'alors de prendre en stage des enfants maghrébins les refusent aujourd'hui, si bien que la recherche d'entreprises de « bonne volonté » est devenue un véritable casse-tête pour les enseignants des LEP.

Les élèves français (presque tous d'origine ouvrière) sont les premiers à obtenir un stage, ceux qui n'en trouvent pas sont toujours ceux qui portent un nom arabe ou turc : « Regardez la liste des élèves de "bac pro", nous dit un chef de travaux de LEP (en 1992), tous ceux qui ont un nom... [arabe] eh bien, ils sont pas pris, ils en veulent pas. » Un autre enseignant nous confie, écœuré : « Ils [les employeurs] nous disent "bonne présentation", en fait ça veut dire "pas arabe". » En conséquence, les enseignants de lycées professionnels ou de SEGPA (classes de relégation de collège) sont de plus en plus contraints de se déplacer en personne pour tenter de vaincre les résistances des patrons ou des « maîtres de stage », garantir la qualité de leur candidat à un stage (« il en veut », « il est bien, je vous assure »). Par exemple, telle enseignante d'une classe de préapprentissage d'un collège de ZEP, pour illustrer la situation catastrophique dans laquelle se trouvent ses élèves (qui vont arrêter leurs études à seize ans), raconte qu'elle ne parvient plus à placer aucune fille d'immigrés de sa classe dans les salons de coiffure de Montbéliard. Elle a fini par accompagner en personne les jeunes filles pour les présenter et défendre leur cause auprès des patrons (« venant de l'Éducation nationale, ça fait encore sérieux »). En vain... Certains commerçants déclarent même froidement, et en présence des jeunes filles maghrébines candidates à une place en apprentissage, que « la clientèle n'accepterait pas ». L'une de ces élèves, choquée et humiliée par ces propos, craquera au milieu de la rue piétonne, en proie à une véritable crise de nerfs. « Comment leur redonner confiance ? » conclut cette enseignante.

On pourrait parler d'une résistance passive à l'embauche des étrangers (ou plus exactement des enfants d'immigrés, « français sur le papier », comme ils tendent de plus en plus à se considérer eux-mêmes, juridiquement français transformés en socialement étrangers du fait de leur faciès, de la consonance arabe de leurs noms, de leur « look » d'enfants des cités, de plus en plus suspectés d'être de potentiels terroristes islamistes), parfaitement tolérée et que personne n'est en mesure de contester. Bien souvent, d'ailleurs, les patrons se retranchent derrière l'hostilité des salariés français à l'embauche des « étrangers » et se donnent volontiers le beau rôle de défenseurs des « immigrés » contre le mauvais vouloir des Français.

Cette discrimination à l'embauche, difficile à mesurer et à établir, contraint les enfants d'immigrés à se rabattre sur les institutions publiques d'emploi (ANPE, Mission locale de l'emploi) pour obtenir un « stage », c'est-à-dire un statut social avec un petit revenu et un « petit contrat », d'où leur surreprésentation dans les structures aidées du marché de l'emploi comme la Mission locale. Dans ce lieu, les garçons se font parfois remarquer par leur ironie désabusée ou leur violence verbale. Il est frappant qu'ils ne s'y présentent jamais accompagnés de leurs parents alors qu'il n'est pas rare de voir de jeunes Français(es) venir avec leur mère ou leur père, ou en couple.

Plus la crise de l'emploi dure, plus elle se durcit, plus les enfants d'immigrés (qui d'après nos comptages d'observation composent au moins 50 % du public de la Mission locale) sont touchés par le chômage, plus leur visibilité est grande dans ce type d'institution[1], plus la rumeur s'amplifie selon laquelle « il n'y en a que pour les Arabes ». C'est ainsi que tandis que les travailleurs sociaux « se bagarrent » pour leur procurer des stages, pour leur redonner confiance, tous ces efforts se retournent contre eux dans l'opinion qui

---

1. Dans le journal local, les enfants d'immigrés apparaissent, sur les photos de groupe des stagiaires (comme les nombreux CES employés par les municipalités de gauche), largement majoritaires.

y voit le témoignage d'une forme de préférence en faveur des « immigrés ».

Parce qu'ils sont durablement exclus du marché du travail peu qualifié, ces « jeunes immigrés » fuient la région (certaines filles s'en vont en Suisse où elles travailleront dans la restauration-hôtellerie, les garçons iront faire la cueillette des fruits et les vendanges dans le Sud, ou bien travailleront à Oyonnax) ou se replient sur quelques niches du marché du travail (entreprise « ethnique », Mission locale). D'autres « glandent » ou vivent de petits trafics. Ces jeunes, nouveaux « inutiles au monde », se constituent en « minorité du pire », selon l'expression de Norbert Elias, à laquelle sont de plus en plus assimilés, dans l'esprit des « Français », l'ensemble des enfants d'immigrés. En retour, le sentiment de ne pouvoir presque plus rien espérer en termes de travail, la fermeture dramatique de l'avenir, avivent les ressentiments et expliquent la *radicalisation* des attitudes et des comportements de ces jeunes immigrés, qui se traduira par une spirale incontrôlable transformant la violence subie en permanence (violence économique, violence de la pauvreté matérielle, violence du racisme) en une violence retournée, parfois contre soi et souvent contre les autres, ces « Français » voués aux gémonies.

CHAPITRE II

Rêves de formation

La plupart des exclus du système scolaire entament à la Mission locale une carrière de jeune stagiaire qui peut se révéler longue et difficile : après les batteries de tests et autres bilans de compétences, les cours de formation générale, stages en entreprise, bilans de stage, entretiens divers avec « tuteurs » (en entreprise) et conseillers, un nouveau programme de formation, etc. La route que devra emprunter le stagiaire, à 2 200 F de revenu mensuel, est longue et sinueuse, parfois semée d'embûches. Les entretiens dits « de suivi » et les bilans de stage permettent de comprendre de l'intérieur la situation de ces jeunes en cours de stage et/ou en quête d'un nouveau contrat ainsi que celle de ces jeunes ouvriers, démissionnaires ou licenciés, en quête de formation afin de fuir les emplois non qualifiés, l'incertitude de leur condition, et de se protéger ainsi de la vulnérabilité croissante qui menace aussi une partie de la classe ouvrière intégrée[1].

Le rapport à la formation des jeunes peu diplômés du bassin d'emploi ne se comprend pas si l'on fait abstraction des conditions d'usage de la force de travail dite non qualifiée dans les entreprises[2]. Les expressions comme « exploitation » (parfois « exploitage »), « faire le bouche-trou », « presser le citron », « y a aucun avenir dans ces boîtes », reviennent de manière récurrente dans les propos

---

1. Voir Robert Castel, *Les Métamorphoses de la question sociale. Chronique du salariat*, Paris, Fayard, Paris, 1995.
2. Pour une première réflexion sur cette question, voir Stéphane Beaud, Michel Pialoux, « L'esclave et le technicien », « Ouvriers, ouvrières », *Autrement*, série Mutations, janvier 1992.

des jeunes ouvriers/employés qui, ayant démissionné de leur emploi ou mis fin à la succession des « petits boulots », justifient leur retour à la formation.

En écoutant les « vieux » stagiaires (vingt-quatre/vingt-cinq ans, avec parfois sept ans de carrière de stage derrière eux) raconter la litanie de leurs « petits » contrats, l'absence de perspectives, l'impossibilité de s'établir professionnellement et socialement, on comprend qu'ils sont tous en quête de respectabilité – celle qui leur sera toujours refusée tant qu'ils ne pourront pas faire état d'un minimum de diplômes et de formation. À travers eux se dit le malheur social des non-diplômés condamnés à la précarité structurelle, relégués aux marges de la société.

1. Les retours de stage ou l'épreuve de la réalité

Au moment où se déroulent ces entretiens de suivi, les demandeurs de stages sont devenus stagiaires, c'est-à-dire qu'ils ont connu l'épreuve du « bilan de compétences », ont suivi les cours « théoriques », ont été confrontés à la recherche d'un employeur, ont participé aux stages en entreprise, ont été évalués, jugés, notés, etc. Les entretiens de suivi ont ceci d'intéressant, par rapport aux primo-entretiens, qu'ils mettent en scène des stagiaires qui ont un peu plus de ressource, qui se défendent davantage, bref qui paraissent moins écrasés. Ils ont fini leur stage, cherché vainement un « vrai » travail, et se sont finalement décidés à revenir à la ML pour demander un autre stage. Cette fois, les illusions qu'ils avaient pu nourrir au début du premier stage (et qui avaient été, en quelque sorte, entretenues par l'institution) se sont évanouies, la déception est passée, mais il reste souvent un sentiment d'amertume.

Le retour à la ML s'opère alors dans de tout autres conditions : ils ne veulent plus entendre de « beaux discours », sont parfois « remontés », certains peuvent même se montrer violents et menaçants. Ils se sentent en droit d'être plus exigeants vis-à-vis de l'institution : n'ont-ils pas écouté et suivi les recommandations de leurs conseillers ? N'ont-ils pas fait leur bilan de compétences en se soumettant de bonne grâce à des tests censés mesurer leur « employabilité » ? N'ont-ils pas effectué tel stage (réputé plus « porteur ») plutôt que tel autre (qui pouvait avoir leur préférence) ? N'ont-ils pas, pour certains, réussi le passage au niveau supérieur des stages (de la « mobilisation sur projet » à la « qualif » en passant par la « préqualif ») ? Pour quels résultats ?

En fin de compte, pour la plupart, une impression désespérante de surplace, si bien qu'au bout d'un certain temps nombre d'entre eux sont conduits à demander des comptes, à juger sur pièces désormais les solutions qu'on leur propose. Ils ont acquis une vision plus nette des différentes étapes du (long) processus de formation, et leurs attentes ont changé.

Parallèlement, le rôle des conseillers dans les entretiens de suivi est davantage tourné vers l'évaluation et la sanction. La bienveillance affichée lors du primo-entretien tend à s'effacer au profit de la critique. On invoquera volontiers le statut social du « stagiaire » (rémunéré par l'État) pour lui réclamer des comptes et exiger un comportement conforme à ses « devoirs » en matière de recherche d'emploi. C'est ainsi que les entretiens de suivi sont le plus souvent tendus, tournant parfois à l'examen de passage ou à l'interrogatoire.

Ce qui frappe d'abord lorsqu'on assiste à ces entretiens, c'est la succession de récits identiques : mêmes premières expériences infructueuses de recherche d'emploi, mêmes premiers espoirs suivis des mêmes désillusions. Un sentiment aussi de découragement et d'impuissance face à ces destins si prévisibles, ces élans tôt brisés, ces avenirs que l'on devine si semblablement sombres. Symptomatique à cet égard est la manière qu'ont ces jeunes de raconter leur histoire et de se raconter, sans étonnement et sans révolte, comme quelque chose qui irait de soi. Ils donnent à voir, sans médiation, une série de processus à l'œuvre : dégradation de l'image de soi, déqualification à l'embauche, aggravation des conditions de travail dans les ateliers, fermeture de l'horizon social et professionnel de ceux qui n'ont pas de bagage, sentiment d'enfermement dans l'univers des petits contrats et des petits boulots.

2. Les mots de l'institution et l'apprentissage du sens des limites

Les entretiens de suivi prennent souvent la forme d'un didactisme de la recherche d'emploi au cours de laquelle le conseiller, sur un ton pédagogique, cherche à convaincre son interlocuteur qu'il existe des moyens, des techniques pour renforcer ses chances de décrocher un contrat. Le postulant ne doit pas hésiter à mettre en valeur ses propres qualités auprès des employeurs, celles qui sont censées être rentables (la « polyvalence », la « disponibilité », la « bonne volonté », etc.). Cette mise en avant formelle des qualités (souvent morales) des candidats à l'embauche pour un emploi défini comme non ou peu qualifié tend, symétriquement, à dénier les compétences acquises au cours d'une scolarité qui s'en trouve disqualifiée (« insuffisante », « théorique », etc.). Ce qui semble dorénavant déterminant – le « plus », comme disent souvent les conseillers pour définir ce qui va faire la différence entre un tel et un tel pour décrocher un emploi ou un stage –, c'est de savoir prendre des contacts, se présenter et parler aux employeurs, bref le « relationnel ». Il faut choisir le bon moment (« ne pas les déranger »), trouver le ton juste (poli et respectueux), et donc avoir appris une certaine forme d'humilité et de docilité. Ces « valeurs » sont très différentes de celles du milieu d'origine et du groupe de pairs de beaucoup de ces jeunes, notamment de ceux qui ont grandi dans les quartiers HLM de la région où prédominent le sens de l'honneur et de la solidarité, l'opposition entre « eux » (les patrons, les profs, les policiers) et « nous » (les enfants du quartier HLM, les « enfants d'immigrés », les « pauvres »).

Au fur et à mesure que la concurrence pour l'obtention d'emplois non qualifiés ou peu qualifiés s'accroît et que les chances non seulement d'accéder à un emploi mais à un simple contrat ou stage diminuent, on assiste à l'application à cette jeunesse populaire de technologies sociales, en matière de recherche d'emploi, autrefois réservées aux emplois de cadres et de techniciens. L'installation durable dans l'univers des stages, la succession des périodes de formation (sur au moins six mois et souvent sur deux ans) façonnent à la longue un rapport spécifique au monde social. Les « clients » réguliers de la ML, ceux qui, pour des raisons objectives (absence de certification scolaire ou handicaps, origine nationale, apparence physique), éprouvent le plus de difficultés à se placer sur le marché de l'emploi peu qualifié, sont progressivement conduits à ne plus parler ou raisonner en termes d'emploi, ni même à espérer un emploi stable.

Les incessants et minuscules glissements de mots et de

sens disent bien l'espèce d'accommodement et de familiari-
sation des professionnels de l'insertion avec un univers du
« contrat », du similiemploi dont ils finissent par considérer
– par expérience et nécessité – qu'il est le seul possible sur
le marché. Les mots finissent par perdre leur sens originel :
les conseillers en viennent à parler, par un automatisme de
pensée qui est aussi une sorte de réflexe professionnel,
d'« emploi » lorsqu'il n'est question que de « stage » ou de
« contrat ». De la même manière, lorsqu'ils sont à bout d'arguments et qu'ils s'efforcent de sauver l'espoir, ils finissent
par parler en termes de « contact », de « touche » pour
évoquer l'hypothétique obtention d'un stage. Les mots
usuels du marché du travail ordinaire, héritiers de ce qu'on
pourrait appeler la période de plein emploi – comme
« métier », ou même « place » –, disparaissent au profit de
termes – « contrat », « stage » ou simple « contact » – qui
traduisent les très faibles chances qu'ont ces jeunes de
décrocher un emploi stable et de construire une carrière
professionnelle, comme une manière décente de dire leur
absence d'avenir.

Les conseils des agents de la ML, à la longue, ne sont
plus écoutés (« toujours le même baratin », dit un des jeunes
à son copain à la suite de son entretien) et peuvent même
provoquer une réaction de rejet à l'égard de toutes ces
procédures (les rendez-vous, les listes d'employeurs, les
types de contrat, la paperasserie). Et si certains jeunes des
cités ne reviennent pas à la ML, c'est parce qu'ils jugent
non seulement qu'elle est inefficace mais aussi qu'elle opère
comme un lieu de marquage social.

D'autant que l'apprentissage de ces techniques de
recherche d'emploi contribue aussi à véhiculer l'idée selon
laquelle la « charge de la preuve » incombe dorénavant aux
jeunes demandeurs d'emploi, sommés de prouver leur
bonne volonté, leur bonne foi, leur « motivation ». C'est
contre cette inversion des responsabilités qu'une petite
minorité d'entre eux protestera individuellement[1].

---

1. Contrairement au lycée professionnel où des groupes d'élèves se
forment dans les classes et où des réactions collectives peuvent se
produire contre tel professeur ou contre l'établissement lui-même, les
jeunes viennent à la ML en ordre dispersé. En outre, le personnel de la
ML, majoritairement composé de « jeunes » un peu plus âgés qu'eux,
entretient une ambiance détendue qui rend toute protestation difficile.

3. Le redoublement du marquage scolaire

Les entretiens de suivi font bien sentir l'emprise du dispositif d'évaluation sur cette catégorie de jeunes. Les conseillers sont progressivement, et à leur corps défendant, emportés par la logique évaluatrice de l'institution. Ils se transforment en « entrepreneurs de morale » (pour reprendre l'expression de H. Becker) d'un type particulier, en prosélytes de la formation pour la formation, pour lesquels hors de la formation il n'y a point de salut. Or, la scolarité passée est, on l'a vu, une plaie qui reste ouverte. Tout se passe donc comme si ces anciens mauvais élèves ne pouvaient plus espérer échapper au jugement scolaire qui les a relégués hors de la voie « normale » (terme employé entre eux pour désigner la scolarité en lycée général) et les a déjà une fois « condamnés ». En stage de formation ils se confrontent en effet une nouvelle fois à la culture scolaire (refaire des maths, du français), passent à nouveau des tests, replongent dans l'univers de la notation et de l'évaluation, qui va ratifier le jugement négatif que l'institution avait porté sur la plupart d'entre eux, invalidant par avance toute entrée dans une logique d'apprentissage non scolaire d'un métier.

Le cas de Samira est à cet égard exemplaire. À vingt et un ans, elle a déjà derrière elle un long parcours de stagiaire. Inscrite à la ML depuis l'âge de dix-sept ans, après avoir quitté l'école en cours de CAP de cuisine, elle a fait plusieurs stages qui n'ont jamais débouché sur un emploi stable. Elle a commencé un CFI (congé de formation individualisé) qu'elle a interrompu sans prévenir son correspondant. Six mois plus tard, elle réapparaît à la ML pour demander à refaire un stage. Luc, le conseiller, a consulté sa fiche juste avant de la recevoir, enregistré les renseignements pertinents (la longue suite de stages, l'abandon prématuré et non justifié du CFI), repérant à l'avance le genre de stagiaire auquel il va avoir affaire – une « récidiviste », c'est ainsi qu'il la perçoit, comme l'exprime l'espèce de moue qu'il fait en consultant le dossier. Elle est donc accueillie sans amabilité excessive.

En guise de présentation, Luc lui lance, sur un ton mi-ironique mi-sévère : « Ah ! vous êtes une ancienne, vous ! », ce à quoi elle répond par un timide et coupable « oui ». Luc ne la ménage pas. Il enchaîne par : « Et ça vous fait quel âge ? » Il consulte le dossier, énumère vite et à voix basse, comme pour lui-même, la longue liste des stages et des « emplois » qu'elle a occupés depuis sa sortie de l'école : « 5e des collèges, quitte l'école en 86, inscription à l'ANPE... stage de TRE... AFPA... remise à niveau... TUC... stages... 89, formation générale au GRETA en 90... CFI commencé en juillet 90... »

Samira ne commente pas. Elle a fait dans le cadre du CFI un stage de formation qu'elle a interrompu et voudrait repartir « en cuisine » pour travailler en Allemagne (« ici y a pas de travail »). Elle est sur la défensive : avant même qu'on l'interroge sur l'interruption du dernier stage, elle anticipe et cherche à se protéger : « J'ai pas pu continuer, j'ai eu des problèmes... (*à voix basse et de mauvaise humeur*). »

L'entretien est émaillé de malentendus, chaque question de Luc étant interprétée par Samira comme une « attaque » qu'elle essaie de contrer à sa manière, mais chacune de ses réponses contribue à l'enfoncer davantage. Elle livre un combat perdu d'avance pour sauver la face. En outre elle fait des gaffes, comme lorsque, à la question du conseiller qui lui demande si elle veut « passer un CAP ou travailler directement », elle répond : « J'aimerais bien voir comment c'est.. comment que ça se passe, quoi ! (*silence*) en allant... pour voir... » Ce qui provoque l'irritation de son interlocuteur, qui lui répond sur un ton empreint d'ironie : « Pour voir... un stage pour voir ! (*sourire*)... Un stage pour voir (*cela dit à voix basse, comme pour lui-même, sur le ton de l'incrédulité*). » Samira a enfreint là le code implicite des rapports entre l'offreur de stage et le demandeur, qui repose pour une grande part sur une sorte de contrat de confiance entre les deux parties entraînant un abandon de soi du demandeur vis-à-vis du conseiller. Douter ouvertement de la valeur des stages, faire la fine bouche, c'est commencer à perdre foi dans l'action du conseiller et mettre en cause la légitimité de son travail et de son identité d'expert en orientation professionnelle.

Luc, comprenant immédiatement la menace, s'efforce par l'ironie de remettre Samira à sa place, en lui rappelant sa situation (ses échecs répétés, ses abandons de stage).

En fait, comme elle finira par l'avouer, elle recherche dorénavant « un boulot stable » et non pas une formation.

– *Comment ça s'est passé, votre stage de formation ?*

– C'était bien... (*comme pour se mettre en règle*).

– *Il y avait des matières comme les maths, le français ? Et ça vous a intéressée ?*

– Non... mais c'est surtout les cours qui... (*puis elle se se reprend*)... je suis sortie de l'école à cause des cours et puis il faut retourner aux cours (*sur un ton dépité*).

– *Alors ce que vous recherchez c'est un emploi, directement ? Pour l'instant, nous, franchement, on n'a pas d'offre... Vous êtes allée voir l'ANPE ?*

– Ouais.

– *Et vous y êtes allée quand ?*

– J'y ai été... ben, ça fait longtemps (*agacée par ces questions*).

– *« Ça fait longtemps... » Il faut savoir si vous cherchez un emploi ou si vous l'attendez chez vous !... Les employeurs, ils ne viennent pas les chercher, hein ! Ça existe plus, ça, les employeurs qui viennent toquer à la porte des gens pour leur dire de venir : « Venez, on a du travail pour vous »... Il faut peut-être le chercher...*

(*Se défendant :*) Oh ben, je cherche, hein !... le contrat d'alternance... [...]

– *Mais les cours pratiques que vous avez eus en formation, ça vous intéresse peut-être davantage ? Et si vous faites une formation spécialisée, peut-être que les cours seront davantage adaptés...*

– Ouais, mais comme ces cours-là [de formation générale] ça nous apprend rien, c'est pas dans notre métier (*colère rentrée*) comme dans la vente... J'ai fait du français, des maths et de la logique... ça sert à rien, moi je dis...

– *Dans la vente, il faut bien que vous passiez un examen. L'objectif de la préqualification, c'est bien de préparer au bout le BEP vente [Samira corrige : « le CAP vente »] et [pour] le CAP de vente il y a bien des exercices de français, il y a des exercices de maths...*

– Comme quoi il y avait un diplôme (le CFG), je sais plus c'était quoi mais soi-disant il vaut rien du tout... je l'ai passé, j'avais tout fait, je me suis fatiguée pour rien ! J'avais tout bien fait, qu'est-ce qu'on me dit, j'étais refusée... Et plusieurs fois, je l'ai repassé, en plus !

– Parce que là, si vous faites une formation, n'importe laquelle, c'est obligatoire le français et les maths... Si vous allez faire de la vente, si vous ne parlez pas correctement le français...

– (*Le coupant* :) Moi, je parle bien !...

L'observation directe de ce type d'entretien fait apercevoir comment la gestion institutionnalisée de la transition entre formation et emploi (de plus en plus longue et indéterminée) contribue à délégitimer et à disqualifier un trait constitutif de la culture ouvrière, et plus largement des cultures populaires : la valorisation des savoirs pratiques, des savoir-faire, la transmission directe du métier par imitation des gestes et des postures. La prolongation du temps de latence entre l'école et la vie active, dans un univers qui ne ressemble plus vraiment à l'école mais qui ressemble encore moins à celui du travail, contribue à faire disparaître les conditions sociales qui assuraient la survie d'une « culture anti-école » chez les jeunes, dans un état antérieur des relations entre système d'enseignement et système d'emploi.

Les conseillers sont donc prisonniers de l'étroitesse de leur marge de manœuvre, liée à la pénurie locale d'emplois non qualifiés, et en même temps soucieux de favoriser la recherche d'emploi. Leur travail vise aussi à transformer ces jeunes aspirants au travail en « vrais » demandeurs d'emploi, qui se comporteraient comme des agents économiques rationnels, surinformés sur le marché du travail local, très « motivés », et qui se dévoueraient corps et âme à l'idéal d'une recherche de l'emploi tous azimuts (selon le modèle théorique du *job search*). Pris par la nécessité du « placement » des jeunes, et enfermés dans une logique de surajustement de l'offre de travail (qu'ils perçoivent comme imparfaite, sous-qualifiée...) à la demande, les conseillers tendent à relayer les exigences des entreprises en termes de main-d'œuvre peu ou non qualifiée, et quant aux « qualités » dont elle doit dorénavant faire preuve (polyvalence, disponibilité, esprit d'initiative). Bien entendu, au fur et à mesure que le marché du travail se tend, les exigences s'accroissent du côté des offreurs d'emploi : la tentation se fait plus forte de discriminer parmi les candidats au « contrat », comme le montre le fait que les employeurs sont de plus en plus nombreux à demander aux correspondants de la ML de ne plus leur envoyer des « enfants d'immigrés », plus précisément ceux qui portent des noms arabes...

4. Un bilan de stage décourageant

Les bilans de stage sont de deux types : d'une part, les « bilans intermédiaires », qui ont lieu en cours de stage dans les locaux des organismes de formation et au cours desquels les formateurs font le point sur le déroulement du stage en cours, et, d'autre part, les « bilans de fin de stage », qui se déroulent à la ML et ont pour principal objectif de décider de l'orientation future des stagiaires.

Ces bilans de fin de stage réunissent théoriquement l'ensemble des stagiaires, le responsable de la formation, le correspondant CFI (Congé de formation individualisée) du jeune et un ou deux conseillers ML. La réunion revêt un caractère quelque peu solennel. Les stagiaires ont été convoqués par écrit par le directeur de la ML, leur présence est déclarée « obligatoire » (toute absence devant être justifiée). Dans la salle de réunion, formateurs et conseillers de la ML vont, pour une fois, se retrouver ensemble, les « candidats » attendant devant la salle. Ils passent ensuite un par un, par ordre alphabétique, devant ce jury, et doivent ainsi affronter à la fois leurs « formateurs » (ceux qui ont enseigné lors du stage de formation et/ou qui les ont suivis dans leur période en entreprise) et les conseillers ML. Comme le dit une conseillère pour décrire succinctement l'ambiance qui y règne : « On leur fait un petit peu peur, on les prend un par un, individuellement. On demande au jeune ce qu'il a fait, ce qu'il veut faire. » Le bilan n'est pas ce qu'il y a de plus gratifiant dans le travail des conseillers, notamment parce qu'ils apparaissent ici – contre leur gré – comme des examinateurs qui évaluent et donnent des notes, des censeurs susceptibles d'interrompre un parcours de formation (un nouveau conseiller me confie au détour d'une conversation qu'il « n'aime pas les bilans de stage, ça fait un peu tribunal »).

Plusieurs bilans de stage étaient programmés pour la fin du mois de juillet 1991 et j'avais demandé à assister à l'un d'entre eux. Cette réunion avait pour objet un stage de préqualification[1]. La diversité des perspectives professionnelles des stagiaires (réparateur en carrosserie, fleuriste, magasinier de gestion de stocks, etc.), la disparité de leurs « motivations », l'absence des deux tiers d'entre eux lors de la réunion de bilan (seulement quatre sur douze étaient présents ce jour-là[2]), tout indiquait que ce stage était situé au bas de la hiérarchie des stages de « préqualif ». Les quatre stagiaires qui se présentèrent ce jour-là au bilan étaient déjà pourtant le produit d'une sursélection puisqu'ils avaient suivi jusqu'au bout leur formation, assisté à tous les cours et été jusqu'au bout de leur stage en entreprise.

Tout dans la disposition de la salle semblait fait pour que le bilan ne ressemble pas à un « examen »[3] : les tables étaient disposées en carré, les conseillers et formateurs étaient répartis de chaque côté du carré, si bien que le stagiaire ne se trouvait pas face à une rangée d'examinateurs. Le « correspondant CFI », un des anciens de la Mission, présidait la réunion, et il le fit d'une manière décontractée. Comme il remplaçait au pied levé une conseillère (en arrêt-maladie), il ignorait tout du parcours individuel des stagiaires. C'est donc la « formatrice » chargée du suivi des stagiaires en entreprise (qui, elle, possédait des renseignements précis, écrits, sur leur comportement au travail, informations qu'elle avait obtenues auprès de leurs « tuteurs » en entreprise) qui dirigea de fait la réunion – et lui donna une tonalité d'examen de passage. Pour chaque cas, elle consulta rapidement le dossier individuel et résuma, à l'attention des participants à la réunion, l'état d'esprit général des stagiaires – qu'elle déplora (« il n'y en a que deux qui sont vraiment motivés », les autres... [*soupir*]) –, puis

---

1. Niveau intermédiaire entre les « stages de mobilisation », où l'on aide les jeunes à définir un projet de formation, et les « stages de qualification », où l'on est admis uniquement si l'on possède un niveau de formation suffisant.

2. Certains absents s'étaient excusés par téléphone, ce qui les autorisait à reprendre le CFI en septembre, deux garçons avaient préféré prendre un contrat à durée déterminée plutôt que de continuer leur stage (ce qui mit la formatrice dans un grand état de fureur), les autres ayant « disparu dans la nature ». Quand nous nous étonnâmes de la forte proportion d'absents, chacun affecta de considérer cela comme « normal » pour ce type de stage.

3. Pour l'étude d'un cas analogue, voir Gabrielle Balazs, Jean-Pierre Faguer, « Un conseil de classe très particulier », *Actes de la recherche en sciences sociales* n° 62-63, 1986, p. 115-117.

présenta les dossiers individuels, attirant l'attention des participants sur tel ou tel cas.

Les stagiaires, bien sûr, redoutaient la réunion de bilan. Il y serait question des notes obtenues en formation générale, de la manière dont s'était déroulé le stage en entreprise. Et puis, cette évaluation déterminerait en partie leur avenir. Les deux premiers candidats frappèrent si doucement à la porte qu'on ne les entendit pas de l'intérieur, si bien qu'ils durent répéter l'opération avec plus de conviction. Puis ils entrèrent furtivement en passant la tête par la porte, attendant de recevoir l'ordre définitif d'entrer.

Le (ou la) stagiaire reste debout, et attend qu'on l'invite à s'asseoir, affichant un mélange de crainte et de déférence. Au début de l'entrevue, le conseiller explique l'objectif du bilan, sur un ton convivial et léger. Il reprend presque toujours les mêmes expressions en cherchant avant tout à dédramatiser l'entrevue, à ouvrir l'espace des possibles et à rassurer le stagiaire (« On fait le point sur chacun pour préparer la rentrée, pour savoir ce dont aujourd'hui vous avez le plus besoin. Est-ce que c'est de continuer la préqualification ? Est-ce que c'est d'entrer dans un stage qualifiant ? Est-ce que c'est autre chose ? »). Les examinateurs demandent au candidat d'effectuer lui-même le bilan de son stage et d'évoquer la manière dont il entend poursuivre sa formation. Les membres de la ML ont tendance à poser des questions d'ordre plus général tandis que la formatrice, forte de sa connaissance des cas individuels, est plus précise dans son questionnement. On sent bien qu'elle s'est déjà fait son opinion sur les stagiaires – opinion qu'elle entend bien faire partager à ses « collègues de la ML ». En présentant ici le cas de Sandrine et celui des jeunes ouvriers, on voudrait faire comprendre à la fois la singularité de chaque situation et ce qui les relie entre elles pour mieux faire apparaître ensuite le caractère exceptionnel de celle de Malik.

5. *Le rêve de la fleuriste et le calcul mental*

Sandrine (19 ans) a quitté l'école en troisième, à 17 ans, après son échec au BEPC. Elle a effectué son stage chez une fleuriste. La formatrice a expliqué le cas de Sandrine avant que celle-ci entre dans la salle. La commerçante s'est plainte plusieurs fois d'elle, lui reprochant notamment de ne pas savoir bien compter et de s'être trompée plusieurs fois en rendant la monnaie. Une telle lacune est rédhibitoire pour travailler dans la vente et l'empêche d'espérer poursuivre « en qualif ». Face au jury, Sandrine semble terrorisée, elle parle si bas que les examinateurs sont obligés de lui faire répéter ses propos. Philippe lui rappelle la règle du jeu du bilan. La formatrice, qui cette fois-ci mène l'entretien, lui demande sur un ton presque maternel de définir les tâches que doit effectuer une fleuriste dans son travail. Sandrine hésite longuement, craignant manifestement d'« avoir faux » à chacune de ses réponses, lançant à chaque fois un regard inquiet à l'assistance. Elle réussit toutefois à énumérer quelques tâches (« nettoyage des pots », « composition florale », etc.), laissant de côté les aspects « vente ». On sent bien que les formateurs aimeraient lui faire dire d'elle-même qu'elle ne sait pas bien compter de manière à pouvoir ensuite lui proposer une réorientation, un autre « projet » plus conforme à ses capacités. Sandrine se tient sur ses gardes, n'entend pas coopérer, conservant par-devers elle son « secret », tentant jusqu'au bout de nier son handicap.

La formatrice mentionne ensuite les aspects positifs de son stage en lisant les annotations de la patronne (« alors au niveau de l'accueil client, "très agréable", il y a pas de problème »), pour ensuite évoquer, toujours avec tact, le problème du calcul mental. (« Mais quand tu fais de la vente, ça veut dire quoi aussi ? Il faut compter... ») Sandrine hoche la tête, ne dément pas (« Oui, compter... »), avec la voix d'une élève prise en faute. Un long silence s'ensuit. Personne n'ose vraiment dire ouvertement les choses. La formatrice finit par lui demander explicitement : « Tu as des difficultés quand tu comptes ou pas ? » Sandrine, qui se met alors à rougir, répond du bout des lèvres : « Un petit peu », ne sachant plus quelle contenance adopter. De nouveau, un long silence. Avec toujours beaucoup de précaution, la formatrice suggère : « Tu penses que ça peut être un handicap ? » Sandrine le reconnaît dans un murmure. Michèle continue sa petite offensive (« C'est pour ça que je posais la question »). À ce moment-là, le conseiller demande, très étonné : « Tu ne sais pas compter ? » Il provoque alors un rire général. Sa gaffe (dans la logique de l'institution) – avoir dit tout haut ce que tout le monde savait mais taisait – demande réparation. Michèle se sent obligée de minimiser l'affaire (« Mais moi, j'ai pas dit qu'elle savait pas compter »). Philippe a involontairement cassé le jeu délicat de la négociation implicite qui s'était établie jusqu'alors et qui visait à faire reconnaître par la stagiaire elle-même ses « manques » ou ses « fautes ». Il fait repartir l'entretien dans une autre direction, comme pour faire diversion, posant alors à Sandrine des questions sur son passé scolaire, l'interrogeant à nouveau sur son « projet professionnel ». Sandrine, qui apparaît inébranlable dans ses convictions, répond comme une évidence : « Ben, fleuriste... »

Philippe cherche alors à la mettre en difficulté en testant sa connaissance du contenu du CAP de fleuriste puis de l'offre dans la région. Sandrine répond avec sérénité qu'elle veut travailler « dans une grande surface ». Le conseiller, quelque peu agacé par son attitude rigide, finit par commettre des lapsus qui révèlent qu'il ne la croit pas capable de faire ce métier (« Tu vas choisir quelque chose à ta portée, qui te convient, j'entends »). L'entretien fait du surplace, chaque partie reste sur ses positions et attend que l'autre cède. Le conseiller ouvre un nouveau front, celui de la recherche des employeurs. Il aimerait faire dire à Sandrine qu'il n'y a pas beaucoup de fleuristes dans la région. Ce qu'elle accorde bien volontiers, sans pour autant abandonner son projet. Il s'impatiente (« Tu t'accroches quand même ? »). Sandrine, imperturbable : « Oui, je cherche. » Philippe se rend temporairement.

Un peu plus tard, il reprend l'offensive sur le terrain plus objectif du niveau de formation, et parvient cette fois à faire reconnaître à Sandrine ses lacunes. (Elle « avoue » qu'en français « c'est bon, mais en maths... », sans s'appesantir), insuffisances qui ne lui permettent pas pour le moment de préparer le CAP. Philippe lui propose alors de prolonger son stage de deux mois mais lui conseille surtout de trouver un employeur. Sandrine fait la sourde oreille. La fin de l'entretien approche, « on » a tourné en rond, Sandrine n'a pas cédé. Les formateurs-examinateurs ne lui ont pas tout dit et ont, en quelque sorte, menti par omission. Saisi par une sorte de remords, le conseiller se décide alors à lui dire plus explicitement ce que personne n'a osé jusqu'ici dire franchement. Après lui avoir demandé de « mettre les bouchées doubles pendant le mois d'août », il en revient au thème principal de l'entretien :

> Il faut essayer de repérer les emplois... comment expliquer ça ?... Michèle [la formatrice] pourrait te dire que c'est difficile de tenir un emploi de fleuriste... et aussi par rapport à ton niveau. Bon, elle t'a suivie en entreprise, elle voit aussi là où tu vas avoir des difficultés, hein ? Est-ce que c'est vraiment important, ça [sa faiblesse en calcul mental] pour les employeurs ? Si c'est un critère d'embauche ? Et puis toi, si tu ne passes pas à ce niveau-là, ça va pas aller. Il faut soit que tu t'améliores de ce côté-là, soit que tu cherches un emploi un peu différent. On ne te demandera pas de faire les mêmes choses, on te demandera pas de faire de la vente, on te demandera pas de tenir la caisse peut-être... c'est à toi de voir... Soit tu t'améliores là-dessus, ou alors tu changes de recherche, de projet...

Sandrine aura résisté jusqu'au bout au cours de l'entrevue sans jamais véritablement « avouer ». Malgré les témoignages à charge qui se sont accumulés, elle veut toujours continuer à croire en son avenir de fleuriste. Résistance muette, obstinée de quelqu'un qui ne veut pas que l'on touche à son « rêve », que l'on brise un de ses derniers espoirs. Elle n'a pas assez de force (sociale) et de culot pour opérer un retournement de la situation d'entretien, pour accuser son employeur ou mettre en cause les formateurs (comme d'autres stagiaires le font à l'occasion). Sa seule ressource semble bien être de faire celle qui ne comprend pas où « ils » veulent en venir, de faire le gros dos en attendant que ce mauvais moment passe, ou de prendre la fuite.

On retrouve à l'état condensé, dans cet entretien, le type de travail psychologique que doivent mener à bien les formateurs. Il leur faut en effet jouer constamment (et alternativement) sur un double registre : à la fois éviter de décourager ces jeunes fragilisés et ne pas les bercer d'illusions. Le bilan qu'ils font ensuite de la discussion est, à cet égard, très éclairant. Philippe se reproche de ne pas avoir été « assez clair » avec elle. Mais l'analyse qu'ils font tous de la difficulté qu'ils ont eue à la convaincre qu'elle faisait fausse route porte essentiellement sur la définition du poste de travail (fleuriste), qui serait trop large pour dissuader les stagiaires qui « n'ont pas le profil », ne permettant pas de voir « si le désir est vraiment porté ». En outre, le repérage des « difficultés » de la stagiaire n'aurait pas été fait assez tôt. Cet entretien rappelle la sévérité de la concurrence en matière d'emplois « non qualifiés ». Les jeunes peu ou non diplômés partent battus dans cette compétition où dorénavant tous les atouts comptent. Ceux qui souffrent d'un « handicap » (ici les faiblesses en calcul mental, là le faciès) deviennent carrément « inemployables ».

On voit bien que ce qui ne se dit pas – et ne saurait se dire – au cours de la réunion de bilan importe autant que ce qui s'y dit. Aucun conseiller n'ose avouer ouvertement ce qu'il pense des chances (minimes) du candidat, pas plus qu'il n'ose juger ou prendre position. Tous préfèrent laisser le plus longtemps possible les choses dans le flou, comme on l'a constaté dans le cas de Sandrine. Tout se révèle en coulisse, après la sortie des stagiaires : formateurs et conseillers se regardent en silence, l'un d'entre eux prend alors la parole et dit, à voix basse, ce que personne n'avait osé dire devant la stagiaire, à savoir que son projet est irréaliste. Mais les dés sont pipés parce que les logiques de l'institution font que le jeune sera de toute manière reconduit dans une formation, quelle qu'elle soit. Les plus méritants ou motivés pourront continuer en « qualification », ceux qui n'ont pas le niveau de formation générale suffisant resteront « en préqualification » ; le cas de ceux qui n'ont pas assisté aux cours et ne sont pas venus au bilan de fin de stage sera renvoyé à plus tard. C'est le correspondant de la ML qui décidera en dernier ressort. Aucune décision définitive ne sera prise lors de la réunion, les stagiaires ne sauront pas avec précision en sortant ce qu'ils feront en septembre.

Cependant, l'entretien avec la stagiaire ne saurait s'achever sans résultat tangible. C'est pourquoi il est proposé *in fine* à chacun d'entre eux de participer au mois d'août à la session de formation à la recherche d'emploi (« le stage de TRE »). Décidément, la réunion de bilan, moment solennel du stage, est une épreuve qui reproduit, sur un mode appauvri, les examens scolaires. Mais en assistant à ces réunions, en « vivant » cette épreuve aux côtés des stagiaires (en voyant la gêne et parfois même la honte qui envahit tel ou tel d'entre eux), on est conduit à se demander si elles n'ajoutent pas à leur détresse (qui est celle de tout stagiaire à la recherche d'un « petit contrat ») l'humiliation du soupçon – être des « assistés » – qui ne cesse de peser sur eux. Le bilan met aussi en évidence le rôle du stage en entreprise dans l'« évaluation » du jeune : c'est à travers son assiduité et son attitude au travail (évaluées par le tuteur dans son compte rendu de stage) que le stagiaire est jugé. Or, les formateurs ont tendance à reprendre à leur compte les observations du tuteur du stagiaire ou du patron de la petite entreprise, comme s'il s'agissait d'un point de vue qui ne souffre pas de contestation. Et les stagiaires n'osent jamais exprimer spontanément leur point de vue sur leur expérience en entreprise. Et comme on ne leur demande jamais de se justifier ou de s'expliquer...

Il leur faut vraiment beaucoup de force pour résister et se faire entendre. Leur parole pèse peu par rapport à celle des « responsables », comme s'ils étaient par définition suspects – voire « coupables » – de non-assiduité, de non-implication dans leur travail, etc. Or, lorsqu'on les interroge plus précisément sur la manière dont ils ont été employés au cours de leur stage, ils laissent entendre qu'ils ont été utilisés comme des forces d'appoint temporaires, chargées du « sale boulot » (comme des « bouche-trous », disent les plus critiques). En même temps, les formateurs et les conseillers attendent d'eux qu'ils se conduisent avec le même sérieux et le même état d'esprit que les « vrais » embauchés. Bref, leur statut de stagiaire semble assigner à ces jeunes de se taire et d'accepter les conditions de travail qui leur sont faites, s'ils veulent entrouvrir un jour la porte d'entrée de l'entreprise.

6. Les résistances à la déqualification des jeunes ouvriers

Les jeunes qui ont été ouvriers en usine, qui ont alterné des périodes de travail et de chômage et se sont frottés de près, et souvent rudement, au marché du travail, ont un objectif bien déterminé en venant à la Mission locale (« Ils savent ce qu'ils veulent », comme le dit une conseillère) : mettre fin à l'incertitude et à la précarité de leur condition. De leur expérience professionnelle passée, ils ont progressivement retiré la conviction qu'il leur fallait désormais acquérir impérativement une formation professionnelle devenue, à leurs yeux, un passage obligé vers l'emploi stable. Elle est aussi pour eux un moyen de se réarmer socialement, de se refaire un moral, de surmonter la vision négative qu'ils ont d'eux-mêmes à la suite de leur passage par l'école, d'effacer ainsi leurs échecs scolaires du passé. Ils tentent par ailleurs d'échapper à l'obsolescence de leur petite qualification et cherchent à s'adapter à l'accroissement du niveau d'exigences des entreprises dans le recrutement de la main-d'œuvre ouvrière. La ML fonctionne alors comme une sorte de centre d'informations et de ressources pour tenter d'échapper à la déqualification et au chômage.

L'attitude de ces jeunes en emploi (ou l'ayant été) est sensiblement différente de celle des jeunes sortant tout juste du système scolaire. Moins intimidés, forts de leurs diverses expériences de travail, ils s'en laissent moins conter. Lors des entretiens de suivi ou des bilans de stage, ils apparaissent impatients, inquiets de tout ce temps déjà perdu en formations de remise à niveau (« stage de mobilisation », « stage de préqualif », etc.), avides d'entrer enfin dans le vif du sujet (la préparation d'un diplôme qualifiant), taraudés par la crainte de ne pas pouvoir s'établir vite dans un emploi stable. Ils attendent avant tout de la part des conseillers des réponses précises, des « solutions », et ne veulent surtout plus de réponses évasives et incertaines. Ils ne supportent pas non plus qu'on continue de leur offrir ce qu'ils appellent des « recettes de cuisine » (par exemple : « comment chercher un emploi ? »).

Le décalage (ou plutôt le désajustement) entre la demande et l'offre de formation apparaît dans ce cas particulièrement flagrant. La demande de ces anciens salariés est précise : eux ne viennent pas demander de manière indéterminée « un stage », mais – à la lumière de leur connaissance de la hiérarchie des emplois d'exécution (accessible aux non-diplômés qu'ils sont pour la plupart) – visent une formation à un métier qui leur permette de rompre avec la succession des petits boulots et de se protéger ainsi durablement des aléas du marché du travail. Cette demande n'est pas toujours comprise par les conseillers, notamment parce que la plupart d'entre eux connaissent très peu ou très mal les conditions de travail et de vie des ouvriers de la région, et en ont une représentation souvent déformée (qui correspond en fait à celle que tend à donner la presse locale et nationale lorsqu'elle parle de la modernisation des entreprises). Ils ne peuvent donc pas voir dans le « choix » de la formation que font ces anciens ouvriers une façon de résister à la déqualification qui les menace constamment, et ont même parfois tendance à l'interpréter comme le fruit d'une démarche « irrationnelle », qui serait caractéristique d'une instabilité quasi « psychologique », comme l'illustre le récit suivant d'une conseillère.

> Dernièrement un jeune est arrivé, il y a deux ans qu'il était pas venu, en me demandant une formation d'électricien en bâtiment ou c'était un autre type de formation, je me rappelle plus bien... Enfin, il avait deux, trois idées. Il était quand même venu deux ans plus tôt pour faire une formation de magasinier, donc différente de celle qu'il demandait actuellement. Il avait eu la formation de magasinier, il a eu le permis de cariste, donc je veux dire qu'il avait quand même abouti ! Il avait quelque chose ! Il avait de quoi travailler, il a travaillé un an, il a été au chômage un an... Et il revient avec, de nouveau, une demande de formation. C'est-à-dire qu'il se dit : si je me forme de nouveau quelque part, je pourrai retrouver du boulot. Or, il est pas clair dans la formation. Alors c'est un jeune que j'ai orienté en lui disant : « Voilà les organismes qui existent, voilà comment tu peux t'informer, informe-toi sur les métiers, essaie d'en trouver un peu plus précisément, si tu veux te former, il faut que tu t'en trouves un, tu peux pas te former dans les trois (métiers). » Bon, le résultat était le suivant : il a à peine ouvert le classeur. « Ben non, je veux pas de tout ça, je préfère travailler, dans deux mois, on me propose du boulot », alors qu'il était venu avec une demande de formation. Donc, finalement, ils sont pas clairs, sa demande de formation cachait quelque chose. Il se disait : « Je vais peut-être être occupé deux, trois mois avant qu'on me repropose quelque chose », je serais pas étonnée, je suppose que dans son discours ça se passait comme ça : « Oh il me reste deux mois à rien faire » ; c'est ce qu'il m'a dit, donc quelque part il avait besoin de quoi ?...

La méconnaissance de la perception que ces jeunes ont du marché du travail local – qui pour eux s'opère par la comparaison d'expériences de travail personnellement éprouvées ou rapportées par d'autres copains – est à la source de nombreux malentendus en entretien de suivi. Les conseillers sont parfois à ce point enfermés dans leur rôle de conseil et d'offre en formation qu'ils finissent par ignorer les motivations de leurs interlocuteurs. On voit bien, à travers l'exemple précédent, que la conseillère est désarmée face à l'apparente indétermination et à la volatilité de la demande de formation qu'exprime ce jeune. Elle la soupçonne, par réflexe professionnel si l'on peut dire, d'être purement utilitaire, rabattant ainsi son cas sur le modèle de la demande de stages des jeunes des quartiers alors qu'il s'agit d'une demande de véritable formation professionnelle qui protège du chômage. La hantise de ce jeune ouvrier est celle de se retrouver « sans rien », d'avoir à attendre trop longtemps ; pris par l'urgence de trouver « quelque chose », et pour ne pas avoir encore une fois à se justifier, il prend le risque d'abandonner (temporairement) la perspective de la formation. Loin de manifester une attitude de défiance et de refus de la formation, ses hésitations et ses brusques revirements entre « boulot » et « stage » expriment une revendication de dignité sociale face à la conseillère, et surtout la hantise d'être traité comme un « demandeur » (à qui les agents des différentes institutions d'emploi peuvent faire, de différentes manières, la leçon...).

L'interaction entre conseillers et jeunes ouvriers non qualifiés met au jour un conflit de cultures. La recherche à tout prix d'un stage par les jeunes (venus notamment « des quartiers ») tend à être interprétée par les agents de l'institution comme une nouvelle ruse visant à « utiliser » la ML alors qu'elle peut être l'occasion pour eux de reprendre une certaine force sociale, pour affronter avec plus de chances de réussite le marché du travail, et surtout décrocher un « emploi stable » situé par ces jeunes au sommet de la hiérarchie des emplois espérés et perçu comme la seule possibilité de « se défendre ». On sent chez ceux qui ont déjà travaillé en usine, comme intérimaires ou « en fixe », un refus presque existentiel d'être voués à occuper à vie les postes de travail situés au plus bas de la hiérarchie des emplois (ceux qu'occupent leurs pères bien souvent), et un constant souci de chercher une meilleure place.

En fait, les jeunes issus de milieux populaires, on l'a dit, ont une connaissance pratique du marché du travail local. La vie dans le quartier – la fréquentation des copains de la même classe d'âge aux trajectoires scolaires et professionnelles variées, les discussions avec des adultes actifs du quartier – fait qu'il existe au niveau local une véritable socialisation anticipée de la vie professionnelle. Beaucoup de ces jeunes connaissent, du fait de leur inscription ancienne dans le quartier, la hiérarchie des bonnes et des mauvaises « boîtes », celles qui « payent » et celles qui « payent pas ». Ils n'ignorent rien non plus de la hiérarchie des emplois, des « bons boulots » et des « mauvais boulots ». Ils ont acquis, avant même d'être employés, des réflexes de défense sociale contre certaines pratiques patronales, si bien qu'ils refusent obstinément de faire un stage dans telle ou telle boîte où ils savent parfaitement qu'ils iront « faire le balayeur »...

Certains d'entre eux, OS de chaîne « à la Peuge », ont fait le grand saut : ils ont quitté l'usine, fui ce « boulot d'esclave » (terme communément employé) pour aller tenter leur chance en formation. Il s'agit donc d'une décision mûrement réfléchie, parfois au sein du couple. Du point de vue de la présentation de soi, le contraste est saisissant entre les anciens « scolaires » (ceux qui viennent de quitter le lycée ou d'abandonner la faculté) et les jeunes travailleurs passant par une phase de chômage. Tout les oppose : leur manière d'être, leurs aspirations en matière de formation, leurs attitudes. Plus âgés, souvent engagés dans une vie matrimoniale, ayant quitté le domicile familial, « à leur croûte »...

7. *Malik : un jeune ouvrier qui se défend*

Le cas de Malik est exemplaire pour comprendre l'opposition des manières d'envisager la formation selon qu'on est stagiaire ou conseiller. L'étude de sa situation va en tout cas donner lieu à un affrontement ouvert, parfois violent, entre Malik et un conseiller de la ML.

La formatrice prévient, avant même qu'il entre dans la salle, qu'il est à l'opposé des autres stagiaires, que « lui, il faut lui trouver tout de suite quelque chose ! C'est un garçon super ! Il faut lui trouver une solution, hein ! ». En effet, Malik possède un certain nombre de caractéristiques sociales qui le différencient nettement des autres éléments du groupe. Plus âgé (vingt-quatre ans) que la moyenne d'entre eux, il possède déjà une assez longue expérience professionnelle (près de cinq ans) : carrossier en garage puis ouvrier d'usine. Ce qui fait que, lorsqu'elle présente son cas, la formatrice du GRETA insiste sur le fait que « lui, il sait travailler ».

Lors de l'entrevue, Malik, qui s'exprime avec beaucoup

de conviction, regardant tour à tour tous ses interlocuteurs, est conduit une nouvelle fois à résumer son parcours. Au lycée professionnel, il prépare un CAP de carrosserie automobile : il réussit les épreuves pratiques mais échoue à la partie théorique. Il trouve ensuite immédiatement du travail dans un garage, où il reste un peu plus d'un an. Mal payé (« J'étais exploité »), il démissionne pour travailler dans une PME comme OS « en chaîne ». Trois ans plus tard, il quitte l'usine et un emploi « en fixe » (« J'ai fait plus de trois ans en usine, j'ai décidé que je voulais reprendre la carrosserie... moi la chaîne c'est pas tenable ! J'ai démissionné pour ça ») et se lance dans la formation pour repasser son CAP de réparateur en carrosserie. En fait, ses cinq ans d'activité professionnelle lui ont fait prendre conscience qu'aujourd'hui, pour échapper aux emplois précaires ou à la « chaîne », lorsqu'on est un jeune ouvrier, il faut posséder un diplôme professionnel : « Pour entrer en usine, dit-il, maintenant, le minimum, c'est un CAP, et si je l'ai pas et que la boîte elle coule, comment je fais ? C'est pour ça que je repasse le CAP... Pour commencer à faire mes preuves, je suis obligé de l'avoir... »

Son inscription à la ML avait donc un objectif très précis : obtenir la partie théorique de son CAP pour pouvoir mieux négocier avec les employeurs son salaire. Or, il a été mal orienté lors du primo-entretien : inscrit dans un stage de six mois en préqualification, il s'aperçoit en cours de formation que ce stage ne peut pas lui permettre de décrocher son CAP. Il aurait voulu un stage qui lui permette de consacrer tout son temps à la préparation des épreuves théoriques du CAP (« Moi, c'est surtout la théorie qui me manque »). Il met donc en cause une conseillère de la ML qui l'a inscrit à ce stage en lui promettant que son parcours lui permettrait d'obtenir le CAP (il s'écriera : « Il fallait pas me le promettre à ce moment-là !... »). Il se serait retrouvé dans ce stage par un malheureux concours de circonstances : la conseillère qui l'a rencontré lors du primo-entretien aurait fait une erreur d'orientation[1].

La formatrice qui l'a suivi tout au long du stage sait parfaitement qu'il a perdu son temps lors de celui-ci (ils en ont longuement parlé ensemble). Elle décide donc de jouer

---

1. Elle n'assiste pas à la réunion de bilan, ce que Malik fait remarquer à plusieurs reprises.

cartes sur table, loue les qualités et la « motivation » de Malik qui en font un stagiaire pas comme les autres. Elle veut « sauver » une des rares personnes méritantes à ses yeux et a dû lui promettre de poser la question de sa mauvaise orientation à un responsable de la ML et de le soutenir lors de cette réunion.

C'est ainsi que Malik arrive à ce bilan de stage très remonté contre la ML, prêt à vider son sac. Il vient réclamer des comptes et instruire à sa manière le procès des conseillers, s'estimant en quelque sorte victime d'une erreur d'aiguillage. À le voir et à l'entendre, le contraste est grand avec les autres jeunes stagiaires. Il prend facilement la parole, affirme sa présence, parlant comme un acteur, cherchant à convaincre en s'aidant de gestes. Redressé sur sa chaise, il affirme son bon droit et la justesse de sa cause, ne se privant pas d'interrompre ou de contredire ses interlocuteurs – qui ne semblent en rien l'impressionner. Il n'hésite d'ailleurs pas à demander des explications aux formateurs quand leurs réponses lui paraissent imprécises ou ne le satisfont pas. Il a de toute évidence du répondant en matière de formation, et donne le sentiment de bien connaître son sujet, notamment la complexe procédure d'orientation et de formation. Il a déjà fait, dit-il, le tour de tous les organismes locaux d'information sur la formation et l'emploi (le CIO, l'ANPE, le GRETA, etc.). Rien ne lui échappe : les filières de formation, les débouchés espérés, la valeur attendue des diplômes. Sa force vient de ce qu'il sait ce qu'il veut et qu'en outre il est soutenu par « sa » formatrice, qui l'a repéré comme un « bon élément ».

Mais l'entretien tourne rapidement à l'affrontement, à fleurets mouchetés, entre le stagiaire et le conseiller. Un malentendu s'installe entre eux, même si la formatrice, de son côté, essaie de recadrer la discussion autour de la suite à donner à la formation parce que, insiste-t-elle plusieurs fois, « Malik sait travailler... ce qui lui manque, c'est la théorie ». L'intérêt de la situation est que s'y s'opposent deux logiques : une logique institutionnelle[1] contre une

---

1. Le conseiller mène un entretien de routine et, ce jour-là, refait un primo-entretien, évoquant pêle-mêle l'objectif professionnel de Malik, son programme de formation. Malik retrace donc, pour la énième fois, son itinéraire scolaire et professionnel avant d'en arriver à son objectif, « avoir un CAP ».

logique de « défense de soi ». La première ignore ou minimise la deuxième, qui est pourtant au principe du choix de la formation. Le conseiller, qui raisonne en termes d'aptitude à tenir un poste de travail, ne comprend pas que l'expérience professionnelle de Malik ne lui permette pas de trouver un emploi de « carrossier ». Alors que ce dernier ressent surtout la nécessité de se protéger contre l'« exploitation » et contre l'engrenage des « petits boulots » sans avenir. Il est objectivement bloqué dans sa carrière par l'absence de CAP et se sait de plus en plus « menacé » dans son travail. Malik parle essentiellement à partir de son expérience passée et de la connaissance des rapports de force qui s'établissent dans une petite entreprise (« J'étais exploité », répète-t-il à plusieurs reprises comme pour justifier sa décision de quitter un emploi stable). Il est particulièrement bien placé pour connaître le prix de la non-qualification, et son coût moral et psychologique. Il a, à ses yeux, déjà « payé ». Or, le conseiller réagit comme s'il s'agissait d'un simple « projet d'emploi », raisonne comme un conseiller en formation sur un marché du travail abstrait. Mais Malik réintroduit sans se lasser l'idée qu'au cours du contrat de travail il y a un rapport de force qu'on ne voit pas. Il ne saurait se résoudre à raisonner en termes de « projet », d'« emploi futur ». Plongé dans le présent, il a pour objectif de mieux négocier le prix de son travail. Le doute du conseiller sur la stratégie qu'il envisage (avoir son CAP « complet ») atteint Malik dans son espoir.

Au moment de son entrée dans la vie active, à dix-huit ans, il a cru que la pratique lui suffirait, que l'absence de théorie n'était pas un handicap, comme beaucoup de jeunes en rupture de ban avec l'école. Aujourd'hui, sans CAP, il se retrouve pris au piège de l'élévation des exigences de qualification pour occuper des postes non qualifiés. C'est ce qu'il essaie d'expliquer à plusieurs reprises au conseiller : « Maintenant, pour aller chez Peugeot, le minimum pour entrer c'est un CAP ! C'est pour ça que je me suis préparé, ça me plaisait plus tellement. Il faut un CAP pour commencer à faire ses preuves, alors je suis obligé de l'avoir... » Aujourd'hui, il se retrouve « coincé » dans un travail non qualifié, tenaillé par la peur de vieillir « en chaîne ». Il lui faut à tout prix se dégager de l'emprise « patronale » qu'il sent de plus en plus peser sur lui. Obtenir la partie théorique de son CAP, c'est non seulement assurer un avenir professionnel en lui garantissant une plus grande mobilité choisie sur le marché du travail, mais aussi augmenter son niveau de formation, « évoluer » comme il dit, c'est-à-dire regagner une part d'estime de soi, relever la tête. Le CAP, c'est comme un surcroît de force sociale pour pouvoir résister à l'ordre économique : « Ça vous défend, un CAP ! » finit-il par lâcher au conseiller.

La tension monte de nouveau lorsque, tous ensemble, ils cherchent une solution qui soit adaptée à la situation de Malik. Celui-ci refuse énergiquement le contrat de qualification qui lui est proposé parce que, dit-il, « trois semaines en entreprise, une semaine en cours, je ne suis pas motivé, j'arrive pas à me mettre dans le bain, c'est ça mon tort... Je l'aurai pas ! C'est pour ça que je veux pas le faire ! ». Pour consacrer le plus de temps possible à « la théorie », il voudrait repasser son CAP en candidat libre, mais il ne parvient pas à trouver un lycée qui l'accepte. Différentes solutions institutionnelles sont tour à tour envisagées, l'AFPA, le GRETA, les CFA... mais aucune ne correspond à sa demande. Malik, excédé et découragé, éclate soudain : « Moi je dis que de toute façon on tourne en rond ! » Le conseiller lui rappelle qu'ils sont là « pour l'aider ». Ce dernier mot avive la colère de Malik : « Mais non ! Moi ce que je demandais c'était simple ! C'était de passer le CAP ! C'est pas compliqué. J'ai pas besoin d'aide. »

L'entretien s'achève dans la confusion, rien n'est décidé pour septembre, Malik montre une nouvelle fois sa bonne volonté en promettant de participer au stage de techniques de recherche d'emploi (TRE). Le conseiller, qui cherche à dédramatiser le conflit qui les a opposés, lance sur un ton complice, comme pour faire la paix : « Bon, ça va ? On t'a pas trop démonté ? » Malik esquisse un sourire gêné et se contient. Ensuite, le conseiller tente une dernière fois d'expliquer son point de vue : « Moi, ce que j'aime bien, c'est que chacun ait une vision assez large de ce qu'il peut faire, des moyens qu'il a à sa disposition, tu vois ? » Mais Malik refuse de se laisser bercer par ces grands mots. Lorsqu'il se lève, avant de quitter la réunion, il lance à la cantonade, sur le mode du défi : « De toute façon, avec vous ou sans vous, j'y arriverai ! Pas de problème !... Je vais pas me démonter !... Je vais partir tout seul s'il le faut... »

Malik parti, son cas est rapidement commenté : la formatrice, sa protectrice, conclut : « Lui, il est bien... » Le correspondant ML du stage n'en disconvient pas, et reconnaît que l'institution n'a pas fait pour lui tout ce qu'il aurait fallu : « Il est bien, mais c'est vrai qu'on le mène en bateau depuis un moment... »

La réunion de bilan s'apparente par bien des côtés à une évaluation par défaut. Elle offre un intérêt évident : celui de condenser, en un moment singulier, les traits pertinents du fonctionnement de l'institution, d'en faire apparaître – parfois même de manière caricaturale – les contradictions, les faux-semblants et la « vérité ». Ainsi, chaque participant joue le jeu, reste dans son rôle : le conseiller tient honorablement le sien en proposant une piste de sortie (le stage de TRE d'août), la formatrice en favorisant les plus « motivés », et le stagiaire, lui, démontre sa bonne volonté en acceptant de venir le vendredi. Mais personne n'est vraiment dupe de ce jeu de rôles, l'essentiel est de donner le change, de respecter les apparences. Malik, lui, a cassé le jeu des apparences, a fait éclater la fiction, a forcé l'institution à se découvrir. La résistance de Malik, l'un des rares stagiaires rencontrés qui possèdent suffisamment de ressources morales pour ne pas courber l'échine, paraît exemplaire dans la mesure où elle pose avec force la question des conditions sociales de l'entrée en formation.

8. Une nouvelle socialisation préprofessionnelle

Avec la construction aléatoire de véritables carrières de stagiaires, la socialisation ouvrière à l'usine, qui s'accompagnait bien souvent d'une politisation et d'une « ouvriérisation », cède la place à une socialisation professionnelle en pointillé, incomplète et transitoire, qui s'effectue lors des stages de formation : sans véritable patron, au contact épisodique de tuteurs et de formateurs(trices), acquérant des expériences de travail en simili qui permettent difficilement à ces jeunes de construire une véritable identité professionnelle. Cette période des stages a pour effet de déréaliser les premières expériences – les expériences fondatrices des premiers jours (le fameux premier jour à l'usine qui reste gravé dans la mémoire de l'embauché) – et ne fait que consacrer la réduction des chances des porteurs de petits titres scolaires. Car, on le voit particulièrement bien dans ces institutions, l'échec scolaire resserre dorénavant dramatiquement le champ des possibles sociaux. L'insécurité psychologique affecte aussi ces jeunes qui, s'ils échappent aux rêves lycéens ou étudiants, soit se réfugient dans l'espoir du pauvre (devenir styliste ou vendeuse), soit s'enferment dans une vision par trop fataliste de leur destin en espérant s'assurer un emploi peu qualifié (manutentionnaire par exemple), tous ces postes qui font maintenant l'objet d'une très forte concurrence entre jeunes.

L'installation dans les stages de formation dessine plus ou moins clairement les contours de ce qu'on pourrait appeler une socialisation préprofessionnelle, c'est-à-dire une socialisation qui serait à la fois un substitut de la socialisation au travail (avec la fin de l'embauche en usine) et un prolongement contraint de la socialisation scolaire. À la différence des classes de relégation où la continuité de l'encadrement par des enseignants, bien souvent dévoués, procure effectivement une socialisation de remplacement (apprentissage de la prévisibilité des attitudes, intériorisation de règles temporelles, etc.), offrant ainsi un cadre de substitution à la famille (souvent déficiente), les différents stages mis en place par la ML ne proposent pas un véritable cadre de socialisation. Les jeunes, qui sont en stage en entreprise la moitié du temps, sont le plus souvent utilisés comme de la main-d'œuvre bon marché. Les formateurs ne suivent pas les stagiaires en continu et ne sont pas toujours animés du même état d'esprit que les enseignants dévoués au rattrapage scolaire. Le travail de remise en confiance des enseignants des classes de relégation se fait à l'occasion de contacts permanents établis par la famille (les enseignants vont à la rencontre des familles, connaissent bien souvent les frères et sœurs, l'environnement familial).

Sur ce segment particulier du marché du travail des jeunes non diplômés, la ML apparaît ainsi, dans cette première moitié des années 1990, comme un « réservoir de main-d'œuvre » (non qualifiée) mais aussi comme un centre d'accumulation de ressources et un lieu (protégé) d'apprentissage de conduites, de valeurs économiques et morales, où s'opère, par défaut et en pointillé, une socialisation anticipée au travail et à l'occupation de positions subalternes.

La prise en charge individuelle, le travail de suivi et d'accompagnement du jeune tendent à imposer la croyance que le marché des stages pourrait bien constituer l'antichambre d'un véritable marché du travail. Le passage par les stages ne serait alors qu'une parenthèse dans le calendrier d'insertion professionnelle, qui précéderait la véritable entrée dans la vie active. Pourtant, les observations menées ponctuellement sur cinq ans montrent que les jeunes non diplômés ou formés dans des branches qui n'embauchent pas (formations professionnelles tertiaires comme le secrétariat et la vente) constituent le noyau dur des jeunes chômeurs qui ne bénéficient pas des périodes de reprise conjoncturelle de l'emploi. Le « vrai » marché du travail où sont disponibles de « vrais » emplois se présente à eux comme un horizon qui s'éloigne à mesure qu'ils devraient théoriquement s'en rapprocher, à mesure qu'ils gravissent les échelons hiérarchiques (sur le papier) du « parcours de formation », à la manière d'un mirage disparaissant au moment même où ils croient être parvenus au terme du chemin...

De même que l'agence d'intérim sert de plus en plus d'agence de prérecrutement aux entreprises lorsqu'elles veulent s'assurer une main-d'œuvre d'exécution, on peut se demander si des institutions comme la ML ne jouent pas aussi, à leur manière, un rôle de prérecrutement de main-d'œuvre au profit des PME et de l'artisanat, segments inférieurs du marché du travail local : d'une part, en présélectionnant les candidats à tel ou tel stage, et d'autre part, en orientant et réorientant les élèves au cours de leur parcours de formation, en en encourageant certains, et en en décourageant d'autres. Car les stages permettent de tester les jeunes, leurs motivations, leur capacité d'adaptation au poste, leurs « qualités » au travail, leur « état d'esprit », comme disent les employeurs. Il ne s'agit pas pour nous, bien sûr, de dénoncer naïvement l'action des institutions de gestion de l'emploi, et encore moins d'envisager la ML comme une instance qui serait par essence répressive ou moralisatrice. On doit, au contraire, insister sur l'aide tangible que les professionnels de l'insertion apportent aux jeunes : tant matérielle (contacts avec les employeurs, petits contrats, rémunération, soutien dans les démarches administratives – inscription à l'ANPE, droit à la couverture sociale) que morale (remise en confiance des plus fragiles, appui psychologique, etc.) [1].

Au fond, nous avons avant tout ici cherché à mettre au jour les effets des « stages » – ce mode particulier d'entrée dans la vie active – sur l'image de soi des jeunes non-diplômés. À travers les histoires de ces stagiaires, à travers leurs espoirs et leurs rêves, leurs illusions et désillusions, on saisit au plus près des pratiques l'importance nouvelle du diplôme pour la fraction de la main-d'œuvre d'exécution. Sans diplôme, ces jeunes ne cessent d'expérimenter la nullité de leur valeur sociale sur le marché du travail. Pour se redonner du crédit social, certains vont jusqu'à s'inventer un CAP qu'ils n'ont pas car ce diplôme joue son rôle au moment de l'entrée sur le marché du travail : c'est un gage de sérieux aux yeux des employeurs. Bref, en entrant à l'usine, on ne laisse plus comme avant l'école à la porte, on a le sentiment que celle-ci pèse encore par son jugement et ses classements sur sa vie professionnelle et sur son avenir. Fini le temps de l'insouciance, de la jeunesse ouvrière avide de brûler ses vaisseaux. Les effets du classement scolaire concernent dorénavant tous les échelons du groupe ouvrier à travers la dévalorisation en cascade des diplômes : processus qui atteint en fin de course, et avec la plus grande violence, les non-diplômés, en les repoussant dans une sorte de *no man's land* social où ils ne seront définis que de manière privative – sans diplôme, sans travail stable, sans avenir professionnel, sans possibilité de fonder une famille, de s'établir, etc. Le sentiment précoce de déclassement de ces jeunes non ou peu diplômés doit aussi beaucoup au fait de l'« attraction du modèle estudiantin », qui s'impose aujourd'hui à l'ensemble de la jeunesse [2].

---

1. Voir sur ce point Stéphane Beaud, « Un cas de sauvetage social : histoire d'une jeune précaire racontée par un conseiller de mission locale », *Travail et Emploi*, n° 80, septembre 1999.
2. « L'attraction du modèle estudiantin a sans douté été un facteur puissant de changement social et culturel en favorisant la diffusion de normes et de styles de comportement dans les couches de la jeunesse éloignées de la sphère sociale où se recrutaient les étudiants : mode vestimentaire, goûts alimentaires, pratiques culturelles (notamment dans le domaine musical et dans celui des lectures – magazines, etc.) spécifiques, support d'un marché particulier de produits pour les jeunes ». J.-C. Chamboredon, « Classes scolaires, classes d'âge, classes sociales : les fonctions de scansion temporelle du système de formation », *Enquête*, n° 6, juin 1991 p. 128.

Les entretiens de suivi à la Mission locale font également bien sentir l'allongement de la période de la précarité, le risque de l'installation dans une situation d'intérimaire permanent qui guette les jeunes non diplômés, ou peu diplômés, en quête d'emploi. L'aggravation de la concurrence sur le marché du travail des « bas niveaux de qualification » (pour reprendre l'expression administrative) entraîne mécaniquement un processus de dévalorisation des titres scolaires et de déqualification à l'embauche des jeunes qui se solde, en fin de parcours, par ce que l'on pourrait appeler la disqualification de la force de travail simple, c'est-à-dire la disqualification de ceux qui n'ont que leur force de travail physique à vendre.

Ce monde de la transition professionnelle est un univers social très particulier, à la fois réel et fictif, autonomisé et enclavé, en partie déréalisé, comme s'il s'agissait d'un temps suspendu entre l'école et l'emploi. C'est aussi un univers sans sanctions réelles, ni véritables épreuves, ni règles bien précises, ni interlocuteurs clairement identifiables, ni « chefs » à qui s'opposer. L'institutionnalisation de la recherche d'emploi des jeunes les plus démunis remplace l'usine défaillante, substitue à la « protection rapprochée » que constituait le paternalisme une protection institutionnelle qui s'adresse aux exclus potentiels.

CHAPITRE III

Vulnérabilité ouvrière et familiale
(licenciée à 43 ans !)

Les nombreux travaux consacrés à l'étude de l'exclusion sociale ont amplement montré que ceux qu'on appelle depuis le milieu des années 1980 les « exclus » sont pour l'essentiel d'anciens membres des classes populaires, autrefois intégrés sur le marché du travail et qui, fragilisés par tel ou tel accident biographique (maladie, séparation-divorce...), en ont été expulsés, voyant ainsi leur vie basculer dans une grande vulnérabilité sociale[1]. Les managers leur ont alors signifié sans aménité qu'ils ne correspondaient plus aux nouvelles normes d'emploi. Lors de notre présence discontinue sur le terrain tout au long des années 1990, il nous est plusieurs fois arrivé de croiser, à telle ou telle occasion (visite chez notre hôte, rencontre dans le quartier, soirée, réunion syndicale ou rencontre au local de l'UD-CGT...), des figures correspondant à ce type social, sans que pour autant nous ayons entrepris auprès de tel ou telle un travail spécifique d'enquête.

Avec le recul, on peut se dire qu'il y avait, dans cette retenue, une sorte de méfiance instinctive vis-à-vis du thème des « exclus ». Ou, pour le dire plus précisément, cet évitement exprimait un choix d'enquête, fruit d'un présupposé théorique : comme nous nous étions fixé comme objectif de comprendre les processus qui, notamment dans la sphère du travail, conduisent à l'« exclusion », nous avons eu tendance à ne pas vouloir aborder de front et isolément cette question, si bien que nous

---

1. Pour une synthèse éclairante, voir Serge Paugam, *L'Exclusion. L'état des savoirs*, Paris, La Découverte, 1998.

n'avons pas effectué d'entretiens ciblés avec les « exclus » précités. En même temps, ce thème n'était pas pour autant absent de l'horizon théorique de notre travail : il nous apparaissait évident que ce rejet d'une partie du noyau dur du groupe ouvrier vers les marges de l'espace social éclairait d'une manière décisive la forme que prenait la déstructuration du monde ouvrier, sur notre terrain d'enquête comme ailleurs dans l'Hexagone.

Cependant, lors de la deuxième phase de notre enquête, à partir du milieu des années 1990, cette position n'était plus tenable tant les formes de sélection de la main-d'œuvre s'étaient entre-temps durcies, sur le marché externe comme sur le marché interne du travail, les difficultés s'accroissant aussi bien pour accéder aux emplois d'opérateurs chez les équipementiers que pour conserver sa place dans l'usine de Sochaux. Parallèlement à ce durcissement des politiques de gestion de la main-d'œuvre, on assiste à une série de glissements témoignant d'une rigueur accrue et qui visent à la recherche de la transparence, à l'élimination des zones de clair-obscur qui permettaient jusqu'alors à beaucoup de salariés de résister aux pressions, de « tenir » comme ils disent. Ces politiques sélectives conduisent naturellement les employeurs à étudier, et de près, les caractéristiques des personnes qui se présentent à l'embauche, à repérer celles qui ont un bon potentiel, des capacités d'évolution, et à les engager en espérant qu'elles évolueront dans le bon sens. Le corollaire est, bien sûr, qu'on tend à en rejeter ou à en éliminer beaucoup d'autres : soit qu'on les licencie lorsqu'elles ne peuvent plus donner pleine et entière satisfaction, soit qu'on les maintienne dans la précarité et l'instabilité sur un segment du marché de l'emploi, soit qu'on refuse de les embaucher purement et simplement. Du coup, le souci de conserver les salariés en difficulté dans l'entreprise (on craignait autrefois le mauvais effet que pouvait avoir un renvoi sur la cohésion sociale) s'est perdu. De fait, aujourd'hui, on considère de plus en plus comme normal, légitime, de sélectionner, trier, les « bons » éléments, au nom de l'efficacité. En conséquence, un nombre croissant d'ouvrier(e)s, anciennement intégré(e)s au travail se voient licencié(e)s – et durablement écarté(e)s du marché du travail.

Ce processus, nouveau par son ampleur et par sa brutalité, appelait de notre part une plus grande attention que celle que nous lui avions prêtée jusqu'alors. Et nous voulons ici mettre l'accent sur la manière dont se sont, au cours de cette période, développées des situations de vulnérabilité sociale croissante au sein des familles populaires : pères mis précocement en arrêt-maladie ou en invalidité (c'est souvent le cas pour les pères « immigrés »), préretraite, ouvrier(e)s licencié(e)s, etc. C'est ainsi qu'une « surpopulation relative » a été engendrée par le durcissement des formes de gestion de la main-d'œuvre.

À travers plusieurs études de cas, notamment celle d'une ouvrière licenciée après vingt-cinq ans de vie en usine, nous voudrions d'abord donner à voir et à sentir la manière dont le basculement dans le chômage déstabilise l'ensemble du fragile édifice construit pour faire face à l'adversité sociale [1] et ainsi suggérer ce que les analyses en termes de « montée de l'exclusion » tendent trop souvent à éluder, à savoir ce qu'avait représenté le travail pour ceux que l'on appelle les exclus ; mais nous voudrions aussi éclairer l'ampleur de l'écart générationnel qui s'est creusé au sein des familles populaires sous l'impact de la crise et la fragilisation sociale qui en est résultée pour les jeunes générations (la « génération des précaires »).

1. La rencontre avec Nadia : hasards d'enquête et vertus de la présence prolongée sur le terrain

Nous avons rencontré pour la première fois Nadia en juillet 1994, au moment où nous achevions l'enquête sur la modernisation des ateliers de montage de l'usine de carrosserie de Sochaux. Elle avait alors 44 ans et vivait très chichement. Elle était venue voir, un dimanche soir vers 21 h, Christian, son nouveau voisin, chez qui nous logions alors. Elle n'habitait pas très loin, dans un immeuble collectif en partie réhabilité par la mairie pour y loger principalement des « cas sociaux ». Ce jour-là, elle avait passé avec ses enfants une grande partie de la journée à la plage au bord d'un étang ; elle apparaissait en forme, brunie par le soleil.

---

1. C'est un thème qui a été bien travaillé par les sociologues, tout particulièrement depuis le livre pionnier de Paul Lazarsfeld et Marie Jahoda, *Les Chômeurs de Marienthal*, Paris, PUF, 1980.

En discutant à bâtons rompus avec elle, j'apprends qu'elle a été licenciée par Peugeot il y a un peu plus d'un an, qu'elle avait travaillé près de vingt-cinq ans (de 1969 à 1993) à l'usine de Sochaux[1], le plus souvent dans l'atelier de peinture. J'apprends aussi qu'elle a commencé à travailler à quinze ans dans une filature de la région pour se faire embaucher ensuite comme OS à Sochaux (où la paie était bien meilleure que dans les usines textiles). Je ne lui cache pas que c'est tout à fait le type d'expérience professionnelle dont j'aimerais pouvoir discuter un jour avec elle, de manière approfondie, dans le cadre d'un entretien enregistré. Ce qu'elle accepte bien volontiers. Rendez-vous est fixé pour le lendemain chez elle.

Il me semble qu'il n'est pas de meilleur moyen de faire sentir ce qu'a signifié, au cours des vingt dernières années, la déstabilisation de toute une région, la façon dont la peur s'est insinuée dans toutes les couches de la population, dont le rapport à l'avenir s'est transformé, etc., que de présenter les grandes lignes de cette trajectoire. Je les accompagnerai de quelques extraits d'entretiens réalisés entre 1994 et 1998. Je relierai également cette présentation à celle des grandes lignes de la trajectoire scolaire et professionnelle des enfants de Nadia et notamment de ses deux filles.

Nadia est née en 1950 dans une famille franco-algérienne : son père était algérien, sa mère franco-suisse. Elle porte un prénom algérien auquel elle a substitué un prénom délibérément ambigu. Plus largement, il semble qu'elle ait gommé de son apparence extérieure tout ce qui pourrait la faire apparaître comme algérienne ou la rattacher à l'Algérie. En 1965, elle commence, au sortir de l'école primaire, à quinze ans, à travailler dans une filature à Gercourt : une usine aujourd'hui disparue, qui employait une main-d'œuvre féminine et très mal payée. Quatre ans plus tard, en 1969, elle entre, à dix-neuf ans, à l'usine Peugeot de Sochaux : à l'époque, on embauche massivement les femmes et les immigrés. Elle travaille comme OS dans divers ateliers et apparaît vite assez proche du pôle

---

1. En effet, à Sochaux, dans les années 1960 et 1970, même si le pourcentage de femmes embauchées n'a jamais été très élevé (autour de 10 %, avec un taux beaucoup plus fort dans certains ateliers comme la peinture ou la garniture), les femmes qui entraient à l'usine « en fixe » travaillaient en équipe et vivaient l'intense vie sociale des ateliers d'OS. Ce qui m'empêche pas que le travail était extrêmement dur.

militant, acceptant même de se faire inscrire comme suppléante sur une liste CGT aux élections professionnelles. Elle restera vingt-cinq ans chez Peugeot, on l'a dit, et travaillera principalement à l'atelier de peinture, où les femmes sont particulièrement nombreuses.

Elle se marie à vingt ans, a trois enfants, deux filles (nées en 1971 et 1973) et un garçon (né en 1982). Son mari, français d'origine, est ouvrier d'entretien dans un grand lycée de la région. Elle se sépare de celui-ci en 1983. Sans que ce point ait été vraiment approfondi, la manière dont elle a participé très activement aux mouvements de grève de 1981-82 contre l'avis de son mari a certainement joué un rôle dans cette séparation. En 1984, elle divorce et, à partir de ce moment, va de crise en crise. Sa situation se détériore à différents niveaux. Elle est souvent absente au travail, ce qui lui vaut progressivement l'hostilité des chefs d'équipe et de la maîtrise. À son retour à l'usine, elle est mise sur des postes de travail qu'elle ne connaît pas, parfois plus faciles, généralement plus difficiles. Elle traverse une série de dépressions. Progressivement, comme elle le reconnaît elle-même, elle se coupe de ses camarades de travail qui l'ont pourtant longtemps soutenue, et notamment des délégué(e)s. Cependant, elle parvient à « survivre » dans l'ancien atelier. En 1992-93 elle est mutée au RAPS (nouvel atelier de peinture[1]) et, dès lors, sa situation se détériore très vite.

On est donc en présence d'un cas de rejet d'une usine où le travail se transforme et s'intensifie, et où l'on n'a plus les moyens de s'occuper des gens en situation difficile. Autrefois, dans l'usine, compte tenu de son excellent passé professionnel, il est clair qu'on aurait pu trouver à Nadia un poste aménagé. Mais à la fin des années 1980, et au début des années 1990, dans le nouveau contexte de modernisation accélérée, il n'y a plus de place pour ce type de postes. Nadia, parce qu'elle est souvent absente, s'attire vite l'inimitié et la hargne de certains chefs, et ce d'autant plus qu'elle est restée proche des militants. Elle va rester aux laques avec le dernier carré des militantes, et notamment Marielle, une ouvrière, fille de réfugiés espagnols, une

---

1. La transformation de cet atelier intervient à peu près au même moment que celle de l'ancienne finition évoquée dans les chapitres 2 et 3 de *Retour sur la condition ouvrière, op. cit.*

figure cégétiste de l'usine. On aurait pu supposer que sa proximité avec les militantes de la CGT allait la protéger contre les risques de licenciement. Au début des années 1990, une des constantes de la politique de la direction est la chasse aux absents et aux malades. Les anciennes formes de « protection » syndicale ne pèsent plus très lourd. En 1993, Nadia est licenciée pour absences répétées. Il s'ensuivra un long combat où elle sera fortement soutenue par la CGT et ses anciennes camarades. Elle se battra pour faire reconnaître sa maladie comme ayant une origine professionnelle et réclamer une pension d'invalidité. Elle trouvera un logement sur la ZUP de Montbéliard, s'installera avec ses enfants dans un « mauvais » secteur du quartier (« Tu rentrais chez toi à 11 h, tu enjambais, t'avais des seringues... et je n'étais pas un "cas social" »).

Dans sa vie privée, elle va connaître une série de déboires sentimentaux. En 1991, elle a une petite fille. Il s'agit d'une naissance non voulue, comme elle le reconnaît quelques années plus tard, mais qui va lui permettre de réorganiser sa vie autour de ce dernier enfant. Son « copain », rencontré dans le quartier de la ZUP, ne travaille pas, vit « à ses crochets » et parfois la bat. Elle se sépare assez vite de lui. Période très noire... Elle finira par se retrouver dans un immeuble de la ZUP réservé aux « cas sociaux », et notamment aux alcooliques violents et dangereux... Elle traverse alors des moments terribles et n'a qu'une envie : fuir la ZUP et son appartement.

En 1994, elle revient à Gercourt soutenue par les services sociaux. Elle dispose d'un revenu d'environ 2 000 F, qu'elle perçoit au titre de l'invalidité deuxième catégorie. C'est donc à un moment de sa vie particulièrement délicat que je réalise avec elle un premier entretien enregistré. En 1996, elle est engagée dans un combat pour se faire mettre en invalidité première catégorie. Soumise à de nombreux contrôles de la part des médecins de la Sécurité sociale, elle parvient à ses fins en 1998 en obtenant le statut désiré. Ce qui en quelque sorte la sauve, notamment en l'empêchant de sombrer dans la misère matérielle, mais aussi du point de vue moral.

Mais le cas de Nadia a aussi ceci d'intéressant qu'il met vivement en lumière l'imbrication des histoires individuelles dans la famille, les effets en cascade des « décrochages » de la mère sur la vie de famille.

2. Modes de socialisation et générations d'ouvrières

Si l'on analyse avec le recul les principaux éléments de la trajectoire de Nadia, on peut dire qu'elle est une ouvrière typique de sa génération : elle s'est « ouvriérisée » dans la période de lutte sociale et politique intense des années 1970, a été fortement impliquée pendant ces années dans les formes les plus revigorantes du travail d'usine, a connu des formes de défense et de résistance ouvrières typiques des grands ateliers d'OS. Son licenciement en 1993 l'a fait basculer dans un autre monde, lui a fait brutalement perdre cet appui, fondamental pour elle, et l'a fait se confronter à des formes de déchéance sociale et à la peur, qui ne la quittera plus guère, de « tomber ».

Ainsi, le cas de Nadia nous aide à mieux comprendre la manière dont l'expérience prolongée du travail en usine – c'est-à-dire l'ensemble des relations sociales qui lui sont associées (les formes de camaraderie, la découverte de l'entraide et de la solidarité, et par moments l'effervescence de la lutte politique et syndicale, etc.) – a contribué à construire sa personnalité sociale d'ouvrière. Cela est particulièrement vrai pour les femmes de sa génération, dont les mères étaient majoritairement au foyer, aux prises avec la gestion éminemment délicate, de familles à la fois nombreuses et impécunieuses. Pour leurs filles, le travail à l'usine a été perçu comme une échappatoire à cette condition de femmes « bloquées » à la maison par leurs enfants.

> – Au RAPS [le nouvel atelier de peinture], on était quand même une majorité de femmes, mais disons que c'était pas du tout la même chose que dans l'ancienne peinture. Au RAPS, c'étaient des femmes qui avaient peur. Alors qu'avant ce n'était pas ça du tout. Avant c'était l'ambiance, on faisait notre travail, même qu'on en bavait, mais il y avait l'ambiance ! Alors qu'au RAPS il y avait plus d'ambiance, c'était « marche ou crève ! » C'était du style « moi, je fais mon poste, je ne t'aiderai pas à faire le tien ». S'il y en avait une qui « coulait » [ne tenait plus le rythme de la chaîne], on ne s'en occupait pas... Il faut dire aussi une chose : c'est que les filles, elles avaient tellement de boulot chacune de son côté que les dix secondes qu'elles avaient pour de bon elles se les gardaient pour elles... Je crois que vous pouvez

demander aux 80 % de femmes qui étaient là-dedans, jamais on n'a eu une ambiance comme on en avait aux Laques [un secteur de la peinture]... On était cinq femmes, d'ailleurs on s'accordait tellement bien qu'une fois par mois les cinq c'était chacune notre tour chez soi, on se retrouvait... pour faire... [Elle hésite, je lui souffle le mot.] Oui, une « petite fête »... une fondue, un truc comme ça... mais vraiment sympa et on était très très bien... c'était vraiment super alors que là au RAPS on n'a plus jamais retrouvé ça... ça a été fini... D'ailleurs Emmanuelle travaille de son côté, bon... Nadette et Martine [d'anciennes copines des Laques] ont pris leur compte... Aimée a été mutée... Moi, j'étais en invalidité... Enfin, bref, on a été toutes dispersées... Mais c'est vrai que jamais je ne rencontrerai une ambiance comme je l'ai connue avec des filles comme on était là.

– *Ça faisait que le travail se passait mieux ?*

– Ah on faisait notre travail !... Jamais on ne vous disait quelque chose !... Si, peut-être, une fois en deux ans, on nous a dit : « Vous avez oublié ça ou vous avez oublié ça »... On n'est pas à l'abri des fautes, on est des êtres humains quand même... Mais disons qu'on était bien ; on n'allait pas au boulot à 5 h du matin en ayant le sourire jusque-là... c'est pas vrai... Moi, j'y ai toujours été avec le sourire en bas, mais sitôt que j'avais bu mon café ça allait... parce que j'avais mes problèmes – bon, à ce moment-là, j'avais des problèmes familiaux avec mon mari – mais ça, jamais je ne l'ai montré aux copines... Les filles, elles ont su que je m'étais séparée de mon mari six mois après... et pourtant on était de bonnes copines...

– *Et ça, c'était un peu l'habitude, on ne parlait pas trop de ses problèmes...*

– Non, parce que là on était bien, on oubliait un petit peu, on était là pour le boulot et puis on déconnait... Voilà !... Alors qu'après, au RAPS, c'était sans arrêt des lamentations !... On n'était plus heureuses quoi... Et puis le stress du travail en plus... Nous, on a été les dernières à travailler aux Laques, moi j'ai fini les Laques avec Emmanuelle et Marielle de la CGT... je sais pas si on était des pestiférées... ils nous ont laissées les dernières... pour qu'on n'arrive pas dans le nouvel atelier en montrant les imperfections qu'il y a. Parce que nous, si on était arrivées au RAPS en premier, on aurait dit : « Il y a ci, il y a ça qui ne va pas »... Alors à la fin, aux Laques, on ne travaillait plus qu'avec des intérimaires... (*silence*). Mais on a ri... Qu'est-ce qu'on a ri avec eux, parce que c'était encore l'ancienne manière de travailler... Alors, quand ils nous ont envoyées au RAPS, vous savez, là, c'était vraiment le masque, ç'a été terrible parce qu'on voyait que tout allait changer...

Elle arrive au RAPS après une longue absence au début de l'année 1990 : elle est déjà en invalidité première catégorie, et ne travaille que quatre heures par jour. Elle est à ce moment-là très dépressive et insiste sur les humiliations qu'elle a dû alors subir. « Jamais, dit-elle, je n'avais été humiliée comme ça. »

– [Au RAPS] on était vraiment, je sais pas comment vous dire ça, on était déjà commandées par des jeunes de rien du tout qui sont là parce qu'ils ont leur carte [du syndicat peugeotiste], et puis, bon, c'était le gars qui disait : « Tu fais ça ou bien alors je te fous un rapport au cul ou quoi que ce soit. » Vraiment, hein !... Ça, c'était la nouvelle maîtrise, parce que la vieille maîtrise, bon, c'est vrai que comme tout le monde, on avait des mots plus hauts l'un que l'autre, mais ça s'arrêtait là, disons. Mais la nouvelle maîtrise du nouvel atelier, c'était vraiment le... Quand je suis rentrée de mon congé de longue maladie et qu'ils m'ont emmenée au RAPS, quand j'ai vu qui c'était qui nous commandait, parce que c'étaient plus nos chefs d'avant, nos vieux chefs, quoi, enfin « vieux », je me comprends... ils avaient entre 40 et 45 ans là quand même... c'étaient des gars qui avaient déjà fait le travail, bon, ça allait. Mais quand vous vous voyez commandée par des jeunes mais qui n'ont jamais fait le travail que vous faites, ça vous bouffait, quoi, c'est le cas de le dire. Bon, comme on leur disait, si tu n'es pas content, tu prends le poste, tu le fais à notre place [...]. Et quand j'ai repris le boulot, on m'a mise au RAPS directement. Ça a été le changement radical vraiment... N'importe comment je pleurais tous les jours, je ne m'en remettais pas, je pleurais tout le temps. De me faire commander comme ça, bon, ben, c'est vrai que quand on est en usine, n'importe quel boulot, vous avez toujours des supérieurs qui vous commandent, mais vous faire commander par des gosses de vingt ans et puis qui... c'est ça ou c'est la porte et qui n'ont jamais fait le travail que vous avez fait avant, ça c'est vraiment aberrant quoi... C'était vraiment humiliant... Moi, je me trouvais plutôt à ras de terre, vous voyez, on était rabaissées, quoi, et puis on était obligées de le faire parce que, autrement, ils allaient pleurer vers le supérieur et puis le supérieur venait et il vous engueulait devant tout le monde et c'était... [Je lui demande le nom de ces jeunes, lui suggère le mot de moniteur ou d'entraîneur.] Attendez... Moniteurs, oui voilà, c'étaient les moniteurs. Alors, c'étaient des gars qui étaient quand même avec vous avant, qui travaillaient avec vous, que c'est vous qui leur aviez appris le travail... et quand vous voyez qu'après ils vous commandent, et puis qu'ils vous rabaissent plus bas que terre, vous vous dites : « Mince après tout tu as quand même vingt ans de plus que lui, c'est pas possible que tu puisses te laisser faire comme cela »... Parce que là, vraiment, ils nous prenaient vraiment pour des lavettes. Vous voyez à notre âge, c'est vrai que... moi j'ai fait vingt-cinq ans chez Peugeot, vingt-cinq ans chez Peugeot, jamais j'avais été humiliée comme j'ai été humiliée là, au RAPS. Jamais, jamais, jamais j'ai été humiliée comme cela...

— *Et en même temps, il y avait des groupes d'expression, des cercles de qualité...*

— Ah oui, oui, ah bien ça, des promesses... Oh oui, mais les cercles de qualité et tout cela, et puis les promesses, et puis ci, puis ça, et puis si t'écoutes bien ce qu'on te dit, si tu fais bien ce qu'on te dit, tu seras récompensée, donc récompensée c'était les primes au choix. Moi je vous dis franchement, en vingt-cinq ans chez Peugeot, j'ai eu une prime au choix quand j'étais enceinte de ma fille, j'ai eu vingt-cinq francs... en vingt-cinq ans de chez Peugeot. Je pense que cela a été le cadeau de bienvenue de ma fille, quoi, disons que pour moi, c'était ça... Mais moi, quand je l'ai eue, je leur ai dit merci, ça me paiera mon timbre à la CGT... Je leur ai dit comme ça parce que, franchement, ça m'a vraiment écœurée...

— *Et dans le nouveau système, il y avait davantage de primes ?*

— J'en ai jamais eu... Je n'ai jamais eu une prime, jamais, parce que je n'étais jamais d'accord... Bon, quand il y avait quelque chose qui n'allait pas, j'étais la première à rouspéter, la première à faire ci, à faire ça, donc j'étais la brebis galeuse, quoi... C'était vraiment aberrant déjà de se prosterner devant les chefs, bon, on peut être chef et puis être bien, j'ai connu des chefs qui étaient très bien, très très sympa, très coopératifs avec nous, et tout de même un ingénieur de main-d'œuvre, super, il a été super celui-là. On avait n'importe quel problème, on allait vers eux, vous pouviez être sûre que ce problème il s'arrangeait. Au RAPS jamais j'ai eu un chef bien... jamais ! jamais ! jamais !... Parce que c'était « Tu fais ce qu'on te dit, autrement bien ma foi, la porte elle est grande »...

— *Et du point de vue travail, c'était plus dur ou...*

— Oui, c'était très, très dur. Moi je sais que j'étais en invalidité première catégorie, donc je devais travailler quatre heures par jour. On me faisait remplacer n'importe qui, mais quand je suis passée aux prud'hommes, on a dit qu'on m'avait donné un poste fixe et ce n'était pas vrai. D'ailleurs, je me suis rebiffée aux prud'hommes, j'ai dit : ce n'est pas possible qu'on vous ait dit ça, ce n'est pas vrai... On m'a donné un poste qu'il fallait que je remplace n'importe qui... On me disait que ce n'était pas vrai, que c'est moi qu'on remplaçait. Ce n'est pas vrai, c'était moi qui remplaçais les autres. Pendant que je remplaçais un certain monsieur ?, eh bien lui il glandait à la cafétéria, le temps que j'ai fini mes quatre heures. Une fois mes quatre heures passées, il revenait...

– Et ça vous arrivait souvent d'être déplacée ?

– Tout le temps, tout le temps... N'importe comment, on nous avait déjà toutes séparées. Je me rappelle en étant enceinte en 1980, avec Annette... elle avait pris son compte, c'était une bonne militante. On nous avait foutues sous les toits, les trois ensemble pour pas qu'on puisse faire de propagande ou quoi que ce soit. Ça, ça a été vraiment le coup...

– Fallait pas aller contaminer les autres...

– Oui, dire ci ou dire ça... C'est vrai qu'on a passé une grossesse super parce que on était déjà les trois ensemble, on a accouché les trois à huit jours de différence à la même clinique, vous voyez un peu ce que cela donne... On est rentrées en 81 les trois, on a fait les grèves de 81, donc on était très très mal vues chez Peugeot... Et puis moi, la dernière grève que j'ai faite, c'était en 81, eh bien j'ai été vraiment plus bas que tout depuis là. J'ai déjà eu les cinq jours de mise à pied, le ci, le ça, et puis après c'était vraiment... Il n'y avait plus besoin de rien demander, c'était refus net, net d'emblée. Après j'ai été très très malade et tout cela...

– C'est en 93 que vous avez reçu la lettre...

– Non, je n'ai pas reçu de lettre, j'ai été licenciée, et puis ma fille est venue un jour me voir à l'hôpital, elle m'a dit : « Maman tu as une lettre recommandée. » Je lui ai demandé de dire à la Poste qu'elle la garde jusqu'à ce que je sorte. Deux jours après, je vais la chercher. Cette lettre elle écrivait : Suite à votre premier entretien on vous a envoyé une lettre... Je n'ai jamais reçu de lettre de préavis. Eux ils disent qu'ils en ont envoyé une. Je ne l'ai jamais reçue... Je n'ai jamais reçu la première lettre, la deuxième lettre je l'ai reçue, comme quoi ils me libéraient, c'était le 12 ou 14 avril [1993]. Quand vous sortez de l'hôpital et que vous recevez

une lettre comme cela, vous y rentrez direct... parce que moi
je suis rentrée chez moi, j'ai pris la dose de cachets... Ma fille
a vite appelé le docteur, le docteur m'a vite fait emmener à
l'hôpital, et puis c'est tout. J'étais vraiment dans le trente-
sixième dessous... Là j'étais... et puis je vous dis, là maintenant, je suis vraiment dans la mouise, c'est le cas de le
dire, et puis qu'est-ce que vous voulez faire ? Ce qui me
retient le plus, c'est mes enfants, c'est la petiote, elle n'a que
trois ans... Mais il y a des fois, je vous assure que je n'aurais
pas la petite, en sachant que les grands sont bien parce qu'ils
ont leur père, elles ont ci, elles ont ça, je crois que ça serait
la fin, parce que il y a des fois, c'est très très dur...

Qu'est-ce que l'ambiance d'un atelier ? Qu'est-ce qui se
joue autour de ce mot ? Il faudrait se demander ce qui, aux
yeux des anciens ouvriers ou ouvrières, a « cassé » l'ambiance, ce qui a empêché qu'il s'en reconstitue une
« bonne ». La comparaison entre l'atelier de peinture ancien
(les Laques) et le RAPS modernisé apparaît déjà tout à fait
éclairante. Au fond, la situation du RAPS peut être
rapprochée de celle d'autres types d'ateliers récemment
construits, comme ceux des équipementiers du Technoland. On voit bien qu'il s'agit d'un travail beaucoup plus
individualisant, qui obéit à la logique extrêmement contraignante du flux tendu, que la sortie d'un type de contrainte
purement taylorienne s'est accompagnée de quelque chose
de fondamental : la présence d'une nouvelle maîtrise et l'incitation à la concurrence – qui rendent l'intensification du
travail encore plus rude.

Ces changements dans le mode de commandement et
dans les formes d'exercice de l'autorité sont très difficilement acceptés par ceux et celles qui n'ont pas été formés,
notamment par l'école, pour les accepter. On dira que
Nadia, au moment où elle arrive au RAPS, est très fatiguée,
malade, déprimée, menacée de licenciement pour absences
répétées, et donc qu'elle a toutes les chances de vivre très
mal ce transfert. Mais c'est peut-être à cause de cela, justement, qu'elle va droit à l'essentiel dans son effort pour
caractériser la nouvelle ambiance de travail et l'impossibilité
de faire resurgir le climat ancien. Autre point capital : la
polyvalence devenue la norme dans les nouveaux ateliers.
Cette aptitude à tenir plusieurs postes est sans doute un
avantage du point de vue de l'entreprise, mais est-ce
toujours intéressant pour les ouvrières ? Aux yeux des

managers, on y gagne la possibilité de lutter contre l'absentéisme, on retarde la survenue des maladies professionnelles, mais il est clair que, du point de vue des ouvriers, on ne peut plus constituer ces « savoirs de la place » qui existaient dans les anciens ateliers et qui étaient liés au plaisir de vivre au milieu d'un groupe de copains avec lequel on faisait corps[1].

L'histoire de Nadia apparaît finalement très significative pour comprendre l'histoire de cette génération d'ouvrier(e)s entré(e)s à l'usine de Sochaux au début des années 1970. Ouvrière totalement intégrée à l'atelier de peinture où la proportion de femmes était élevée, où une forte conscience syndicale existait, elle conserve un souvenir enchanté des relations qu'elle entretenait avec ses camarades de travail et éprouve une immense nostalgie de l'époque heureuse où il existait des formes d'accommodation au travail ouvrier. Si cette image de l'usine est embellie par le temps, il n'en est pas moins vrai qu'« avant », on plaçait les groupes de travail, les équipes, les modules, sous la responsabilité de chefs plus ou moins « humains ». Dans l'entreprise fordienne, même quand la concurrence imposait sa pression sur les collectifs de travail, des formes de solidarité et d'entraide plus ou moins clandestines permettaient aux plus fragiles (et à ceux qui traversaient une mauvaise passe) de s'en sortir. Aujourd'hui, c'est la DRH qui a tout pouvoir. Les chefs gèrent le niveau technique et la flexibilité. On individualise toujours plus et on garde au dossier les évaluations de chacun. Une fois dans l'entreprise, les dispositifs de suivi du personnel assurent le tri : objectifs individuels, entretiens annuels d'évaluation, procédures d'individualisation des salariés. Chaque salarié a un dossier où sont consignées les observations de ses supérieurs – et qui peut être consulté à tout moment. On s'efforce ainsi de repérer ceux qui vont pouvoir « évoluer » (et on garde la trace de ce repérage). Une sélection continue s'opère tout au long de la vie professionnelle, ce qui fait que l'on vit sous la menace permanente du déclassement, première étape vers la précarité structurelle. Dans les nouvelles usines, l'exigence de transparence illumine par ailleurs les zones d'ombre qui protégeaient un peu les salariés. La gestion des ressources humaines cherche

---

1. Voir sur ce point Michel Pialoux, « L'ouvrière et le chef d'équipe, ou comment parler du travail ? », *Travail et Emploi*, n° 52, 1996.

à favoriser l'éclosion des forts potentiels, à garantir l'adaptation des salariés aux évolutions du travail, mais aussi à écarter rapidement les éléments jugés irrécupérables. Cela est dit sur tous les tons : « L'entreprise n'est pas une œuvre de charité », « Il faut savoir couper les branches mortes ». Si bien que, dans cette atmosphère de peur, certains collègues de travail peuvent être amenés à chercher à vous déstabiliser[1].

Il y a dans ces entreprises, des candidats « naturels » à l'exclusion : les malades, notamment. Le mal de dos ou un embonpoint accusé sont des signes qui prédestinent à figurer sur la liste des sureffectifs. Les médecins du travail sont de plus en plus souvent conduits à déclarer inaptes des personnes devenues incapables de satisfaire aux normes de productivité exigées. Les visites médicales, comme le rappelle Annie Thébaud-Mony, sont ainsi devenues un rite dénué de sens du point de vue de la santé des salariés, mais, le plus souvent, un redoutable outil de tri.

Bien sûr, les entreprises ont toujours sélectionné, promu et rejeté certaines fractions de la main-d'œuvre employée. La nouveauté n'est pas là. Elle est dans l'ampleur du flux et dans le caractère de plus en plus finement sélectif des filtres utilisés. À mesure que s'élève le niveau de performance requis par les directions, un nombre croissant de salariés se trouve ainsi « dépassé ». Avec la hausse du niveau global de formation des jeunes, ceux qui n'ont pas de diplôme, qui sont stigmatisés ou trop âgés, n'arrivent plus à suivre la course, glissent vers l'exclusion. Et les politiques de formation professionnelle qui devraient théoriquement remettre à flot les salariés menacés de décrocher deviennent elles-mêmes de plus en plus discriminantes.

3. Une mère et ses enfants unis par les épreuves communes

Cet itinéraire d'une jeune mère de famille et de ses enfants condense aussi d'une manière exemplaire les décalages actuels entre générations dans les milieux populaires. La trajectoire sociale et professionnelle de Nadia mérite

---

1. *Cf.* les différents travaux de Christophe Dejours dans la perspective de psychodynamique du travail qui est la sienne, notamment *La Souffrance au travail*, Paris, Seuil, 1998.

d'être comparée à celle de ses quatre enfants. Au milieu des années 1990, les jeunes femmes issues du groupe ouvrier se débattent avec des problèmes qui sont sensiblement différents de ceux de la génération précédente et qui renvoient, si l'on ose dire, à une nouvelle condition ouvrière. Même si elles ont le bac ou le « niveau bac », elles sont en effet affrontées sur le bassin d'emploi à une situation de chômage massif. C'est ainsi qu'elles sont condamnées, dans leur très grande majorité, aux stages, aux « petits boulots » et à l'intérim : entre 1990 et 1995, il n'y a pratiquement aucune possibilité pour elles d'entrer sur le marché industriel du travail et, du côté du tertiaire, on ne propose guère que des emplois précaires. Le décrochage apparaît criant entre la génération des mères et celle des enfants, des filles notamment.

En 1996, à l'occasion d'une nouvelle rencontre informelle chez Christian, Nadia dresse un tableau assez complet de la situation de ses enfants. L'aînée, Fabienne, vingt-quatre ans, titulaire du bac « médico-social », travaille chez McDonald's pour un salaire de 2 500 F par mois. La deuxième, Véronique, âgée de vingt-deux ans, n'a pas réussi ses études, gagne 1 800 F par mois et habite encore chez sa mère. (« J'ai signalé que j'avais Véronique avec moi, et du jour où je l'ai signalé on m'a sucré ma pension ».) Le troisième, Cédric, né dix ans après l'aînée, quatorze ans, a choisi la voie de l'apprentissage. Enfin, la dernière, trois ans, surnommée « la Puce », est l'objet d'une grande affection de la part de Nadia.

Lors du deuxième entretien enregistré (1997), Fabienne se trouve en Suisse grâce à sa sœur (« Il y en a beaucoup de la ZUP qui vont en Suisse »). Nadia insiste sur le problème du permis de séjour là-bas. La situation est délicate : les gendarmes suisses cherchent à repérer et à expulser les Françaises. Certaines travaillent sans permis, la patronne a promis à Fabienne un permis de séjour comme sommelière. Le passé de sa mère « travaille » Fabienne et joue dans la perception qu'elle a aujourd'hui de son travail. Un an plus tôt, elle a sauvé sa mère qui avait fait une nouvelle tentative de suicide par absorption de cachets (elle a pu la faire transporter à temps à l'hôpital). Fabienne n'a guère envie de parler de tout ce passé très lourd. Je l'ai rencontrée mais ne suis pas parvenu à la faire parler réellement de son travail.

Cela fait quatre ans que Nadia a cessé de travailler et elle évoque son « ennui », le désir très vif qu'elle a de travailler, d'avoir à nouveau une vie sociale qui donnerait un sens à son existence :

> Rester toute seule enfermée sans voir d'autres personnes, des fois, je mets des baskets, un jogging, et je vais courir. C'est vrai que le contact des gens me manque... C'est vrai que le travail ça change les idées, ça nous rend autres... Je sais pas comment vous dire... Ça vous donne la liberté, de travailler... C'est vrai que ma mère, déjà, elle était... c'est vrai qu'à part les gosses, la lessive, qu'est-ce qu'elle faisait, coincée à la maison ?...

La mère de famille a dû non seulement se colleter avec ses problèmes personnels mais aussi assister ses filles dans les épreuves liées à leur entrée dans la vie active. La maison leur sert de refuge lorsque l'une ou l'autre est trop « juste » sur le plan financier pour pouvoir s'assumer seule (à propos de sa deuxième fille : « Qu'est-ce que tu veux faire... elle commence à s'embêter pour l'électricité... elle dort dans la chambre de la petite et la petite elle dort avec moi puisque je suis toute seule... mais c'est un problème quand même parce qu'à plus de vingt ans on veut quand même être un peu autonome, tout ça... ») ou lorsqu'elle « craque » et n'arrive plus à supporter sa situation de jeune chômeuse (« La petite vient chez moi en pleurant : "Je n'ai plus de boulot, je n'ai plus rien"... Qu'est-ce que tu veux faire ? Tu la laisses toute seule ? Tu la laisses encore pleurer ?... Alors je l'ai prise chez moi... »). Et puis il y a aussi les déboires sentimentaux de l'aînée, qui ne parvient pas à se stabiliser dans sa relation avec son « copain » (« Qu'est-ce que tu veux que je fasse, franchement, si la gamine est à la rue, je dois la laisser à la rue ? Non, je ne peux pas faire ça, je la reprends... Et puis c'est tout... On se démerde, quoi... »).

La mère et ses deux filles sont très liées, fortement unies par de communes épreuves. On sent, à travers la manière dont Nadia en parle, que ses filles représentent beaucoup pour elle et qu'elles l'ont aussi beaucoup aidée à tenir le coup. On voit aussi, en filigrane, se dessiner la vie au jour le jour de Nadia et de sa famille, faite de débrouilles et de petites combines pour parvenir à garder la tête hors de l'eau et éviter d'être prises dans la spirale de la grande pauvreté.

Cela signifie aussi que le chef de famille (en l'occurrence Nadia) a appris à compter « sou par sou », à gérer au plus juste son budget. Ce qui fait qu'elle se rappelle très bien les « entourloupes » que les services sociaux lui auraient faites (il s'agit sans doute de l'application stricte des réglementations en matière de politiques sociales) et qui ont fait immédiatement vaciller son fragile équilibre budgétaire. En 1998, après que sa situation aura été presque miraculeusement régularisée, elle percevra 5 500 F par mois : 3 500 F versés par la Sécurité sociale et 2 000 F par la caisse de secours de Peugeot. Cette somme équivaut à peu près à un SMIC, et sa situation s'en trouve transformée. Mais les six premières années 1990 auront été terribles pour elle.

Dans cette lutte au quotidien pour ne pas « sombrer », Nadia est, si l'on ose dire, aidée par son refus de se penser comme un « cas social » et par la possibilité qu'elle a de s'accrocher à son identité d'ouvrière, réactivée par les rencontres qu'elle fait de temps en temps avec ses anciennes copines d'usine. Elle est aussi confortée dans sa résistance par son attachement à ses enfants ainsi que par son hostilité très vive à la DASS. Ses enfants semblent être le seul bien qui lui reste, en sorte qu'elle cherche de toutes ses forces à les protéger contre l'adversité. C'est d'ailleurs l'un des thèmes récurrents des enseignants des quartiers défavorisés (notamment à la ZUP) que cette « surprotection » des enfants par les parents, et surtout par les mères (dans le cas – si fréquent – des familles monoparentales), qui entraînerait une forme d'aveuglement vis-à-vis du comportement réel de leur progéniture (qui complique tant la tâche d'évaluation et de sanction des agents de l'institution scolaire). Mais si l'on renverse la perspective et que l'on adopte le point de vue des parents, on perçoit bien le rôle que tient cette surprotection maternelle dans l'économie des rapports affectifs au sein de ces familles fortement précarisées.

4. La fille à sa mère : « Toi, tu savais te battre...
Nous, on sait pas... »

Lors du premier entretien enregistré, en 1994, la façon dont Nadia présente, dans le mouvement de l'entretien lui-même, la trajectoire de ses deux enfants et les difficultés que celles-ci ont eues pour s'introduire dans le marché du travail est particulièrement instructive.

— Y a pas longtemps, je revois un gars qui travaille toujours chez Peugeot, et quand je travaillais en peinture, c'était un « fayot » comme pas possible. Et puis je ne sais pas, il a fait semblant de ne pas me reconnaître... Je l'ai vu chez une amie, je me suis dit : « Je le connais ce gars-là »... et puis on parlait de la 5ᵉ semaine [de congés payés], c'était avant Noël et lui il dit : « La cinquième semaine, on part aux sports d'hiver... » Et moi je lui dis : "Vous avez eu de la chance qu'il y ait eu des cons qui se sont battus pour l'avoir... – Ah oui, mais moi »... Je dis : "Non, toi"... et puis là ça m'est revenu tout de suite, ça a fait le flash, j'ai dit : « Moi je me suis battue pour la cinquième semaine, j'en ai même eu une cinquième en rab, puisque j'ai eu cinq jours de mise à pied pour la cinquième semaine », mais, j'ai dit : « Toi, tu ne t'es pas battu... Tu as eu de la chance que les copains se sont battus pour toi », je ne dis : pas moi je me suis battu pour toi, mais je dis les copains, et il y en a eu beaucoup qui étaient dans la misère et puis qui ont été quand même jusqu'au bout... Il n'a plus rien dit, et puis quand ils sont partis, la copine, elle me dit : « Tu le connais ? C'est mon oncle par alliance... » Je lui ai dit : « Excuse-moi, cela a été plus fort que moi, il travaillait avec moi et tu sais que moi question de fayot tout ça... je n'aime pas, quoi... Moi je ne travaille plus, mais je m'imagine ceux qui travaillent encore, qui en bavent... Et puis moi, j'ai des enfants aussi et je ne voudrais pas que mes enfants en bavent comme moi j'en ai bavé. Ma fille travaille au McDo, et vous savez : ce n'est pas une affaire le McDo... La gamine, c'est celle dont je vous disais que ça marchait pas avec son copain... Alors je lui ai dit : « Viens chez moi et puis c'est tout »... (*silence*). N'importe comment c'est ma fille, je ne peux pas la laisser à la porte... Enfin, je l'amenais tous les jours à son travail, c'était soit de 9 h à 12 h, soit de 16 h à 19 h... des horaires affreux qu'ils ont... Elle n'en pouvait plus, la gamine... C'est très dur pour elle. Je lui dis souvent : « Tu sais, je me demande si par rapport à toi, je n'avais pas une plus belle vie que toi. » Elle me dit : « Maman, parce que, toi, tu savais te battre... Mais, nous, on n'a pas ça. » Tu sais ce qu'elle me dit souvent la puce... « Toi tu savais te battre... nous on ne sait pas... »

— *Parce qu'il n'y a aucun syndicat, aucune organisation...*

— C'est ce qu'elle m'a dit la puce... Bon, elle n'a que ça, il n'y a rien d'autre, et pourtant elle a le bac... Et puis voilà, quoi. Le seul boulot qu'elle avait, c'était ça, donc elle l'a pris et puis... [Nadia explique ensuite que sa fille n'a pas pu poursuivre ses études après son bac de secrétaire médicale.] Parce que moi, qu'est-ce que vous voulez que je lui paye en étant licenciée ? Je ne peux pas... je ne pouvais pas... N'importe comment, quand elle a passé ses études j'étais bien malade, j'ai été hospitalisée pas mal de temps ces trois dernières années. Elle est venue m'annoncer à l'hôpital qu'elle avait eu son bac, bien sûr j'étais heureuse, c'est vrai... Son père nous a dit qu'il fallait qu'elle fasse une lettre pour essayer de la faire rentrer à l'Éducation nationale... J'espère qu'il réussira, comme il est bien vu, lui, là-bas où il est... c'est malheureux à dire, moi j'espère qu'elles auront du boulot...

— *Et la deuxième ?*

— Là, elle n'a pas de travail, rien du tout. Elle touche 1 800 F de chômage par mois parce qu'elle était hôtesse d'accueil au point Information Jeunesse... et puis elle n'a rien du tout... Bon, elle n'a pas fait d'études... ce qu'il y a de marrant, c'est que vous voyez, elle n'a pas fait d'études et elle a trouvé du boulot, et la grande qui avait fait des études elle n'a rien trouvé... Bon, tant mieux pour elle quand même, parce que ça peut lui permettre de toucher un peu de chômage, mais ça ne va pas durer éternellement...

— *Mais par rapport à vous, à votre époque, il n'y avait pas de problème de travail et ça vous donnait la possibilité de vous rebiffer aussi quand c'était excessif...*

— C'est ce qu'elle me dit Fabienne. Elle me dit : « Écoute maman, moi j'ai beau gueuler, mais je gueule plutôt intérieurement... » Parce que ma fille, c'est plutôt un peu mon genre, elle me dit : « Si je ne veux pas être foutue à la porte... il n'y a que moi qui... » Il n'y a qu'elle qui gueule... De toute façon, McDo c'est une atrocité... Comme je dis, pourvu que ça dure avec son copain, qu'elle soit heureuse quand même, parce que je ne voudrais pas qu'elle soit malheureuse, mais c'est dur... dur... dur....

Bien sûr, ces propos doivent être replacés dans un contexte particulier, celui de l'année 1994, qui est le pire moment de la crise : à cette époque, les jeunes femmes ne trouvent rien sur le marché du travail. Beaucoup d'entre elles, on l'a dit, vont alors chercher du travail en Suisse, en Allemagne ou quittent la région[1].

_____

1. Une étude régionale de l'INSEE publiée à la fin des années 1990 estimait à plus de 10 000 le nombre des départs de jeunes du pays de Montbéliard au cours de la décennie.

Quatre ans plus tard, en 1998, la situation des trois enfants aînés s'est un peu clarifiée, à défaut de s'être vraiment améliorée. Le fils, Cédric, qui a désormais seize ans et qui vit chez son père (il passe chaque jour voir sa mère en Vespa), vient d'entrer au CFA (Centre de formation des apprentis), très lié à Peugeot : l'entreprise a pris l'engagement moral d'embaucher la plupart des élèves sortis du CFA. L'entrée en apprentissage du fils rassure un peu sa mère : elle le sait à l'abri dans ce type de structure, qui à la fois autorise un avenir professionnel stable et évite les mauvaises fréquentations de certains LEP de la région :

> Comme il ne faisait pas grand-chose à l'école et qu'il est plutôt manuel, eh bien, ma foi, on a eu des entretiens avec le proviseur... On y a été avec son père... Question de gosses, on y va toujours ensemble, et puis bon... Mais là, c'est quand même moi qui ai été pointer seule avec le gamin... mon mari, il travaille en horaire normal, donc il peut pas trop se permettre de manquer non plus... alors, bon, le gamin, il a réussi les tests et il entre en septembre. Bon, le proviseur me disait il y a encore la possibilité de le faire redoubler [en troisième] mais je suis sûre qu'il va rien faire, tandis qu'au CFA je suis sûre qu'il travaillera parce que ça lui plaira... Il va donc faire électrotechnique en CFA...

En revanche, la situation professionnelle des deux filles (respectivement vingt-six ans et vingt-quatre ans) n'est pas encore stabilisée : elles rencontrent toujours les mêmes difficultés pour trouver un travail stable dans les environs. Après avoir connu beaucoup de déboires, elles sont, comme bon nombre de jeunes femmes de la région, parties travailler en Suisse. Nadia s'appesantit surtout sur le cas de la seconde, Véronique, qui a vécu une période difficile :

> Elle cherchait du boulot ici... elle cherchait... Elle est quand même restée deux ans à mes crochets !... Elle trouvait rien du tout... Elle a fini par partir en Suisse... Et ça fait plus d'un an qu'elle est en Suisse... Là-bas, elle gagne bien sa vie... C'est malheureux qu'on en arrive à ça... Pendant deux ans, elle a cherché... C'est elle qui avait travaillé comme hôtesse d'accueil à l'ANPE, et puis elle a été en CES pendant un an et demi... Elle touchait 1 800 F par mois l'an dernier. Pour une gamine de vingt ans... 1 800 F c'est pas beaucoup...

Sa mère ne décrit pas en détail la nature de l'emploi de sa fille en Suisse, mais indique simplement qu'elle y travaille comme « hôtesse » dans un bar. Bien payée, elle compte épargner pour revenir bientôt en France et reprendre des études. L'« aînée », Fabienne, celle qui a eu le bac, a longtemps continué à travailler au McDo, en éprouvant toujours le même sentiment d'insatisfaction. Nadia ne peut s'empêcher d'exprimer son dépit que sa fille bachelière ait végété si longtemps dans ce boulot (« Ma grande, ça m'embête un peu parce que, quand même, elle a le bac... elle a tout, quoi... Et puis se retrouver quand même comme ça au McDo... »), même si elle se rappelle qu'elle a toujours exprimé son désir de s'émanciper vite matériellement (« Elle me disait souvent : "Maman, je veux travailler pour gagner ma vie"... Et moi je lui disais : "Non, dis pas ça"... »). C'est lorsque l'aînée a vu la paie de sa sœur cadette, et l'énorme différence que cela représentait (environ 6 000 F), qu'elle s'est décidée à la rejoindre en prenant elle aussi la voie de la Suisse, pays qui apparaît alors comme un petit eldorado pour les filles de la région.

Fabienne, elle en avait un peu marre de travailler pour rien... Parce qu'elle touchait 2 500-2 600 F pour des heures de travail pas possibles. Elle a quitté le mois passé le McDo... Sa petite sœur lui a trouvé du travail en Suisse... La grande, d'ailleurs, elle déprimait un peu... ça n'allait plus, alors elles sont parties toutes les deux, elles habitent là-bas dans le même logement... être à deux c'est mieux... Moi, si je pouvais, je partirais aussi... Mais je suis déjà contente pour elles... Faut les comprendre aussi, et puis elles sont parties, mais elles sont bien... je vais les voir. [Elle parle de leur patronne en Suisse, originaire de Mulhouse, qui les traite bien, qui leur a trouvé un petit logement.] Ma fille, là-bas, elle fait hôtesse... j'aimais pas trop ça, quoi, moi ce que j'avais peur c'est qu'on rentre dans le pub et après... Maintenant, toutes les deux font le même travail. Y a beaucoup de petites jeunes de la ZUP que je croise comme ça qui vont travailler là-bas... Des filles... Elles travaillent au noir, surtout quand elles n'ont pas le permis de séjour... En Suisse, les gendarmes les expulsent tandis que maintenant la patronne de Véronique leur a trouvé un permis, elle avait une sommelière qui est partie pour faute grave (elle volait dans la caisse)... Elle a réussi à faire passer son permis sur ma fille, donc maintenant elles sont en règle toutes les deux, elles ont leur permis.

Il n'empêche : le travail en Suisse n'est qu'une étape, un passage, explique Nadia. Les filles, tôt ou tard, vont donc rentrer « au pays », se rapprocher de leur mère. Mais les difficultés pour trouver un emploi n'auront pas changé. C'est ici l'occasion de souligner l'importance de l'écart entre la génération de la mère et la génération de ses filles en termes de conditions d'insertion et de socialisation professionnelle, mais aussi de modalités de passage à l'âge adulte.

Du côté de la mère, une vie active d'ouvrière qui commence très jeune (« quatorze ans et demi », précisera-t-elle à plusieurs reprises au cours de nos entrevues) et qui se développe en ligne droite jusqu'au licenciement de 1993, bref, une vie d'ouvrière qui, malgré tout, a pu se construire dans le temps et qui aura été le support d'une véritable position sociale et matrimoniale (un mariage et des enfants assez tôt), d'une certaine forme d'honneur social (dignité d'ouvrière, fierté du combat syndical mené avec les copines de l'atelier). Du côté des filles, des études un peu plus longues (surtout pour l'aînée), des débuts difficiles et plus tardifs dans la vie active, et une mobilité géographique contrainte (certainement impensable pour la mère au même âge...) ; et surtout, une beaucoup plus grande incertitude et l'impossibilité de maîtriser son avenir professionnel et matrimonial (des vies de couple décousues), bref, une vie fragile qui se déroule comme en pointillé.

On mesure aussi ce que ces différences impliquent dans le rapport à l'emploi, au travail, au syndicalisme et à la politique. Pour dire d'un mot cette différence (qui marque un véritable fossé), citons une fois encore cette réplique de la fille de Nadia : « Toi, tu savais te battre... Nous on ne sait pas... » Le « nous » est ici bien significatif, il engage toute une génération, celle des jeunes précaires des années 1990, contraintes de courber l'échine, de ne pas protester, de se taire au travail pour pouvoir espérer un jour un emploi stable, ce bien rare qu'est devenu le CDI ou, dans le langage local, « l'embauche »...

5. Culture ouvrière des parents, culture de précarité des enfants

On peut aisément généraliser ce cas familial. Dans l'enquête réalisée par Stéphane Beaud en 1996-97[1] (soit peu de temps après le travail de Michel Pialoux avec Nadia), on retrouve des « cas » en tout point comparables de disparités intergénérationnelles en milieu populaire et, plus précisément, de fragilité croissante pour la génération des enfants nés dans les années 1970 ou 1980. Y compris chez les jeunes ayant fait des études générales, ayant décroché ce qu'ils appellent eux-mêmes, dans l'après-coup, des « petits bacs ». Ce qui était le plus frappant chez ces bacheliers d'origine populaire, âgés de vingt à vingt-quatre ans, qui se trouvaient alors au chômage ou opérateurs à l'usine (pour les filles, dans des emplois de serveuse ou de caissière), c'est qu'ils éprouvaient les plus grandes difficultés à parler. De ce point de vue, ces entretiens contrastaient avec la densité et la richesse de ceux qui avaient été réalisés avec des ouvriers âgés de quarante ou cinquante ans – des militants mais aussi des ouvriers ordinaires –, qui donnaient à entendre une parole faite d'ironie, de rébellion frondeuse, de révolte contre l'injustice emplie aussi d'une réflexion sociale et politique sur la condition de classe.

Ce qui sourd de ces entretiens avec ces vieux ouvriers, c'est un esprit de résistance à l'ordre des choses, une culture de la rébellion, à la fois professionnelle et politique. Or, les entretiens avec les jeunes – pourtant non dépourvus de ressources scolaires –, donnent l'impression que les traces de cette culture traditionnelle ont bel et bien disparu. Comme si un immense fossé s'était creusé entre les générations au sein du monde ouvrier. Ce silence ou cette forme d'apathie et de résignation de la part des jeunes interviewés a souvent quelque chose de pathétique. D'un côté, les parents, OP ou OS, portant en eux une force de contestation, même déclinante, qui peut s'exprimer sous des formes moins directement politiques qu'autrefois, comme l'ironie vis-à-vis des « dominants », l'autodérision, disposent

---

1. *Cf.* Stéphane Beaud, *Jeunes diplômés et petits boulots. Dire et gérer le déclassement*, Rapport de recherche pour la DARES (appel d'offres « Trajectoires, précarité, projet de vie »), avril 1999, 278 p.

de ressources symboliques pour prendre la parole. De l'autre, leurs enfants (garçons et filles), bacheliers ou bac + 1, + 2, voire + 4, précarisés, souvent surexploités, se vivent comme des « déclassés », à demi dupes d'un système social (scolaire, notamment) qui leur a beaucoup promis, et semblent atomisés, dispersés, sans force sociale. Surtout, ils apparaissent résignés, sans distance par rapport à l'ordre dominant, se coulant trop aisément dans le rôle qu'on leur a assigné. Tout se passe comme s'ils ne disposaient plus de mots, plus de langage, plus d'outils symboliques – ceux qui sont utilisés par leurs parents leur apparaissent vieux, rouillés, définitivement hors d'usage – pour penser leur condition. Ils semblent pris dans la logique de l'« individualisme négatif » dont parle Robert Castel, et il faut des circonstances assez exceptionnelles pour qu'ils fassent référence ou aient recours à un collectif.

On peut prendre comme exemple de cette opposition entre générations le cas d'une jeune fille de vingt-quatre ans, fille d'ouvrier de Sochaux et petite-fille de paysans de la région, de niveau BTS comptabilité, ouvrière dans une PME sous-traitante qui travaille presque exclusivement avec des jeunes intérimaires ou CDD. Sa mère, au téléphone, avec un fort accent ouvrier local, me dit, d'une voix forte à travers laquelle passe un vif accent de colère : « Il se passe des choses dans ces entreprises, c'est incroyable, c'est pas normal... Les jeunes, aujourd'hui, vous savez ils en bavent. » Le conseiller de la Mission locale qui la suit me dit par ailleurs qu'elle a envie de parler.

Le premier entretien prévu (en mai 1998) est reporté la veille à son initiative parce que, ce jour-là, l'entreprise lui a demandé de venir travailler en renfort. Le deuxième rendez-vous prévu est lui aussi annulé parce qu'elle a eu, entre-temps, un accident de travail. Le troisième rendez-vous (cette fois en juillet 1998) sera le bon. Mais cet entretien qui, en raison de toutes ces péripéties, me semblait très prometteur sera en fait un fiasco. L'échange se déroule dans le salon-salle à manger sombre du premier étage d'une ancienne ferme comtoise (la maison des grands-parents paternels). Elle ne dira presque rien. Elle a posé, avant même que l'entretien débute, son CV (avec sa photo) comme une énigme à déchiffrer sur la table autour de laquelle nous sommes assis. Nous finissons par parler par son truchement. Puisqu'elle ne parle pas, je m'empare du

CV et en effectue avec elle une sorte de commentaire. À la fin de l'entretien, je m'en veux de ne pas avoir su la faire parler. J'espérais tenir là l'enquêtée idéale, l'une de ces jeunes ouvrières de PME surexploitées qui hésitent tellement à parler à l'enquêteur. Malgré le caractère très lacunaire de l'entretien (il aura duré une heure et quart, une succession de petites questions-réponses), j'apprends quand même des choses essentielles : l'immense décalage entre son univers et l'usine, qu'elle vit véritablement comme un exil. C'est un monde sur lequel elle ne veut surtout pas s'appesantir. Elle n'a d'ailleurs pas les mots pour cela. Ce qui l'empêche de parler, c'est le sentiment de ne pas pouvoir échapper à cette condition, l'impression d'une sorte de retour en arrière. Pour tenir, elle s'accroche à ce qui constitue sa vie à côté : la chorale, le sport, la lecture...

Si l'on raisonne en termes de rapports entre générations, comme y invite le matériel recueilli dans nos diverses enquêtes sur les ouvrier(e)s de la région, on ne peut qu'insister sur l'importance de l'écart qui s'est creusé entre générations dans le milieu ouvrier *durant ces temps de crise*. Un des révélateurs les plus sensibles de cet écart a trait aux modalités respectives de l'entrée dans la vie adulte. Objectivement, cet écart est lié à un décalage entre différents calendriers interdépendants – calendriers scolaire, professionnel, matrimonial, résidentiel –, du fait notamment de ce qu'on peut appeler le report des calendriers chez les enfants d'ouvriers. Subjectivement, ce décalage produit des différences importantes dans les dispositions mentales des uns et des autres. L'inscription précoce dans le monde adulte, l'obligation de se confronter jeune aux difficultés de la vie (le travail à l'usine, le métier de parent, etc.) avaient pour effet d'endurcir les parents dont la confrontation conflictuelle avec l'ordre des choses contribuait à tremper leur personnalité sociale. Aujourd'hui, on a l'impression que leurs enfants, formés dans le moule d'études à la fois plus longues et incertaines, sont au contraire fragilisés, presque infantilisés, par la situation de double dépendance – matérielle et intellectuelle – dans laquelle ils se trouvent. Le plus frappant, peut-être, est la manière dont ils parlent de la politique, des syndicats. Ils regardent de loin, et presque avec condescendance, les outils de résistance syndicale et politique, plus ou moins résignés au silence. Loin de leur donner des armes et de la force pour contester, tout se passe comme si leur passage prolongé par le système scolaire avait eu pour effet de renforcer une tendance à la soumission, à l'obéissance, une manière de s'en remettre aux « autorités ». Ayant en outre dû passer sous les fourches caudines de l'évaluation universitaire, ils n'ont comme porte de sortie que ce « positionnement » (comme on dit aujourd'hui) prudent, neutre, qui dit beaucoup sur leur impuissance sociale.

L'éclatement de la classe ouvrière ne se résume donc pas seulement à la dissolution des collectifs de travail et à la dispersion des grandes concentrations, il renvoie aussi à la profonde rupture dans la succession des générations. Les parents voient leurs enfants devenir sous leurs yeux – et bien souvent sous le même toit – des hybrides sociaux, ni « prolos » ni « intellos », éprouvant de grandes difficultés à s'installer professionnellement et socialement.

L'analyse du cas de Nadia, surtout si on en prolonge l'examen par celui des difficultés qu'ont ses enfants à entrer sur le marché du travail, permet, nous semble-t-il, de faire percevoir un ensemble de points sur lesquels on ne porte pas assez l'attention quand on traite de l'exclusion, à savoir la très forte augmentation de la vulnérabilité ouvrière pendant les années 1990, la difficulté qu'il y avait à « se raccrocher » à quelque chose lorsqu'on glissait sur la mauvaise pente, la spirale dans laquelle on se trouvait très vite emporté. Or, l'histoire de ces quinze années est, bien entendu, présente dans la situation d'aujourd'hui : c'est elle qui informe et structure le système de comportements. L'inquiétude face à l'avenir, la peur devant la chute dans le sous-prolétariat ne sont pas des mots mais des figures concrètes que l'on peut identifier dans une enquête et que les ouvriers rencontrent dans la vie quotidienne. Nadia, manifestement, est devenue pendant quelques années l'une de ces figures. Cette perspective de la déchéance sociale joue beaucoup sur la représentation que l'ensemble des familles des classes populaires ont de leur avenir.

La trajectoire de Nadia en dit long sur la manière dont, depuis une vingtaine d'années, s'est restructuré l'espace social et professionnel dans le pays de Montbéliard : le groupe ouvrier s'est fragilisé ; sur la manière aussi dont certains éléments de ce groupe en sont venus à faire sécession, dont d'autres se sont trouvés marginalisés, etc. Ou, pour le dire de manière plus prosaïque, pour comprendre tout ce qui fait qu'un jeune de l'an 2000 n'est pas un jeune de 1980, qu'une femme au travail de l'an 2000 n'est pas une femme au travail de 1980. Certaines transformations peuvent être qualifiées d'objectives, comme par exemple les changements qui ont affecté le système scolaire, les transformations du recrutement ouvrier, etc. ; d'autres relèvent du « subjectif », à commencer par la transformation de la vision que l'on a de soi – qui est elle-même à mettre en relation avec les mots qui servent désormais à désigner les salariés de l'industrie : « opérateurs », « agents de fabrication », etc.

Dans un contexte d'extension du chômage et de montée de la précarité et du paupérisme, des sous-groupes nouveaux ont pris forme dans les milieux populaires et sont porteurs d'une expérience nouvelle : « familles monoparentales », « jeunes issus de l'immigration », « opérateurs bacheliers », « familles mixtes », etc. Pour certains de ces sous-groupes, le risque de tomber dans la pauvreté et/ou la déchéance s'est considérablement accru. Il s'est ainsi développé de véritables processus de paupérisation liés souvent à une régression vers la marginalisation géographique et la ségrégation résidentielle. La fragilisation familiale s'est considérablement accrue, du fait du chômage, des licenciements, de la maladie, de l'invalidité, mais aussi des divorces, des séparations, de l'éclatement des familles.

CHAPITRE IV

Usines allégées, ouvrières sous tension

Diverses enquêtes statistiques ont récemment établi, que le travail s'est intensifié dans les industries de main-d'œuvre au cours des années 1990[1]. Flux et hommes tendus, stress au travail, harcèlement moral, autant de termes qui sont aujourd'hui devenus omniprésents (et pertinents) pour décrire les nouvelles réalités du monde du travail. Or, les entreprises de la filière automobile peuvent être considérées comme un bon observatoire de la mise en place de ces processus et de ce que le juriste Alain Supiot appelle la « re-féodalisation des rapports sociaux[2] ». D'où l'intérêt d'étudier les modalités concrètes prises par le développement de la sous-traitance industrielle, notamment le report en cascade du cahier des charges (industriel, social, environnemental...) du donneur d'ordre (le constructeur) sur ses différents fournisseurs (une myriade de PME qui travaillent en flux tendus et sous pression).

L'enquête, réalisée entre 1996 et 2001, dans les usines d'équipementiers automobiles du bassin d'emploi de Sochaux-Montbéliard peut être considérée comme le prolongement logique de la recherche approfondie que nous avions menée sur l'usine de Sochaux entre 1989 et 1995[3].

---

1. Pour une synthèse éclairante, voir Michel Gollac, Serge Volkoff, *Les Conditions de travail*, Paris, La Découverte, coll. « Repères », 2002.

2. Alain Supiot, « Les nouveaux visages de la subordination », *Droit social*, 2000, pp. 131-145.

3. J'ai [Michel Pialoux] mené l'enquête en collaboration étroite avec Armelle Gorgeu et René Mathieu, économistes au Centre d'études de l'emploi (CNRS), en m'efforçant de suivre, de manière régulière, de 1995 à 2001, l'évolution de plusieurs PME du Technoland par l'intermé-

D'une certaine manière, en voyant émerger cette nouvelle zone industrielle du Technoland au milieu des années 1990, on ne pouvait pas ne pas se poser la question, d'une part, des raisons et des modalités de la restructuration progressive de l'usine de Sochaux et, d'autre part, des logiques économiques et sociales qui organisent le fonctionnement de ces nouvelles entreprises[1]. Celles-ci sont situées dans un *no man's land* industriel, à faible distance de l'usine et de la ville, mais difficilement accessibles en bus, sans café et autres lieux de rencontres possibles, à l'écart du monde, les noms à consonance anglo-saxonne donnés à ces entreprises signifiant à l'observateur qu'ici on gère « à l'américaine ».

Ces PME ont eu besoin, dans la deuxième moitié des années 1990, de recruter une main-d'œuvre qui a été triée selon les nouveaux critères du management : « adaptable », « réactive », « souple »... Bref, une main-d'œuvre flexible et étrangère au passé revendicatif des ouvriers de Sochaux, susceptible de rompre avec les vieilles pratiques ouvrières de solidarité et de lutte qui avaient marqué les grands ateliers de Sochaux.

Dans ce chapitre, nous mettrons l'accent sur les ouvrières de ces nouvelles PME, en analysant les raisons sociales qui leur font accepter certaines conditions de travail très dures. À travers cette étude, il s'agira de porter au jour un certain nombre de réalités sociales qui ont permis l'intensification du travail, largement passées sous silence dans la littérature manageriale, pourtant florissante sur ce thème.

1. *Sous-traitance et délocalisation dans des usines allégées*

Au cours des années 1990, plusieurs ateliers de l'usine de Sochaux vont progressivement être délocalisés dans des unités de production, de type PME, situées sur le

---

diaire d'une série d'entretiens menés avec différent(e)s salarié(e)s de ces établissements.

1. Ces entreprises du Technoland ne doivent pas faire oublier que, dans un rayon de 30 km autour de l'usine de Sochaux, il existe également beaucoup de vieilles usines qui font de la sous-traitance pour le grand constructeur et qui ont souvent été reprises par des groupes équipementiers (plusieurs appartiennent au groupe Faurecia).

Technoland, à quelques kilomètres de l'ancienne usine[1]. Une partie croissante des équipements – pare-chocs, planches de bord, faisceaux électriques, pare-brise, etc. – est produite dans ces usines ou par Faurecia, l'important équipementier, gros fournisseur de Peugeot. Cet espace du Technoland, devenu une immense zone industrielle (plus de 120 entreprises, plus de 3 000 salariés « en fixe ») s'étendant sur plusieurs communes, condense nombre de traits particulièrement saisissants des nouvelles zones industrielles d'aujourd'hui : unités de production de taille réduite (le nombre moyen de salariés par entreprise y est peu élevé, la plus importante sur ce site comptant environ 350 salariés et beaucoup n'en employant que quelques dizaines), dépendance étroite par rapport à Peugeot (les quatre cinquièmes de ces entreprises sont des sous-traitants de l'automobile de premier ou de deuxième niveau).

Dans ces nouvelles usines, se sont imposées des méthodes plus dures de gestion de la main-d'œuvre – autorisées par la grande faiblesse de l'implantation syndicale et l'absence de mémoire des luttes syndicales. La logique de régression sociale qui s'y développe semble organiquement liée à la vulnérabilité structurelle de ces entreprises, coincées entre les exigences du donneur d'ordres et celles des gros équipementiers.

Les directions de ces PME ont une préoccupation majeure, unique et quasi obsessionnelle : réduire les coûts, à tout prix[2]. Elles sont soumises à des normes strictes de qualité (ISO), mais aussi à des audits féroces. C'est ainsi

---

1. Celle-ci était dite « intégrée », c'est-à-dire qu'elle couvrait la quasi-intégralité du processus de production de l'automobile (des ateliers de fonderie, de mécanique – fabrication de moteurs, de boîtes de vitesses –, de garnissage des sièges). La direction de l'entreprise, en conformité avec les nouvelles normes industrielles, a recentré son activité sur les seuls ateliers de montage, ce qu'elle appelle le « cœur » de son métier, pour laisser aux sous-traitants, plus ou moins dépendants du donneur d'ordres qu'est Sochaux, les activités qu'elle juge plus rentable de leur confier. La « modernisation » des ateliers de Sochaux s'est poursuivie tout au long des années 1990, touchant avant tout les ateliers de montage. La CGT, dès le début des opérations de délocalisation, a dénoncé ce qu'elle appelle la « stratégie de l'artichaut », qui voit la grande usine s'effeuiller et se vider de l'intérieur, les droits sociaux des salariés étant rognés dans les nouvelles usines. Pour une analyse très fouillée de ces processus, voir Nicolas Hatzfeld, *Les Gens d'usine*, Paris, Éditions de l'Atelier, 2002.

2. Le P-DG de Nissan, Georges Goshn, est surnommé « Cost Killer ».

qu'à la suite d'un mauvais audit qualité un sous-traitant peut être « descendu de niveau » et passer du statut de fournisseur de niveau 1 à celui de niveau 2, ou même 3, ce qui hypothèque sérieusement ses chances d'obtenir des marchés chez les grands constructeurs. Les directions d'entreprise sont donc prises entre des exigences contradictoires : productivité et qualité. Mais elles craignent avant tout que le contrat qui les lie aux constructeur ne soit pas renouvelé.

Dans ces conditions, il n'est pas surprenant de constater que s'étiolent les divers avantages sociaux qui avaient été acquis par les « anciens » de Sochaux au cours des fameuses luttes qui font la mémoire ouvrière locale[1]. La grande majorité des opérateurs de ces entreprises sont payés au SMIC et déclarés « non qualifiés », quel que soit le niveau de leur formation, et la progression à l'ancienneté y est des plus faibles. Ils sont jeunes : une moyenne de trente ans, les âges s'échelonnant habituellement entre vingt-deux et trente-cinq ans. Le pourcentage des femmes qui y travaillent est élevé, sans commune mesure avec celui de Sochaux : dans plusieurs cas, il dépasse 60 %, et, en règle générale, il avoisine 35 à 40 %. Enfin, on y constate un très fort volant de précaires (intérim et CDD). C'est là une caractéristique structurelle, puisque leur pourcentage dans l'effectif salarié ne descend jamais au-dessous de 15 à 20 %. Mais il varie fortement d'une usine à l'autre et d'un moment à l'autre, lié à l'activité de Peugeot, qui « commande tout ».

Ce qui caractérise aussi l'organisation du travail dans ces usines, c'est la modification sensible de la ligne hiérarchique des ateliers de production. D'une part, la catégorie des ouvriers professionnels tend à disparaître tandis qu'émerge un groupe majoritaire indifférencié – les « opérateurs », en quelque sorte les ouvriers de base ; d'autre part, les emplois intermédiaires entre ces derniers et les techniciens tendent aussi à disparaître, si bien que l'écart grandit entre ces deux groupes et que les possibilités de promotion dans l'usine se raréfient (les quelques postes de conducteur d'installation ont déjà été pourvus). Alors qu'autrefois l'OS de l'automobile pouvait espérer devenir un jour « professionnel »

---

1. Voir, sur ce sujet, le beau livre de Jean-Paul Goux, *L'Enclave*, nouvelle édition, Paris, Babel, 2003.

(OP) en se formant et en passant des tests, l'opérateur d'aujourd'hui ne peut, au mieux, qu'espérer devenir un ouvrier doté d'un petit titre distinctif (« moniteur », « leader », « polyvalent » ou « dépanneur »), conférant des gratifications symboliques minimes. De fait, les possibilités de « monter » sont limitées à quelques postes du côté de la qualité ou de la maintenance.

Cette coupure forte, à la fois professionnelle et sociale, entre les opérateurs et les autres salariés (techniciens, ingénieurs, cadres) renforce chez les premiers une perception de soi dépréciée, le sentiment d'appartenir à un groupe dévalorisé en profondeur[1].

L'externalisation de certaines activités s'accompagne d'une véritable transformation du contenu du travail. Les emplois externalisés ne se retrouvent pas à l'identique dans les nouveaux établissements. L'intensification du travail qu'on y constate[2] a elle-même partie liée avec certains changements intervenus dans la composition de la main-d'œuvre, notamment sa féminisation, son rajeunissement très accentué, le mixage d'une population ouvrière sans qualification et d'une fraction d'ouvriers bacheliers. En fait, les nouvelles générations de salariés présentes dans ces PME sont dotées de nouvelles dispositions : elles sont fortement marquées par la précarisation de leur statut, le

---

1. Bien sûr, les considérations présentées ici sont très générales : il faudrait pouvoir nuancer. Par exemple, sur la question de la jeunesse des opérateurs, on s'aperçoit qu'il y a quelques noyaux de salariés plus anciens. D'une part chez les opérateurs, parce qu'il faut bien des salariés « expérimentés », ne serait-ce que pour former les jeunes : ils sont recrutés au sein d'une main-d'œuvre qui a déjà travaillé dans d'autres entreprises ou longuement en intérim ; et d'autre part du côté des techniciens plus âgés (environ 40 ans), qui ont souvent déjà travaillé chez Peugeot.

2. Michel Gollac et Serge Volkoff ont montré que, dans les entreprises d'aujourd'hui, le travail se développe de manière contradictoire : en sollicitant toujours davantage l'implication et l'initiative des salariés, mais en accroissant en même temps fortement la pénibilité mentale (stress) liée aux nouvelles contraintes. L'accroissement des cadences est favorisé par les nouvelles organisations : production en « juste à temps », recours à une main-d'œuvre plus jeune, plus féminine, plus scolarisée, perte des points de référence. Comme les entreprises sont de plus en plus soumises à une demande diversifiée, elles se veulent, et sont effectivement, de plus en plus proches du marché et éliminent les dispositifs qui préservaient les opérateurs des fluctuations de celui-ci. Voir notamment M. Gollac, S. Volkoff, « Citius, altius, fortius », *Actes de la recherche en sciences sociales,* n° 114, 1996.

chômage de leurs parents, la déstructuration familiale, la détérioration des relations dans les quartiers, etc.

2. Une sélection sévère de la main-d'œuvre

La création de ces nouvelles usines d'équipementiers en pleine période de crise (1993-98) a représenté un vif espoir pour les jeunes non ou peu diplômés de la région en quête d'emploi. Espoir assez vite déçu du fait de la sélection drastique de la main-d'œuvre[1], qui s'opérera par l'intermédiaire d'une série de filtres successifs : examen des CV, tests psychotechniques, entretiens[2], et, enfin, mise à l'épreuve en situation de travail précaire. À cette époque, lorsqu'une usine ouvre et lance une campagne de recrutement d'opérateurs, des centaines de candidats se présentent pour occuper les emplois proposés. Souvent la proportion d'opérateurs recrutés ne dépasse pas 5 % des postulants. Au début de la période, au milieu des années 1990, l'ANPE et parfois la Mission locale ont joué un rôle important : l'octroi

---

1. Armelle Gorgeu et René Mathieu ont procédé à des enquêtes dans différents bassins d'emploi de la filière automobile (Valenciennois, Montbéliard, Rennes, Sandouville). Ils ont réalisé des entretiens avec des DRH et des directeurs de site ainsi qu'avec les représentants des organisations syndicales. Leur statut d'économistes du CNRS leur a permis d'obtenir de la part des directions d'entreprise des données de grande qualité. Le fait aussi qu'ils n'enregistrent pas la plupart du temps les entretiens a donné une plus grande liberté de parole aux cadres interviewés, mis davantage en confiance. Voir A. Gorgeu, R. Mathieu, M. Pialoux, « Organisation du travail et gestion de la main-d'œuvre dans la filière automobile », *Cahiers du CEE*, 1998 ; A. Gorgeu, R. Mathieu, « Compétence et sélectivité dans le recrutement. L'exemple des usines de la filière automobile », *Travail et Emploi*, nº 83, 2000.

2. Dans un contexte de rationnement de l'offre d'emploi, le rôle des entretiens, des tests psychologiques, et plus largement de la présentation de soi (sous la forme institutionnalisée du *curriculum vitae*), semble déterminant pour départager les candidats à l'embauche. Un détail ethnographique significatif : on a vu, au cours de cette période de crise, se généraliser une pratique chez les jeunes de la région – et des moins jeunes aussi... –, qui consiste se déplacer en ville avec un porte-documents sous le bras (le plus souvent une chemise cartonnée dans laquelle sont rangés les différents papiers nécessaires pour constituer un dossier dans les « agences » ou à l'ANPE, à la Mission locale), comme si ce porte-documents était devenu le porte-identité des travailleurs précaires de la région. Faire des CV, c'est donner une image de soi présentable, s'assurer une offre d'identité acceptable. Mais cette ressource est, socialement, très inégalement répartie, ne l'oublions pas.

de subventions publiques était suspendu à l'embauche de demandeurs d'emploi inscrits sur les listes. De ce fait, quelques vieux travailleurs en chômage de longue durée, inscrits depuis longtemps sur ces listes, ont été embauchés. Mais très vite, le choix est repassé entre les mains de la direction des ressources humaines (DRH), qui sélectionne dans sa logique à elle – et fait massivement appel à l'intérim. Pour ce faire : soit les constructeurs s'adressent aux grands groupes d'intérim (Manpower, Adecco), soit ils créent leurs propres sociétés d'intérim. Le recours aux CDD peut parfois se substituer à l'intérim. On cherche la meilleure combinaison possible de gestion des précaires : dans les années 1997-98, des accords de coopération seront signés entre, d'une part, les constructeurs (et certains grands équipementiers) et, d'autre part, les grandes entreprises d'intérim à qui l'entreprise déléguera la prise en charge (sélection, formation) d'une masse croissante de salariés.

C'est dans ces conditions que la question des qualités sociales attendues des salariés (docilité, acceptation de l'esprit de groupe, aptitude à la mobilité...) et celle de l'employabilité deviennent centrales. Les salariés, intérimaires ou en CDD, sont jugés sur leurs caractéristiques immédiatement saisissables et sur leur « potentiel ». Or, ces critères, éminemment flous, peuvent toujours être remis en question et réinterprétés dans une logique de « gestion des compétences » (thème qui fait alors florès dans la littérature manageriale). Donnons ici la parole au responsable des ressources humaines d'un équipementier automobile installé à la fin de 1999 sur la zone d'emploi, expliquant dans une publication locale comment son entreprise a recruté des opérateurs :

> Avec 150 postes d'agents de fabrication à pourvoir, Cuir-Auto fait aujourd'hui partie des entreprises qui recrutent le plus dans le pays de Montbéliard. Pourtant, des 1 500 candidatures que nous avons reçues, nous n'en avons retenu que 75 au terme du processus de recrutement. Le ratio, à peine 5 %, peut sembler faible et la sélection draconienne pour des postes d'agents de fabrication, premier échelon de qualification [...]. Pour les ouvriers, nous ne demandons pas forcément des diplômes. Nous essayons lors du recrutement de détecter l'habileté nécessaire à la confection des sièges, mais aussi la capacité de la personne à travailler au sein d'une équipe, à contrôler elle-même son

travail, à émettre des suggestions, à participer à des groupes de résolution de problèmes et à s'impliquer dans la vie de l'entreprise[1].

En fait, le niveau des diplômes des opérateurs a beaucoup varié dans le temps. Au début des années 1990, les entreprises du Technoland ont embauché des jeunes de niveau CAP mais, par la suite, le niveau des exigences s'est accru : dans les années 1997-98, elles n'accorderont le statut de CDI – comme dans la plupart des régions de France – qu'à un nombre réduit de jeunes, souvent titulaires de bacs pro. D'un point de vue fonctionnel, l'arrivée sur le marché du travail des bac + 1 ou bac + 2 a constitué une véritable aubaine pour les PME sous-traitantes, qui ont pu puiser dans une réserve de main-d'œuvre diversifiée et régulièrement alimentée. Pour recruter leurs opérateurs, elles ont confié aux agences d'intérim le soin de faire le tri parmi la masse des jeunes qui se présentaient. Le titre scolaire et le niveau d'études (le baccalauréat est utilisé comme une barrière) semblent avoir fonctionné comme un brevet de sérieux et d'adaptabilité au travail. Les agences d'intérim ont ainsi engagé en priorité des diplômés qui leurs apparaissaient « fiables » et rapidement « opérationnels ». Tout s'est donc passé comme si ces PME faisaient jouer, dans le recrutement des opérateurs, un principe de précaution, si l'on peut dire, en embauchant des jeunes surdiplômés (par rapport au poste de travail) qui, par les vertus du déclassement qu'ils subissaient, pourraient se révéler de « bons » travailleurs.

Ces jeunes diplômés sont ouverts, disponibles, soucieux de bien faire. Par l'ensemble de leurs dispositions, ils font subir aux jeunes moins diplômés une forme de concurrence qu'on pourrait dire socialement déloyale tant à l'embauche qu'au travail. Leurs compétences professionnelles (ces bac + 1 ou + 2 sont des novices en matière de travail industriel) importent moins que leur « potentiel » ou leurs attributs proprement sociaux, ceux notamment qui sont les plus incorporés (le rapport au langage, le rapport au corps). Leurs années d'études au lycée et à l'université les ont façonnés : certains de ceux qui sont d'origine populaire y

---

1. *Le Lien économique*, Lettre économique de la communauté d'agglomération du pays de Montbéliard, n° 4, novembre 2000, p. 1.

ont perdu de leur rugosité sociale. Sur les bancs du lycée ou de la fac, ils se sont polis physiquement et moralement, ont acquis une certaine maîtrise de soi, un certain esprit de compétition. Par ailleurs, dans leur présentation, beaucoup ont emprunté aux traits des « vrais » étudiants (les lunettes, le style décontracté, la démarche « cool »...) et adopté un certain nombre de leurs manières : la diction, le ton posé, le goût des attitudes réfléchies, une attitude révérencieuse par rapport au savoir, l'intériorisation de l'ordre des compétences via celui des diplômes.

Ces ouvrier(e)s bachelier(e)s s'opposent donc par bien des traits aux « jeunes des cités » qui ont fréquenté les classes de relégation au collège ou en lycée professionnel, et qui, pour le dire vite, n'ont pas rompu avec la culture de rue. Ces derniers sont desservis dans la lutte pour l'emploi par tout ce qui, dans leurs manières d'être et de parler, les désigne comme « rebelles » : c'est d'abord l'agence d'intérim, au niveau de l'accueil (les secrétaires font ce travail), qui fait un premier tri et exclut ceux qui ne « présentent pas bien ». C'est ensuite l'entreprise qui, en imposant souvent de nouvelles normes de comportement sur le modèle de la gestion « à l'américaine » (tutoiement obligatoire, culture du consensus, investissement dans le travail et dans le produit fabriqué[1], etc.), exclut objectivement les jeunes qui sont privés de ce « savoir-être » particulier. La concurrence des bachelier(e)s qui se portent en plus grand nombre sur des emplois d'opérateurs, ainsi que la hausse du niveau d'exigences pour occuper un emploi d'ouvrier, ont pour effet direct de reléguer ces jeunes, qui n'ont qu'une force de travail simple à faire valoir, en queue de la file d'attente des demandeurs d'emploi.

Cette sélection sociale s'effectue néanmoins le plus souvent en douceur, car le « jeune », candidat à un travail en intérim par exemple, a le plus souvent intériorisé la validité des critères qui lui sont appliqués, et d'une certaine manière collabore avec le sélectionneur[2]. Au final, les jeunes qui se trouvent mis à l'écart sont conduits à ne

---

1. *Cf.* l'ensemble des travaux de Gabrielle Balazs et Jean-Pierre Faguer sur les entreprises américaines d'informatique industrielle.
2. Cela est d'autant plus aisé que la gestion de l'emploi précaire met en cause une multitude d'acteurs, avec à la clé une dilution et une multiplication des responsabilités.

pouvoir s'en prendre qu'à eux-mêmes : ils ne peuvent incriminer vraiment ni l'école ni les agences d'intérim, ni le DRH qui a examiné leur dossier, ni le « chef » (au travail) qui a porté un jugement négatif sur leurs compétences. Au fond, ce que les évaluateurs examinent, c'est un potentiel lié à une certaine idée qu'ils se font des jeunes postulants. Par le biais de la palette des nouveaux mots sociaux – comme « employabilité », « potentiel », « gestion des compétences », « portefeuille de compétences » – qui se sont imposés dans la sphère du management puis diffusés dans le langage courant[1], on fait passer les logiques d'exclusion sociale pour des évolutions naturelles.

3. Mettre à profit la fragilité sociale des salariés

Faute de pouvoir s'appuyer sur les fichiers du personnel, donnée fondamentale pour étudier le recrutement des opérateurs, nous avons mobilisé des matériaux d'enquête disparates que nous avons recoupés avec divers types d'entretiens. Nous nous limiterons ici à une étude de cas : celle d'une usine de production de composants automobiles (faisceaux électriques) que nous appellerons Grapha, qui entretient un rapport d'extrême dépendance vis-à-vis de ses donneurs d'ordres.

Les responsables de Grapha, en construisant l'usine, savaient très bien qu'ils n'atteindraient pas le niveau de rentabilité voulu[2]. Mais Peugeot, qui souhaitait diversifier ses sous-traitants et s'assurer leur fidélité, a favorisé cette implantation. Les managers de Grapha ont donc d'emblée cherché à économiser les coûts en main-d'œuvre et à effectuer en permanence des comparaisons de qualité. La main-d'œuvre de cette usine est constituée à 80 % d'opérateurs dont une large majorité de femmes[3] (85 %).

---

1. Y compris dans le champ des sciences sociales et d'une sociologie qui se prévaut de ne pas être « critique ».

2. Le prix de revient sur le Technoland excède de 10 à 20 % celui des mêmes biens produits dans les autres usines du groupe – au Portugal, en Tunisie ou en Croatie.

3. Ce qui est caractéristique de cette usine, comme chez d'autres sur le Technoland, c'est aussi la manière dont l'opposition hommes/femmes structure l'organisation du travail et les relations sociales. Les emplois proposés dans l'usine sont d'emblée caractérisés comme « féminins » en ce sens qu'ils sont censés réclamer de la dextérité manuelle. Les femmes

Dès le départ (1995), les ouvrières travaillent « en 2/8 » et « en ligne ». Les techniciens et ouvriers professionnels (tous des hommes) chargés de la maintenance sont en nombre très réduit. Les opérateurs(rices) sont choisi(e)s délibérément très jeunes, surtout au début[1]. Les coûts liés à la mise en place d'une maîtrise sont rognés : par exemple le contremaître est payé comme un chef d'équipe, et le chef d'équipe comme un moniteur. On constate, dans l'organisation du travail, à la fois une très forte pression sur les salariés et la recherche systématique de la flexibilité dans la gestion de la main-d'œuvre. Autrement dit, tout le poids de la fragilité structurelle de l'entreprise est reporté sur la main-d'œuvre d'exécution. Ce qui explique la brutalité de la gestion de cette main-d'œuvre, comme le fait bien sentir le propos d'un des responsables de l'entreprise à propos des difficultés que rencontre la direction pour « fidéliser » ses salariés :

> Sur 165 CDI, on a toujours une ou deux démissions par mois, on a prévu un turnover fort parce que le métier est dur, difficile, les gens y sont jeunes et n'ont pas choisi ce métier, on travaille ici en attendant [...]. Nous avons licencié des gens, une quinzaine surtout en ce moment, 7 ou 8 depuis le mois de mai, des gens qui étaient en CDI pour différentes raisons : absentéisme et problèmes de comportement ! On est confronté à une population très jeune, la moyenne d'âge est de 27 ans, nous avons 82 % de femmes pour des raisons de dextérité dans le travail. L'absentéisme est très fort : 10 % alors qu'au niveau national il se situe environ à 4 % [...]. C'est vrai que le métier est difficile, particulièrement fatigant parce qu'on travaille debout et la ligne avance : certains se laissent couler, d'autres travaillent très vite [...] Pour les licenciements, les raisons sont : inaptitude, et aussi des motifs réels et sérieux...

Au moment du démarrage de l'usine, on pouvait identifier plusieurs sous-groupes parmi les opérateurs(rices).

---

sont affectées presque exclusivement à la production, simples opératrices, payées au SMIC, sans espoir de promotion. Parmi les hommes présents dans l'entreprise, beaucoup sont « moniteurs » ou occupent des postes à petite responsabilité. Ils semblent avoir beaucoup plus de chances que les femmes de faire une petite carrière ouvrière dans l'entreprise.

1. Cette structure de main-d'œuvre semble proche de celle que l'on trouve dans de nombreuses usines dites de proximité, situées dans des bassins d'emploi comme celui de Rennes ou de Sandouville.

D'abord ceux et celles qui étaient dotés d'un niveau scolaire CAP-BEP, et parfois bac : ils ou elles avaient déjà travaillé en usine, en une expérience ouvrière, le plus souvent en intérim (à Sochaux ou dans une autre entreprise) ; ils ou elles allaient former une sorte de noyau dur, indispensable au moment du lancement des ateliers. Les trente premier(e)s « embauché(e)s » de l'usine avaient tout à fait ce profil-là. Parmi eux ou elles, beaucoup ont sans doute été séduits par la stabilité que leur offrait la nouvelle usine, sans compter qu'assez vite les cadres allaient leur faire miroiter la possibilité de jouer plus tard un rôle important dans l'encadrement des opérateurs. Mais d'autres, à tel ou tel moment de leur vie, ont pu souhaiter ne pas se trouver attaché(e)s à l'usine, ne pas se trouver « fixé(e)s ».

Le deuxième sous-groupe était constitué par des jeunes femmes (vingt-trente ans) qui avaient échoué à l'école et étaient sans diplôme. Certaines d'entre elles avaient travaillé dans de petits commerces ou en grande surface, toujours bien sûr en CDD ou en intérim, et avaient fait des stages. Elles avaient déjà traversé beaucoup d'épreuves dans leur vie et étaient souvent un peu paumées. Un nombre non négligeable d'entre elles étaient « mères célibataires ». La direction pressentait qu'elles ne poseraient pas de graves problèmes de discipline tant leur force sociale était réduite. C'était également vrai des « cas sociaux », qui n'avaient été embauchés que sur la demande pressante des institutions (ANPE, Mission locale).

Enfin, on a vu apparaître, à partir de 1997-98, un dernier sous-groupe constitué par ce qu'on pourrait appeler des « ouvrières bachelières ». Celles-ci sont souvent passées par la fac, ont un niveau DEUG (elles restent souvent dans le flou lorsqu'on aborde la question, douloureuse pour elles, des études à la fac). Elles ont pensé pouvoir s'engager dans ce type de travail à l'usine sans prendre trop de risques, n'y rester que quelques mois, espérant en parallèle passer des concours qui leur permettraient de sortir de l'usine[1].

---

1. À cet égard, elles sont assez proches de ces employés de fast-food qui cherchent à marquer leur distance par rapport aux « anciens », et qui sont insérés dans le milieu local de manière spécifique. Voir Guillaume Burnod, Damien Cartron, Vanessa Pinto, « Étudiants en fast-food : les usages sociaux d'un "petit boulot" », *Travail et Emploi*, n° 83, juillet 2000.

À la fin de la période (1997-99), il semble que l'importance de ce troisième groupe ait crû. Mais il faut bien comprendre que, socialement, ces ouvrières bachelières ne sont pas si éloignées que cela du gros de la troupe. Parmi elles, plusieurs se disent soulagées d'être revenues à l'usine : d'abord parce qu'elles ne se sentent plus tenues de jouer à l'« étudiante », rôle dans lequel elles étaient de plus en plus mal à l'aise, et, ensuite, parce qu'elles ont envie d'avoir, enfin, un peu d'argent à elles pour satisfaire leurs désirs de consommation, prendre un appartement, s'installer avec leur « copain », etc.

Au sein de ce groupe des opérateurs(rices), on ne saurait trop insister sur le clivage produit par le parcours et le niveau scolaire, en particulier dans la manière dont on envisage le rapport à l'avenir. Celles qui ont des diplômes d'enseignement général pensent, au début au moins, pouvoir rapidement « trouver mieux » : elles vivent donc leur séjour en usine sur le mode du transitoire et du provisoire. En revanche, celles qui n'ont pas de diplômes ou ont de mauvais diplômes (ou qui ne leur accordent aucune valeur...) sont convaincues qu'elles ont « de la chance » d'avoir un travail stable, et qu'il faut qu'elles s'y accrochent. Elles savent, par expérience personnelle (ou par celle de leur entourage familial), qu'en cas de licenciement elles auront le plus grand mal à retrouver un emploi stable. Structurellement, elles sont marquées par la peur. Parmi elles, les jeunes femmes habitant en « cité », dans les « blocs », sont très nombreuses. Arrivées à un certain âge, elles ont envie de faire leur vie de manière autonome. Celles qui ont des enfants et qui les élèvent seules ont dû souvent revenir chez leurs parents ou se faire aider par eux. Elles désirent avant tout avoir un chez-soi, échapper à la famille, à leurs parents qui, tout en les aidant, leur manifestent souvent de l'hostilité.

4. La pénibilité du travail
et ses conditions sociales d'acceptation

Lors des entretiens, souvent répétés depuis 1996, avec plusieurs ouvrières de Grapha, j'ai pu recueillir un certain nombre de données sur ce qui se passe dans les ateliers – dont il faut rappeler qu'ils sont soustraits au regard extérieur et quasiment privés de représentation syndicale. J'ai mis l'accent, à l'occasion de ces entretiens, sur ce que sont les petits événements de la vie en atelier, les rituels de travail, les accrochages de la vie quotidienne, mais aussi sur la pression engendrée par le système des flux tendus et la manière qu'a chaque ouvrière d'y faire face.

Dans cette usine construite à la va-vite, toutes les opératrices travaillent debout. L'organisation de la production a été faite à l'économie, si bien que la vie quotidienne au travail, telle qu'elle est racontée par les opératrices, ressemble à une succession de « pépins » et de petits incidents. « L'ambiance est mauvaise », « On travaille mal », telles sont les expressions qui reviennent le plus souvent. Dans ces conditions, les nerfs sont souvent à vif, les altercations violentes entre salarié(e)s se multiplient, l'absentéisme atteint vite des sommets (il peut faire obstacle, à certains moments, à la mise en route des lignes de fabrication). Surtout, les défauts de qualité ne cessent de croître, ce qui altère considérablement les rapports avec le donneur d'ordres.

En 1996-97, au début de l'enquête, beaucoup d'ouvrières récemment embauchées « craquent » parce qu'elles ne tiennent pas les cadences. Sans nuances, toutes soulignent la forte pénibilité des postes de travail. Ce dont témoigne objectivement l'apparition rapide, un ou deux ans après l'entrée à l'usine, de maladies professionnelles comme les lombalgies, tendinites et syndromes du canal carpien[1]. Dans ce contexte, les congés de maternité se multiplient, comme si la maternité apparaissait comme la seule solution à des problèmes de travail perçus comme insurmontables, dans une logique de fuite en avant.

Pour pallier les absences, les DRH ont de plus en plus recours aux CDD et à l'intérim (même si ce dernier est un peu plus coûteux). Mais les intérimaires, mis sous pression, ne sont pas toujours en mesure de respecter les normes de qualité.

En 1999, un nouveau DRH[2] est nommé : c'est un Portugais qui a travaillé auparavant dans plusieurs usines

---

1. La situation est bien différente, de ce point de vue, de celle qui existe chez Peugeot dans l'atelier de câblage, où ces maladies ne surviennent qu'après une dizaine d'années de présence à l'usine.
2. En six ans, l'usine aura connu quatre directeurs et six DRH.

du groupe et qui tranche en faveur de la suppression complète de l'intérim et d'un retour aux CDD, et ce pour améliorer la qualité (même si cela n'a jamais été énoncé explicitement). Au printemps 2000, 287 salariés travaillent dans l'usine : 210 sont en CDI et 77 en CDD. Au cours des années précédentes, l'effectif des intérimaires avait parfois dépassé 100 personnes.

Au fil du temps, la mauvaise réputation de l'usine s'est consolidée : Grapha est perçue comme la pire usine du Technoland, non pas tant du point de vue des salaires que des conditions de travail. La violence de la situation qui est faite aux salariés semble devoir être mise en parallèle avec la vulnérabilité structurelle de l'entreprise. Il est, par exemple, symptomatique qu'une des manières privilégiées de mettre en permanence les ouvrières sous pression consiste à leur expliquer que les résultats de l'usine ne satisfont pas le constructeur et que, bientôt, l'usine sera fermée. Tout ce se passe comme si l'on reportait la fragilité structurelle de l'entreprise sur les ouvrier(e)s eux-mêmes, afin de les culpabiliser. C'est un thème qui revient très fréquemment dans les entretiens avec ces ouvrières, comme par exemple celui que j'ai réalisé avec Sonia, qui a travaillé de 1996 à 1999 à Grapha :

> – [Dans cette usine] on a toutes mal au dos... Ça vient du fait que tous les gens font énormément la même chose... ils ne changent pas souvent de postes parce que... bon... c'est comme ça : on tient un poste, on arrive à le tenir, la personne elle va rester là... au lieu de la changer tous les deux ou trois mois, je sais pas, moi.
>
> – *Donc, il y a peu de polyvalence ?*
>
> – Très peu, surtout au début. C'est venu après, du fait qu'il y a eu beaucoup de maladies... Quand j'ai commencé, c'était sur la 406, j'étais sur les carrousels... je montais des faisceaux... c'est vrai qu'au début la cadence, c'était pas évident... parce qu'on a été peu formées et tout de suite ça a augmenté et puis il fallait rester là après l'heure [de la fin de journée]... Oui, après l'heure (*en baissant la voix, un peu confuse...*) Ça je sais que c'était pas bien... après j'ai arrêté de le faire... si tu le fais, si tu commences à le faire...
>
> – *Vous voulez dire, par rapport aux copines ?*
>
> – Oui, parce qu'on avait des systèmes... des sonnettes... pour pouvoir arrêter la chaîne... s'il y avait un problème de

fil ou si on n'arrivait pas à suivre la cadence, bon on arrêtait les chaînes, le chef d'équipe ou la TO [« monitrice »] et avant même de savoir le problème, hop ! elle remettait la chaîne en route, avant de savoir d'où venait le problème... (*petit silence*). Moi, je sais bien que le poste que j'avais était quand même assez difficile... parce que j'avais beaucoup d'épissures à faire... au début j'en avais pas beaucoup, mais comme ils avaient vu que j'arrivais bien à les faire... alors pour tenir la cadence, c'était pas possible (*élevant la voix avec violence :*) de toute façon toute la journée je travaillais avec un poste de retard. J'arrêtais pas !... J'étais vraiment [à la limite]... [Elle évoque ensuite les débuts de son travail.] On n'a jamais eu de formation... Juste des tests pour savoir la dextérité des doigts. Et puis, tout de suite, on nous a mis sur le tas comme on dit... Parce que moi j'ai démarré presque quand l'usine a démarré, quelques mois après l'ouverture j'étais là j'ai démarré avec la 406, et là, tout de suite, j'ai été formée à la cadence... Ça a commencé doucement le premier jour, mais après... j'avais toujours une planche de retard... à chaque fois...

— Et les copines à côté ?

— Oh elles suivaient pas toutes ! Elles pouvaient pas ! Il y en a qui pétaient les plombs... Moi aussi, une fois, j'ai pété les plombs... j'ai tout lâché quoi ! Le chef d'équipe qui m'appréciait – mais bon, ça n'a pas changé grand-chose –, je suis partie à l'infirmerie... parce que, bon, au départ j'étais pas quelqu'un qui s'extériorisait... Je gardais tout en moi et puis je pleurais. Et puis, bon, la chaîne j'étais obligée d'être là... puisqu'il y avait que moi formée sur ce poste. Ah, l'infirmerie, je me rappellerai tout le temps parce qu'il y a le chef d'équipe qui est venu me voir, il m'a demandé ce qui se passait parce qu'il était étonné... Comment ça se faisait, chaque fois que j'étais là, je disais jamais rien... Et puis là, ploc, j'en pouvais plus, et puis il m'a dit : « On a besoin de toi, la chaîne est arrêtée... » J'étais la seule formée à ce poste, et puis je faisais perdre du temps, et surtout de l'argent... Après il m'a fait comprendre... Après ils m'ont convoquée pour savoir exactement ce qu'il y avait, et puis ils me demandaient de former quelqu'un... c'est vrai que (*solennellement*) j'étais jamais absente, jamais en retard... jamais jusqu'au jour où...

— Et après, vous êtes revenue...

— Je suis revenue travailler le jour même, oh oui !

— Et après il y a eu d'autres accrochages ?

— Oui, bien sûr, mais je ne le montrais pas (*Le mari interrompant :* « Quand elle rentrait, elle pleurait... tous les jours ».) C'était la tension qui s'accumulait. Moi, je sais que j'ai du mal à m'extérioriser, je gardais tout en moi, et puis quand j'avais... je le disais pas, c'est vrai aussi qu'au début j'étais pas embauchée, donc je me plaignais pas aussi à cause de ça. Parce que j'ai eu d'abord un contrat de trois mois, puis de six mois, puis après j'ai été embauchée. Il y a beaucoup de personnes qui étaient dans mon cas, et puis... et puis ça, je pense qu'ils étaient conscients qu'on était des personnes qui n'étaient pas (*elle baisse la voix comme si elle avait honte*) en CDI...

– *Donc, ils pouvaient exercer une pression. Et autour de vous ?*

– Les autres personnes ? Elles étaient pas comme moi, elles criaient, elles gueulaient, fallait entendre ça... Et c'était fréquent... Moi, j'en ai vu pleurer, crier... il y avait aussi des intérimaires, mais presque tous s'en allaient.

Une des questions qui viennent immédiatement à l'esprit lorsqu'on enquête auprès de ces ouvrières, c'est : comment font-elles pour tenir ? Ou, pour le dire autrement : quelles sont les conditions sociales de l'acceptation de ces conditions de travail ? La réponse à la question passe par l'étude des caractéristiques sociales de cette main-d'œuvre.

Trois facteurs apparaissent ici décisifs : le type de trajectoire sociale suivi par ces ouvrières, le marquage par l'échec scolaire, la récurrence des problèmes familiaux auxquels les enquêtées ont été confrontées. Pour le dire schématiquement : ces ouvrières « tiennent » au travail parce qu'elles ont été, au départ, le produit d'une sélection rigoureuse qui les incite à se considérer comme « élues »[1]. En effet, nombre d'entre elles ont été marquées par une mauvaise scolarité et une orientation négative (dans les « mauvaises » classes de collège puis en LEP dans les sections tertiaires comme secrétariat, commerce, force de vente, etc.) qui, dans un contexte d'allongement de la scolarité, ont souvent été vécues comme une forme de stigmatisation sociale[2]. Tout

---

1. Ce ressort sociologique assez classique (il s'agit somme toute d'un effet d'assignation statutaire en milieu ouvrier) va permettre de faire de ces entreprises un lieu d'expérimentation sociale.
2. On a, à plusieurs reprises, constaté à quel point la question de l'école, du niveau de diplôme des uns et des autres dans les ateliers, semblait être devenue un sujet presque tabou dans les conversations d'usine. Dans ces nouvelles usines du Technoland, il semble bien que les opérateurs(rices) ne parlent à peu près jamais de leur diplôme, comme s'ils craignaient de faire surgir au grand jour une question qu'ils préfèrent oublier. L'impression qui ressort des entretiens (ou parfois du

se passe comme si leurs difficultés sociales s'enracinaient dans leur scolarité, et comme si, surtout, il était désormais impossible de se déprendre de cet échec. Comme si, aussi, une sorte de fatalité pesait sur elles et les réduisait à l'impuissance sociale[1].

En outre, ces ouvrières ont été marquées fréquemment dans leur vie par diverses formes de désorganisation familiale, produites elles-mêmes par la précarité croissante et l'insécurité sociale qui en résulte. Serge Paugam[2] a bien montré comment la précarité retentit négativement sur tous les aspects de l'existence : revenus et consommation, vie en couple, instabilité conjugale, sociabilité familiale, participation à la vie associative.

D'un autre côté, ces jeunes ouvrières, qui ont vécu leur entrée à l'usine comme un soulagement, un bonheur presque, disposent désormais d'un travail qui, en dépit de sa dureté, les stabilise, leur donne des repères, notamment du point de vue des horaires. C'est là un petit avantage comparatif qu'apprécient beaucoup d'entre elles, qui ont connu, au début de leur carrière professionnelle, les durs métiers de la restauration, de l'hôtellerie ou du commerce – et les formes de surexploitation qu'on y subit.

5. La « mauvaise ambiance »

L'« ambiance », terme indigène de l'atelier, renvoie spécifiquement aux relations avec les copains, aux possibilités d'entraide, à la cohésion du groupe face aux chefs. La constitution d'une « bonne ambiance » suppose que les places soient relativement fixées, qu'il n'y ait pas de

---

refus de s'entretenir avec nous !) est que beaucoup d'entre eux (elles) ont été profondément marqué(e)s – négativement – par leur échec à l'école.

1. Lorsque dans l'enquête, à différents moments et en différents lieux (comme, par exemple, à l'UD-CGT), je discutais avec certains OP des ateliers de Sochaux, la conversation revenait souvent sur les jeunes opérateurs. Or, lorsqu'ils évoquent les opérateurs d'aujourd'hui, ces OP disent clairement que « ces jeunes n'ont rien à voir avec les OS qui entraient à l'usine il y a trente ans » – et ils insistent avec force sur le marquage négatif, beaucoup plus accentué, que produit un verdict scolaire dont les effets sociaux sont désormais sans appel sur le marché du travail.

2. Serge Paugam, *Le Salarié de la précarité*, Paris, PUF, 2000.

bagarres pour les postes, et qu'il existe un minimum d'accord entre ouvriers et chefs en vue de la recherche d'un environnement harmonieux. Ce qui est alors en jeu dans cette expression d'atelier, c'est le rapport au travail en tant qu'il est médiatisé par le rapport aux autres, c'est-à-dire un rapport subjectif mais constitué dans l'intersubjectivité. L'« ambiance » est, au fond, un excellent révélateur de l'intégration, au sens durkheimien, du collectif de travail.

Au cours des entretiens, l'expression « mauvaise ambiance » est revenue sans cesse. Que signifie-t-elle ? Il y a d'abord des causes qui renvoient aux conditions objectives de travail : salaire bas, pénibilité des tâches, accélération des cadences qui oblige à une extrême concentration sur le travail et empêche de penser à autre chose. De ce fait, les attitudes de retrait, caractéristiques chez les OS, sont de moins en moins possibles. Mais il y a aussi des raisons qui excèdent le domaine du poste de travail : absence d'avenir professionnel, faiblesse des chances de promotion, impossibilité que se (re)constitue ce « savoir de la place » bien maîtrisé qui donnait un peu d'autonomie.

La compétition entre opérateurs, mais aussi les rivalités et les jalousies, sont au centre de la vie sociale des ateliers de Grapha. Des petites bagarres éclatent fréquemment autour des postes de travail afin d'échapper aux tâches les plus dures ou pour « monter » un peu dans la hiérarchie en devenant moniteur, polyvalent ou « TO » (technicien opérateur, c'est le mot utilisé dans cette usine pour désigner les moniteurs). Il s'agit surtout de ne pas rester un simple numéro dans l'usine, mais d'obtenir un minimum de reconnaissance sociale en sortant de la masse anonyme des opérateurs.

Dans cette usine, comme dans toutes celles du Technoland, les lieux de rassemblement des salariés sont rarissimes, toute l'organisation du travail semble conçue pour favoriser leur isolement. On noue des relations avec deux ou trois collègues, guère plus. Les salariés, pour se ménager un avenir dans l'usine et préserver leur force de travail, sont en revanche engagés dans un écheveau de petits compromis, avec la maîtrise qui distribue les faveurs aux uns ou aux autres. Chacun a le sentiment qu'il lui faudra savoir saisir sa chance au bon moment, même si les possibilités de monter ou d'« évoluer » sont objectivement très limitées[1].

En outre, dans ce type d'usine, il y a de moins en moins de possibilités de s'opposer frontalement aux « chefs ». Le « moniteur » et le « polyvalent » sont de faux égaux auxquels on n'arrive plus à s'opposer véritablement, comme cela se produisait dans les grandes usines (à Sochaux par exemple). Or, l'opposition aux chefs soudait fortement le groupe ouvrier d'un secteur, souvent autour du délégué syndical. Et la « bonne ambiance » signifiait qu'on avait bâti des relations de confiance avec les copains. Et puis, il y avait tous ces rites d'intégration, aujourd'hui bien oubliés. On en veut pour preuve la manière dont les intérims « débarquent » dans les ateliers, à l'improviste, tout seuls, comme de simples numéros. Personne ne sait combien de temps ils vont rester. On sent, dans le ton des descriptions qu'en font ceux qui sont déjà dans la place, que beaucoup parmi les anciens sont eux-mêmes choqués et blessés par la manière dont on accueille et traite ces jeunes.

Il faut revenir ici sur la question de la « polyvalence » – aptitude à tenir plusieurs postes de travail différents. Le point apparaît d'importance, d'autant plus qu'il est rarement analysé : chez Grapha comme dans beaucoup de ces usines d'équipementiers, le personnel de fabrication est sans cesse muté, déplacé d'un point à un autre des ateliers, du fait de la polyvalence attendue des ouvrier(e)s comme une absolue nécessité. Quels sont les effets de ces mutations incessantes, de cette mobilité imposée et brouillonne sur le climat social dans les ateliers ?

La polyvalence, qui signifie a priori un élargissement des tâches de travail, a pu, dans un premier temps, susciter une certaine adhésion dans la mesure où beaucoup pensaient qu'elle allait permettre de rompre avec la monotonie d'un travail étroitement parcellisé. En fait, elle signifie souvent un alourdissement sensible de la charge de travail (ce que trois ouvriers faisaient peut, en certains cas, grâce à une utilisation intensive de la polyvalence, être fait avec deux seulement), comme le dénoncent souvent les syndicats. Mais ce qui est moins souvent mis en évidence, c'est que la polyvalence s'oppose à la constitution du « savoir de la

---

1. On peut renvoyer sur cette question au chapitre 3 de *Retour sur la condition ouvrière, op. cit.*

place »[1]. Le développement de la polyvalence participe, sans le vouloir, de la dévalorisation de ce « savoir de la place » qui, dans bien des ateliers, conférait souvent une marge de manœuvre réelle. Car la « place », c'est le poste de travail en tant qu'on se l'est approprié, c'est-à-dire avec ses tours de main, ses combines et le réseau de sociabilité qui l'entoure. Or, la polyvalence imposée signe la quasi-impossibilité de s'approprier vraiment une « place ». Elle peut aussi faire obstacle à ce que se crée, avec ses proches collègues, quelque chose qui ressemble à un collectif de travail. En ce sens, elle constitue un puissant facteur de désintégration du groupe. Les ouvriers se retrouvent désormais soumis au bon vouloir des chefs et des TO qui, en toute légitimité, au nom de la rationalité technique, peuvent interchanger les opérateurs. Nouvel obstacle aux luttes collectives.

La critique que font les syndicats de l'usage abusif de la polyvalence (« on ne reconnaît pas la qualification réelle des gens ») apparaît, de ce point de vue, insuffisante, dans la mesure où elle occulte les effets de déstructuration du collectif de travail que le changement incessant de postes produit : concurrence accrue entre ouvriers, exaspération des jalousies, etc. Les luttes autour des postes de travail prennent une grande importance et l'« ambiance » se dégrade...

6. *Quand deux ex-copines d'usine parlent travail...*

Les entretiens avec les ouvrier(e)s de Grapha, comme ceux que nous avons menés dans d'autres usines du Technoland, n'ont pas été faciles : on sentait toujours, même lorsque la confiance était là, une timidité, une gêne, voire de la honte, à parler de son travail et de soi. Les entretiens répétés n'ont pas toujours permis de lever la difficulté. Que traduit cette difficulté à parler travail ? On serait tenté de dire : une immense distance – et qui va croissant – entre, d'une part, la culture technique moderne (que détiennent techniciens et ingénieurs, mais aussi tous ceux qui parlent le langage de la modernisation par l'informatique, qui sont du côté de l'écrit), et, d'autre part, la culture ouvrière du

---

1. *Cf.* Michel Pialoux, « L'ouvrière et le chef d'équipe. Ou comment parler du travail ? », *Travail et Emploi*, n° 52, 1995.

travail, la culture traditionnelle de l'atelier, qui est du côté du geste, de la pratique, de l'expérience et de la transmission par l'expérience, du côté de l'oral. C'est l'approfondissement de cette distance qui engendre le profond malaise que l'on perçoit entre les différents groupes professionnels, entre les gens qui se situent à des niveaux de qualification différents. Il se traduit souvent par le sentiment d'être humilié, rabaissé du fait surtout que cette distance est non seulement ignorée mais pratiquement déniée, qu'on ne veut pas la voir et pas non plus en parler. Comme si cette distance n'existait pas et ne structurait pas l'espace social.

Il faut des circonstances très particulières pour lever les difficultés à parler du travail. Je vais ici évoquer plus en détail un entretien mené avec deux anciennes copines de Grapha, Céline et Sonia. J'avais d'abord effectué un long entretien avec Sonia, qui est la sœur d'un militant algérien de l'usine (Toufik) que je connais depuis longtemps. Un jour, comme j'évoquais devant lui l'usine Grapha et sa mauvaise réputation, il s'était mis à me parler de sa sœur Sonia (de dix ans sa cadette) qui, deux ou trois ans plus tôt, avait travaillé dans cette usine avant de la quitter « volontairement », disait-il, dans des conditions qu'il ne précisait pas clairement. Je rencontrai Sonia peu après : elle allait me parler longuement de son travail, avec une grande liberté de ton, même si elle n'excluait pas de revenir travailler un jour dans cette usine.

Née en France dans une famille algérienne de huit enfants, Sonia avait alors trente ans, était mariée et avait un enfant. Son père, ouvrier en fonderie chez Peugeot, était mort alors qu'il atteignait l'âge de la préretraite. Elle avait connu une enfance douloureuse : les colères de son père, lorsqu'il avait bu, étaient fréquentes et terribles, l'ambiance à la maison en était durablement assombrie. En outre, elle avait perdu un de ses frères – qui avait été tué par la police[1]. Plusieurs d'entre eux étaient ouvriers chez Peugeot. Sonia avait eu une scolarité difficile, qui s'était soldée par une orientation précoce en lycée professionnel. Après son échec au CAP de sténodactylo, elle avait décidé de partir en Suisse

---

1. Tous ces détails sont racontés, avec bien d'autres, dans l'essai d'autobiographie qu'un de ses frères, qui travaille depuis une vingtaine d'années chez Peugeot-Sochaux et a longtemps été délégué CGT à l'atelier d'habillage caisse, est en train d'écrire.

pour devenir jeune fille au pair, mue par la conviction que, pour s'en sortir, il lui fallait le plus rapidement possible couper avec sa famille. Quelque temps plus tard, souffrant de la solitude « là-haut », elle était revenue et avait tenté de se réinsérer sur le marché du travail local en acceptant de nombreux « petits boulots ». Finalement, en 1997, elle avait été embauchée à Grapha comme opératrice. Elle y avait travaillé dix-huit mois, les trois premiers en CDD, contrat qui allait être ensuite renouvelé une fois, avant de décrocher l'« embauche ».

Dans les semaines qui avaient suivi ce premier entretien, j'ai revu Sonia à plusieurs reprises. Parfois seule, parfois en compagnie d'un de ses frères ou de son mari. Nous avons alors parlé de l'intérim, des difficultés du marché du travail, de la vie dans les « blocs », de la recherche de travail de son mari. Elle n'a pas tardé à me ménager un rendez-vous avec Céline, sa vieille copine d'usine, qui l'emmenait autrefois bien souvent en voiture à Grapha et qui, elle, y travaille toujours. C'est grâce à Céline qu'elle a gardé, finalement, un contact étroit avec l'usine, comme avec plusieurs de ses ex-collègues – ce qui tendrait à prouver que loin d'être dans la rupture complète avec l'usine, elle en a conservé une certaine nostalgie.

Céline habite le même quartier HLM qu'elle, dans un bloc situé à peu de distance. Elle a à peu près le même âge que Sonia, une trentaine d'années. Son père était ouvrier à Sochaux et l'un de ses frères y travaille toujours. Elle évoquera à plusieurs reprises, mais sans jamais s'y attarder, sa mauvaise scolarité en lycée professionnel sur laquelle j'éviterai de lui poser trop de questions. Quand elle parle de son père, c'est d'une manière laconique : « Il travaillait chez Peugeot... Il est allé jusqu'en préretraite... Il a même pas gagné sa retraite... Il est mort avant... T'en baves, et puis... » Elle se remémore avec émotion des phrases répétées dans son enfance par son père : « Je m'en souviens, mon père, qui disait : "Travaillez à l'école, vous allez vous retrouver à la chaîne chez Peugeot..." Il avait pas tout à fait tort... Parce que, maintenant, je ne suis pas chez Peugeot, c'est vrai, mais c'est pas mieux, vraiment pas mieux... » Sa mère, elle, n'a jamais eu de travail salarié. Céline a une fille d'une dizaine d'années, mais le copain avec qui elle l'a eue ne vit plus avec elle.

Je retrouve donc les deux amies un samedi matin. Nous devons parler de l'usine et avons toute la matinée devant nous. Nous prenons d'abord un café et bavardons. Ce n'est qu'au bout d'un certain temps que j'ouvrirai le magnétophone, ce qui ne modifiera, me semble-t-il, ni le ton ni le rythme de la conversation. Ce qui m'apparaît alors clairement, c'est que les deux copines sont avant tout heureuses de se retrouver et de bavarder entre elles, par-dessus ma tête, et en quelque sorte par-dessus le magnétophone. Tout à la joie de ces retrouvailles, elles passent en revue différents éléments de leur vie passée à l'usine, évoquent d'anciennes collègues de travail, les relations entre ouvriers et chefs, etc.

Sonia m'a présenté comme un chercheur qui connaît le monde ouvrier de la région depuis longtemps, mais qui connaît surtout Peugeot, et à la discrétion de qui on peut se fier. Et en même temps comme quelqu'un qui voudrait recueillir de l'information sur les équipementiers de l'automobile et sur les formes qu'y prennent l'organisation et la gestion du travail. En conséquence, Céline est censée m'expliquer l'usine (Grapha) mais, ce faisant, c'est aussi à son ex-copine de travail qu'elle « réexplique » l'usine d'aujourd'hui, et Sonia d'ailleurs ne manque pas de la relancer par des questions, ce qui me dispense souvent d'intervenir. C'est là une situation pleine d'intérêt parce que propice à l'explicitation de bien des sujets : le chercheur se contente de relancer par quelques questions, et se laisse fondamentalement entraîner par le flux de la discussion.

Ce jour-là, chacune des deux copines parle en quelque sorte sous le contrôle de l'autre, chacune se sent autorisée à interroger l'autre, la prend à témoin et accumule des détails qui font pénétrer, autant que faire se peut, leur interlocuteur dans leur univers de travail. Et en même temps, c'est la face féminine, sexuée, de ce travail qu'elles laissent entrevoir. Tout se passe comme si, ce jour-là, une nostalgie de l'usine se trouvait ravivée chez Sonia, et comme si elle prenait vraiment plaisir à relancer le jeu. Bien sûr, les propos de Céline et ceux de Sonia ne renvoient pas à des expériences de travail exactement identiques, mais l'organisation du travail est restée fondamentalement la même. Simplement, depuis le départ de Sonia, la pression semble s'être encore accrue sur les opérateurs, et l'on recrute des CDD au lieu d'embaucher des intérimaires.

Céline – Je me souviens quand je suis entrée dans l'usine, j'ai vu toutes ces planches... Hou là là ! J'ai dit : « Je vais jamais m'en tirer. Avec tous ces fils ! »

Sonia – Moi, je sais que quand, la première fois, je suis entrée dans l'usine et que j'ai vu toutes ces planches, y avait tous les fils mélangés, quoi. Je me suis dit au fond de moi-même : Jamais de la vie je n'arriverai à travailler dans ces fils électriques. Yen a trop !

Céline – Moi, c'est pareil...

Sonia – On s'imagine pas, quoi. En fait, c'est toute une méthode. C'est au fur à mesure. En fait, on y arrive. On n'est pas si bête que ça ! (*Rires.*)

Céline – Oui, c'est vrai que quand on arrive...

Sonia – C'est impressionnant...

Et là, il n'y avait que des filles ?

Sonia – 90 % !...

Céline – Parce qu'elles ont des petites mains agiles. (*Rires.*)

Sonia – La dextérité des doigts soi-disant... Mais bon... (*Rires.*)

– C'est aussi peut être parce que vous aviez fait des apprentissages ?

Sonia – Moi, j'ai fait de la dactylo...

Céline – Moi, dans mon curriculum, j'avais précisé comme quoi j'aimais bien bricoler...

Sonia – Moi je fais du dessin, tout ça... Je pense que ça a joué... Comme hobby, j'avais marqué dessin...

Céline – Oh ! de toute façon, ils nous ont casées directement. Moi, ils m'ont mise carrément à la formation des épissures...

– Donc, très vite. Qui c'est qui vous formait ? Des gens qu'ils avaient mis spécialement pour ça, ou c'étaient des ouvrières ?

Céline – Non, des gens qui travaillaient là... et qui nous ont dit : « Tu fais ça comme ça »... (*imitant leur ton rude*).

– C'était pas dans un lieu à part ?

Céline – Non, sur le poste de travail. Quand on voit arriver les filles maintenant, je trouve que c'est encore pire... Oui, maintenant c'est pire, hein... Y'a tellement d'absentéisme en ce moment. Alors il faut renouveler les personnes ! Alors les personnes arrivent sur le poste. Elles sont deux. « Tu mets tes boîtiers comme ça, tu mets tes fils comme ça »... Après, au bout de deux jours, elles se débrouillent, hein !

— Celles qui leur apprennent, c'est les voisines ?

Céline – C'est la personne qui est au poste. Elle la double en fait. C'est quand même elle qui lui montre comment faire.

Elles sont à deux sur le même poste ?

Céline – Oui, mais ça va tellement vite que la personne qui tient déjà son poste a du mal à lui montrer.

Sonia – C'est pas évident... Moi, je me rappelle... Pour moi, c'était pas évident de montrer à quelqu'un. La personne, elle ne va pas comprendre tout, tout de suite. C'est tout à fait normal, parce que nous aussi, au début...

Céline – C'est sur le tas, en fait, qu'elle apprend. Elle est bien obligée...

Sonia – Ils ralentiront pas la cadence malgré qu'il y ait deux, trois nouveaux qui soient sur la chaîne. On prend du retard...

Céline – Ah ! Non, tu as intérêt à récupérer ton poste. Interdiction (*dit sur un ton insistant*) d'arrêter les postes. Maintenant, ils ont bloqué les arrêts d'urgence...

— Du point de vue sécurité...

Sonia – C'est déjà ce qui se passait. Tu te rappelles, nous, quand on arrêtait la chaîne... À peine la chef d'équipe elle arrivait, elle ne cherchait même pas à savoir le problème. Ils rallumaient, après ils demandaient ce qu'il y avait eu... On trouvait pas ça logique.

— Ils veulent éviter qu'on arrête ? Leur problème, c'est ça ?

Céline – Mais bon, ils l'ont fait pendant un moment l'arrêt d'urgence arrêté. Je veux pas dire, mais ils l'ont fait pendant un moment, et puis bon, ils ont pas le droit en fait. Ils ont pas le droit. Alors, ça n'a pas duré longtemps. Maintenant, l'arrêt de chaîne, c'est que lorsqu'il manque des contrôleurs.

— Et ça arrive assez souvent que l'approvisionnement soit coupé ?

Céline – En ce moment, oui, les fils, c'est toujours dans la même période. Pour ça (*rires*), l'année dernière, on a eu du renfort avec les Portugais qui sont venus nous aider. L'année d'avant, c'était les Espagnols... On se demandait qui allait venir cette année.

— Ces Portugais, c'est des ouvriers ou des ouvrières ?

Céline – Des chefs ! Qui viennent...

À mesure que se prolonge la discussion, je les sens saisies ou reprises par la passion de l'usine. En fait, la plupart de leurs propos, alors même qu'ils mettent en cause la mauvaise ambiance, l'incurie des chefs, la soumission aux donneurs d'ordres, révèlent la façon dont elles restent captivées par cette vie d'usine qui a été – ou est encore – un des moteurs de leur vie. Sonia et Céline avaient cru un instant pouvoir échapper au destin d'ouvrières. Mais, une fois au travail, chaque ouvrière tente à sa manière, sinon de s'approprier son poste de travail (on sait que c'est pratiquement impossible pour les OS), du moins d'aménager les choses. Ce qui passe surtout par l'établissement de rapports conviviaux avec les collègues de travail. Or, être ouvrière dans une usine comme Grapha, c'est d'abord et avant tout être asservie à la cadence, aux flux tendus et aux injonctions contradictoires des chefs – et avoir ainsi très peu de chances de pouvoir satisfaire ce désir d'échange et de sociabilité.

> Sonia – Moi, je sais que j'aime le contact... Moi j'aurais voulu... je sais pas... exercer un métier où j'aurais été en contact avec les autres... pas ouvrière, quoi, mais un métier où...
>
> Céline – Moi, je suis comme toi... Je crois que si je suis un peu en guerre comme ça, avec les autres, c'est parce que je suis trop...(*elle cherche son mot*)... réfléchie...
>
> Sonia – Non, tu dis les choses comme tu les penses...
>
> Céline – Voilà, je suis pas hypocrite, moi... Y en a, elles te disent quelque chose, mais tu vois bien que...

À travers ce très court extrait d'entretien, plusieurs problèmes sont entremêlés : se dire « réfléchie », c'est aussi se définir contre ceux et celles qui, dans les ateliers, sont sans jugeote, sans réflexion, « gamin(e)s », etc. Dénoncer l'hypocrisie des autres, c'est s'affirmer authentique, vraie, ayant son franc-parler. À travers cette manière de communier dans les mêmes valeurs morales, Céline et Sonia se soutiennent l'une l'autre, font front ensemble tout en affirmant leur distance vis-à-vis des autres ouvrier(e)s, du « gros de la troupe », et, plus largement, à l'égard d'une certaine forme d'égoïsme ouvrier d'aujourd'hui. Par rapport aux autres ouvrier(e)s, elles vont tenter de se démarquer en affirmant des goûts différents et des choix esthétiques bien à elles.

Il faut par ailleurs insister sur le fait que, dans cet entretien, Céline et Sonia parlent « entre femmes » : devant l'enquêteur bien sûr, mais d'abord entre elles. Face aux menaces toujours possibles pour elles de devoir subir des « enquêtes sociales »[1], elles pensent en priorité aux enfants, refusent de donner la préséance au travail. Comment assurer la sécurité à leurs enfants ? Ce n'est pas facile, Céline l'avoue ici : « Je suis toute seule, mon copain n'est plus là... » D'où les problèmes qui s'enchaînent, de manière inexorable : garde d'enfant, manque d'argent (le surendettement n'est jamais bien loin), faire face à l'éducation et à la scolarité des enfants. D'où aussi cette « vie sous tension » : les cigarettes qu'on allume les unes derrière les autres, les difficultés récurrentes à joindre les deux bouts et, en même temps, par moments, un besoin irrépressible de « folies » – se lancer dans des achats inconsidérés, dont elles savent qu'ils seront condamnés par l'entourage (la famille, les voisins d'HLM). Par petites touches, toutes deux font bien sentir ce que signifie ce « manque d'argent » : l'impossibilité de vivre normalement, la résistance à la pression constante des enfants pour y arriver (la question des « marques » dans les cités est un problème lancinant et angoissant pour les mères). Sans compter le problème, plus important encore pour Céline, celui de la « solitude morale », comme elle l'indique avec pudeur dans la discussion qui suit :

> Céline – On est beaucoup comme ça dans l'usine à être séparées, divorcées... Mais on n'en parle pas (*un silence*). Une fois, j'avais demandé une prime de participation... C'était un moment difficile pour moi... J'y arrivais pas,

---

1. Dans le film de Patrick Jan, *Ouvrier, c'est pas la classe* (2002), on voit une ouvrière (la quarantaine) discuter à l'union locale CGT avec une de ses copines d'usine du Technoland (ce n'est pas Grapha) de ses conditions de travail et de vie. Divorcée, travaillant de nuit, ayant deux enfants, une fille de 15 ans et un garçon de 10 ans, elle explique, indignée, qu'elle a été menacée d'une enquête sociale par la DASS parce que le soir, à partir de 22 h, elle laisse ses enfants seuls dans l'appartement. Elle estime que sa fille, à 14 ans, peut très bien s'occuper de son petit frère et se garder toute seule. Le simple fait qu'elle ait dû se justifier face à l'administration lui paraît être une atteinte intolérable à sa vie privée, une sorte d'offense sociale, compte tenu de ses propres difficultés de vie (travail d'OS, de nuit, élevant quasiment seule ses deux enfants).

j'avais des dettes... Je suis allée à la DRH... et là, tout de suite : « Ça se passe pas comme ça, il faut avoir un dossier de surendettement. » J'ai demandé un dossier de surendettement et je suis retournée les voir et ils m'ont dit : « Tu sais, t'es pas la seule... »

– Mais entre vous, vous n'en parlez pas de ces difficultés ?

Céline – Non ! À part des trucs avec leur mari ou leur copain (*se tournant vers Sonia : rires*). Des trucs de femmes... (*rires*). Ou alors elles font croire que tout va bien, que tout va toujours très bien...

– Comme dans d'autres métiers, d'ailleurs...

Céline (*suivant son fil*) – Quand on discute avec elles, c'est vrai, tout va toujours très bien. Elles parlent de leur maison... Elles montrent même les photos de leur copain, de leur mariage, de leurs vacances... Tout va bien... C'est pas vrai, hein, Sonia ? (*Sonia approuve.*)

– À Sochaux, j'ai l'impression qu'il y avait des relations plus fortes entre copines de travail...

Céline – Parce que Peugeot, c'est vieux aussi... et puis ici, au Technoland, y a même pas un café, de bistrot, pour se retrouver. Et puis les gens se connaissent pas à Grapha. Ils viennent pas en bus, ils viennent en voiture...

Sonia – Faudrait demander un bus... parce que je suis pas la seule à ne pas avoir le permis...

Céline – Y'a un mois, ils [le syndicat] l'ont demandé...

Sonia – Moi, je donnais 250 F d'essence par mois [pour être emmenée en voiture]. Pourtant y'a plein d'usines dans le Technoland ? (Suit une discussion pour savoir qui des directions d'usine ou de la compagnie des bus a la plus grave responsabilité dans cette absence de transports collectifs. Conclusion : « Ça les arrange. »)

Ainsi se poursuit l'entretien, donnant à voir – à travers les rires, les plaisanteries, la mise en boîte de l'un des participants, la brusque remontée d'un souvenir – les schèmes qui structurent leur perception des oppositions et des conflits qui rythment la vie des ateliers. Mais aussi les petites jalousies...

Sonia – Chez les hommes, y a pas de jalousie comme chez les femmes. Peut-être que chez les hommes y a de la jalousie... mais c'est plus d'ordre (*elle cherche le mot sans le*

trouver)... C'est celui qu'a la maison, celui qu'a la voiture...
Social ! Social ! Voilà, c'est le mot que je cherchais ! Chez les
femmes, c'est plus esthétique. Elles, c'est – tu te rappelles (*à
Céline*)... tu te rappelles, Céline, le matin, à cinq heures...

Céline – Elles regardent toujours comment t'es habillée
(*rires*). (*Imitant, avec un ton de voix aiguë*) : « Oh ! Pourquoi
tu t'habilles comme ça pour aller travailler ? On n'est pas en
boîte de nuit ! » Y en a une, elle a un sacré problème, à cause
de ça. Elle est bien, bon, ma foi, tant mieux pour elle. Mais
y en a qui sont jalouses parce qu'elle est...

Sonia – Parce qu'elle est belle...

Céline – Oui, parce que cette nana est belle, elle est bien...
si elle discute avec un chef, tout de suite, c'est... Voilà.

– *Elle est accusée de...*

Céline – Voilà. C'est pour ça alors que je suis plus souvent
avec elle qu'avec les autres...

Ces trajectoires d'ouvrières non qualifiées du Technoland
conduisent, bien sûr, à nous interroger sur la redéfinition
des identités sexuelles dans la nouvelle génération ouvrière,
celle qu'on a appelée la « génération de précaires »,
fabriquée par vingt ans de chômage élevé et de crise sociale.
Il est, à cet égard, instructif de comparer ces trajectoires
individuelles et familiales à celles des familles ouvrières du
Nord étudiées par Olivier Schwartz au début des années
1980.
   Celui-ci accordait alors une place spécifique aux couples
d'ouvriers en « projet ascensionnel », pour qui le travail de
la femme constitue un moyen à la fois pour améliorer le
niveau de vie, revendiquer une « rupture globale avec la
norme ouvrière traditionnelle », se démarquer des signes de
passivité et d'attentisme féminins, refuser la soumission au
destin. Bref, il s'agissait pour ces couples de « s'arracher à
un destin d'impuissance et d'échec, de briser les signes
d'enfermement prolétarien[1] ». Or, la comparaison intertem-
porelle fait apparaître le basculement générationnel qui s'est
produit en l'espace de quinze ans : entre-temps, on a assisté
à l'émergence en milieu populaire de ces couples

---

1. Olivier Schwartz, *Le Monde privé des ouvriers*, Paris, PUF, 1991,
p. 207.

« bizarres », au sein desquels la femme tente, avec les moyens du bord, soit de suppléer l'absence (le cas des familles monoparentales où la mère a la charge des enfants), soit de compenser (autant que faire se peut) la disqualification sociale de l'homme prolétaire, qui se retrouve vendeur d'une force de travail simple sans trouver d'acheteur sur le marché de l'emploi. Mises ainsi au pied du mur, ces femmes se sont lancées « dans l'industrie », où elles apportent toute leur énergie sociale, habituées qu'elles sont de longue date à lutter pour leur existence. En même temps, on peut se demander si leurs dispositions au travail, importées de la sphère domestique, n'ont pas contribué à élever singulièrement les normes de comportement des opérateurs attendues par les employeurs. En mettant la barre assez haut, en créant un horizon d'attente chez les managers, leur mise au travail n'a-t-elle pas hypothéqué encore plus fortement la situation des hommes, notamment les plus jeunes, qui ont des dispositions tout autres, et sont souvent plus enclins au coup de colère, à la protestation ou à la rébellion immédiates, tous ces comportements qui vous disqualifient définitivement ?

Conclusion

Le temps long de la crise n'est pas seulement celui de l'emploi rare, c'est aussi celui où les changements survenus conjointement dans les entreprises et le système d'enseignement ont progressivement transformé des agents sociaux peu qualifiés, ou fragilisés par telle ou telle rupture biographique ou familiale, en personnes jugées « inemployables ». Pour éviter la naturalisation inhérente à ce mode de catégorisation (employables/inemployables, exclus/inclus...), nous avons cherché à historiciser les processus sociaux qui structurent le marché de l'emploi, tant par l'intermédiaire des entreprises que des institutions de gestion de l'emploi (comme l'ANPE, la Mission locale ou les agences d'intérim).

L'enquête sur les ouvrières du Technoland laisse entrevoir la manière dont s'établit une relative adéquation entre des dispositions propres à certains sous-groupes sociaux (produits d'une certaine histoire) et certaines « exigences » définies à un certain moment du temps par des managers attentifs à la fois à ce qui se passe autour d'eux et aux contraintes de compétitivité inscrites dans la nouvelle division nationale et internationale du travail. À partir d'une analyse de l'état du marché du travail, mais en comptant aussi sur leur propre flair, les employeurs privilégient diverses catégories : les jeunes, les femmes, et, à tel moment, les jeunes filles d'origine immigrée, etc.

À Sochaux, ces processus, jusqu'en 1998, ont façonné les individualités sociales et ont eu des conséquences qu'on retrouve dans d'autres bassins d'emploi : en termes morphologiques et en termes d'identité sociale. C'est ainsi que les jeunes – garçons et filles – issus de l'immigration et ayant échoué à l'école (la réussite leur aurait permis de se diriger vers un autre univers professionnel) se retrouvent facilement marginalisés, mis sur la touche, relégués vers les mauvais emplois de services ou vers les équipementiers de deuxième niveau, condamnés à une précarité devenue structurelle. Dans leur cas, il y a à la fois exclusion et auto-exclusion. Beaucoup de garçons entrent sur le marché du travail et y subissent des conditions très dures. Les filles y entrent à peine, se contentant du tertiaire non qualifié.

Le point de vue sociologique consiste à ne pas seulement prendre le développement du travail précaire (intérim, CDD, temps partiel contraint) ou même de la sous-traitance comme de simples « faits », dont il n'y aurait qu'à enregistrer l'ampleur (à travers par exemple la recherche de statistiques fiables), mais comme autant de processus complexes dont il s'agit de comprendre – et, mettre en question – la logique de développement, d'étudier la forme et le sens, la manière dont ils impliquent certains salariés et pas d'autres, dont ils se construisent par tâtonnement. Dans l'analyse de ces processus, il est impossible de chercher à déterminer ce qui est cause et conséquence. Il faut plutôt essayer de comprendre comment, au fil du temps, se produisent certains « ajustements », par exemple entre stratégies patronales et attentes des salariés. Il faut essayer de déterminer la manière dont ces processus « se nourrissent » et se fortifient les uns les autres, notamment ceux qui se développent dans la sphère de l'économie et ceux qui sont à l'œuvre au niveau de l'école et de la protection sociale.

Il faut, bien sûr, analyser ce qui se passe dans les entreprises, même si ce ne sont pas les processus dits économiques qui « produisent » la pauvreté ou l'inemployabilité. Ce n'est pas non plus l'école ou le système d'attribution du logement. C'est bien l'imbrication des différents processus qui est en cause.

Deuxième partie

LA REPRISE ÉCONOMIQUE.
ESPOIRS ET DÉSILLUSIONS

1998-2001, c'est la reprise. Forte et difficilement prévisible... Le bassin d'emploi de Sochaux-Montbéliard connaît alors une croissance économique particulièrement forte du fait des excellentes performances de la marque Peugeot sur le marché de l'automobile européen. L'usine de Sochaux et les équipementiers deviennent ainsi de gros offreurs d'emploi. Le taux de chômage du pays de Montbéliard chute de 10 % à 7 % entre septembre 1999 et septembre 2000, l'usine de Sochaux recourt en masse aux intérimaires (plus de 3 000 en juillet 2000 et, au pic de la courbe, 4 700 fin juin 2001), et certains secteurs comptent plus de 40 % d'intérimaires. Peugeot fait alors appel, via les grandes agences d'intérim, à des intérimaires du Nord et du Centre de la France. Comme la main-d'œuvre disponible se raréfie sur le plan local et régional, la sélection n'est plus possible[1]. En outre, la vieille usine de Sochaux, à majorité masculine (moins de 10 % de femmes dans les ateliers de production), commence, à partir de 2000, à recruter en masse des jeunes femmes qui s'étaient portées candidates à un emploi en usine, comme si les réticences (longtemps de mise) à recruter une main-d'œuvre féminine avaient été soudainement levées.

Dans cette deuxième partie, nous explorerons les différentes facettes de cette reprise économique, en nous

---

1. *Cf.* les divers travaux d'Armelle Gorgeu et René Mathieu sur le recrutement de la main-d'œuvre chez les équipementiers de l'automobile, notamment « Compétence et sélectivité dans le recrutement. L'exemple des usines de la filière automobile », *Travail et Emploi*, n° 83, 2000.

concentrant, dans un premier temps, sur l'entrée massive des jeunes des cités à l'usine. Ils en seront bientôt exclus, quand la vague de l'embauche ouvrière aura reflué. En un deuxième temps, nous expliquerons comment l'irruption des filles dans des ateliers d'hommes est allée de pair avec la découverte de leurs qualités sociales et la remise en cause de la masculinité ouvrière. Enfin, en quittant partiellement la grande usine de Sochaux pour les usines d'équipementiers, nous tenterons d'éclairer un processus paradoxal propre à cette période : la redistribution de la main-d'œuvre et la relève militante par les femmes.

CHAPITRE V

L'entrée à l'usine des « garçons des cités »

La spécificité de la reprise de l'embauche ouvrière tient à ce que, cette fois, les jeunes des cités sont entrés en masse dans les usines de la région (notamment à Sochaux), et ce quelles que soient leurs qualifications ou leurs origines nationales. Même ceux qui avaient eu des problèmes avec la justice sont parvenus à travailler en intérim : « Jamais on n'aurait pensé que, lui, il travaillerait un jour à l'usine » est une phrase que nous avons beaucoup entendue au cours de cette période, à propos d'un de ces jeunes qui paraissaient si mal partis dans la vie.

Mais d'abord, un mot sur ce que nous entendons ici par « jeunes des cités ». Si l'on retient comme critère principal de définition le seul lieu de résidence, la catégorie est hétérogène dans la mesure où des jeunes qui habitent aujourd'hui les « quartiers sensibles » de la région ont des trajectoires scolaires et sociales fort différenciées : certains ont arrêté l'école après la troisième ou sont allés en lycée professionnel, d'autres sont étudiant(e)s en premier cycle universitaire ou en BTS/IUT. Nous entendrons ici par « jeunes des cités » les jeunes résidant dans les quartiers d'habitat social de la région, enfants d'immigrés pour la plupart, qui se trouvaient peu ou prou en situation d'échec scolaire, orientés en SEGPA ou en lycée professionnel (et, pour les garçons, souvent dans celui qui avait la plus mauvaise réputation dans la région), où ils ont préparé un CAP ou un BEP et, pour une minorité d'entre eux, poursuivi des études jusqu'au bac professionnel. On les reconnaît de loin à leur apparence physique (casquette, blouson de marque, démarche), à leur façon de « parler banlieue » et de se déplacer en groupe (« on marche ensemble », comme ils disent). Marqués négativement par leur échec scolaire, la plupart cherchent une protection dans l'appartenance aux groupes de copains. Depuis quelques années déjà, beaucoup participent, à leur manière, aux rivalités entre bandes de quartiers qui se sont développées dans la région (comme en région parisienne) et donnent régulièrement lieu à des bagarres en centre-ville ou aux abords des établissements scolaires, alimentant régulièrement la chronique des faits divers. Ils partagent ce qu'on peut appeler une « culture de rue[1] » : vivant leur temps libre à l'extérieur du domicile familial, stationnant au bas de certains immeubles, écoutant à longueur de journée du rap ou du raï, certains se montrant souvent provocateurs vis-à-vis des personnes extérieures au quartier, allant même parfois jusqu'à agresser verbalement les « vieux » (non seulement les « Français », mais aussi certains pères « maghrébins » qui leur font des remarques) et contrôlant leur territoire, etc. Bref, vus de l'extérieur, bon nombre d'entre eux peuvent paraître bien mal partis, risquant toujours d'être entraînés par leur bande dans la spirale de la délinquance (petits délits, bagarres, petits vols, « bizness » autour de la drogue...). Et de fait, nombre d'entre eux, avant la reprise, se voyaient sans avenir, déjà condamnés sur le marché du travail dont ils avaient éprouvé auparavant les verdicts négatifs[2].

---

1. Voir, en fin de volume, les travaux de Gérard Mauger et de David Lepoutre sur cette question.

2. Cette population n'est pas nécessairement disposée à jouer le jeu de l'enquête. Comment faire pour que des jeunes de 20 ans, vivant dans ces cités, acceptent de nous rencontrer et de raconter leur travail en intérim ? La suspicion vis-à-vis des étrangers à la cité, des journalistes, des « intellos » s'est considérablement aggravée lors de ces cinq dernières années, et nous avons essuyé de nombreux échecs dans nos tentatives. Mais le réseau d'enquêtés que nous nous étions constitué sur place a été *in fine* très précieux, notamment grâce aux filles d'immigrées qui travaillent dans le secteur éducatif social. Par exemple, lors d'une courte enquête dans un collège, je [S.B.] rencontre Sabrina, 26 ans, surveillante, avec qui j'avais effectué, lorsqu'elle était lycéenne, un long et riche entretien sur les conditions de son entrée en seconde au lycée « bourgeois » de la région. Huit ans plus tard, elle a obtenu une maîtrise de sociologie et tente les concours (IUFM, assistante sociale). À la suite de diverses discussions sur notre nouveau sujet d'enquête, elle s'est assez rapidement proposée de me faire rencontrer ses deux frères cadets, intérimaires à Peugeot-Sochaux, tant ils lui paraissaient correspondre au profil des jeunes que nous cherchions à rencontrer et à interviewer.

La puissance de la reprise a donc miraculeusement remis dans le jeu, si l'on peut dire, ces garçons des cités. Progressivement, ces derniers se sont aperçus qu'on ne leur fermait plus les portes comme auparavant, qu'ils pouvaient entrer sur le marché de l'intérim sans avoir à faire trop d'efforts de présentation. Ils sont donc arrivés de plus en plus nombreux dans les entreprises de la région, presque toujours comme intérimaires, commençant à « ramener des sous » et à pouvoir faire étalage de leur nouveau statut social de salarié.

Pour cette catégorie particulière de jeunes, telle qu'on l'a définie, l'entrée à l'usine a pu être vécue comme une sorte de revanche sur les années de vaches maigres, comme un moment où ils ont pu éprouver leur force sociale, cette fois non plus par la peur qu'ils inspirent (des « lascars », passés par les mauvais LEP de la région), mais par la force de travail collective qu'ils représentent.

Dans le récit qu'ils font de leur entrée dans la vie active, les garçons des cités donnent l'impression que, désormais, ils parviennent, sinon à faire leur loi, du moins à se faire respecter sur le marché de l'intérim. À les écouter, et en prêtant attention au ton un peu ironique sur lequel ils racontent leur recherche d'un emploi, on a le sentiment qu'à l'époque les agences d'intérim n'avaient plus aucune marge de manœuvre. (« On leur a dit qu'on voulait entrer à Peugeot en fonderie et ça marchait... »)

1. La reprise, une « chance » à saisir

En l'espace d'une année, l'embauche par une agence d'intérim, autrefois filtre important de l'accès au marché du travail[1], est donc devenue une quasi-formalité. Pour nous faire comprendre à quel point le rapport de force s'est inversé, l'un d'entre eux nous décrit la manière assurée dont lui et ses copains de quartier (de Gercourt) se sont présentés aux agences : « C'est pas compliqué... On leur donne vite fait des réponses... On leur dit ce qu'ils veulent entendre. » Fini le temps de la crainte, celui où les jeunes entraient dans les agences le CV à la main, l'air plus ou

---

1. Les secrétaires, à l'accueil, notaient de 1 à 3 les jeunes qui arrivaient en fonction de leur présentation.

moins contrit, en sachant à l'avance que la démarche avait très peu de chances d'aboutir, notamment quand on venait des « quartiers » : les jeunes appelaient cela « faire les agences », l'expression indiquait bien à la fois le caractère formel de l'opération (comme « faire un tour » aux agences) et la quasi-certitude de son inanité. « Faire les agences » consistait surtout, à l'époque, à se donner bonne conscience, prouver qu'on avait fait toutes les démarches, se mettre en règle avec le code de conduite du « bon » chercheur d'emploi. Certains, usés et dégoûtés par cette course inutile à l'emploi, en rajoutaient dans le jeu de la provocation, n'hésitant pas à afficher le stigmate du jeune des cités – la casquette à l'envers, le langage de banlieue, l'arrivée en petite bande dans l'agence, la provocation et la « déconnade », etc. Beaucoup avaient alors été écartés des agences et en avaient gardé de mauvais souvenirs.

Avec la reprise, les agences d'intérim se sont transformées, aux yeux des jeunes de Gercourt, en bureaux de préembauche, ouverts cinq jours sur cinq, dont la fonction essentielle consiste à gérer la partie administrative du travail des jeunes ouvriers de la région. Désormais, les jeunes des cités se présentent aux agences en nombre et en force, sûrs de leur fait, assurés qu'on ne les renverra pas : « On est obligé de les accepter » (la formule passive est souvent utilisée par les employés), tous leurs dossiers sont désormais étudiés, y compris de ceux qui étaient considérés comme parfaitement inaptes deux ans plus tôt. Seuls semblent être désormais écartés ceux qui ont « fait des histoires » à l'intérieur des entreprises et sont, de ce fait, fichés. Le jeune qui veut trouver rapidement du travail a comme seule obligation de montrer sa motivation, par exemple en se déplaçant régulièrement à l'agence pour avoir des nouvelles (cette disponibilité étant un critère déterminant pour qu'un dossier soit réputé sérieux...).

Pour les emplois non qualifiés d'opérateurs, le diplôme ne sert plus de filtre à l'entrée. Les agences d'intérim, chargées du recrutement des opérateurs privilégient toutefois les candidats qui sont non seulement aptes à tenir les postes sur les lignes mais ne menacent pas de démissionner dans les premiers jours de la mission. Comme elles sont en concurrence les unes avec les autres sur le bassin d'emploi – et les jeunes se présentant sur le marché du travail ayant en général pour habitude de déposer des dossiers dans plusieurs agences –, les secrétaires prospectent dans leur fichier à la recherche de la perle rare qu'est devenu le « bon » jeune : lorsqu'elles ont des missions à proposer, elles les appellent directement au téléphone, soit à leur domicile soit, et de plus en plus, sur leur portable – qui semble bien être devenu l'outil principal du jeune intérimaire : une sorte de porte-identité professionnelle. Pour illustrer la prime qu'il accorde aux agences les plus rapides, un jeune inter- viewé commente avec un petit sourire aux lèvres : « C'est pas compliqué, ce sont les premières qui appellent qui nous embauchent. »

Les jeunes des cités sont parfaitement informés, et presque au jour le jour, de ce qui se passe sur le marché du travail local : ils dressent entre eux la hiérarchie des entre- prises de la région selon le type de travail qu'elles proposent, et les conditions qu'elles font à leurs salariés : le taux horaire de salaire (ils le connaissent au centime près), le montant exact des diverses primes (prime de précarité de l'intérim, prime de salubrité, casse-croûte, etc.), la durée des pauses. Autant de thèmes qui sont repris et commentés, hors usine, dans les discussions entre copains. Les usines de la région ne sont donc plus ces lieux impénétrables qu'on connaissait dans les quartiers surtout par ouï-dire, elles sont aujourd'hui connues par l'expérience directe, ce qui change assez fortement la donne quant à l'attitude des jeunes sur le marché du travail.

Par exemple, cette connaissance se traduit par l'évitement des usines les plus mal réputées, comme de nombreuses entreprises du Technoland. Et il en va un peu de l'honneur social de ces jeunes de quartier de ne pas se laisser enfermer dans ces « boîtes dégueulasses ». Travailler dans ces PME à cette époque (2000-2001), « c'est un peu la honte », cela signifie peu ou prou qu'on s'est fait avoir, qu'on n'a pas su saisir sa chance ailleurs.

Les entretiens avec les plus jeunes intérimaires – ceux qui sont âgés de vingt à vingt-trois ans, sont passés par les LEP industriels et tertiaires, et sont entrés à l'usine entre janvier 2000 et juin 2001 – montrent que la reprise a été, pour eux, une opportunité qu'il s'agissait de ne pas rater. Une jeune bac pro (secrétariat), âgée de vingt-deux ans, qui a tenté sa chance un mois en fac d'histoire avant d'entrer comme intérimaire chez Peugeot, dit, pour justifier son entrée soudaine à l'usine : « C'est le moment ou jamais de trouver un emploi stable. » « Ne pas rater le wagon », dit un intérimaire plus âgé (trente ans), ne pas laisser passer cette occasion historique de décrocher un emploi, qui risque de ne plus se présenter. Pour comprendre ce sentiment d'urgence qui a saisi les jeunes et ce pari sur l'avenir qu'ils ont osé faire (notamment ceux qui étaient engagés dans des études) en choisissant l'usine, il faut bien avoir à l'esprit que nombre d'entre eux, ayant grandi dans une période de chômage de masse des jeunes, sont parfaitement conscients du caractère conjoncturel et aléatoire de la reprise économique.

C'est la première fois depuis longtemps que les jeunes non ou peu diplômés ont à choisir entre la poursuite de leurs études et l'entrée à l'usine : ils ne sont pas préparés à cela, habitués qu'ils sont à l'idée qu'ils finiront chômeurs ou stagiaires. Or, en peu de temps, il va leur falloir changer leur fusil d'épaule et se décider très vite entre l'école et l'entrée à l'usine. Les arbitrages sont, bien sûr, plus ou moins difficiles selon le degré d'avancement dans la carrière scolaire. Pour ceux qui sont engagés dans des études professionnelles longues (de type bac pro industriel), la balance peut pencher en faveur de la certification scolaire car le bac pro peut laisser espérer une « évolution » dans l'entreprise, évitant ainsi le spectre de rester à vie « simple agent de fabrication ». Pour ceux qui sont au niveau CAP-BEP industriel ou bac pro tertiaire (très dévalorisé sur le marché du travail local), la tentation de l'usine est beaucoup plus forte, d'autant que le salaire, 9 000 F net par mois en moyenne avec les primes, n'est pas négligeable. Comme nous le dira la femme d'un intérimaire de 30 ans, pour expliquer le choix que beaucoup de jeunes de la ZUP ont fait alors du travail en usine au détriment des études, ainsi que son propre choix de repartir en usine après la fin de son congé de maternité : « C'est vrai que l'usine, c'est l'argent facile... Il n'y a plus besoin de faire de longues études. »

L'occasion était belle d'accumuler en quelques mois des sommes pour eux considérables, de se constituer une épargne appréciable[1], de devenir un peu « riches » et

---

1. Lorsque je demande à l'un d'entre eux, âgé de 19 ans, qui travaille à Sochaux depuis six mois, combien il a épargné au cours de cette

d'accéder à la consommation. Comme ils sont jeunes, encore célibataires, vivant sous le toit familial (et disposés à y rester encore quelque temps), ils possèdent une forte capacité d'épargne. Et même lorsqu'ils reversent un peu d'argent à leurs parents, ils disposent d'une grande marge de manœuvre dans la gestion de leur nouveau budget. Parmi eux, on trouve d'un côté ceux qui vont assez vite consacrer le gros de leur budget à l'achat d'une voiture, presque toujours de prestige (BMW, Golf III, Mercedes, 206 cabriolet, etc., achetée en passant souvent par les filières allemande ou belge), de manière à pouvoir « parader » en ville ou dans le quartier au volant de leur nouvelle voiture. De l'autre, les plus prévoyants, souvent des filles, qui épargnent sagement et se constituent un bas de laine : soit pour préparer leur mariage et leur installation conjugale, soit pour reprendre plus tard des études supérieures et préparer des concours, soit pour anticiper sur des jours plus sombres et s'assurer quelques réserves pour le cas où ils (elles) se retrouveraient au chômage lors du prochain retournement de cycle. La gestion du budget est à ce titre un révélateur très sûr du rapport à l'avenir.

2. Les attraits de la vie d'usine...

En même temps, le choix de l'usine n'est pas des plus faciles pour ces jeunes, tous d'origine ouvrière, notamment pour les jeunes des cités qui ont longtemps tenu à distance l'usine de leurs pères. L'un d'entre eux raconte, dans le film *Ouvrier, c'est pas la classe*[1], que, lorsqu'il passait en bus devant l'usine de Sochaux pour aller au lycée, il se refusait à regarder, espérant ne jamais devoir y entrer. Au terme de leur périple scolaire, ils s'y retrouvent donc – et de leur plein gré (ils ont fait la démarche de l'intérim) –, et même si beaucoup espèrent qu'il s'agit d'une solution temporaire, ils ont l'impression de « retomber fatalement sur Peugeot », comme le dit Farida, ou d'« entrer dans la boîte à sardines », comme le dit Driss (qui s'était juré de ne jamais le faire).

---

période, il refuse gentiment de me donner des chiffres, préférant s'en sortir par une pirouette, et me dit dans un large sourire aux lèvres : « Une belle petite somme »...

1. Film documentaire de Patrick Jan, INA-TV5, 2002, déjà cité.

Pour les jeunes qui ont poursuivi leurs études au-delà de 20 ans, par le bac pro ou le premier cycle universitaire, et qui ont « choisi » l'usine, la question centrale qui se pose à eux a trait à la gestion de leur identité sociale : comment se défaire de l'impression de n'avoir fait que parcourir une voie tracée d'avance, malgré les chemins de traverse et autres déviations qu'ils ont empruntés, et d'avoir ainsi rempli le programme de vie qui aurait été en quelque sorte « génétiquement » inscrit dans le patrimoine familial et/ou local ?

Cependant, ce qui est peut-être le plus caractéristique de leur position, c'est l'ambivalence. D'un côté, ils ont bien l'impression d'un échec : celui de ne pas avoir su tracer une autre route, s'inventer une autre vie, s'arracher à leur condition de classe, malgré les efforts scolaires fournis et la mobilisation familiale souvent très forte pour leur réussite scolaire[1]. D'un autre côté, il y a toujours l'espoir, très vif, que cette situation d'ouvrier(e) ne durera pas, qu'elle est éminemment provisoire. Par exemple, chez les enfants d'immigrés, on a souvent entendu l'expression suivante : « Nous, on a eu la chance de recevoir une éducation scolaire, donc on ne va pas se contenter d'un boulot d'usine. » Cette éducation, qu'ils ont reçue de la France (c'est là un des rares satisfecit que les garçons des cités sont tentés d'accorder au « pays d'accueil », tant ils jugent mauvaises les conditions de vie qui leur ont été faites), leur donne des droits et surtout autorise des aspirations fondées sur une simple comparaison historique. Il y a là la source d'un énorme malentendu, car entre-temps tout a changé : il est survenu un mouvement (souvent analysé) de translation vers le haut de toute la structure éducative.

En fait, la reprise économique a pu finalement jouer comme un piège à multiples détentes. Elle a offert à court terme des salaires alléchants – en intérim, 8 000 à 10 000 F net – qui ont permis à ces jeunes de rompre brutalement avec une forme de « culture de pauvreté » qui s'était installée depuis longtemps dans la région, et dans laquelle beaucoup avaient baigné. Elle leur a ainsi permis de « vivre leur

---

1. Ce bilan de faillite relative doit être dressé en termes de mobilité intergénérationnelle et, plus encore, en comparant les destins des frères et des sœurs. Beaucoup d'enquêtés sont, en effet, des cadets ou des benjamins de famille immigrée. Mais aussi en comparant l'usine d'hier à celle d'aujourd'hui.

jeunesse », d'accéder à la consommation. Si bien que l'on a vu réapparaître dans l'espace public des comportements autrefois caractéristiques de la jeunesse populaire : consommation tapageuse, « frime ». En quelques mois, le parc automobile des cités s'est renouvelé, les jeunes intérimaires – garçons comme filles – se jetant sur les voitures, symbole de la fierté retrouvée du quartier[1].

Cette jeunesse de cité, aussi remuante et indocile, longtemps sevrée matériellement par des années de disette, n'hésite pas à exhiber son nouveau statut social. Elle cherche à prendre bruyamment possession de l'espace public (nombreux tours en centre-ville, en décapotable, musique de l'autoradio à plein volume...), comme si elle revendiquait d'occuper pleinement sa place et s'invitait au banquet de la société. Autant d'attitudes qui apparaissent, à l'occasion, choquantes aux « anciens », qui, par ailleurs, au travail, sont souvent ulcérés par le fait que beaucoup de jeunes garçons abandonnent brutalement leur poste...

Mais, dans le même temps, la reprise économique a eu pour effet de court-circuiter brutalement le long effort éducatif effectué dans la région : elle a pris à revers, si l'on veut, le lent travail d'élévation du niveau global de formation scolaire entrepris par l'Éducation nationale depuis vingt ans, et tout particulièrement dans l'enseignement professionnel. Elle a ainsi contribué à disqualifier la poursuite des études dans les filières de ce genre, en redonnant vie au mythe de l'ouvrier sans diplôme. Mais si cette « offre d'usine » a rencontré l'attente de ces jeunes longtemps sevrés d'espoirs professionnels, c'est bien aussi parce que cette génération étouffait sous le poids écrasant que faisait peser sur elle la nouvelle norme scolaire des études longues.

Bien sûr, la nouveauté de la situation est perçue différemment selon les trajectoires et les caractéristiques sociales et sexuelles des uns et des autres. Ceux qui ont été tôt écartés de la voie scolaire normale, et ont tendance à se

_____

1. Si ces voitures flambant neuves sont bien le fruit du labeur et du travail en usine (elles ont été payées par le salaire des missions d'intérim), elles ont également été le plus souvent acquises dans le cadre de combines (légales) comme, par exemple, l'achat en Allemagne. Mais le commérage local accuse, d'une manière indifférenciée, les propriétaires de ces trop belles voitures d'être des agents ou des bénéficiaires du trafic de drogue.

vivre comme des « ratés » scolaires, peuvent avoir le sentiment de prendre une revanche sur l'école en s'engageant dans la vie au travail et en prenant leur place dans l'espace public. Cette revanche des plus mal lotis scolairement se traduit bien sûr au sein même des familles : là, les enfants, anciens « derniers de la classe » devenus intérimaires à l'usine à 9 000 ou 10 000 F de salaire mensuel par mois, peuvent reconquérir dignement leur place dans la fratrie : en versant un peu d'argent à leurs parents, en contribuant à l'économie domestique, parfois à l'achat de la maison de leurs parents qui permettra à la famille de fuir la cité, voire en damant le pion à leurs frères ou sœurs aînés qui, à 25 ou 28 ans, sont encore surveillants en lycée ou smicards comme « emplois jeunes »...

Seule la prise en compte de l'ensemble des conditions de vie liées au statut permet de comprendre la précipitation de certains jeunes à entrer sur le marché du travail, à (re)devenir ouvriers, sans guère de complexes et sans grande honte (puisque tout le monde y va). On voit bien que la reprise économique, dans cette brève période de temps, a transformé le statut social de ces anciens « inutiles au monde », « stagiaires permanents » ou lycéens longtemps attardés à l'école, qui se sont alors mués, comme par magie, en une main-d'œuvre désirable et désirée par les employeurs.

3. La découverte de l'anomie des ateliers

Entrer en usine, à Sochaux ou chez un équipementier, pour des jeunes de 20 ans, frais émoulus de l'école, c'est pénétrer dans un univers social qu'ils connaissent finalement assez mal, même s'ils sont d'origine ouvrière. Certes, ils ont fait parfois des stages assez longs (vingt semaines en deux ans de formation de bac pro) dans le cadre de leur scolarité au LEP, mais cela a peu à voir avec la vie réelle d'atelier. En devenant intérimaires, ils occupent une vraie place à l'usine, doivent tenir les objectifs de production. Dans la vie quotidienne, au fil des discussions informelles entre ouvriers et des remarques des « chefs » à propos des uns et des autres, ils découvrent peu à peu la face cachée de l'intérim : un statut social minoré (« on a moins de droits quand on est intérim »), une catégorie moins bien traitée dans l'usine, l'impression d'être employé comme une main-d'œuvre supplétive, d'être aussi parfois méprisé par certains anciens, et utilisé ou manipulé par eux dans les conflits qui les opposent aux chefs...

Ils découvrent surtout, un peu abasourdis, le fonctionnement des collectifs de travail de ces usines de la fin des années 1990, marqués en profondeur par l'individualisation des relations sociales entre salariés. Une expression revient souvent dans la bouche de ces jeunes intérimaires : « Y a une ambiance de fous là-dedans » (ils le disent aussi en verlan – « oufs »). À l'usine, ils expérimentent l'anomie des ateliers, la « mauvaise ambiance », l'absence de solidarité (à la différence du quartier où, à leur âge, la solidarité peut être encore assez forte). Cette découverte constitue souvent pour eux un choc qu'ils semblent parfois avoir plus de mal à accepter que le travail à la chaîne, perçu comme dur mais somme toute supportable.

Au cours des entretiens, ils feront souvent état des petits pièges qu'on leur a tendus pour les tester, pour les forcer à sortir de leur réserve ou de leur coquille. Quand ils n'ont pas eu la possibilité de rester plusieurs mois dans la même usine et qu'ils n'ont fait que de courtes missions, ils retirent de leur expérience de travail l'impression qu'ils ont évolué dans un univers professionnel qui leur apparaît comme de part en part « piégé », voire perverti. Au travail, il leur faut, avant toute chose, se tenir sur leurs gardes, apprendre à se méfier de leur voisin, ne faire confiance à personne, parer aux petites attaques de leurs collègues de travail, s'habituer aux perfidies et aux mesquineries de certains d'entre eux...

L'exemple le plus souvent donné comme typique de cette mauvaise ambiance est celui des temps de pause : les jeunes intérimaires ont l'impression d'être surveillés par certains de leurs collègues, qui informent le chef des dépassements. Il y a souvent dans le groupe de travail un mouchard – une « balance », disent-ils, en reprenant la terminologie en usage dans les bandes des quartiers – qui dénoncera le jeune au chef. Pour faire sa place dans l'équipe de travail, il ne suffit donc pas de bien faire son boulot, il faut parallèlement effectuer un travail de repérage des individus afin d'anticiper les réactions des uns et des autres. Ce qui est par ailleurs très frappant dans la description de la vie sociale des ateliers, c'est la quasi-disparition de la figure du délégué tel qu'elle a longtemps existé à Sochaux. Désormais, il faut solliciter les jeunes enquêtés pour qu'ils parlent du syndicat ou du délégué. C'est le « chef » qui apparaît aux intérimaires comme l'interlocuteur privilégié dans l'atelier. Et c'est avec lui qu'ils discuteront, par exemple, de leurs problèmes de fiche de paie. Comme la petite maîtrise a été récemment rajeunie, certains chefs sont très jeunes (26 ans) et passent souvent pour « cool », « sympa », ouverts au dialogue. Il semble souvent que ces jeunes chefs ont pris la place des délégués d'il y a vingt ans...

Si, au départ, le choc a été rude pour eux lorsqu'ils ont vu ces espaces de travail viciés par les luttes de concurrence et les petites jalousies, il a été amorti par la possibilité qui leur a souvent été donnée, à Sochaux, de se retrouver « entre potes ». Ils apprennent alors ensemble la vie à l'usine. Par exemple, considérons ce moment de socialisation intense : la remise de la fiche de paie. Les discussions entre intérimaires ne tournent alors qu'autour de la paie, les feuilles circulant de l'un à l'autre. Les nouveaux venus sont conseillés par les copains plus anciens dans l'usine – les « dix-huit mois », comme on appelle ceux qui ont décroché une mission de cette durée. Les réclamations sont mises au point collectivement puis, individuellement, certains s'en vont voir le chef – qui transmettra ensuite au bureau du personnel puis aux agences d'intérim. Il s'opère bien là une sorte d'apprentissage du conflit, mais il s'agit surtout d'une juxtaposition de luttes individuelles constituées autour de micronoyaux de résistance (les jeunes de Gercourt en fonderie, par exemple), mais qui ne débouchent jamais sur une lutte collective, une résistance organisée. Le chef reste le médiateur. Ce qui n'empêche pas les jeunes de quartier (qu'ils soient de la ZUP ou d'autres quartiers HLM), lorsqu'ils se retrouvent en nombre dans tel ou tel secteur de l'usine, de faire corps et front ensemble face à l'adversité.

En fait, par la crainte qu'ils ont pu inspirer au départ (sur le thème des « sauvageons à l'usine »), ils sont parvenus, pendant quelques mois, à constituer un embryon de contre-pouvoir dans les ateliers où ils étaient en nombre. Parfois, une sorte de modus vivendi s'est établie entre eux et les « anciens », y compris avec ceux qui étaient connus pour être ouvertement « racistes » mais qui, avec l'arrivée massive des jeunes des cités, ont dû se montrer plus prudents et parfois jouer un double jeu. Comme le dit Karim (19 ans), pour exprimer leur ambivalence et l'impossibilité de se fier à eux, « ils ont une double face ». Si certains jeunes ne parviennent pas à se contrôler – d'où des bagarres assez fréquentes –, ceux qui visent l'embauche cherchent à garder en toutes circonstances leur *self-control* pour éviter de commettre l'irréparable, à savoir une bagarre à l'usine qui leur fermerait les portes de toutes les entreprises du bassin d'emploi. Cette embauche de masse aura fait obstacle à la mise en œuvre de mécanismes de rejet, comme tant d'autres enfants d'immigrés en avaient fait l'expérience dans les PME où ils se trouvaient isolés. Les jeunes des cités font bloc, mettent entre parenthèses leurs rivalités lorsqu'ils se retrouvent au travail, et se soudent face aux « racistes », la force du nombre contraignant ces derniers à adopter un profil bas.

4. Driss, 19 ans, niveau BEP, intérimaire d'usine...

Driss, 19 ans, est un jeune intérimaire de Gercourt qui habite depuis son enfance dans le quartier Granvelle. N'ayant pas connu son père (OS à Sochaux, immigré marocain), qui est décédé lorsqu'il avait 2 ans, il a été élevé par sa mère, avec sa sœur aînée (Sabrina, 26 ans, mariée, un enfant de six mois) et son frère (Mounir, 21 ans, intérimaire lui aussi). Sabrina – une ancienne lycéenne interviewée en 1992 – voulait me faire rencontrer Mounir, dont le comportement l'inquiète depuis quelque temps. Il a arrêté l'usine, furieux de la manière dont on l'a traité. Depuis, il traîne avec ses copains du quartier on ne sait pas trop où (ce qui préoccupe bien évidemment sa mère et sa sœur aînée...). Il apparaît désœuvré, rumine de mauvaises idées (« Il en veut un peu à la terre entière », me confie-t-elle d'un air attristé et impuissant), n'a pas d'heures fixes, revient manger quand il veut, évite toute discussion avec sa sœur aînée – qui s'est toujours beaucoup occupée de ses deux frères. Bref, il est de plus en plus « fuyant », comme le dit Sabrina. Son itinéraire scolaire et professionnel semble exemplaire d'un « beau gâchis » lié, selon elle, à un ensemble de raisons qui affectent, dans le quartier Granvelle, les jeunes de la génération de ses deux frères.

Mounir était un très bon élève qui aimait l'école et promettait beaucoup. Mais, pour des raisons que sa sœur ne s'explique pas, et qui ont directement à voir avec son environnement (le quartier, les copains, etc.), il a commencé à « dévier » à la fin de la classe de première S, cessant brutalement de travailler, devenant de plus en plus « difficile » et parfois franchement insupportable. Malgré tout, il est passé en terminale où, « là, ça a été la catastrophe » : dégoûté de l'école, entrant dans une période aiguë de révolte, il a abandonné sa scolarité alors qu'il touchait au but – le baccalauréat, passeport pour les études supérieures – et a décidé de travailler en intérim. Il est resté dix mois à Sochaux, où « ça s'est très mal passé » et très mal fini.

Je dois le rencontrer chez sa mère, dans l'appartement HLM de Gercourt, où habitent ses deux frères (Sabrina passe chaque jour voir sa mère et amène souvent son bébé avec elle...). Le jour dit, un mercredi après-midi, Mounir s'est volatilisé : il a mystérieusement disparu en fin de matinée. Peut-être a-t-il voulu échapper à l'entretien – qu'il avait accepté trop hâtivement pour ne pas froisser sa sœur ? Lorsque j'arrive au rendez-vous, je sens Sabrina contrariée et embarrassée ; elle m'explique que Mounir n'est pas là (« Je sais pas où il est parti... Il va pas très bien en ce moment »). Comme je suis là, Sabrina demande à son deuxième frère, Driss, qui se trouve encore à la maison, de suppléer, à l'improviste, son frère absent. Même si les deux frères ont alors de très mauvais rapports, Driss accepte, semble-t-il sans trop de mauvaise grâce, n'imaginant pas non plus que l'entretien durera très longtemps. Sabrina juge sage de ne pas assister à notre échange, car elle sent bien que sa présence pourrait fausser la relation d'enquête[1]. Nous choisissons donc de réaliser l'entretien dans la chambre de Driss, porte fermée, dans une sorte de huis-clos[2].

Physiquement, Driss ressemble à beaucoup de ces jeunes

---

1. En effet, le rapport de la sœur aînée à ses deux frères est devenu « compliqué » (comme elle dit) au fur et à mesure que l'écart entre eux s'est creusé d'un point de vue scolaire (elle est titulaire d'une maîtrise de sociologie et est devenue à leurs yeux une « intello ») et social (elle est mariée avec un Marocain qui a fait, lui aussi, des études de sociologie).
2. Nous sommes assis côte à côte sur le lit, le magnétophone entre nous deux. L'entretien va durer environ une heure et demie, et sera malheureusement interrompu parce que Driss avait ce jour-là un rendez-vous avec un de ses copains de Gercourt pour « aller en ville ». À la fin de l'entretien, je vais rester une demi-heure avec Sabrina, qui tenait à m'expliquer « deux ou trois choses » sur l'histoire de ses deux frères.

de Gercourt que l'on identifie facilement par leur apparence physique : casquette, vêtements de marque, mais aussi visage renfermé, air un peu rugueux, comme s'il était en conflit permanent avec tout le monde environnant. Ce jour-là, il est en jean, sweat-shirt, cheveux coupés très courts (mais pas rasés). De teint mat et de taille moyenne, large d'épaules, dégageant une impression de force physique. Ce qui frappe surtout chez lui, c'est le regard, très noir, intense, qui fixe droit son interlocuteur. Dans cette manière de regarder et de scruter l'autre, on devine chez lui une personnalité de « rebelle », le goût d'en découdre[1].

Driss a été orienté en lycée professionnel dans un établissement qui concentre une majorité de jeunes des quartiers de la région. Il sait que, du fait de sa mauvaise scolarité, il ne suivra les traces ni de sa sœur aînée (étudiante en lettres) ni de son frère, « bon » élève jusqu'en première S. Sa mère et sa sœur tentent de le convaincre de s'accrocher à l'école, mais il résiste, comme l'explique Sabrina : « De toute façon, lui, il nous avait prévenus : "Moi, de toute façon, j'irai pas à l'université." » Driss a longtemps été habité par une forte révolte contre l'école, et contre les profs en particulier, qui s'est ensuite étendue à tout l'ordre social. En grandissant, il supporte de moins en moins la manière dont les jeunes comme lui sont traités (sa sœur dit : « Il en est devenu raciste » pour décrire son hostilité à tous les « Blancs »). Le voyant « mal parti » et traîner trop longtemps avec ses copains, Sabrina a un moment essayé de l'éloigner du quartier (comme elle le dit pudiquement). Lorsqu'il échoue à son BEP (il avait « rien foutu » au LEP), elle décide de le prendre avec elle à Besançon pour l'aider, et l'inscrit dans un lycée privé (catholique), dans l'espoir de l'aider dans ses études et avec le souci de le changer d'environnement. Mais c'est trop tard. Il échoue à nouveau en BEP, refuse à sa manière de se plier à la norme des études longues. Après ce deuxième échec, il est libre de suivre son destin d'ouvrier sans qualification, comme il l'aurait fait un an plus tôt sans l'intervention de sa sœur.

Cela fait quelque temps qu'il sait, par ses amis du

---

1. C'est d'ailleurs un des premiers mots que j'utiliserai après notre entretien : « Il a un côté rebelle », confierai-je à Sabrina qui, en retour, me confirmera la justesse de cette impression en insistant sur la passion du rap qu'il a développée depuis déjà quelques années.

quartier, que la reprise est là, que les agences d'intérim sont devenues très demandeuses de main-d'œuvre juvénile. Juste après la fin de ses études, en juillet 2000, il décroche une mission en intérim à Sochaux, où il restera au total plus de six mois, d'abord en fonderie puis en mécanique. L'entretien a lieu deux jours après que l'agence d'intérim lui ait appris, contre toute attente, que sa mission n'allait pas être renouvelée chez Peugeot. Raison invoquée : son « absentéisme ». En effet, il a été une semaine « en maladie » pour soigner une bronchite sévère (dont je peux certifier la réalité, car l'entretien est ponctué d'accès de toux particulièrement virulents). S'il est, comme il le dit, « dégoûté » par le comportement de Peugeot, et encore plus par la manière brutale (le soir même du dernier jour de sa mission) dont on lui a signifié son non-renouvellement, il ne semble pas pour autant démesurément inquiet quant à son avenir proche. Il est quasiment certain de retrouver très rapidement une autre place en intérim, et, effectivement, peu de temps après l'entretien, il sera repris pour une mission (chez RESA).

5. *La mise en scène d'une force collective face aux agences*

L'entretien est donc, pour Driss, le moment de dresser un bilan à mi-étape de son parcours d'intérimaire. Dans la mesure où il vient de subir cette avanie, qu'il vit comme un échec personnel, il a dans le « collimateur » (c'est son mot) les agences d'intérim, coupables à ses yeux de négligence et de malhonnêteté... C'est cet événement récent, conjugué à tout ce qu'il sait déjà des pratiques des agences, qui explique son humeur ce jour-là.

Le jour où il va déposer son dossier d'intérim dans les agences de la région, Driss sait très bien ce qu'il veut, il suit même à la lettre les recommandations de ses copains qui travaillent à Sochaux. Il va là où « ça paye le plus » : « en fonderie », en équipe de nuit. Il sait par ses amis, nombreux dans ce secteur (c'est un peu le fief des jeunes de Gercourt depuis plusieurs mois, et la combine qu'on se repasse de copain à copain), qu'un intérimaire peut – s'il se débrouille bien, en cumulant toutes les primes (précarité, prime de nuit, de douche, d'insalubrité, de casse-croûte, etc.) – empocher jusqu'à 13 000 F par mois. Somme importante,

qui attise bien des convoitises et suffit à susciter des voca-
tions de « fondeur ». À condition, bien sûr, d'être prêt à en
payer le prix : le métier est dur, les conditions de travail
particulièrement pénibles (chaleur, saleté, bruit, poussière,
maladies professionnelles...). Or, Driss est l'homme de la
situation : dur au mal, courageux, etc.

Dans le récit qu'il fait pour moi, il précise d'emblée, non
sans une certaine satisfaction, que son échec répété (il a
redoublé...) au BEP ne l'a pas empêché d'entrer sans
encombre à l'usine et d'y occuper un poste de travail au
salaire gratifiant. Fort de cette première expérience professionnelle, il peut, surtout face à moi, proche de sa sœur et
« assimilé prof », relativiser l'importance du diplôme. N'est-
il pas l'exemple vivant du fait que l'échec scolaire et l'absence de diplôme ne sont plus alors des obstacles pour l'obtention d'un emploi ? Son entrée à l'usine à 19 ans est, pour
lui, une douce revanche prise sur l'école et sur sa famille (il
a longtemps été un « problème » pour sa mère et pour sa
sœur, dit-il...). Le ton conquérant qui est le sien dit bien
qu'il savoure sa satisfaction d'avoir démenti les mauvaises
prédictions de sa mère, qui le voyait très mal parti dans la
vie (comme tant de jeunes non diplômés de Gercourt), et
de sa sœur.

En fait, Driss fait partie du groupe des fils d'immigrés de
la région, élèves du LEP de Vincourt, dont le seul bagage
est un « niveau CAP ou BEP[1] », et qui ont le profil type
des futurs exclus du marché du travail. À la faveur de la
reprise, ces anciens « lépards » (élèves du LEP dur de la
région) commencent à redresser la tête et n'hésitent pas à se
rappeler au bon souvenir de ceux qui les avaient longtemps
méprisés (ou « pas calculés », comme ils disent). Profitant de
cet effet de conjoncture, certains jeunes de Gercourt iront
jusqu'à « menacer » des secrétaires d'agences d'intérim afin
qu'elles procurent du travail à leurs copains de quartier,
comme l'explique ici Driss :

> Driss – [Dans les agences] ils prennent nos inscriptions vite
> fait bien fait. Et ils disent : « Ouais, dès qu'on a un truc on
> vous rappelle. » On donne notre numéro de téléphone. Mais
> si on insiste pas à y aller tous les jours, je crois pas qu'ils

---

1. Ils ont des espérances professionnelles plus faibles que les bac pro,
qui ont devant eux un avenir d'ouvrier qualifié.

nous appelleront. Et même il y en a [des jeunes du quartier], ils les menacent, et là ils leur trouvent du boulot, ou ils les insultent... Si, par exemple, j'avais pas trouvé du boulot rapidement, je sais que je serais allé vers un pote du quartier qui les a déjà [menacés]... C'est comme à Auto-intérim, elles ont peur de lui. Ben, si je veux trouver du boulot, je vais avec lui. Et, à Auto-intérim, on trouvera vite fait, il leur dit : « Oui, vous me trouvez du boulot..."

— Donc, il leur fait peur, c'est ça ?

— Ouais, voilà. Ben oui, il y en a une [secrétaire] à Manpower, elle a démissionné parce que... il y en a ils savaient où elle habitait, elle a reçu des menaces et tout. (*Silence, puis avec colère.*) Parce qu'il faut aussi savoir qu'ils nous volent, quand on travaille pour eux, les agences intérimaires ! Comme Manpower, son surnom dans le quartier, c'est Manvoleurs. Parce que tu reçois ta fiche de paye, il manque des heures, il manque des primes, et eux ils te disent : « Ouais, ça vient de Paris. » Alors si on vérifie pas nos fiches de paye, on se fait avoir. (*Silence.*) Et lui (*revenant à son copain*)... pour les insulter, il les menaçait comme ça... certaines fois, pas tout le temps.

— Qu'est-ce qui fait qu'il est passé par cette menace ?

— C'est... (*il hésite, puis se lance*). Non, elles lui mentent ! Elles mentaient, il aimait pas ça... Il commençait par les insulter, et puis maintenant elles ont peur de lui. Et, lui, sa fiche de paye, s'il lui manque un truc, il leur tape un bordel... Et, vite fait, elles vont lui donner son argent... Je crois même qu'ils essaient même plus de le carotter.

— C'est ce qu'on appelle un rapport de force, quoi. Eux, ils vous volent, et donc vous, parfois, en représailles, vous les menacez ?

— Si on les menace pas quand on a nos fiches de paye c'est... la fiche de paye d'après ce sera encore pareil. Alors, faut les menacer, leur dire qu'ils arrêtent de nous voler. Et après je sais quand même me défendre.

— Alors Manpower vous dites « Manvoleurs », c'est un surnom dans le quartier ? Ça fait longtemps ?

— Ben, depuis que tout le monde commence à travailler, depuis que les agences intérimaires trouvent du boulot.

— Et les autres boîtes d'intérim ?

— Oui, pareil, c'est tous des voleurs. À part les plus petites, ils volent pas les petites boîtes. Mais les grandes comme Manpower, Adecco, Adia et Vedior bis, c'est des voleurs. Vous le saviez pas, ça ? Chez nous on appelle ça des voleurs.

Si à chaque fiche de paye il y a des problèmes, il manque 300 à 400 F des fois, même plus. Alors, moi, c'est du vol que j'appelle ça ! Peut-être une fois erreur, deux fois, mais pas tout le temps.

— Et ça, toi, ça t'est déjà arrivé ? Il t'a manqué des heures ?

— Pas la première, mais celle qui suivait après. J'ai été leur dire qu'il manquait. Après, bon, avec un petit sourire, elles [les secrétaires] te disent : « Ouais, c'est une erreur à Paris, on va te le mettre à la fiche de paye d'après. » Mais s'il y a pas à la fiche de paye d'après, là je commence à gueuler. Parce que après ça commence à exagérer. Si à chaque fois il me manque d'autres sur les autres fiches de paye, vaut mieux gueuler, après... ils te rendent les sous...

Dans la description que fait Driss du fonctionnement des agences d'intérim, au tout début de l'entretien, on peut deviner un effet de présentation de soi : face au sociologue, il endosse le rôle de « jeune de Gercourt », un « dur », qui, avec ses copains de quartier, ne s'en laisse pas conter. Mais cette façon de percevoir les rapports sociaux, d'entrer en contact avec les secrétaires et avec les institutions, doit aussi beaucoup au contexte local et au passé. Pendant des années, les jeunes des cités se sont fait mal recevoir dans les agences. Il y a, inscrite en eux, une trace durable de la stigmatisation collective qu'ils ont subie, en tant que non-diplômés, habitants d'un « quartier sensible », d'origine maghrébine.

Driss et ses amis ont grandi dans les blocs les plus dégradés de Gercourt, longtemps promis à la réhabilitation, et dans les secteurs du quartier où se constituent depuis vingt ans les « bandes » et où se recrutent les jeunes auxiliaires du « bizness ». Ils sont habitués depuis longtemps à vivre avec cette idée que, partout où ils vont – en ville, en boîte de nuit, au lycée, même loin de la région –, il ne peut leur arriver que des « embrouilles ». C'est ce qu'on pourrait appeler le syndrome du quartier (qui vaut pour Gercourt comme pour la ZUP) : le sentiment de toujours « se faire avoir », d'être sans cesse victimes de discrimination, de n'être jamais traités à égalité, d'être toujours les derniers servis. Ce qui développe à la longue chez ces jeunes une forte susceptibilité et une mentalité d'écorché vif, qui leur fait toujours examiner avec méfiance et suspicion tous ceux qui ont un pouvoir sur eux.

Face à moi, Driss se coule dans ce moule préconstitué et veut m'exposer en détail tous les mauvais traitements qu'on leur inflige sur le marché du travail, et notamment sur un sujet pour eux hypersensible : le « pognon », comme il dit, les primes. Driss met en œuvre, dans son rapport aux agences, des dispositions acquises dans la sociabilité de quartier. Il donne l'impression de mener une sorte de « guéguerre » avec les agences, montant en première ligne pour contester les chiffres de la fiche de paye, comme si, à travers cette question, il menait à sa manière le combat des jeunes sans droit que sont les intérimaires.

6. *L'apprentissage des relations sociales au travail*

Connaissant très bien les salaires en vigueur dans les différentes usines de Sochaux, Driss, suivant les conseils de ses « potes », a donc choisi d'aller en fonderie, d'autant plus que ce secteur, réputé « dur », est peu demandé. Bien informé par ses copains du fonctionnement de l'atelier (ils étaient un petit groupe de douze originaires de Gercourt) et de la hiérarchie des postes de travail, Driss met au point une petite stratégie lorsqu'on lui demande ses vœux d'affectation : « Éviter la meule », le poste le plus pénible et surtout le plus sale (« on se mouche, on est tout noir »), choisir le secteur appelé le « pigeonnier » (« au-dessus », comme il dit) – qu'il obtiendra au bout du compte.

Il commence son travail comme « chargeur-déchargeur », un poste dur où il faut porter des pièces qui pèsent plusieurs kilos. Il s'y plaît bien, même si « c'est assez physique ». Mais assez vite ce travail réveille ses douleurs au dos (problèmes de vertèbres), et d'autant plus qu'il n'a pas fait très attention à lui et qu'il est du genre à ne pas ménager ses efforts (« Moi, je travaille à fond »). Ce n'est que lorsque ses douleurs sont devenues très vives qu'il demande à son chef de le changer de poste. Il va ainsi, tout au long de ces six mois, passer par presque tous les postes en fonderie : il sera « rémouleur », « couleur », le poste de travail le plus prestigieux et le mieux payé de la fonderie (300 F de prime par semaine en plus), poste qu'il est rare de confier à un intérimaire, précise-t-il. Malgré ses efforts, sa disponibilité, sa bonne volonté (il accepte de se former pour devenir « couleur »), il sera bien mal récompensé : on lui apprend bientôt que, pour des raisons de rationalisation, son équipe de coulage est supprimée. On lui offre alors comme seule alternative, soit d'« aller à la meule », soit d'être mis en « fin de mission ». Il choisit la « meule », mais finalement ne peut y être embauché.

Le récit des tribulations de Driss en fonderie livre d'autres informations fort intéressantes. Il illustre la manière dont on fait tourner, en un laps de temps relativement court, les intérimaires d'un poste de travail à l'autre, au plus près des exigences du service, apparemment sans grand souci des hommes (de leur santé, de leur formation...). Ce mode de management des jeunes semble même être devenu la norme, comme le montre le fait que Driss raconte sa rotation dans les différents secteurs de l'usine sans s'indigner, comme s'il s'agissait d'un processus normal, du lot commun des nouveaux entrants. En contrepartie des bonnes paies, les intérimaires doivent ainsi accepter d'être traités comme des pions que l'on déplace sur l'échiquier des postes, sur un marché du travail interne en constant renouvellement[1].

Au cours de ses sept mois d'usine à Sochaux, Driss a beaucoup appris en matière de relations entre ouvriers. À l'entendre parler de son travail, on a l'impression que l'atelier est devenu un lieu totalement transparent pour les chefs, où tout se sait ou se saura un jour, grâce au relais efficace des « mouchards » (ceux qu'il appelle les « balances »). Il décrit donc des collectifs de travail individualisés qui sont en quelque sorte minés par des rivalités minuscules, où naissent sans cesse des microconflits susceptibles de dégénérer en bagarres. Driss, lui, a su à chaque fois se retenir au dernier moment, quand bien même il s'est déjà, comme il dit, « embrouillé » avec un ouvrier de son secteur (un « raciste du 70 », dit-il, pour désigner un ouvrier habitant dans ce département rural qu'est la Haute-Saône).

> – [En fonderie] il y a les anciens, puis beaucoup d'intérimaires, des jeunes. Il y a même des intérimaires de 30 ans. Des mecs qui ont dans la trentaine.

---

1. Il ne faudrait pas pour autant en conclure que ces jeunes intérimaires sont tous taillables et corvéables à merci. Les plus hardis s'en vont au bout de quelques heures ou de quelques jours, alimentant ainsi le problème devenu essentiel de l'absentéisme « en chaîne » ; d'autres se rebellent, et se battent à l'occasion dans les ateliers.

– Et au niveau de l'ambiance, c'était comment entre vous ?

– C'était bien. C'est... on savait qu'on était tous dans la même merde, alors fallait qu'on rigole ! Quand on avait des pauses, on rigolait et tout... Mais on allait travailler après.

– Donc une bonne entente entre les jeunes, mais aussi avec les anciens ?

– Ouais, avec certains anciens... mais pas tous... Y en avait qui n'aimaient pas... qui disaient que les jeunes c'étaient tous des drogués... Ceux qui pensaient ça, qui disaient que c'étaient des glandeurs, ils foutent rien... Bon, c'est vrai, il y en avait des jeunes, bon, c'est pas tous des bosseurs, alors tu en as qui trouvent des feintes pour aller se coucher, pour aller se reposer. Puis tu as... les anciens qui les balancent au chef. (*Silence.*) Ou sinon, c'était aussi les pauses [je lui demande de raconter]. Genre au lieu de prendre vingt et une minutes, je prenais vingt-cinq minutes. Le lendemain, tu avais le chef qui disait : « Ouais, bon, les pauses, faut pas exagérer les gars. Ceux qui prennent vingt-cinq minutes au lieu de vingt et une minutes... faut se calmer... » Parce qu'il y avait toujours des balances. (*Silence.*) Il y en a même, j'étais à un poste, quand il y avait le dépanneur qui venait nous dépanner, il regardait la montre. C'était un embauché, un ancien, il regardait la montre quand je partais, ou quand n'importe qui partait, il regardait la montre quand on revenait du dépannage, alors que lui il était en train de travailler. Parce que c'est un poste, on est huit alignés comme ça. Et il y en a ils viennent dépanner les huit l'un après l'autre. Et à chaque fois il regardait celui-là qui prenait plus de vingt et une minutes, et il le disait au chef. (*Silence.*) Et... il nous balançait...

– Et alors, ça tu l'avais remarqué tout de suite ?

– Ah oui, je pars, je vois le gars, il se retourne, il regarde la montre, je reviens, je le vois, il regarde la montre. Je comprends direct. Et surtout après le lendemain le chef il nous parle de ceux qui prennent... plus de temps. On comprend vite, faut pas être une lumière ! (*Rires partagés.*)

– Et tu lui as dit ?

– À l'embauché ?... Non...

– Dans ces cas-là, tu laisses filer ?

– Oui, voilà...

– Tu pourrais dire aux embauchés : « Bon, ça suffit on fait notre boulot... »

- Ouais, il y a déjà eu des bagarres... Ouais, ouais (*rires*) en fonderie... partout, même, dans Peugeot, il y en a. Quand ils sont virés, il faut qu'ils se battent. Et à cause de ça, des fois, à cause des balances ou des trucs comme ça [...]. Il y en a, ils aiment pas les intérimaires, alors... (*Silence et, d'un ton plus grave.*) Ils préfèrent les voir partir. (*Silence.*) Et ils les balancent...

On a assisté, nous l'avons dit, pendant cette période de reprise dans les ateliers de Sochaux, à diverses formes d'affrontement entre les jeunes des cités et des anciens qui leur étaient d'emblée hostiles ou qui ne supportaient pas leur goût pour la provocation. Mais, à Sochaux, la force du nombre des jeunes d'origine immigrée a souvent permis, semble-t-il, de les faire taire. Et même si Driss adopte volontiers la posture du rebelle, du réfractaire à l'ordre, il aura néanmoins, tout au long de ses six mois d'intérim, appris aussi à se taire à l'intérieur de l'entreprise. Ce qui, dans un premier temps, lui a assez bien réussi (« Je ne suis pas encore grillé chez Peugeot », dit-il avec une certaine fierté, en pensant à certains de ses potes de Gercourt qui, eux, le sont). À l'usine, le fait est qu'il a dû se faire tout petit dans l'atelier : avoir de bonnes relations avec son chef (âgé de 26 ans), laisser dire le « raciste » de son équipe, éviter les histoires, bref, se conduire comme un intérimaire modèle pour espérer l'embauche chez Peugeot...

7. La déception et l'amertume après la fin de mission

Après avoir effectué ses différentes petites missions en fonderie, Driss redemande à l'agence d'intérim de travailler à Sochaux, en fonderie toujours, pour pouvoir bénéficier des primes et du sursalaire qui y est attaché. Cette fois, sa demande est refusée, et on lui propose une mission en Mécanique sud, ce qu'il accepte. Il n'y restera que trois semaines : comme il a été absent, du fait d'une grosse bronchite, son contrat ne sera pas renouvelé. Il en éprouve de l'amertume, comme on peut le voir dans l'extrait suivant :

- Bon, après fonderie, j'ai été en Mécanique sud trois semaines, dont une semaine en arrêt, juste en arrêt-maladie, et puis, quand je suis revenu, on m'a dit... (*Il se reprend.*) En fait, j'ai demandé à mon chef vendredi, je lui ai demandé si je revenais lundi, il m'a dit : « Ouais ! » Et dès que je suis sorti vendredi, j'ai été à Manpower pour chercher mon chèque. Et là, elle, la fille de Manpower [la secrétaire] me dit : « Ouais, ton chef, il a dit : c'est pas la peine de revenir lundi. » Ça fait que, lui, il a pas osé me le dire en face, me dire que j'étais en fin de mission.

— Parce que là c'étaient des missions d'une semaine, de quinze jours ?

— Au début c'était parti d'une semaine, mais... ça faisait trois semaines que j'étais chez eux.

— Mais trois fois une semaine, à chaque fois tu avais un contrat d'une semaine, une mission d'une semaine ?

— Non, j'avais un contrat de deux semaines la première. Et après c'était... j'avais même pas encore reçu mon contrat... pour la troisième mission.

— Et quand tu as appris à l'agence que c'était fin de mission, tu as demandé des explications à...

— Non... [Il explique ensuite ce qu'il a appris plus tard.] C'était pour l'arrêt-maladie... Là-bas [à Sochaux], ils aiment pas ça... Et il [le chef] me l'avait dit le matin quand j'y étais revenu... Il m'avait dit : « Ouais, toi, tu pars tu reviens, tu fais ce que tu veux ici. » Je lui ai dit : « Je suis en arrêt-maladie », il me fait : « Ouais je sais, mais quand même..., ça fait trois semaines que tu es là. » Mais tout le monde sait que là-bas, c'est mal vu un arrêt-maladie... Alors que, moi, j'ai bossé six mois en fonderie, j'ai pas manqué une seule fois ! Pas une seule fois ! Mais, pour eux, le compteur c'est comme s'il revenait à zéro... Quand j'étais en Mécanique sud, c'est comme si j'avais jamais travaillé... Ils comptaient pas la fonderie... À chaque fois, faut refaire ses preuves... [...].

— Donc là, on sanctionne un arrêt-maladie légitime, parce que tu as eu une bronchite. C'est bien ça, une sanction ?

— Voilà. Et en plus, j'avais été au boulot mardi matin. J'étais malade, j'ai quand même été... Mais à partir de 6 heures du matin, quand j'ai vu que j'allais vomir... j'ai été voir mon chef, je lui ai dit : « Je peux pas rester là. » J'ai pris un bon de sortie et je lui ai dit : « Je vais voir mon médecin, soit je reviens demain soit c'est un arrêt-maladie. » Et je les ai appelés le lendemain, je leur ai dit : "Ouais, je suis en arrêt-maladie." Et quand je suis revenu vendredi... il y avait déjà quelqu'un à mon poste. On a quand même travaillé nous deux ensemble la matinée, mais... à une heure, le chef m'a dit : « Tu reviens lundi. » Mais... à Manpower, comme je vous ai dit, on m'a dit non, c'est fini.

– *Et tu as su garder ton calme ?*

– Quand il m'a dit, c'est fini, devant les bonhommes, tu vois, en plus je leur ai dit : « Oh le bâtard ! » Ils m'ont dit, non, il faut pas parler comme ça, je leur ai dit : « Ouais, mais pourquoi il me l'a pas dit en face ? » Après je suis parti, je leur ai dit : « Bon, on va trouver une autre mission. » Et je suis parti...

– *Et tu as des copains à qui il est arrivé la même chose ?*

– Ouais, la plupart c'est plutôt des arrêts-maladie. C'est qu'il faut vraiment avoir de la chance, ou un accident du travail c'est pareil. S'il y en a un qui a un accident du travail de quatre mois... il revient intérimaire, ils disent : « Qui tu es, toi ? On te connaît pas. » Et ça, c'est arrivé, il y a un copain, il a eu un accident du travail, il s'était ouvert la main. Pendant huit mois, il pouvait pas travailler, il avait le nerf coupé. Là, sa main, ça va mieux. Quand il est retourné à l'usine, là c'était pas à Peugeot, c'était à Faurecia, quand il est retourné au boulot, ils lui ont dit : « Ouais, tu es qui, toi ? » Lui il a dit : « Mais c'est vous mon chef. » Il a dit : « Non, moi je te connais pas. » Ils avaient déjà pris quelqu'un d'autre à sa place... Pour lui, c'était fini...

Lorsqu'il fait le bilan de ses sept mois passés à Sochaux, Driss a de quoi être amer. Il a déployé des efforts sans pareils, a bien tenu ses postes de travail dans un secteur difficile. Il fait partie de ceux qui ont décidé de tenir et qui ont mis un point d'honneur à bien faire leur travail, à se comporter comme des ouvriers modèles. Il a respecté à la lettre les consignes transmises par les copains du quartier, et tout particulièrement les trois interdits majeurs qui ne sont bien sûr écrits nulle part mais qui constituent le savoir implicite – avec lequel on se familiarise vite – de tous les jeunes intérimaires : éviter les fautes majeures de conduite (comme se battre dans les ateliers), être trop souvent malade ou absent, manifester la moindre forme de connivence avec la CGT.

[À l'usine] il faut pas parler avec la CGT... C'est un truc que tout le monde sait, quoi... Quand il rentre un intérimaire, je sais pas, c'est le bouche-à-oreille comme on dit... C'est que... CGT faut pas jouer avec eux. Même si... (*petit silence*)... l'autre fois ils nous avaient donné des trucs pour voter [aux élections de délégués du personnel], eh bien, moi, j'ai déchiré la feuille. Parce qu'on sait très bien que... si le chef nous voit voter, ou n'importe quoi avec la CGT, la semaine d'après on est plus intérimaire, on est chômeur... Alors, bon, on veut pas s'approcher... même si on est pour la CGT, ou on est avec eux, vaut mieux pas le dire...

Il a bien rempli son programme. En retour, il a l'impression d'avoir peu obtenu. Ses missions ont toujours été de courte durée (une semaine, quinze jours, jamais plus[1]). Il a bien reçu sur le moment, de son chef en fonderie, des encouragements, mais jamais aucun espoir de CDI dans l'entreprise. Les conditions de son renvoi de Peugeot lui font penser qu'il y a une sorte de cynisme de la part des « chefs »[2]. Enfin, il s'aperçoit, avec le recul, qu'il a été bel et bien « exploité ». Il n'était pas naïf, il savait, grâce à ses copains du quartier, ce qu'était le système de l'intérim, mais, d'une certaine manière, la réalité telle qu'il l'a vécue a, semble-t-il, dépassé tous les scénarios qu'il avait pu imaginer. En fait, ce qu'il n'avait pas prévu avant son intérim chez Peugeot (et qui est au cœur de sa déception), c'est qu'il allait se prendre au jeu du travail, ne pas ménager

---

1. Souvent le jeune ne sait pas le vendredi soir s'il sera reconduit le lundi suivant. C'est d'ailleurs, pour les agences, un problème majeur que cette gestion au jour le jour de la masse des intérimaires et, tout particulièrement, l'annonce des fins de mission. La situation décrite ici est spécifique à Sochaux, à un moment très particulier, elle est fonction de la masse des intérimaires employés dans les ateliers (4 500 environ au moment de l'entretien).

2. Les « chefs » à l'usine, qui sont en première ligne pour gérer cette population flottante, n'osent pas dire en face aux intérimaires que leur contrat n'est pas renouvelé. Ils craignent les réactions des jeunes (des bagarres avec la petite maîtrise ont déjà éclaté dans l'usine sur cette question). La sagesse consiste donc désormais, pour les services utilisateurs de Peugeot, à déléguer aux agences d'intérim le soin d'annoncer aux intéressés leur « renvoi », la fameuse « fin de mission ». Une division du travail s'est établie ici dans un contexte de surchauffe économique et d'emploi massif des intérimaires : les agences font de moins en moins de tri à l'embauche, mais en revanche, elles se retrouvent chargées de gérer, sur le marché interne de l'intérim, les mobilités horizontales de ceux qu'elles engagent : elles font dorénavant le « sale boulot » d'éconduire les jeunes, de les déplacer d'une mission à l'autre. Dès lors, on ne doit pas s'étonner que la lutte des jeunes intérimaires se soit déplacée sur le front des agences, que les affrontements se multiplient avec les secrétaires (ce sont elles qui annoncent les mauvaises nouvelles). À l'occasion, ces dérapages nécessitent l'intervention de la police : la violence, elle aussi, a monté d'un cran sur ce segment du marché du travail.

son dos et sa santé, porté qu'il était par le désir de s'insvestir à fond, de mettre à l'épreuve son corps. Désormais, il est « vacciné » et cherche une niche du côté des métiers qualifiés du bâtiment, après avoir tâté de la précarité dans les grandes entreprises.

Au fond, qu'a-t-il appris de son passage chez Peugeot ? Il a pris surtout conscience de la très grande fragilité sociale du statut d'intérimaire. C'est d'ailleurs dans ce contexte qu'il parle de son rapport aux syndicats. Certes, il n'a pas le droit, comme il l'a dit, de « fricoter » avec la CGT, de parler trop souvent aux délégués du personnel. Mais le spectacle auquel il assiste dans les ateliers l'attriste : cette CGT, qu'il avait mythifiée à travers le combat de son oncle (un ouvrier marocain immigré, syndiqué à la CGT, licencié de Sochaux à la fin des années 1970 du fait de son engagement syndical), lui donne le sentiment d'être tombée bien bas lorsqu'il regarde ce qui se passe dans les ateliers : « Ils font rien ! » dit-il, d'un air désolé, puis il ajoute, avec cet humour qui affleure par moments dans l'entretien : « Mais ils le font de bon cœur. » Rien ne saurait mieux dire la désillusion d'un jeune intérimaire, a priori sympathisant des thèses de la CGT (« Moi je dis : Vive la CGT ! », dira-t-il au cours de l'entretien), qui découvre sur le tard son impuissance au quotidien.

Driss ne s'est jamais fait d'illusions sur la « boîte à sardines » (comme il appelle l'usine de Sochaux), qui n'a jamais eu chez lui très bonne réputation, mais il n'aurait pas imaginé qu'il soit si difficile d'obtenir un CDI : deux embauchés seulement sur cent intérimaires en fonderie – deux « lèche-cul » ! Le bilan est donc pour le moins mitigé. Mais il ne faut pas oublier que son entrée précoce dans le monde du travail lui a procuré un bien-être matériel qui, pendant tous ces mois, lui a permis de rompre avec une situation structurelle de pauvreté (« Avant, j'avais 10 F, 20 F en poche, maintenant j'ai la carte bleue », dit-il en riant). En travaillant chez Peugeot, Driss avait en tête un objectif simple – qu'il partage avec la plupart de ses copains : ramasser dans le minimum de temps le plus d'argent possible, soutirer le maximum au « système » en profitant des diverses primes. Contrairement à d'autres, il ne s'est pas acheté de voiture, préférant épargner un maximum d'argent, peut-être en prévision des mauvais jours. Il n'est pas dans la logique de l'installation dans l'intérim, il aimerait assez vite s'assurer un CDI, même si son salaire doit s'en trouver fortement diminué.

En même temps, il ne veut pas vivre comme un smicard (« Qu'est-ce qu'on fait avec 6 500 F aujourd'hui ? » dit-il sur un ton qui ne souffre pas la contestation) et connaître la misère dont a souffert sa mère, prématurément veuve et en charge d'enfants.

8. *Après le bac STT, une année sabbatique à l'usine*

Si Driss est un ouvrier non diplômé qui a profité de la reprise économique, il est intéressant de comparer sa trajectoire à celle de deux jeunes des cités (eux aussi de Gercourt) du même âge (20 ans) fils d'immigrés (turc et marocain) : Nizmet, titulaire d'un bac pro de carrosserie, et Reda, qui vient d'obtenir un bac STT. Tous deux sont en train de terminer leur mission d'intérim, qui aura duré six mois en tout, à RESA (un équipementier de la région).

Je les rencontre à un moment où cette première expérience de travail est fortement gravée dans leur mémoire. Et c'est à un véritable récit de la découverte du monde industriel que j'ai droit. Cette expérience leur a permis de mesurer l'écart entre, d'une part, leurs attentes et l'idée qu'ils se faisaient de la vie d'usine, et, d'autre part, la réalité quotidienne du travail ouvrier d'aujourd'hui. C'est ce décalage qui fait tout l'intérêt de leur témoignage, notamment de celui de Nizmet, bac pro qui s'est retrouvé coincé, du fait de sa précipitation à s'assurer un travail, dans un statut d'opérateur qui ne lui convient pas. Si tous deux sont intérimaires, leur mode d'entrée dans la vie ouvrière et leur rapport au travail diffèrent sensiblement. Nizmet se vit comme un futur ouvrier qui aimerait avant tout réussir sa première insertion professionnelle, tandis que Reda a pris ce qu'il appelle une « année sabbatique » après le bac en vue d'accumuler un maximum d'argent.

Je les ai rencontrés par l'intermédiaire du frère de Nizmet, un éducateur, que je connais bien. Comme j'avais évoqué avec ce dernier notre nouvelle enquête sur les jeunes ouvriers, il m'avait parlé de son frère mais n'était pas sûr qu'il accepterait de parler à un sociologue. (« Mon frère,

m'avait-il dit, il n'aime pas trop parler, c'est un timide ».)
Surprise : ce dernier se dit finalement d'accord pour un
entretien. Rendez-vous est donc pris dans un café de la ville.
Mais Nizmet va venir accompagné de l'un de ses meilleurs
copains du quartier, Reda. Le premier est grand (1,90 m),
large d'épaules et dégage une impression de puissance (il
joue milieu de terrain au football), mais éprouve quelques
difficultés à s'exprimer, parlant parfois « dans sa barbe »
quand il n'est pas sûr de lui. Le second, de taille moyenne,
habillé mode, tee-shirt de marque (Lacoste), parle, lui,
d'une manière fluide, on le sent plus à l'aise à l'oral.

Reda, 20 ans, a commencé à travailler à l'usine de
Sochaux en juin 2000, c'est-à-dire au moment même où il
passait le bac STT. Il dépose un dossier à l'agence
Manpower et, précise-t-il, « le lendemain », l'agence le
rappelle pour lui proposer un contrat à Sochaux. Dorénavant, pour devenir intérimaire, il n'est plus nécessaire de
passer des tests psychotechniques, l'entretien préalable
suffit (« C'est des femmes qui posaient des questions, c'est
pas difficile, c'est des questions sur la personnalité »). Il a
travaillé d'abord quatre mois comme ouvrier à la chaîne au
« Montage voitures » (MV2). Les difficultés pour tenir son
dernier poste l'ont conduit à ne pas demander le renouvellement du contrat. Par précaution, il s'était inscrit, en
septembre, en fac à Montbéliard. À peine débauché de
l'usine, il reprend donc ses études en première année de
DEUG d'histoire, mais s'arrête au bout d'un mois (« Ça
me plaisait pas », dit-il laconiquement, sans s'étendre sur la
question), puis recherche à nouveau du travail dans l'intérim. Il ne lui faut que peu de temps pour retrouver un
travail, cette fois-ci à RESA.

À Sochaux, il travaille d'abord à la pose des amortisseurs
(« Je montais des amortisseurs sur le train avant »). Il
reconnaît que le boulot est dur (« C'est assez physique »). Il
découvre alors la vie d'usine. Dans l'ensemble, il n'en garde
pas un mauvais souvenir. Il insiste toutefois sur la difficulté
de la tâche, l'intensité de l'effort et, bien sûr, les horaires
éprouvants. Son père, ouvrier lui aussi à l'usine, a bien tenté
de le dissuader d'y entrer, mais en vain. Pourtant, une chose
est d'entendre parler de l'usine, une autre est de la vivre, de
sentir la fatigue dans son corps, de se sentir vidé, juste bon
le soir à aller au lit.

Reda – [Le premier jour] on me montre le boulot que je vais faire. En fait, le premier jour, on fait rien, on fait juste la visite de l'usine. On montre les différents postes qui existent et, en fin de journée, on montre le poste où on va être le lendemain. Puis, le lendemain matin, ben, on commence.

– Donc, quand tu débarques comme ça, tu avais déjà travaillé en usine ou pas ?

Non, c'était la première fois... Et le premier jour, c'était très difficile pour moi. Ouais, ouais. Je rentrais chez moi, j'étais vraiment... (*en riant*) raide mort ! Ouais, c'était trop dur au début... C'était dur au niveau physique... je portais à chaque fois l'amortisseur... (*silence*). C'était très dur...

– Et donc là, on te fait une petite formation quand même pour le poste ?

– Ouais, ouais, je suis resté trois jours en formation, en fait, on me montrait comment faire. J'étais pas tout seul, quoi, on m'assistait. Puis après, par la suite... petit à petit, j'étais tout seul. Puis après, ça allait bien, quoi. J'ai travaillé quand même pendant quatre mois, quatre mois et demi ou cinq mois. De juin jusqu'à octobre, quoi... De tournée... Quand on était de l'après-midi, ça allait encore, mais le matin, c'était... dur (*dit en riant*) ! Se lever à 4 heures pour aller travailler à 5 heures, c'était dur... Des fois, je dormais l'après-midi en fait. Quand je rentrais à 1 heure, je dormais un petit peu l'après-midi, je faisais une petite sieste. Ensuite, j'allais dormir vers les 9 heures, 10 heures, pour être en forme le lendemain...

S'il trouve le travail dur physiquement, il insiste en revanche sur la « très bonne ambiance » dans son atelier, et de façon générale à Sochaux, notamment parce qu'il se retrouve avec toute une bande de jeunes qui, comme lui, viennent des différents quartiers HLM de la région. Là, à l'usine, on met entre parenthèses les rivalités de quartier et on s'amuse parce qu'on découvre ensemble la vie d'usine.

[À Sochaux] c'était une bonne ambiance, une très bonne ambiance... Je m'entendais avec tout le monde c'était super... On rigolait bien. Tout le monde était gentil... Non, vraiment, c'était une très bonne ambiance... (*petit silence*). Et c'est vrai qu'en usine l'ambiance est très importante. S'il y a une mauvaise ambiance, ben on est pas content d'être là, quoi, on est... déjà que c'est très dur de travailler à l'usine, s'il y a une mauvaise ambiance... (*silence*)... ça va pas être bien, quoi.

Malgré cette bonne ambiance, Reda ne demandera pas de nouvelle mission à Sochaux parce que, entre-temps, il a été affecté sur la même ligne à un poste de travail très dur qu'il n'est pas parvenu à tenir (« J'étais toujours en retard, j'en avais marre, c'est pour ça que j'ai arrêté »). En fait, le poste qu'il occupait à la pose des amortisseurs, et qu'il effectuait avec un doubleur, a été supprimé au moment du passage de la gamme de la 406 à celle de la 307. Ce poste, « rationalisé », n'est désormais plus tenu que par un seul monteur. Comme Reda était le dernier arrivé sur le poste, il s'est vu muter ailleurs sur la même ligne de production (les capteurs ABS).

> — Bon, j'ai été libéré des amortisseurs pour être mis aux capteurs ABS. Et là, c'était plus dur parce qu'il fallait faire les deux côtés [là aussi, suppression du doubleur]. Fallait marcher d'un côté à l'autre. Et au bout de 5, 10 minutes, la chaîne, elle descendait, quoi [il veut dire qu'il descendait la chaîne]... En plus, sur ce poste, au début, on était deux. Mais enfin, le chef, il a décidé de pas mettre comme ça parce que... (*il hésite*)... en fait, ça les arrange, quoi. Moins on est sur la ligne, moins on paye de personnes...
>
> — *Et, dans ce cas-là, toi, comme tu n'y arrivais pas, qu'est-ce que tu as fait ?*
>
> — Je me suis plaint... ouais, je me suis plaint et puis... (*à voix basse*)... le chef, il a rien voulu entendre... Parce que, moi, j'ai dit : « J'arrive pas à tenir le poste, faites quelque chose. » Au début ils mettaient quelqu'un. Ils mettaient quelqu'un puis après, petit à petit, ils l'enlevaient, quoi. Ils enlevaient la personne. J'en avais marre, quoi.
>
> — *Mais tu avais un moniteur pour te remplacer de temps en temps ?*
>
> — Mais... comme tout le monde gueulait (*en riant*)... il y a un seul moniteur, il a du mal à remplacer tout le monde, quoi... Vu le poste que j'avais, je me suis dit : « C'est pas la peine de continuer sur cette voie... »

Ce cas est intéressant car il montre comment, lors du passage d'une gamme de voitures à l'autre, des postes de travail sont rationalisés, le nombre des opérateurs réduit sur la même ligne, et surtout comment cette réorganisation pèse sur le rythme de travail des opérateurs. Et l'on voit bien que sur ces postes « durs », on affecte en priorité les jeunes intérimaires, et d'autant plus qu'ils sont fragilisés par leur statut et qu'ils n'ont guère les moyens de protester (« Je me suis plaint mais... »). En même temps, si Reda ne s'accroche pas, c'est qu'il a d'autres perspectives en tête : en tant que jeune bachelier, il se dit qu'il peut toujours poursuivre un cursus d'étudiant. En fait, comme c'est souvent le cas, la découverte de la dureté du travail à Sochaux – qui reste toujours un peu abstraite tant qu'on ne l'a pas éprouvée dans son corps – lui a fait redécouvrir les charmes de l'école (« Quand j'étais à Peugeot, comment dire ça... je voulais reprendre l'école, j'étais vraiment décidé à reprendre, j'étais bien motivé »).

Reda fuit donc les conditions du travail à la chaîne à Sochaux et entre, toujours via l'intérim, à RESA, où il travaille depuis cinq mois et demi au moment de l'entretien. Il est évidemment bien placé pour comparer la qualité des deux places qu'il a occupées successivement. Or, la différence est, selon lui, frappante à plusieurs égards : c'est d'abord la jeunesse des ouvriers à RESA (« là, il y a beaucoup de jeunes, la plupart c'est des jeunes »), alors qu'à Sochaux c'était plus « mélangé », pour reprendre son expression ; c'est ensuite la faible présence dans les ateliers de « jeunes des quartiers », alors qu'ils sont nombreux à Sochaux ; enfin, l'intensité du travail lui paraît beaucoup moins grande (« À RESA, le travail est moins intense »), notamment parce qu'il ne travaille pas sur la chaîne mais sur un poste seul dans le secteur des planches de bord de 605. Pourtant, il n'a pas l'intention de faire carrière là-bas.

> Moi, ça m'intéresse pas d'être embauché. Moi, ce que je compte faire, c'est reprendre mes études... Je reprendrai mes études. Sinon c'est pas intéressant, c'est pas une vie, quoi ! (*Souriant.*) À l'usine, c'est vrai, c'est pas une vie... (*long silence... je l'encourage par une mimique à développer*). C'est pas une vie parce que c'est monotone, parce que c'est toujours la même chose. Ce qu'on fait le matin, c'est toujours la même chose. L'après-midi, on va au boulot, le soir on rentre. Non, on se lève le matin pour le travail. On passe toute notre vie à l'usine, quoi, c'est pas intéressant.

Reda, un ouvrier de passage, a vécu l'usine comme une parenthèse, une période pour souffler après le lycée. Il se projette dans un avenir d'étudiant. Il a deux frères aînés qui ont bien réussi (ils sont « commerciaux ») et qui font figure pour lui de modèle social : ils habitent à Paris, vont en déplacement, perçoivent de bons salaires, bref, ont rompu par bien des aspects avec la vie d'ouvrier de Sochaux.

9. Un intérimaire qui se conduit comme un stagiaire de LEP

Nizmet, lui, est un ancien élève du lycée professionnel qui a donc obtenu son bac pro de carrosserie en juin 2000. Il a commencé à travailler quinze jours en intérim en août, dans une petite entreprise métallurgique, comme « soudeur » (en bac pro carrosserie, on apprend à souder), puis, à partir du 1er septembre, à RESA, comme intérimaire toujours, mais simple opérateur. Sept mois plus tard, en mars 2001, il quitte RESA, découragé et surtout dégoûté par l'ambiance qui régnait dans son équipe de travail. Il est content de rejoindre l'usine de Sochaux où on lui propose d'occuper, toujours en intérim, un poste de conducteur d'installation (CI). À la différence de son copain Reda, Nizmet n'est pas – et ne se considère pas comme – un ouvrier de passage. Il est disposé, au contraire, à s'investir dans une carrière d'ouvrier, dans la droite ligne de sa formation professionnelle initiale.

La singularité de son itinéraire tient à la voie qu'il a choisie à la sortie de ses études : alors qu'il possède un bac professionnel assez recherché, il se lance dans l'intérim sans se préoccuper de la nature des tâches qu'on lui confie. Il semble alors entièrement guidé par le besoin de gagner vite de l'argent de manière à vivre, lui aussi, comme ses copains de Gercourt, sa vie de jeune, sans avoir à se préoccuper outre mesure de l'avenir. Il fait : « Moi, le premier boulot que j'aurais trouvé, en fonderie à Sochaux, je serais parti là-bas. »

Si Nizmet a décidé de quitter RESA, c'est d'abord à cause de la « mauvaise ambiance », donc, mais c'est aussi parce qu'il s'est rendu compte qu'il y était bloqué au niveau de simple opérateur, que personne ne se préoccupait de le faire progresser. Pis encore, on l'écartait chaque fois qu'il se proposait d'élargir sa gamme de compétences et on lui déniait toute capacité propre liée à son bac pro. Par exemple, lorsqu'il demande à passer conducteur d'installation, son chef direct lui fait comprendre, sans ménagement, qu'il doit rester à sa place.

– *Et là, tu aurais pu demander à changer de secteur...*

– J'ai demandé mais (*il hésite*)... j'ai demandé à passer CI, [conducteur d'installation] mais ils ont pas voulu. Le chef, il m'a dit : « Tu restes à ta place ou tu pars, quoi ! » C'est ce qu'il a voulu me faire comprendre, il a pas dit ça comme ça, mais c'est ça que ça voulait dire... (*silence*). Il m'a dit : « Tu restes à ta place, c'est tout, quoi »... Là-bas, j'ai vu qu'il y avait pas moyen d'évoluer aussi. (*Silence.*) J'ai essayé de faire des choses [il veut dire : pour se faire remarquer] (*silence*)... j'ai essayé de travailler un peu partout, quoi. Parce que moi, je veux pas rester tout le temps dans la même place, pas faire tout le temps le même boulot, alors... Moi, je veux changer de poste tout le temps, quoi...

– *Pour devenir polyvalent ?*

– Ouais voilà... polyvalent. Parce que, que les postes soient durs ou faciles, il faut connaître, je veux tous les connaître.

On retrouve ce côté bon élève et ouvrier modèle dans le comportement de Nizmet au travail. Il vouvoie son chef (qui, lui, le tutoie), n'ose jamais demander de bons de sortie et n'est jamais absent alors que Reda, lui, tutoie sans problème son chef, a déjà eu des absences (autorisées) au travail, et demande souvent des bons de sortie pour « raisons personnelles » (Nizmet me précise que c'est pour « partir en week-end à Marseille »). Si Reda se conduit comme un intérimaire de passage, Nizmet, lui, cherche à faire carrière, et, dans cette perspective, pose des jalons dès sa première expérience de travail. Il considère ses premières missions d'intérim comme un possible tremplin vers le CDI, vers une « embauche ». D'où le sérieux dans son travail, son application de bon élève de bac pro.

Au cours de l'entretien, une sorte de rivalité s'est ins-taurée entre eux : devant l'enquêteur, il faut présenter sa meilleure face. Lorsque Reda évoque la perspective de faire un BTS « commerce international » en signifiant ainsi la distance qu'il entend mettre entre lui et le monde ouvrier, Nizmet, dans l'échange qui suit, insiste sur son projet de ne pas rester simple ouvrier, son désir de « monter » (« moi, je ne veux pas rester quarante ans agent de fabrication... »). Et il tient d'autant plus à le préciser qu'il apparaît alors comme plus enfermé dans cet univers ouvrier, notamment du fait de son passé d'élève de lycée professionnel, mais aussi par sa toute première expérience de travail (comme

« soudeur »). Il n'a manifestement pas envie, en tout cas dans le contexte de cet entretien où il se trouve de fait en concurrence avec Reda, de se voir assigné aux métiers les plus ouvriers. En rappelant, à plusieurs reprises, qu'il a comme projet d'« évoluer », Nizmet entend faire comprendre que la promotion professionnelle n'est pas réservée aux seuls bacheliers (généraux ou technologiques). En tant que bac pro, il revendique aussi le droit et l'espoir de progresser socialement. D'ailleurs, ce qu'il a le moins supporté dans son expérience à RESA, c'est le mépris avec lequel son chef l'a traité, l'absence de considération qu'on lui a manifestée, la négation de ses capacités profession-nelles. À l'entendre, il a été traité comme un « vulgaire » intérimaire alors qu'il aurait voulu qu'on lui fasse crédit de son titre scolaire.

Lorsqu'on aborde la question de la vie hors travail et des loisirs, la différence apparaît flagrante entre les deux compères, reflétant aussi leur rapport au travail et à l'avenir. Reda, ouvrier de passage, « flambe » un peu avec son nouveau salaire d'ouvrier (9 000 F en moyenne). Il s'est acheté une belle voiture (allemande et puissante), une Golf G3 (rouge), dont le coût total s'élève à 40 000 F. Comme il continue d'habiter chez ses parents, il consacre la majeure partie de son salaire au remboursement des traites et aux frais qui lui sont associés (essence, assurance) ainsi qu'aux sorties. Il n'épargne presque rien, se paie de temps en temps des week-ends à Paris ou à Marseille, trop heureux de pouvoir se déplacer en voiture (« Moi, je voyage beaucoup »), de s'éloigner de Gercourt et de la région. Pour me donner un exemple de sa soif de découverte et de sorties, il me raconte qu'il lui est arrivé de partir le vendredi soir, après le travail de l'après-midi, pour Marseille et de rouler toute la nuit pour se retrouver face à la mer au matin. Il reste rarement dans la région (parfois en boîte à Mulhouse, un après-midi à Belfort ou Besançon). Il est attiré par le « grand large », ne veut pas rester coincé dans le pays de Montbéliard, encore moins dans son quartier qu'il fuit de plus en plus.

Nizmet, lui, a des comportements de consommation très différents. D'abord, il ne veut pas s'étendre sur la manière dont il gère son argent (ça ne regarde que lui, dit-il). Ce que l'on sait, c'est qu'il n'a pas de voiture (« plus tard, j'en achèterai une ») et qu'il semble beaucoup plus sage dans sa gestion des rentrées d'argent, nouvelles pour lui. Le week-end, il sort avec sa copine quand elle est libre, ou reste chez lui, allant parfois lire une BD à la bibliothèque municipale. Le dimanche, il aime bien s'occuper de sa petite nièce de 4 ans. Nizmet n'a pas la folie des grandeurs et reste, lui, très enraciné localement. Il a longtemps joué au football dans l'équipe première de Gercourt, a arrêté en début de saison à cause de l'incompatibilité entre entraînement et travail, mais il a décidé de reprendre et tous ses dimanches sont occupés par les matchs.

Enfin, Reda et Nizmet se présentent dans l'entretien comme des « jeunes des cités » qui n'ont pas peur du travail, qui bossent, qui sont « courageux » au travail. Bref, ils se disent à l'opposé du jeune des cités qui ne veut pas travailler et « fout la merde ». Lorsqu'on aborde la question de l'évolution du quartier, tous deux se montrent sans concession pour condamner ces jeunes qui, par leur comportement, annihilent leurs propres efforts et font capoter les tentatives individuelles d'acquisition d'une respectabilité sociale.

– On nous a souvent parlé des rivalités entre les quartiers, est-ce que ça se retrouve à Sochaux ?

Reda – C'est le contraire. Il y a une très, très, très bonne entente... Vraiment, une très bonne entente. Quand j'étais à Sochaux, on avait une pause d'une demi-heure pour le déjeuner. En fait... c'était en juin et juillet, il faisait beau, on sortait dehors puis on mangeait tous ensemble, quoi. Il y avait des jeunes de la ZUP, des Champs-Montants. Puis nous, de Gercourt. On était tous ensemble, on mangeait bien, on rigolait bien et tout. Il y avait une très bonne ambiance, quoi.

– Donc là, on met entre parenthèses les questions de quartier ?

Reda – Ouais. Mais... on laisse à part, quoi, on est à l'usine, on est... tous dans la même galère, on est tous ensemble. Ça n'a rien à voir. Ouais, ouais, c'est très bien.

Nizmet – Et la plupart du temps aussi, c'est ceux-là, qui travaillent pas à Sochaux, c'est... ceux qui font la merde, quoi, ceux qui ont pas envie de travailler... En fait, c'est ça, c'est ceux qui travaillent pas...

Reda – Ceux qui traînent dans les quartiers à rien faire. Qui tiennent les murs, on va dire ! (*Dit avec un accent de mépris.*)

Nizmet – Parce que ceux-là qui travaillent à Sochaux, ils comprennent, la plupart du temps, c'est des gens qui font pas la merde, hein ! Les gens qui font la merde, ils veulent pas travailler de toute façon (*soupir*).

Et ceux qui ne travaillent pas, il vous arrive de discuter avec eux ?

Reda – Ceux qui travaillent pas ? (*Silence.*) Non, ceux qui travaillent pas, c'est plutôt les jeunes quoi, 16-17 ans. Ils ont pas le droit de travailler ! Comme ils font rien, ils sont... Quand on rentre le soir du travail à 9 heures, on les voit devant le quartier... du moins pas devant le quartier, sur place, la place du marché, ils sont là...

Nizmet – Ils essaient de faire une crasse quoi, ils font ça à quelqu'un...

Reda – Ils fument, ils boivent...

– Ils essaient de faire une crasse, ça veut dire quoi ?

Nizmet – Je sais pas... Embêter quelqu'un...

Reda – Ouais, ils embêtent... tout le monde... De toute façon, moi, je parle pas avec eux. Moi je... les aime pas, je m'entends pas avec eux. Ça sert à rien de leur parler, ça sert vraiment à rien.

Nizmet – Moi, je leur dis « Salut », sans plus, quoi. Je passe devant eux, ils sont un groupe, donc « salut », sans plus, quoi.

Mais ces jeunes-là, ils sont à l'école ?

Nizmet – La plupart du temps ils sont tous renvoyés déjà. Avant 18 ans, ils sont tous renvoyés de l'école.

Reda – Ils ont déjà tous été en prison, quoi ! (*Petit rire.*)

– Et à côté d'eux, il y a des jeunes comme vous, qui...

Reda – Ouais... qui veulent s'en sortir on va dire... eux, ils travaillent pas, ils sont... en fait eux ils sont chez leurs parents, quoi... Ils mangent, ils boivent, ils dorment... ils ont où dormir...

Nizmet – Moi je dis que tant que leurs parents ils diront rien, ils... continueront à être comme ça.

Reda – Oui, c'est à cause des parents tout ça...

On assiste là au travail de démarcation qu'effectuent souvent les intérimaires issus des cités vis-à-vis de ceux qui « glandent » dans le quartier. Dans un tel contexte de reprise économique, ceux qui ne travaillent pas apparaissent comme ceux qui « refusent » les boulots qu'on leur offre. Ils sont ainsi démasqués. Nizmet et Reda tiennent tous deux des propos très durs à leur égard. À la faveur de la reprise, ils entendent marquer leur sentiment de supériorité sociale, fondé sur leur légitimité toute nouvelle de « travailleurs ». En ce domaine, Nizmet est véritablement sans pitié pour ceux qui ne font rien, qui font des « crasses » (des « renvoyés de l'école », des « cancres », pour reprendre ses expressions), qui semblent être à ses yeux des « irrécupérables ».

Bref, les jeunes désœuvrés de 16-17 ans du quartier constituent, pour nos deux jeunes intérimaires, une figure repoussoir. Et s'ils expriment une espèce de hargne à leur encontre, c'est non seulement parce qu'ils « foutent la honte » au quartier, mais aussi parce qu'ils « travaillent » (malgré eux ?) à rendre indistinct, aux yeux de l'opinion publique, l'ensemble du groupe des enfants d'immigrés.

Avec l'entrée en masse des jeunes des cités, enfants d'immigrés pour la plupart, dans les usines de la région, notamment à Sochaux, un double processus d'ouverture et de fermeture s'est produit dont les effets sont ambivalents.

D'une part, on a enfin ouvert en grand les portes de l'entreprise aux enfants d'immigrés. Ou, pour le dire dans le langage des employeurs et des directeurs d'agences d'intérim, « on leur a donné une chance » de faire leurs preuves dans le monde de la production. D'autre part, la forme que prend cette embauche – précarité et conditions de travail très dures – est source de désillusions. Les garçons des cités ont ainsi pu voir ce qui se passait à l'intérieur des usines. Et le moins que l'on puisse dire, c'est que beaucoup d'entre eux n'ont pas été détrompés : une grande partie de leurs craintes, quant aux conditions de travail et aux relations sociales entre ouvriers, a été confirmée.

On peut même penser que cette expérience d'intérimaire a engendré bien des frustrations et particulièrement lorsqu'ils ont réalisé qu'ils avaient bien peu de chances d'obtenir pour eux un CDI par la suite. Ce qui, en retour, alimente une vision du monde fondée sur la persécution (contre les jeunes des quartiers, les Arabes, etc.). Et c'est pourquoi ils se regardent comme les victimes de l'ordre dominant.

En fait, à travers cet apprentissage social en accéléré que constitue l'intérim, les jeunes des cités ont fait à nouveau l'expérience de la défiance dont ils se sentent structurellement victimes. Ils ont l'impression qu'un double traitement leur est imposé. D'un côté, lorsqu'ils sont « en production », on tire le meilleur de leur force physique et de leur énergie sociale, en fermant les yeux sur la couleur de leur peau et leur origine géographique. De l'autre, quand il s'agit de penser à une carrière ouvrière et à une titularisation, leurs interlocuteurs disparaissent, les chefs se défaussent sur les agences qui renvoient la balle à l'entreprise, comme dans un jeu de mistigri où ils occuperaient la mauvaise place.

Le passage par l'intérim et les avanies qu'ils y subissent ancrent chez ces jeunes l'idée qu'ils sont toujours les perdants et les victimes privilégiées de l'ordre social. Il est donc toujours susceptible de redoubler leur « rage » ou leur rancœur, de leur forger un état d'esprit de « rebelle » qui les empêchera d'envisager une installation tranquille dans le monde ouvrier, qui les tiendra aussi à distance des travailleurs installés – ceux qui, par la force des choses et du fait de leurs nouvelles responsabilités (notamment matrimoniales), ont fini par « se ranger ».

CHAPITRE VI

La découverte des qualités sociales des filles et la remise en cause de la masculinité ouvrière

Nous retrouvons Driss en novembre 2001, six mois après le premier entretien. Après la non-reconduction de son contrat en avril 2001 à Sochaux, il espérait enchaîner sans problème une nouvelle mission en usine, comme cela semblait être devenu la norme au cours des dix-huit mois précédents. Las... Le marché du travail commence à se retendre, il ne trouve rien et commence à languir de son inactivité. Finalement, il parvient, à la rentrée de septembre 2001, à décrocher une mission de deux mois chez Cuir-Auto, un équipementier de Peugeot (une usine de sièges qui compte deux tiers d'intérimaires dans ses effectifs). En production, les garnisseurs, qui travaillent à un rythme très élevé (cinquante sièges à garnir en huit heures) sont des hommes, tandis que les ouvriers « à la préparation » ou « à l'appro » (approvisionnement des pièces le long de la chaîne) sont des femmes.

Lors de ce deuxième entretien, Driss compare son travail dans cette nouvelle usine avec ce qu'il a connu, pendant six mois, à la fonderie où il travaillait avec ses copains de Gercourt, tous d'origine maghrébine.

— *Et si tu avais eu à choisir, qu'est-ce que tu aurais choisi ?*

— (*Sans hésiter.*) Fonderie ! Pour l'ambiance... et même le travail... Il y a moins de pression... Si c'était des fois plus dur, si on portait des charges plus lourdes, il y avait moins de pression... [Puis il parle de l'ambiance] Par exemple, en fonderie, c'étaient des personnes (*il cherche ses mots*)... des hommes, âgés la plupart du temps... Y avait que des hommes !... Alors que, à Cuir-Auto, y avait des jeunes et des filles... Et l'ambiance était pas trop... (*il cherche un mot et ne le trouve pas*). C'était plutôt « Hélène et les garçons », quoi... (*nous rions, lui ne rit pas*)... C'est ce que je ressentais, moi, en tout cas...

— *Vous travailliez à côté des filles... Elles étaient toutes proches ?*

— Elles étaient pas loin...

— *Ça faisait pas une atmosphère de plaisanterie ?*

— (*Agressivement.*) Si...

— *Mais tu ne trouvais pas ça tellement sympa ?*

— (*Catégorique.*) Non... Je trouvais même ça pas du tout sympa !... (*Se lançant enfin.*) Je préférais être en fonderie... entre hommes, entre guillemets, que d'être à Cuir-Auto au milieu d'autres filles (*ton légèrement méprisant*), d'autres personnes qui...

— *C'était pas le même genre de plaisanterie...*

— Voilà !...

— *Elles se payaient votre tête, quelquefois, les filles ?*

— Non ! Quand même... (*sur un ton un peu indigné, comme si la question était déplacée*). Mais par exemple, quand un chef leur parlait, quand quelqu'un leur faisait une remarque, ces filles, souvent, elles faisaient une tête... à la limite, quelquefois, elles pleuraient ! (*Prend là le ton de l'indignation*)... J'en ai vu pleurer des fois... Alors qu'un garçon, il va pas pleurer parce qu'on lui fait une remarque !...

— *Ça devait être des remarques vachardes quand même...*

— Mais non ! Quand t'oublies pour la cinquième fois un truc dans le chariot... Quand tu lui [à une fille] dis quelque chose... et que, toi, le garnisseur, t'es obligé d'aller retourner la chercher pour la cinquième fois, la pièce... Ça arrive une fois, bon, on dit rien... deux fois, ça passe... Mais trois fois... quatre fois... Là, ça commence à t'énerver !... Surtout quand on doit faire quinze allers-retours dans la nuit...

— *C'est surtout sur des questions de boulot que vous, les garçons, vous vous accrochiez avec elles ?*

— Oui, c'est ça !... Elles avaient juste à remplir le chariot, et moi, après, je venais prendre le chariot et je montais le siège...

— *Vous discutiez de ça de temps en temps ?*

— Tout le temps !

— *Donc, vous leur disiez...*

— (*Coupant.*) D'aller un peu plus vite ! et puis d'arrêter de bavarder entre elles...

— (*Rires.*) Et elles le prenaient mal ?

— (*Sans rires.*) Certaines le prenaient mal... (*silence*). Et surtout parce qu'il y a beaucoup de filles, les chefs les mettaient de leur côté, quoi... C'est ça qui est gênant... Même avec les moniteurs !... Y en avait qui [les protégeaient]... C'est ça qui est gênant...

— *Et alors, les garçons, c'est vous qui apparaissiez comme mettant de la mauvaise volonté...*

— Voilà !... Nous, on subissait et elles, elles étaient en vacances !... La pression était sur nous et, elles, pendant les huit heures, c'est huit heures de bavardage, à parler entre copines... ou avec les autres garnisseurs, les « anciens »... Pratiquement, elles foutaient rien !... Y en avait qui travaillaient quand même... Mais c'était quand, nous, on voulait les faire travailler, on les faisait travailler ! Nous, on travaillait à huit... Les huit chariots partaient, il fallait en refaire huit autres... Ça fait que si on y va chacun à notre tour, elle a le temps, la fille, de faire ce qu'elle veut... Tandis que si, nous, on y va tous d'un coup et si, tous, on veut qu'elle travaille, ben, elle travaillera, quoi... Et ça, on l'a déjà fait !...

Changeons maintenant de point de vue. Restons dans l'usine de Sochaux et écoutons Fouzia, 29 ans, d'origine algérienne, intérimaire à l'usine de Sochaux en 2000 et 2001. Après avoir effectué de nombreux petits boulots dans l'animation, lassée de ces salaires de misère, désespérant de jamais trouver un emploi stable et de véritables possibilités de formation, elle se lance, elle aussi, comme de nombreuses copines, dans le travail d'usine. Dans cet extrait, elle évoque devant nous, au cours d'un des longs entretiens qu'elle nous a accordés en juin-juillet 2001, la situation de sa belle-sœur, intérimaire comme elle, dans un autre secteur de l'usine, le secteur Montage voitures.

— Elle, c'était vraiment un autre travail que le mien, plus dur... Mais elle, elle ne s'est jamais vraiment plainte... Elle s'est toujours estimée heureuse... Elle conçoit pas sa vie uniquement à élever ses enfants... À s'occuper du ménage... à attendre le mari peut-être. Parce qu'elle a toujours, et depuis très jeune, hein, côtoyé le monde extérieur... Elle a toujours voulu avoir des relations extérieures, voir des gens, etc. Donc, pour elle, il lui faut vraiment ça... Et pourtant, pour elle, à Montage voitures, ça a été très difficile au départ. Elle a été formée par un homme, à ce poste... Et, au début, elle n'est pas entrée directement « de nuit »... Elle a eu deux semaines pour apprendre... Pour être formée justement... C'était un gars de la « tournée A » qui la formait... Le gars, il voyait bien qu'elle y arrivait pas... Et puis les ouvriers voyaient aussi... Il paraît que c'était quand même un poste très difficile pour une femme... Mais, bon, ils l'ont mise là... C'était aussi par rapport à sa carrure aussi, c'est vrai qu'elle est pas grosse, mais très costaud !... Et puis voilà, quoi !... Alors, au début, il y a quelques personnes qui compatissaient un peu parce que c'est une femme... Ils allaient voir le chef : « Écoutez, c'est pas normal que vous mettiez une jeune femme comme ça à ce poste... parce qu'elle se servait d'un... Je sais pas trop quoi... Un appareil de levage... Quand elle m'en parlait, ça avait l'air de quelque chose de très lourd... Quand même, elle, elle s'en est jamais plainte... C'est les autres, au contraire, qui se plaignaient à sa place, qui allaient voir son chef. Et elle, elle a dû mettre un frein par peur... Peur de perdre sa place, quoi... mise à la porte... Fallait surtout pas se plaindre ! » Elle leur disait : « N'allez plus le voir [le chef], mais laissez- moi tranquille, si je suis là, c'est que j'y arrive... arrêtez d'aller voir le chef ! » C'était ça, quoi... [...] Bon, je ne veux pas être mauvaise langue... mais est-ce que ces messieurs qui voyaient une jeune fille occuper ce poste et puis réussir à le tenir... est-ce qu'ils n'étaient pas un peu « jaloux »... La même chose que, moi, j'ai rencontrée avec mon « doubleur » de la tournée B... de voir une femme à ce poste et de s'apercevoir que, finalement, une femme, c'est capable !... et que c'est peut-être pour ça qu'ils ont parlé au chef de la mettre ailleurs...

— Je vois ce que vous voulez dire... Ça les mettait peut-être un peu en boule de voir une femme...

— Je veux dire : l'orgueil mâle, ils le digèrent mal, peut-être, ça hein ?... Mettre un frein à tout ça un peu...

— C'est ambigu quand même, parce qu'en même temps, c'est bien pour le patron d'avoir des jeunes qui comme ça en veulent... Finalement, le chef il n'est pas allé la voir...

— Si... Au bout d'un moment, il en avait marre... On venait le voir pour lui parler de ma belle-sœur... Il est venu et il lui a dit : « Qu'est-ce qu'il y a, gamine ? » Et puis elle : « Ben, écoutez, j'ai rien dit... C'est eux qui se mêlent de ce qui ne les regarde pas !... » En fait, elle avait la crainte d'être virée, quoi...

Que conclure de cette juxtaposition de points de vue ? Dans le premier extrait s'affirme une conception implicite de la masculinité ouvrière, qui se trouve mise en question par l'arrivée des filles dans l'atelier et de plus en plus sur la défensive en un lieu – l'usine – qui a été longtemps un bastion de la virilité, d'un certain « machisme ». Dans le deuxième se révèle l'un des aspects de la nouvelle forme de coexistence hommes/femmes au travail, à savoir l'acuité de la concurrence dans les ateliers, la complexité des rapports hiérarchiques, la bataille autour des petits postes qui, dans un contexte d'intensification du travail, ne cesse de structurer la vie sociale dans ces secteurs. C'est autour de ces questions que nous voulons organiser la réflexion dans ce chapitre[1].

1. L'aubaine d'une « place » à l'usine

Tout au long des années 1980-1995, la plupart des filles issues de milieux populaires dans la région se refusaient à l'idée de finir leur vie à l'usine et ont donc fui les formations professionnelles de type industriel. Lorsqu'on les interrogeait au lycée ou au LEP, en entretien ou par questionnaire, la réponse fusait comme un cri du cœur : « Tout, sauf l'usine. »

Fouzia, citée plus haut, évoque ainsi la représentation qu'elle se faisait de Peugeot lorsqu'elle était élève en bac pro de comptabilité : « Moi, bien sûr, j'ai entendu parler de Peugeot (en détachant ce mot comme pour prendre de la distance avec lui), mon père a travaillé une bonne vingtaine d'années de sa vie dans Peugeot. Pour moi, Peugeot, ça représentait tout sauf ce qu'il y a de positif, quoi... Non mais c'est vrai, quand on est gosse et qu'on voit son père rentrer tous les jours, quoi... la mine... (*hésitant*) la mine effacée

---

1. Nous reprenons ici pour partie un article, « Jeunes ouvrier(e)s à l'usine. Notes de recherche sur la concurrence garçons/filles et sur la remise en cause de la masculinité ouvrière », paru dans un numéro spécial de la revue *Travail, genre et sociétés*, intitulé « Ouvriers, ouvrières », nº 8, 4e trimestre 2002.

quoi... éreinté. [...] Nous, les enfants, on a grandi quand même avec cette image... et on en arrive à avoir une image très négative de cette entreprise. Et, pour moi, ça été ç'a : jamais aller à Peugeot !... Et je me souviens qu'en seconde année de bac pro, nous devions faire un stage en entreprise, on m'avait collé à Peugeot, je devais y passer deux mois, ça m'avait cassé le moral... » D'où, pour ces filles, le choix privilégié des études générales pour échapper au destin ouvrier ou, à défaut, celui de l'enseignement professionnel tertiaire (secrétariat, comptabilité, commerce...). Ce qui explique, entre autres, qu'elles aient été si peu nombreuses à entrer dans les PME de la filière automobile.

Les campagnes de promotion menées par le rectorat pour convaincre les filles de rejoindre l'enseignement professionnel se sont toujours soldées par de cuisants échecs. Les jeunes filles de la région étaient parfaitement conscientes du risque majeur qu'elles couraient d'être exclues durablement du marché du travail si elles ne parvenaient pas à décrocher un diplôme, si bien qu'elle ont surtout attendu leur salut de l'école : soit par la poursuite de leurs études en enseignement général, soit, à défaut, sous la forme de l'allongement de leur scolarité dans l'enseignement professionnel tertiaire, via les divers bacs professionnels qui leur étaient proposés. Mais elles se sont fourvoyées dans cette voie, qui s'est révélée pour elles une impasse : au mieux, elles se sont procuré un emploi d'exécution dans la grande distribution, au pire, un travail non qualifié à Technoland.

La reprise a ensuite offert des possibilités d'embauche à un bon niveau de salaire dans un secteur jusqu'alors redouté. Mais si la montée en puissance du Technoland dans le paysage industriel local s'est accompagnée d'une relativement forte féminisation des effectifs ouvriers (inversement proportionnelle à la durée de vie et à la viabilité de ces usines-champignons), l'usine de Sochaux est longtemps restée un bastion masculin. L'arrivée massive des filles dans ces ateliers ou, pour le dire autrement, leur « irruption » sur les chaînes de montage, est l'une des grandes nouveautés provoquées par la reprise économique. L'usine de Sochaux, à majorité masculine (moins de 10 % de femmes dans les ateliers de production), a commencé, à partir du début de 2000, à recruter en masse des jeunes femmes – qui se portaient candidates à un emploi en usine, comme si leurs réticences avaient été soudainement levées.

À l'occasion de cette reprise, des « pionnières » ont tenté leur chance via l'intérim, puis les choses se sont normalisées. Les filles des cités qui, les premières, ont sauté le pas de l'usine avaient, au préalable, connu l'échec. Ensuite, le mouvement s'est amplifié, et il s'en est suivi une quasi-ruée sur Peugeot. Les expériences s'étaient entre-temps diffusées à travers les « groupes de copines », la dureté du travail étant le plus souvent minorée. Dans les conversations informelles que nous avons eues avec ces filles, souvent à l'occasion d'entretiens avec les parents habitant la ZUP de Montbéliard, nous avons été frappés par la récurrence de certaines expressions : « Finalement, c'est pas si dur », « Franchement, ça se passe bien », « Je pensais pas que ça allait être comme ça... », « Là, où je suis, ça va », etc., y compris de la part de jeunes filles qui avaient été animatrices culturelles ou éducatrices au sens large.

Ce qui a, sans nul doute, fait tomber les dernières réticences et préventions à l'égard du travail en usine, c'est la manifestation rapide des signes les plus évidents d'une relative prospérité matérielle : possibilité d'acheter une voiture, accès à un certain mode de consommation (vêtements, voyages, vacances...), plaisir de ne plus avoir à compter au franc près, mise au point de projets de mariage et/ou d'emménagement en appartement longtemps différés. L'argument financier a été décisif pour ces filles qui avaient travaillé pendant des années sur des petits contrats dans le secteur de l'animation (par exemple, les CES), dans le cadre desquels elles percevaient de très faibles salaires (2 400 F par mois) : elles ont, en quelque sorte, sauté sur l'occasion d'obtenir un vrai salaire – celles qui travaillaient de nuit pouvaient gagner près de 10 000 F par mois.

Le choix de l'usine se fera d'autant plus facilement qu'aura été éprouvée la fragilité des diplômes de type bac professionnel, du tertiaire. Ainsi, pour ces filles non diplômées ou titulaires de BEP ou d'un bac pro tertiaire, qui avaient longtemps représenté, pour la Mission locale de l'emploi, un public captif, l'usine a fini par apparaître comme une porte de sortie honorable permettant d'éviter de pointer à l'ANPE ou d'aller quémander un stage à la Mission.

Elles sont donc entrées en masse, notamment après la

mise en place des équipes de nuit à Peugeot-Sochaux (en novembre 2000-mars 2001). Et si le travail de nuit a pu être plébiscité par certaines jeunes mères de famille, attirées par la disponibilité qu'il permet pour l'éducation des enfants, il a également été adopté de manière préférentielle par beaucoup de filles des cités : « C'est plus cool la nuit », disent-elles volontiers. Et le choc de se retrouver brutalement ouvrières (« simple ouvrière », comme on dit aujourd'hui pour se présenter officiellement) alors qu'elles s'étaient longtemps imaginé devenir autre chose – vendeuse, secrétaire, infirmière, bref, dans un métier de relation aux autres – a été adouci par la possibilité qui leur était donnée de vivre cette expérience dans le cadre de l'intérim, façon de prolonger leur adolescence dans la vie active.

En fait, chacune de ces filles a un intérêt propre et spécifique à entrer à Sochaux : ce peut être d'en finir avec la surexploitation dont elles se sont senties victimes dans les usines des équipementiers automobiles, ou se constituer un « bas de laine » pour préparer leur installation en couple, ou se constituer un petit pécule avant de reprendre des études et de préparer un concours ; ce peut être, enfin, une manière d'entamer très jeune, dès la sortie de l'école, et sur le modèle des « anciens », une carrière d'ouvrière qui permet d'entrer de plain-pied dans la société. L'usine apparaît alors avant tout comme un débouché possible pour toutes ces filles longtemps vouées à l'humiliation du chômage et des stages.

2. Mobilité professionnelle dans l'intérim : « Peugeot ou le paradis... »

La nouvelle conjoncture de reprise autorise aussi la mise au point de stratégies de mobilité sur le marché externe du travail pour les ouvrières de la région. C'est notamment le cas des ouvrières du Technoland qui se sentaient clouées dans leur usine, sans avenir, tenaillées par la peur de « quitter » et d'être rattrapées par la grande précarité qu'elles avaient souvent connue lors de la première phase de leur vie active. La reprise économique change la donne pour elles : l'horizon s'éclaircit, de nouvelles perspectives se font jour dans le bassin d'emploi, la possibilité de quitter les

« boulots » les plus durs, qui relevait jusqu'alors de l'impensable, devient envisageable. À l'occasion de l'enquête, nous avons cherché à rencontrer ces ouvrières qui avaient cherché à profiter de la reprise pour se mettre à l'abri de la surexploitation de certains équipementiers, notamment en venant chercher un emploi à Sochaux.

Gérard M., un ouvrier de l'usine, âgé de 55 ans, que nous connaissons depuis longtemps, a joué comme souvent son rôle de précieux intermédiaire en nous mettant en relation avec Véronique, 28 ans, une ancienne ouvrière de Grapha, récemment employée comme intérimaire à Sochaux dans l'équipe de nuit où lui-même travaille. Véronique est en confiance avec nous puisque Gérard est là : sa présence va même donner à l'entretien une tonalité détendue et chaleureuse. On parlera principalement de Grapha et de Sochaux, de la différence entre ces deux univers de travail. Puis l'entretien glissera sur le thème du quartier, de la ZUP où elle habite depuis vingt-six ans. Mais rien de ce qui relève de sa vie privée ne sera abordé : on apprendra juste qu'elle vit avec son copain depuis déjà quelques années (le père de son fils semble avoir disparu, elle ne le mentionnera jamais lorsqu'elle évoquera les problèmes de garde de son fils).

L'entretien se déroule dans un café de la ZUP, proche de l'immeuble où elle habite. Gérard nous accompagne et fait les présentations, puis s'éclipse après les vingt premières minutes de conversation. Véronique a programmé l'entretien entre le moment où elle accompagne son fils à l'école de l'après-midi (13 h 30) et celui où elle passe le rechercher (16 h 30). C'est son « temps à elle », puisque la nuit elle travaille, et que le matin elle dort...

Âgée de 30 ans, un fils de 7 ans, séparée tôt de son mari, Véronique vit avec un « copain » depuis deux ou trois ans. Elle est ouvrière intérimaire, en équipe de nuit, à l'usine de Sochaux depuis novembre 2000, c'est-à-dire depuis cinq mois (au moment de l'entretien). Auparavant, elle avait travaillé plusieurs années comme vendeuse au Leclerc, puis deux ans et demi comme ouvrière à Grapha, un an comme intérimaire puis un an et demi « sous contrat », comme elle dit pour indiquer qu'elle était en CDD. Elle est restée longtemps dans ce statut parce qu'elle avait la promesse de se faire embaucher. Elle s'est donc « accrochée », a voulu à tout prix « tenir ». En vain. Usée nerveusement par le travail, et surtout par la mauvaise ambiance qui règne dans cette usine dont la réputation n'est plus à faire dans la région, elle a décidé de démissionner le 9 mai 2000 (elle répétera à plusieurs reprises cette date au cours lors de l'entretien, comme pour bien marquer l'événement). Bien sûr, elle a longuement hésité avant de prendre sa décision qui, d'une certaine manière, annihilait d'un coup les efforts et les sacrifices qu'elle avait consentis pour ne pas « craquer ».

Si elle a décidé de ne plus renouveler son contrat, c'est parce qu'elle ne supportait plus de se laisser « mener en bateau ». Mais ce qui lui a surtout donné la force de partir, de s'extraire de ce piège dans lequel elle se sentait enfermée – rester, c'était vivre dans l'illusion d'être un jour embauchée ; quitter, c'était voir partir en fumée tous ses sacrifices –, c'est le changement de conjoncture économique, le turnover qui s'est amplifié dans les usines du Technoland, ce « vent de folie » sur le marché du travail qui a vu bon nombre de ses copines, ou collègues de travail, tenter leur chance ailleurs – et même quitter un poste fixe pour prendre une mission en intérim. La « reprise » a ainsi soulevé la chape de plomb qui pesait sur l'emploi des femmes, a mis fin au climat de peur qui hantait les ateliers et a redonné de la force et de l'espoir à ces ouvrières.

Aujourd'hui, elle ne regrette pas son choix. Elle était « à bout » dans cette usine : plusieurs fois dans l'entretien, elle évoquera sa déprime, ses pleurs le matin avant d'aller à l'usine, la hantise de travailler là-bas en raison du climat qui régnait dans les ateliers, la peur de l'arbitraire au quotidien qui pouvait s'abattre sur n'importe laquelle d'entre elles (« Le matin, je me levais, je me disais : "Qu'est ce qui va encore m'arriver ?" »). Elle était usée nerveusement et reconnaît que les quatre mois de chômage après Grapha lui ont permis de « souffler » et de reprendre des forces. Puis elle a cherché plus activement du travail et a rapidement trouvé un contrat d'intérim de dix-huit mois à Sochaux, au moment de la création des premières équipes de nuit. Avec un fils à élever, il lui fallait travailler à n'importe quelles conditions[1].

---

1. Depuis qu'elle travaille « de nuit », elle a mis au point un système de garde de son enfant – qui lui permet finalement de le voir plus souvent que lorsqu'elle travaillait chez Grapha : avant de partir à l'usine, elle le dépose chez ses parents où, une semaine sur deux (lorsque son copain est du matin), il passe la nuit tandis que l'autre semaine son copain passe le prendre chez ses « beaux-parents ».

À l'inverse de son expérience à Grapha, Véronique décrit l'usine de Sochaux comme un « havre de paix », un « paradis », dit-elle, en précisant dans un sourire « pour l'instant » : là, les chefs saluent les ouvriers, les « anciens » comme Gérard savent mettre une « bonne ambiance », un chef qui est capable d'arrêter la production cinq minutes avant l'heure légale et de remercier son équipe parce qu'elle a « bien bossé ». La perception qu'elle a de son travail est fondamentalement liée à son expérience de fille d'OS : son père, à plus de 50 ans, est toujours « en chaîne », l'un de ces postes de travail qui devraient, selon elle, être réservés aux jeunes intérimaires afin que les vieux OS finissent leur carrière à des postes plus tranquilles.

En fait, quand Véronique parle de son travail d'ouvrière, à Grapha comme à Sochaux, elle se décrit comme quelqu'un qui se « donne à fond », s'identifiant ainsi à la figure sociale de l'ouvrier, dur au mal et qui ne s'économise pas au travail, dont elle fait le vif éloge[1]. De même, elle ne critique pas du tout le principe de la polyvalence dans le travail ouvrier d'aujourd'hui. Au contraire, la diversité des tâches, dit-elle, permet d'échapper à l'ennui et donne des armes pour s'assurer une reconnaissance sociale. Tout ce qu'elle demande, c'est qu'on lui permette de faire du bon travail. Or, c'est exactement ce qu'elle ne pouvait plus faire chez Grapha, tandis qu'à Sochaux « on sait travailler » : les chefs ne se contentent pas de commander, les OP et certains vieux OS transmettent leur savoir-faire, et elle a plaisir à apprendre.

Pour comprendre son rapport au travail, il faut se souvenir qu'elle est une exclue précoce du système scolaire (« J'ai un niveau CAP vente »), dit-elle. Elle affirme aujourd'hui qu'elle a toujours voulu travailler tôt pour être

---

1. Cette exemplarité au travail des filles les fait remarquer par la petite maîtrise qui, en période de turnover élevé des intérimaires sur les chaînes, peut avoir intérêt à leur faire tenir des postes « durs » qui sont délaissés ou abandonnés par d'autres intérimaires. Des délégués CGT observent qu'on trouve de plus en plus de femmes sur les postes de travail qui étaient autrefois réservés exclusivement aux hommes. Sur cette question du travail des ouvrières, on peut se reporter à l'ensemble des travaux de Danièle Kergoat, notamment à deux articles, « Ouvriers = ouvrières ? Proposition pour une articulation théorique de deux variables : sexe et classe sociale », *Critiques de l'économie politique*, n° 5, octobre-décembre 1978, pp. 65-97, et « Le syllogisme de la constitution du sujet sexué féminin. Le cas des ouvrières spécialisées », *Travailler*, n° 6, 2001, pp. 105-114.

autonome. Sa sœur cadette travaille à Géant Casino, et son frère cadet s'occupe de l'entretien des immeubles SAFC de la ZUP : aucun n'a donc fait des études longues. Son passé scolaire explique certainement la tonalité avec laquelle elle évoque son rapport au travail, comme on fait de nécessité vertu. Elle a échoué à l'école, n'a pas de diplôme, et assume le fait qu'elle en paiera toute sa vie les conséquences. Comme si tout ce qui lui arrivait depuis qu'elle travaille en usine n'était pas entièrement immérité. D'ailleurs elle ne se plaint pas, ne dénonce pas, elle semble surtout chercher, depuis qu'elle travaille, à mériter son salaire.

En revanche, elle estime avoir son mot à dire sur les relations au travail – et plus largement sur la morale au travail. La seule chose qui était « bien » chez Grapha, dit-elle, et c'est cela qui lui a permis de tenir, c'était une certaine camaraderie unissant un petit groupe de filles embarquées dans la même galère et faisant souvent front ensemble face aux chefs. Un an après elles continuent à se voir, à se faire de temps en temps des « bouffes » ensemble : ce sont les « anciennes de Grapha », titre dont elles s'enorgueillissent et qui force l'admiration de ceux qui connaissent les conditions qui y règnent. Car tenir plusieurs années chez Grapha, c'est un authentique exploit dont on peut supposer qu'il vous confère une certaine valeur sur le marché du travail local, notamment auprès des agences d'intérim (les secrétaires enregistrent tous les jours les mêmes demandes : « partout sauf chez Grapha »). À Grapha, finalement, elles ont peut-être accumulé cette ressource-là : une réputation de courage au travail, qui aura servi ensuite dans la recherche d'un emploi, une sorte d'aptitude aux tâches les plus dures – qui vaut a fortiori pour celles qui le sont moins.

3. Les « qualités sociales » des filles d'immigrés au travail

À l'usine, les filles des cités semblent avoir réussi à se faire rapidement une place, notamment les filles d'immigrés qui, dans l'ensemble, ne sont pas portées au conflit mais bien plutôt sociables, pacifiques, faisant souvent montre d'une vraie générosité. Car dans leurs familles, nombre d'entre elles ont été habituées à se dévouer aux autres, à commencer par leurs frères et sœurs, et elles transposent sans difficulté à l'usine ce souci de l'autre, appris dans la phase de la prime éducation – et souvent développé par la suite dans diverses structures associatives : titulaires du BAFA, beaucoup travaillent pendant les vacances scolaires aux « Francas » (centres de loisirs).

À l'usine, donc, elles ne ménagent pas leurs efforts pour faire au mieux leur travail, remplir les objectifs de groupe, en se comportant comme des équipières modèles, ne rechignant pas à la tâche et affichant un bon état d'esprit. Elles se sentent d'ailleurs respectées par leurs chefs, qui valorisent leurs qualités sociales.

Voici le cas d'Amina, 23 ans, rencontrée la première fois à la faculté d'histoire de Montbéliard, où elle s'était inscrite en première année de DEUG. Titulaire d'un bac pro « vente et représentation », elle n'est pas admise en BTS « force de vente » par alternance. Elle s'inscrit à l'ANPE en août (« Ça m'a rendu malade, j'en ai pas dormi de la nuit la veille et le soir même »), puis à la fac d'histoire pour, dit-elle ouvertement, « avoir un statut » : « Étudiante, dit-elle, c'est quand même mieux que chômeur ou au RMI. » Deux mois plus tard, nous la croisons par hasard sur le marché de Noël de Montbéliard où elle tient un stand de bijoux artisanaux, elle nous apprend qu'elle a arrêté la fac depuis un mois pour aller travailler à l'usine de Sochaux. Elle est vendeuse au marché pour garder le contact avec ses premières amours : la vente (« Ça me change les idées »). Ce qui l'a le plus choquée à l'usine, dit-elle, c'est le langage des ouvriers : « Ils parlent mal là-bas », et elle a peur de « se laisser aller » elle aussi à la facilité (« Faut que je fasse attention de ne pas parler comme eux »). Elle nous confie son désir de reprendre plus tard des études dans le travail social. Deux mois plus tard, nous effectuons un entretien avec elle au café[1].

Amina travaille « en peinture » dans un secteur peuplé à 30 % de jeunes intérimaires : trois filles, une majorité de garçons et, parmi eux, une majorité de niveau CAP et BEP.

---

1. Elle travaille l'après-midi et a un petit moment de liberté ce matin. Arrivée un peu en avance au rendez-vous, elle est en train d'examiner attentivement sa fiche de paie qu'elle vient d'aller chercher à l'agence d'intérim. Vêtue d'un pull à col roulé noir, portant autour du cou un petit coran en médaillon, des lunettes métalliques fines sur le nez, elle est très souriante.

Avec son bac pro, elle figure donc parmi les plus diplômés. Sa meilleure copine à l'usine est une jeune femme de 27 ans qui a passé un BEP de vente, fille d'ouvrier Peugeot comme elle... Au départ, Amina a été affectée en peinture sur un poste de lustrage (« retouche des retouches » comme elle dit), où elle a donné entière satisfaction. Elle appréhendait beaucoup son premier boulot à l'usine, mais elle s'est plue dans cet atelier, il y avait, dit-elle, une « bonne ambiance » entre jeunes. Pourtant, au bout de trois mois, elle a été mutée par son chef « au contrôle », sur un poste de travail plus difficile où il s'agissait de réparer les gros défauts : le rythme de travail y est plus élevé, les responsabilités plus grandes et surtout l'ambiance moins bonne, notamment du fait de deux vieilles ouvrières (qui ont dépassé la cinquantaine), les « dames » comme elle les appelle, sur un ton qui s'efforce d'être respectueux. Dans la suite de l'entretien, emportée par la dynamique de l'échange, elle finira par les appeler les « deux mégères » (comme elle doit le faire avec ses copines de l'usine). Elle les redoute, les trouve acariâtres et vindicatives, et tout donne à penser que ces deux ouvrières, de leur côté, ne lui font aucun cadeau, lui mènent la vie dure, la marquant « à la culotte », rejetant sur elle les dysfonctionnements de leur secteur de travail.

– Au début, je retouchais après les retouches. Alors je repassais un coup de lustreuse, mais maintenant, ils m'ont changé, je fais les gros défauts. Au début ils m'ont dit que c'était seulement temporaire, et hier il [le chef] m'a annoncé la bonne nouvelle, que j'allais rester ici (*avec un petit rire*) le temps de ma mission.

– *C'est une bonne nouvelle ou une mauvaise nouvelle ?*

– Non, une mauvaise nouvelle parce que là-bas, je suis pas bien du tout... C'est dur et c'est très stressant... J'arrive chez moi le soir je suis... je suis très tendue (*silence*). Et j'ai pas le choix... (*en riant*). Ce qui est dur, c'est le rythme de la chaîne, et puis c'est que les voitures elles ont quand même pas mal de défauts à retoucher. Des gros grains ou des gros... des espèces de « coulasses » qu'ils appellent ça... (*silence*). C'est pas évident puis quand la voiture avance au fur et à mesure, j'arrivais pas au début... Parce que chacun des défauts est différent... Il faut repérer, et puis refaire le défaut, quoi (*silence*). On a chacun... quand on est en bas, on a le bas de la voiture, quand on est au-dessus on a la moitié de la voiture, la moitié du pavillon, la moitié du capot.

— *Et pourquoi ils t'ont changée de poste alors que, là, tu y étais bien ?*

— Oui, j'étais bien, là... Je devais être formée là, mais en fin de compte, comme il y a une personne qui a démissionné, ils m'ont ramenée là-bas et ils m'ont dit que j'allais revenir à mon premier poste mais, hier, mon chef m'a dit que je ne revenais plus là-bas.

— *Tu fais le boulot trop bien...*

— (*En riant.*) C'est ce qu'on m'a dit !... On m'a dit : « Faut pas que tu bosses bien » ! C'est mon chef, il m'a dit : « Vous bossez trop bien, il faut pas... » (*Puis, d'un ton plus sérieux :*) Non, parce qu'il voit bien aussi que je m'adapte vite... Et je m'entends bien avec tout le monde... Moi, je discute avec tout le monde, j'ai pas de... (*elle hésite*) je juge personne... Je discute avec tout le monde... je rigole avec tout le monde... et puis c'est ça, quoi.

— *T'es un très bon élément...*

— (*En riant.*) Je sais pas si je suis un bon élément mais... ils veulent me garder, alors je vais pas les contredire.

— *Mais le poste est pénible.*

— Assez... (*silence*). C'est... c'est même pas le fait de retoucher, c'est le stress... C'est que si on laisse passer un défaut, ils nous font descendre en bas puis ils nous disent : « Eh ben regarde, t'as oublié ça. » Et ça, ça me stresse... [Elle explique ce qu'est le travail des retouches, le fait qu'elle signe une feuille, que des contrôleurs passent après elle et vérifient si elle a bien fait le travail.] Et puis le temps de ma retouche, ça dépend de la grosseur du grain aussi. J'ai des gros grains... (*elle hésite*)... par voiture, il faut pas qu'on reste plus de deux minutes trente par voiture. Alors, quand il y a des gros, on est obligés d'arrêter la chaîne, moi j'arrête... Mais j'aime pas l'arrêter, mais je l'arrête quand même... Car il y a des voitures où il peut rien y avoir, et il y a des voitures où il peut y avoir plein de défauts... Et là, j'arrête la chaîne... Là, ils voient bien, puis après il y a l'animateur qui vient voir, puis il voit bien que je peux pas faire autrement...

— *J'imagine qu'interrompre la chaîne c'est quand même coûteux, tu as le droit ?*

— Oui, j'ai le droit, mais pas trop quand même... Des fois, il vient, le chef, pour nous remonter les bretelles et nous dire d'arrêter... d'éviter d'arrêter la chaîne.

– *En vous disant de laisser filer ?*

– Non, pas de laisser filer mais (*hésitante*)... moi j'appelle de l'aide. Quand il dit ça, moi j'appelle l'animateur, je vais lui dire de venir m'aider parce que je peux pas... Je peux pas suivre [on parle de son animateur]. Pour nous c'est un monsieur, mais pour d'autres chaînes c'est une dame... Mais ça va, il est sympa. Lui il stresse pas, notre animateur à nous il est pas du tout stressant... il stresse personne. Il a vu hier que j'étais stressée, il a fait ma voiture, parce que j'en pouvais plus... Ah lui, il est toujours à l'écoute des autres, ça, le nôtre ! Les autres, je sais pas.

– *Et alors, dans ton secteur, il y en a beaucoup de jeunes ?*

– Ouais, il y a quand même pas mal de jeunes... il y en a pas mal qui s'en vont aussi... Il y en a un qui est... celui que je remplace, il est parti parce qu'il a dit : « J'en peux plus, je suis trop stressé. » (*En souriant.*) Il faut faire la part des choses je crois... Il faut laisser le stress au boulot et puis... (*petit silence*)... mais c'est pas évident [...].

– *Dans ton secteur, il y a des gens qui sont des anciens ? Comment ça se passe avec eux ?*

– Oui, ça dépend... Mon formateur, je m'entends très bien avec lui. C'est lui qui m'a appris le poste. Il y a aussi les... (*un ton plus bas*) je m'entends moins bien avec les dames quand même... parce qu'elles sont un peu plus méchantes avec nous (*en riant*)... C'est vrai qu'elles sont plus dures avec nous... Il suffit qu'on oublie... il y en a une, c'est... (*elle hésite*). C'est en partie à cause d'elle que je suis vraiment stressée parce que, il suffit que j'oublie un petit défaut pour qu'elle me prenne par la manche... des choses comme ça... qu'elle me pousse... « Tu as oublié ça... » Moi, je ne dis rien... Je le garde à l'intérieur et ça me stresse encore plus, quoi. (*Souriant.*) Elle a quoi, 53 ans, peut-être... C'est pour ça que mon formateur, la personne qui m'a appris le poste, ne veut pas me laisser à côté... Il va me changer de poste pour que je sois au-dessus à côté des jeunes... Pour pas rester à côté d'elle... Mais je m'entends très bien avec les messieurs mais les dames elles sont un peu plus... Elles sont moins tolérantes avec nous, quoi... Mais, entre jeunes, il n'y a pas de problème.

– *Quand tu es arrivée à ton nouveau poste, tu es allée te présenter à cette ancienne de 53 ans ?*

– Oui, moi je me suis présentée à tout le monde, moi je suis (*en souriant*), je suis pas comme... Et puis même l'animateur il m'a présentée. Et au début, j'ai commencé à discuter avec eux, mais je sentais qu'il y avait un malaise. Je sais pas, après j'ai pas continué à parler... Et puis je voyais que les jeunes intérimaires aussi s'entendaient pas avec elle, non plus. (*Avec un petit rire.*) Ils ne l'approchaient pas ! [...]

— *Vous discutez dans les aires de repos entre vous ?*

— Oui, oui... Oui on discute... entre nous, quoi, quand par exemple il n'y a pas de pièce ou quelque chose, on est toujours en train de discuter. Comme ça on discute un peu de notre... ce qu'on a fait, nos études, et tout... Ils sont tous un peu stressés... Plus ou moins avec le temps on m'a dit qu'on était moins stressé... avec le temps... Une fille qui vient de se faire embaucher m'a dit : « Avec le temps, je suis moins stressée », mais elle m'a dit : « Je vais quand même demander à changer de poste... » Puisque maintenant elle peut se le permettre comme elle est embauchée, alors elle a le choix.

Le garçon qu'Amina a remplacé au contrôle a, lui, pris son ancien poste ; il s'agit donc d'une permutation pure et simple. Or, Amina est entièrement perdante dans cette opération puisqu'elle perd un bon poste (« c'était mon poste ») et en récupère un « mauvais », sans avoir véritablement protesté. Si elle avait eu plus d'ancienneté et d'assurance, il est probable qu'elle se serait défendue. Mais c'est au fond sa vulnérabilité sociale, cet ethos de « sœur » maghrébine si l'on veut, que la direction d'entreprise sait si bien mettre à profit. On peut aussi supposer que les comparaisons vont bon train entre chefs, et que des filles comme Amina doivent être très bien classées parmi les jeunes intérimaires. Elles ont de « bonnes manières » et peuvent jouer un rôle de modératrices dans les conflits qui mettent aux prises les jeunes garçons des cités, les autres jeunes... et les moins jeunes.

L'entretien avec Amina débouche ainsi sur une réflexion autour des effets de la socialisation sexuelle dans le comportement au travail. En cas de stress ou de conflit potentiel, elle a appris à se contenir et à refouler ses pulsions agressives (« Moi, quand je suis stressée, je rigole, ça vaut mieux que de crier »), quitte ensuite à mal dormir la nuit qui suit et à remuer dans sa tête les conflits qu'elle a vécus à l'usine. Cette attitude contraste fortement avec celle des garçons des cités, écorchés vifs, qui s'installent très vite dans le registre de l'agressivité et se situent davantage dans une logique de confrontation verbale ou physique.

– *Maintenant, presque tous les jeunes peuvent entrer à l'usine, et donc aussi, comme on dit, les « jeunes de quartier », est-ce que tu en vois de temps en temps qui ont des attitudes que tu trouves répréhensibles ?*

– Ben si... Le jeune, là, qui est parti, celui que je vais remplacer... Lui par contre c'est un Français... mais qui a grandi à Gercourt... Et lui, il aimait bien chahuter, il aimait bien... Mais c'est tout... Mais il est pas méchant... Lui, il a laissé tomber le boulot... Il a dit comme ça : « C'est pas mon métier... » Il doit être maçon, je crois... (*silence*).

– *Les filles s'accrochent plus que les garçons ?*

– (*En riant.*) Au boulot ?... Ah, je croyais qu'on s'accrochait [au sens de conflit]... non, non, ça, jamais... Jamais !... Alors, au boulot, oui, les filles elles sont vachement (*elle se reprend, laisse tomber ce mot à ses yeux vulgaire*)... Elles sont plus travailleuses que les garçons. (*Rire.*) C'est pas parce que je suis une fille que je dis ça, mais c'est la vérité...

– *On dit aussi que les filles restent plus que les garçons...*

– Ben apparemment, oui... Parce que, nous, on fait peut-être mieux notre boulot, je sais pas... On a plus envie de refaire les défauts et tout... que les garçons, eux, ils laissent passer...

– *Mais quand tu travailles avec un garçon et qu'il oublie un défaut, tu le lui dis ?*

– Je le fais... (*petit rire*). Je le fais... Non, je lui dis pas (*rire*)... Il me dit : « C'est un tout petit grain. » Je m'en fiche, moi je lui fais son défaut... Ouais, moi je suis comme ça, quoi, je me dis...

– *Est-ce que justement, puisqu'on n'a pas parlé de ça, il y a la vie à l'usine et puis il y a la vie dans la famille... Est-ce que parfois c'est pas aussi des choses que tu as pu faire dans ta famille, c'est-à-dire à la fois faire des choses que tes frères ne faisaient pas...*

– Si... (*rire*) ah, si c'est vrai, ça !... Des choses que mes petits frères ne voulaient pas faire, c'est moi qui les fais. (*En riant.*) C'est peut-être parce que c'est mes petits frères et les mecs de l'usine, je sais pas (*rire*).

– *C'est presque devenu naturel... En fait tu refais...*

– Peut-être... Parce que, moi, j'ai toujours été comme ça... j'ai toujours été protectrice... Je lui dis : « On le fait pour pas qu'ils te rappellent en bas, c'est tout. » [...] Chez moi, je suis la cinquième d'une famille de huit enfants. En dessous de moi, j'ai une petite sœur de 17 ans et deux petits frères de 10 et 12 ans... de 11 et 13 ans, pardon.

– *Donc, tu t'en es pas mal occupée ?*

– Oui... Oh, je m'en occupe toujours.

Amina dit bonjour aux délégués, parle à tout le monde, lit les tracts, s'informe de ce qui se passe dans les ateliers, mais juge sans concession les prises de position des syndicats. Le grand reproche qu'elle leur fait, c'est qu'ils « disent toujours la même chose ». « Tous les syndicats, ils disent toujours la même chose et puis... moi je vois pas de progrès, quoi. Et... ce qui m'a au début choquée, c'est que chaque syndicat citait le nom du syndicat concurrent, en disant qu'il foutait rien (*en riant*)... » On retrouve là son aspiration à un ordre social harmonieux, pacifié, non conflictuel.

Il y a chez Amina une forme de bonne humeur qui est peut-être liée au fait qu'elle se sait « de passage » à l'usine et peut dire, presque à tout moment, qu'elle va bientôt la quitter pour se marier, élever ses enfants ou reprendre des études, etc. De ce fait, elle a une certaine distance à l'égard de son travail, et cela la prédispose à prendre les choses du bon côté. Si l'on prend l'exemple des fiches de paie, la différence avec la plupart des garçons de Gercourt, intérimaires à Sochaux, est flagrante. Alors que ces derniers accusent systématiquement les agences d'intérim d'être des « voleurs », des « tricheurs », des « manipulateurs, Amina relativise et n'interprète pas les erreurs qu'elle relève comme intentionnelles (« Il faut toujours vérifier sa fiche de paye... parce qu'ils oublient toujours quelque chose... »). Et puis elle est convaincue que le chef d'équipe aidera à corriger les erreurs : à l'usine, elle en est convaincue, tout peut s'arranger, à condition que chacun y mette du sien et fasse de son mieux. On est bien loin de la logique de rébellion verbale et de recherche de l'affrontement si caractéristique des garçons des cités.

La manière dont Amina parle des ouvriers est aussi très significative de ce retrait : tout se passe comme s'il ne s'agissait pas de personnes au statut comparable au sien mais de gens entièrement étrangers à son monde. D'ailleurs, elle n'a pas l'intention de finir à l'usine (ne serait-ce que parce que son père l'en a convaincue). Et puis elle lit, emprunte des livres à la médiathèque, s'intéresse à l'actualité, à la vie politique, etc., différence notable avec les « garçons des cités ».

— Et là, depuis que tu as tes horaires de tournée, une fois que tu as fini ton travail et que tu t'es reposée, qu'est-ce que tu fais ?

— Non, j'essaye de bouquiner... J'ai pas envie de [perdre mon temps]... je sais pas comment expliquer... c'est ce que je disais à ma mère, j'ai pas envie de devenir quelqu'un qui n'est qu'à l'usine et qui sait rien d'autre... Moi, j'aime bien lire, j'aime bien m'informer... J'ai lu un bouquin qui est « L'héritage maghrébin ». Je sais pas si vous en avez déjà entendu parler... Il parle de nos pères [On lui souffle le titre exact, *Mémoires d'immigrés* de Yamina Benguigui.] (*En riant.*) Oui. Parce que moi, je... il y a deux titres dessus... Et ça ça m'a... j'ai vraiment aimé ce bouquin... J'ai lu plein de bouquins, toujours sur la situation des femmes, en Arabie Saoudite par exemple. Je sais pas, je me sens bien impliquée là-dedans. Et c'est vrai que j'essaie de lire toujours des romans, des biographies... [...]

— Si tu cherches des bouquins, tu viens les chercher à la bibliothèque ?

— Ouais. Oui. Autrement, c'est toujours du bouche-à-oreille avec une copine, on se passe des bouquins. Pareil avec la copine qui bosse avec moi [elle a refusé de faire un entretien avec nous].

— Celle qui disait : « Moi, j'ai rien à dire »...

— Voilà... Quand je lui ai demandé de vous rencontrer, elle m'a dit : « Pour dire quoi ? Qu'on devient... qu'en fait, on suit le même chemin que nos pères... qu'on se retrouve à l'usine... que c'est une boucle, quoi, qu'on recommence... »

— C'est pas fatal. Ça peut arriver, mais...

— Ouais, c'est pas fatal... Oh ! Il faut prendre les bons côtés...

— Toi, à mon avis, il y a de grandes chances que tu ne restes pas là. Mais quelqu'un comme toi, tu as des ressources pour...

— J'espère... J'espère parce que...

— Tu peux dire aussi que... là par exemple, c'est vrai que tu viens perdre ton temps entre guillemets avec nous à discuter...

— Non, non, je perds pas du tout mon temps, quoi.

– Mais je pense que c'est important aussi tout ce que tu fais,
t'entretenir comme tu dis là, ce que tu fais à l'extérieur de l'usine,
garder comme ça ce lien...

– ... Parce que même quand on est à l'intérieur de l'usine,
on parle d'une autre manière... Et moi j'ai peur que, dans
ma vie personnelle, je commence à parler comme je parle à
l'usine... C'est vrai qu'on parle... On n'est pas toujours
polis, faut dire les choses... On parle bizarrement... On dit
toujours « vachement »... *(en souriant)*. Et ça, je n'ai pas envie
de parler comme ça... Je n'ai pas envie de parler comme ça
à l'extérieur... Mais c'est difficile !... Quand j'ai travaillé au
marché de Noël [comme vendeuse] je l'ai ressenti, ça... Des
fois, il m'arrivait de dire des trucs *(petit rire)* que, en temps
normal, je n'aurais pas dits. Et même j'arrive plus... c'est
vrai que des fois, difficilement, je parle difficilement, quoi.
J'arrive plus à conjuguer mes verbes *(rire)*... C'est vrai !..
C'est choquant mais c'est vrai. *(Silence.)* Parce que l'usine,
c'est une autre vie.

On voit là que ces filles d'immigrés, qui auraient voulu
« faire autre chose », surtout travailler « dans le social » (aussi
bien Amina que Fouzia), ne sont pas ouvriérisées et ne
cherchent pas à l'être (à la différence des garçons de LEP
et des cités). Elles restent donc dans une posture d'exté-
riorité par rapport à l'usine, ce qui leur permet de regarder
d'une manière distanciée le fonctionnement de l'atelier, de
leur secteur de travail, les attitudes des uns et des autres,
un peu à la façon des sociologues amateurs. Par exemple,
Fouzia, après avoir longuement décrit les « jalousies[1] » entre
ces femmes qui cherchent à être embauchées (« Moi je n'en
veux pas de l'embauche, dit-elle alors), commente de la
manière suivante :

C'est très intéressant la vie d'usine ! Ce que je peux dire,
c'est que je suis contente quand même... de me retrouver
dans ce milieu, c'est la première fois, je vous dis, et moi
j'aime bien un peu observer les gens, j'aime bien apprendre
à les connaître... En ça, pour moi, c'est très intéressant
d'être dans cette usine. *(Silence)*... Voilà ! [*On lance : « Un*
peu comme un sociologue qui cherche à comprendre la diversité
des situations. »] Voilà, tout à fait... D'ailleurs j'y ai pas tout

1. Danièle Kergoat insiste sur la récurrence de ce thème dans les
entretiens qu'elle a réalisés avec des ouvrières spécialisées : « le problème
des "jalousies" revient comme un leitmotiv dans la quasi-totalité des
entretiens » (*op. cit.*, p. 108).

à fait ma place, parce que moi j'aimerais plus travailler dans le social. C'est pour ça qu'il y a plein de choses qui se passent à l'usine où je ne peux pas être indifférente... Voilà... Là, je suis, malheureusement je n'ai pas créé cette situation, malheureusement et je déteste ça, être jalousée !... Je ne supporte pas... Pour moi, je ne vaux pas mieux que les filles qui sont là, quoi ! On est là, on est toutes intérimaires, on est sur le même pied d'égalité...

4. La mise en question de la masculinité ouvrière

Revenons maintenant sur le sens des propos de Driss. Lors du premier entretien, nous n'avions pas évoqué avec lui la question des « filles » au travail parce que la fonderie, où il a le plus travaillé, est un bastion masculin. Lors du deuxième entretien, la question surgit assez vite, et nous l'entendons exprimer une animosité non dissimulée contre les filles (les « meufs » comme il les appelle, au moment où, parlant depuis plus d'une heure, il ne surveille plus son vocabulaire). Il ne dit pas tout de suite sa sourde hostilité contre elles, il sait bien que face à deux profs (deux « intellos », deux « Français »), il est préférable de ne pas afficher des opinions trop machistes.

En fait, ce qu'il cherche à nous dire, à sa manière brutale et allusive (il ne développe pas ses idées, fait des réponses brèves qui ne souffrent pas de contestation), c'est que les « filles » dans son usine de Cuir-Auto « cassent l'ambiance » masculine dans laquelle il se sentait si bien en fonderie. Son hostilité semble aussi tenir à ce que les ouvrières lui apparaissent « protégées », « chouchoutées », choyées presque par les directions, les chefs, les moniteurs, bref, par tout le monde. À l'entendre, à l'usine, les qualités des filles font l'unanimité alors que les garçons des cités font l'unanimité contre eux et que, quoiqu'ils fassent, ils courent en permanence le risque d'être assimilés à la « racaille ». Même si dans le lot des « jeunes Maghrébins » il y en a quelques-uns de « bien », ils ne pourront jamais faire oublier ceux dont on dit qu'ils ne sont pas « gérables », qu'ils « font les cons », qu'ils sont « irrécupérables ». Cette différence de perception et de traitement entre garçons et filles ne peut que nourrir la rancœur des garçons, d'autant plus qu'elle ne fait que prolonger celle qui existait déjà à l'école, dans le quartier, dans l'espace public, mais aussi de plus en plus, semble-t-il, à l'intérieur même des familles immigrées, où le « cas » des garçons, des cadets notamment, devient un problème majeur.

Dans cette usine d'équipementier automobile, garçons et filles ne font pas le même travail. Les premiers, les « garnisseurs », utilisent des visseuses et tendent les toiles pour garnir les sièges tandis que les secondes sont « en préparation » (approvisionnement des pièces nécessaires pour le montage des sièges). C'est ainsi que, comme le dit bien Driss, les garnisseurs dépendent de l'« appro », c'est-à-dire des filles, pour tenir les cadences. Celles-ci se tiennent en amont du processus de production et ne sont pas soumises aux mêmes cadences. Elles ont aussi plus de latitude, de marge de manœuvre, elles peuvent plus facilement circuler dans l'atelier, discuter (« bavarder », dit Driss avec une nuance de mépris dans la voix) avec les uns et les autres, notamment les moniteurs et les chefs, tandis que les garnisseurs (tous des garçons) sont, eux, rivés à leur poste de travail, soucieux avant tout de tenir la cadence (50 sièges dans la journée). Ces garçons acquièrent très vite le sentiment que, si on les a mis au travail, c'est uniquement pour leur faire effectuer des travaux très durs, et que très vite on les rejettera. Et de fait, leur travail, pénible et astreignant, contraste avec celui des filles, qui, en préparation, est comme beaucoup plus tranquille.

Ce qu'on entrevoit à travers les extraits d'entretiens cités plus haut, c'est aussi la question de la virilité des garçons issus des classes populaires, dont on sait qu'elle est une des rares ressources possédées en propre par les non ou peu diplômés[1]. Les filles, à l'usine, ont montré leur aptitude à tenir les postes de travail, une plus grande capacité à se faire accepter, ne serait-ce qu'en étant objet de drague, une plus grande facilité à se faire admettre dans des univers socialement mixtes, à « s'incruster[2] », à se voir reconnaître des qualités par les chefs (et les « Français »), à imposer par là même une autre manière d'être ouvrier, plus policée, plus

_____

1. Voir sur ce point l'ensemble des travaux de Gérard Mauger, déjà cités.
2. Comme nous le disait un lycéen d'origine algérienne pour évoquer son souhait de pénétrer le milieu des lycéens français et de sortir de son groupe d'amis de Gercourt.

docile, plus respectueuse des chefs (à la différence peut-être des ouvrières françaises, plus politisées, des années 1970). Elles l'emportent sur les garçons dans presque tous les domaines et sur presque tous les fronts : elles apparaissent comme plus « sérieuses », plus présentes au travail, plus prévisibles, plus accommodantes, plus enclines à la rigolade, plus sensibles à l'humour en vigueur dans les ateliers. Il y a chez beaucoup de garçons une certaine gêne lorsque sont tenus dans les ateliers des propos grivois (les « histoires de cul », comme on dit), si typiques de la sociabilité dans ces univers de travail[1].

On pourrait dire qu'un des principaux obstacles que rencontrent, au travail, les garçons des cités a justement trait à la difficulté que la plupart éprouvent à s'adapter à la sociabilité de l'atelier d'aujourd'hui. Beaucoup ont du mal à accomplir les gestes qui peuvent paraître comme les plus simples aux anciens qui, eux, sont pris de longue date dans la culture d'atelier, comme dire bonjour à chaque nouvelle prise de poste, échanger quelques mots avec les uns et les autres, se couler dans le moule de la vie sociale de l'atelier. La plupart de ceux qui débarquent à l'usine, venus de la cité, apparaissent bloqués, prisonniers de leur uniforme et de leur langage « de banlieue », ayant énormément de mal à sortir, même pour un temps, de la culture de rue qui les a façonnés depuis tant d'années. Si bien que, derrière les attitudes de bravade ou de provocation qu'ils peuvent à l'occasion adopter vis-à-vis des « autres » (les « Français », les femmes, mais aussi les vieux, français comme étrangers), on peut lire une extrême difficulté à entrer en relation avec tous ceux qui n'appartiennent pas à leur univers de référence, une propension à les percevoir en bloc comme des gens a priori hostiles. Nombre d'entre eux, par exemple, déclareront « racistes » certaines remarques visant leur comportement qui n'étaient pas inspirées par une intention hostile : par exemple, lorsqu'ils ne disent pas bonjour, crachent par terre, n'enlèvent pas leur casquette, mettent à fond la musique dans leur voiture... En fait, ils apparaissent comme « perdus » dès lors qu'ils sont privés de la protection de leur « groupe » : aussi bien celui des « copains de cité »

---

1. Ceux qui sont les plus coincés ou rigoristes dès que l'on aborde ces questions peuvent aussi en rajouter en public dans le respect des normes de l'islam.

que celui qu'ils ont voulu vite reconstituer sur place en jouant des affinités électives liées aux lieux de résidence (les quartiers HLM de la région) et/ou à l'origine (enfants d'immigrés maghrébins ou turcs). Oubliant les rivalités de quartier, ils ont cherché à faire front face aux « Français » (et à ceux qui leur sont assimilés, comme les travailleurs immigrés européens), qu'ils regardent, à tort, comme uniformément hostiles à leur égard.

L'atelier est un lieu de forte interconnaissance. Les garçons des cités entrent (et sont) en contact direct sur les mêmes postes. Ils sont placés sous le regard de tous. Ils doivent « assurer », sauver la face les premiers jours, et y parviendront, pensent-ils, d'autant mieux qu'ils se présenteront en groupe, soudés, unis. D'où le souci, chez nombre d'entre eux (les plus fragiles socialement), d'afficher des signes d'appartenance au quartier et/ou à leur origine (le fameux uniforme du jeune de quartier, la casquette et le survêtement Lacoste ou Tacchini), des manières de parler banlieue ou « caillera », cette *hexis* corporelle, un air de rebelle pour les plus « accros » au rap dur, etc. D'où aussi, inévitablement, des accrochages, des microconflits avec les vieux ouvriers, prévenus contre eux, qui se sentent agressés dans leur manière d'être, qui n'acceptent pas que les jeunes fassent la loi. Les moins réfractaires parmi les anciens peuvent entrer gentiment dans le jeu de la provocation verbale, en promettant, par exemple, de porter leur béret tant que leur « doubleur » sur la chaîne continuera de venir avec sa casquette. Mais surtout, les jeunes éprouvent d'énormes difficultés à trouver des sujets de conversation avec les vieux, qui ont souvent vingt ou trente ans de plus qu'eux et ont traversé une tout autre histoire[1]...

Finalement, on peut donc se demander si, dans certains ateliers, les garçons des cités ne paient pas au prix fort, au moment de leur mise au travail, les différences de comportement liés à ce qu'on pourrait appeler des habitus sexués. Au travail, tout se passe comme si la prime allait dorénavant au féminin. La virilité, elle, a pour une part perdu sa valeur sur le marché interne du travail ouvrier où l'on vante d'autres valeurs (le « dynamisme », le savoir-être, le sens de

---

1. *Cf.* Stéphane Beaud, Michel Pialoux, « Changements dans les rapports entre générations ouvrières. Les années 1990 à Sochaux-Montbéliard, *Retraite et Société*, n° 35, 2002.

l'initiative, le goût des responsabilités, un certain sens du dialogue, etc.).

Prenons le cas de ce garçon de 20 ans, d'origine marocaine, qui travaille dans un secteur de vieux ouvriers (dont un petit nombre d'anciens militants) et qui, ayant été assez bien accepté par eux, raconte à ses camarades de travail, au retour d'un voyage en Turquie pour les vacances d'été, que deux de ses copains de quartier et lui-même s'y sont bien amusés, qu'ils ont « loué des filles » (c'est son expression). Mis en confiance dans cet univers d'hommes, enhardi par les bonnes relations qu'il a nouées avec les « vieux », il a cru pouvoir faire le fiérot, et, par cette histoire, mettre de son côté les « anciens ». En fait, une partie de ceux-ci réagissent violemment à ce qui leur paraît relever d'un machisme d'un autre âge. On comprend, à travers ce type d'anecdote, que les garçons d'origine immigrée qui n'ont pas pu s'émanciper culturellement par l'école[1] paient à leur manière un conformisme souvent exacerbé vis-à-vis des traditions : surveillance obsessionnelle des sœurs, peur des femmes, difficulté à les approcher, à les apprivoiser. C'est ainsi que dans la configuration actuelle des rapports au travail, le « machisme » des garçons des cités ne peut que jouer contre eux[2].

Pour étendre l'analyse, on pourrait reprendre l'idée exprimée par François de Singly selon laquelle « la lutte des sexes est comme une forme dérivée des luttes de classes. Les hommes des classes supérieures et moyennes ont sacrifié le pion physique pour préserver l'essentiel du pouvoir de leur domination[3] ». Processus social de grande portée, dont on peut penser qu'il s'est développé principalement au détriment des hommes des classes populaires qui, dans leur vie sociale, peuvent moins que ceux issus des classes supérieures jouer sur différents registres. Dans ce nouveau

---

1. Ils ont été assez tôt relégués dans les filières basses du système scolaire pour finir leur scolarité dans les lycées professionnels devenus ces dernières années des LEP d'immigrés...

2. C'est ce que montre aussi Philippe Bourgois dans son étude ethnographique fouillée des jeunes Portoricains de New York. *Cf.* Philippe Bourgois, *En quête de respect. Le crack à New York*, Paris, Seuil, 2000.

3. François de Singly, « Les habits neufs de la domination masculine », *Esprit*, 1993.

régime de l'économie des rapports hommes/femmes, ils se retrouvent disqualifiés socialement et privés en partie d'une de leurs ressources les plus sûres : la virilité. Du point de vue symbolique, il s'agit d'une bien cruelle défaite.

On peut, semble-t-il, transposer cette analyse au cas des enfants d'immigrés des cités. Là, comme l'actualité ne cesse de le montrer, l'écart entre les garçons et les filles ne cesse de se creuser. Les filles mettent souvent en avant leur féminité, comme un atout supplémentaire pour mieux se placer sur le marché matrimonial ou dans la course à la séduction, comme un moyen aussi de désamorcer les préjugés racistes (qui sont éminemment sexués). Les garçons des cités, eux, stigmatisés et disqualifiés socialement, tendent à communier dans le culte de la virilité, imprégnés qu'ils sont de la logique de bande à laquelle il leur est très difficile d'échapper. C'est pourquoi ils réagissent vivement contre ce modèle de neutralisation des rapports de sexe. On peut d'ailleurs penser que, pour ces garçons, les souffrances sociales les plus intimes se logent là, dans leurs difficultés relationnelles avec l'autre sexe, et que cela peut expliquer la fréquence, plus grande aujourd'hui dans les cités, du « choix » par les garçons d'un certain type de mariage arrangé ou, pour ceux qui ont une relation plus ou moins stable de couple, de brusques revirements (la « copine française » avec laquelle on était est « plaquée » et l'on s'en retourne à l'ordre traditionnel, vers une femme « musulmane » avec laquelle on se marie). Dans ce dernier cas, que l'on a observé plus d'une fois sur le terrain, il ne s'agit pas seulement pour ces garçons de se ranger, mais aussi de se préserver du choc culturel et du coût moral et psychologique de la renégociation des rôles sexuels dans le cadre du mariage mixte. Il faut beaucoup de ressources culturelles pour pouvoir tenir dans une telle situation. Pour autant, aux yeux des filles issues de l'immigration, ces garçons ne sont pas, comme elles disent, « intéressants » : elles les connaissent trop depuis l'enfance, certains leur ont fait honte « en classe », d'autres les ont implacablement surveillées dans la cité, et elles ont envie d'autre chose.

CHAPITRE VII

Redistribution de la main-d'œuvre, transmission entre générations et nouvelle configuration syndicale

Avec la reprise, les entreprises du bassin d'emploi se livrent à une vive concurrence pour s'attacher la main-d'œuvre locale. Sochaux et les usines du Technoland augmentent leurs taux de salaire horaire pour accroître leur pouvoir de séduction auprès des jeunes. Les vieux ouvriers de Sochaux essaient d'y faire entrer leurs enfants : le salaire est finalement plus élevé qu'ailleurs (treizième mois, primes diverses, avantages liés au comité d'entreprise, etc.), le climat y est devenu sensiblement meilleur[1] bien que la pression se fasse toujours durement sentir sur les anciens. Les « avantages sociaux » sont mieux perçus, et le syndicalisme de contestation, presque absent chez les équipementiers, maintient ici ses positions.

L'usine de Sochaux redore ainsi son blason : on parle à nouveau des qualités d'une marque dont les modèles sont beaux, se vendent bien. Sans compter que, dans cette

---

1. Pour comprendre ce nouvel attrait de l'usine de Sochaux, on doit évoquer le changement de climat politique dans l'usine, lié à l'arrivée du nouveau P-DG (J.-M. Folz) et à sa volonté de se démarquer du style de commandement de son prédécesseur (J. Calvet). À Sochaux, la direction cesse alors de demander aux cadres de jouer un rôle politique (*cf.* leur rôle dans les municipalités du district urbain), et de privilégier ostensiblement certains syndicats. Elle entend faire cesser certaines formes de discrimination antisyndicale et veut que s'instaure de nouveau un « bon climat » dans les ateliers. Certains agents de maîtrise trop « hargneux » sont mis sur la touche. Le changement est réel et contribue à changer l'image de Peugeot dans la région.

grande entreprise, il existe encore, du côté des ouvriers, dans tel ou tel secteur de l'usine, un précieux capital collectif, à la fois professionnel, syndical, politique. Ce capital est le produit d'une vieille histoire, transmise par les anciens (la mémoire collective) : luttes passées (les fameuses grèves qui ont jalonné la vie de l'entreprise depuis 1945 et dont certains militants, ou proches du pôle militant, peuvent vous réciter la chronologie détaillée), combines de travail et tours de main, façons de se comporter avec les chefs et les fayots, etc.

Cette transmission tacite d'un certain mode de résistance ouvrière redonne parfois de la cohérence au groupe ouvrier et peut favoriser la mobilisation collective. À l'inverse, dans les nouvelles entreprises du Technoland, l'intense redistribution de la main-d'œuvre ouvrière favorisée par la reprise économique se traduit fréquemment par le départ des hommes (souvent ouvriers qualifiés) vers de meilleures places (en Suisse ou en Allemagne, dans des PME « payant » mieux, à Peugeot-Sochaux). La relève militante peut alors être assurée par les ouvrières qui, faute d'« hommes » combatifs sur place, reprennent le flambeau de la lutte collective. Ces femmes, ces nouvelles militantes, se sentent parfois appelées par la situation à parler au nom de toutes celles qui ne peuvent pas le faire.

1. Dans la grande entreprise, des intérimaires formés par les « anciens »...

Dans les grandes entreprises comme Peugeot-Sochaux, l'ancien c'est d'abord le héros du travail, celui qui a réussi à tenir trente ans sur la chaîne, qui a fait montre d'une résistance peu commune, qui a sacrifié sa vie (et souvent sa santé) au travail. C'est souvent cette image qu'ont les enfants d'immigrés de leurs pères ouvriers à l'usine. Mais l'ancien, c'est aussi le « bon copain », celui qui sait vivre, se défendre, qui ne se laisse pas faire ni impressionner par les chefs, bref, l'incarnation d'une certaine forme de résistance à l'ordre patronal. D'où l'ambivalence des jeunes, et surtout des intérimaires, vis-à-vis des anciens qui leur apparaissent à la fois comme des privilégiés – ils ont fait toute leur carrière à l'usine, ont su se constituer un petit patrimoine, n'ont pas connu la galère ni le chômage – et comme les dépositaires de valeurs anciennes, qui ont du bon, des gens qui sont restés debout, refusant l'humiliation et incarnant la force collective. Selon la conjoncture, les trajectoires de chacun, les modes d'entrée sur le marché du travail, c'est l'un ou l'autre de ces aspects qui va prédominer.

Ce que Véronique, ex-ouvrière à Grapha (voir chapitre VI), apprécie surtout à Sochaux, c'est préicsément la présence des « anciens », des ouvriers de cinquante ans comme Christian. « J'ai toujours aimé travailler avec des gens plus âgés que moi », dit-elle, en faisant référence à son travail à Prisunic. Et si elle aime la compagnie des anciens, c'est parce qu'elle apprécie ce qu'elle appelle leur « mentalité », leur état d'esprit, leur franchise et leur sincérité. C'est aussi parce qu'elle apprend beaucoup auprès d'eux, qu'elle est impressionnée par leur savoir et leur manière de se tenir, leur droiture et leur dignité. Elle évoque ainsi Christian : « Lui, il parle bien... il explique très, très bien », ce qui signifie qu'à ses yeux il sait analyser, décrypter les rapports de pouvoir dans les ateliers, mais aussi remettre à leur place les petits chefs et réconforter les ouvrier(e)s les plus faibles. Sa présence dans l'atelier est, à ce titre, très rassurante, et c'est pourquoi Véronique ne se sent pas isolée face à la maîtrise, comme chez Grapha. Là elle peut s'appuyer sur lui et sur ses « copains » pour se faire sa place dans l'atelier, y trouver ses marques.

Cette coexistence avec les anciens, le temps passé avec eux au moment des pauses représentent pour Véronique autant de petites séances de formation continue, sur le tas, qui lui en apprennent beaucoup sur les manières de faire et d'être dans la grande usine[1]. Par l'intermédiaire de vieux OS comme Christian, elle apprend beaucoup sur le monde social et en vient même à mieux apprécier certains aspects de l'ethos populaire, qu'elle partage par héritage familial. Car les anciens sont dépositaires d'une « franchise » (« Eux, ils disent ce qu'il pensent », dit-elle à plusieurs reprises) et d'un « courage » qui semblent avoir déserté la nouvelle génération et les nouvelles usines, comme si les conditions sociales de production de cette franchise avaient, elles aussi, disparu.

---

1. On sent d'ailleurs chez elle une certaine fierté d'être entrée dans la grande usine, celle qui fabrique les voitures, celle où l'on peut enfin voir le produit fini...

— Dans votre atelier, vous dites qu'il y a beaucoup d'intéri-maires. Et il y a les jeunes d'un côté et puis les vieux de l'autre ?

— Ah non ! Moi j'aime plus être avec les personnes âgées qu'avec les jeunes. Moi je suis mieux avec Christian, avec Popaul, avec Gérard [des ouvriers de 50 ans]... bon, il y a aussi Christelle qui est intérimaire comme moi, il y a Lucie aussi... Éliane, qui est aussi intérimaire... Gérard, donc, qui est aux retouches, qui a trente ans de boîte aussi...

— Et là, c'est plutôt un groupe qui s'entend bien.

— Ah oui (*en riant*), ah oui, moi j'aime bien... Je sais que quand j'ai travaillé avant, au Leclerc, c'étaient toutes des personnes qui étaient plus âgées que moi. Moi, je préfère travailler avec des gens plus âgés... Parce qu'il y a une bonne ambiance et puis, bon, c'est pas pareil. C'est une autre mentalité, c'est...

— On a interviewé un jeune qui nous a dit : « Moi j'aime pas travailler avec les vieux, j'ai rien à leur dire, j'aime bien travailler avec des gens de mon âge, on discute des mêmes choses... »

— Non, non (*souriante*). Non, moi je préfère... Non, moi c'est tout le contraire. Et puis, bon, les jeunes qui critiquent, qui parlent sur certaines personnes, qui sont méchants sur certaines personnes, en fait, ils connaissent pas ces personnes-là, ils arrivent pas à les comprendre, ils arrivent pas à les connaître. Eux, c'est tout de suite les critiques, c'est tout de suite : « Il est comme ça, il est comme ça... » Et puis, ils se foutent un peu de la gueule des gens... Ils sont un peu moqueurs aussi, certaines personnes... C'est pour ça, moi j'aime pas trop... moi je vous dis, au boulot, je suis avec Christian et puis... Christian, vous le connaissez, il est assez bon vivant et puis (*rires*) il raconte bien... Moi, j'aime bien. C'est ce qu'on disait hier soir, donc, avec Nadine [sa copine de travail], elle me disait de Christian : « Il est trop, quoi ! » Je lui dis : « Oui, c'est vrai... » Moi j'aime bien... J'aime bien être avec eux parce qu'il y a une bonne ambiance... On rigole tous les soirs... Moi je vous dis, j'étais sous le chapiteau... je contrôlais les 307, si j'avais voulu j'aurais pu rester là-haut, bon, sauf qu'à la pause de 11 heures, on restait là-haut parce qu'on avait dix minutes, on avait pas le temps, mais, bon, à la grande pause d'une demi-heure, moi je redescendais en bas. Parce que j'aime bien... j'aime bien être avec eux... (*rire franc... puis, sur un ton plus sérieux :*) Bon, il n'est pas question non plus de drague ou d'aller plus loin... Non... C'est parce que j'aime bien la mentalité... j'aime bien... parce que comme ça [le boulot] passe vite, on rigole, on parle pas de travail, ou à moins si on parle de travail c'est pour rigoler un bon coup, mais bon...

– C'est la camaraderie, quoi (elle approuve)...

– Oui, mais moi je sais pas, j'aime bien.

– Christian, il a bien cette mentalité comme ça, de fraternité, de camaraderie... Et ça, on a l'impression que ça se perd un peu chez les jeunes...

– Oui, mais vous nous verriez, il y a certaines personnes, comme je vous dis, qui se moquent de ceux avec qui ils travaillent. Moi, des fois, je supporte pas [on lui demande des exemples]. Bon, comme c'est un gars qui n'est pas d'ici, qu'est du Nord, et puis donc... ça je sais pas, pour moi c'est assez personnel, mais bon, pour eux c'est peut-être rigolo... comme sa femme, sa copine est là-bas avec sa fille, et donc il a des week-ends où il rentre pas chez lui, alors tout de suite c'est des remarques du style : « Elle va te faire cocu »... ou : « Tu renvoies ta paye, en fait si ça se trouve elle débourse tout et puis toi tu es là comme un con. » Bon, ça, moi, c'est des trucs un peu lourdingues... Ça va une fois... deux fois... mais bon, c'est une autre mentalité. Et puis le gars, il dit rien parce qu'il est trop gentil, il est... c'est un gars qui se laisse assez faire, quoi. Mais bon, il était pareil en formation avec une fille en intérim aussi, mais moi, ce qui m'a le plus choquée, qu'elle lui parlait comme à un chien. Même moi, je lui ai dit : « Attends, il faut pas te laisser faire comme ça. » Si tu peux être poli en étant ferme et puis... pas méchant, lui dire ce que tu penses. Mais bon, au début, il n'osait pas. Puis bon, après... mais c'est des moqueries, c'est peut-être ridicule, mais bon... il y a des choses qu'on peut dire, puis bon, des choses qu'on évite de dire, quoi, c'est pas... Parce que bon c'est vrai que le gars après il va se mettre des trucs dans la tête, est-ce que c'est vrai, est-ce que c'est pas vrai ? Bon... « Fais gaffe qu'un jour tu rentres pas le samedi, qu'elle soit au pieu avec quelqu'un... » (*silence*). Bon, après c'est vrai que la personne à qui on dit ça... elle risque de se poser des questions, d'en être malade... avoir des problèmes avec sa femme... « Est-ce que tu fais ça, est-ce que tu fais pas ça ? Et puis qu'est-ce que tu as fait aujourd'hui ? » Puis, bon, dans le couple ça risque de pas aller... Donc, on peut plaisanter sur certains trucs mais [...]. [On parle un peu plus tard des délégués syndicaux, de la vie syndicale dans le secteur.] Bon, les tracts [syndicaux], on les a... à la salle fumeurs, là, ils sont posés sur les tables, bon... là on peut lire ce qui se passe.

– Mais un délégué du personnel qui vienne discuter avec vous, vous l'avez jamais vu ?

– Non, jusqu'à maintenant non. Moi, depuis que je suis là...

– *Il y a Christian qui explique un peu des choses...*

– Oui, c'est ça qui est bien ! J'aime bien cet homme-là parce que, bon, il est direct et puis, je le connais pas assez encore pour dire... Mais, bon, il est direct, il dit ce qu'il pense. Et il y a des choses qu'il dit que c'est vrai ! Bon, moi, comme je vous ai dit, je parle pas beaucoup, mais j'écoute, mais c'est vrai qu'il y a des choses des fois qu'il dit, c'est vrai... Et puis il explique bien les choses... Il explique même très très bien et puis...

– *Il le dit avec ses mots à lui...*

– Ah oui, oui. Mais moi j'ai... je l'admire... il dit des choses qui sont vraies et que certaines personnes ne veulent pas entendre... certaines vérités, ça... c'est vrai oui. Je pense que les gens seraient un peu plus directs et diraient un plus ce qu'ils pensent, je sais pas si ce serait pas mieux. Parce qu'il y a certaines personnes quand même, elles pensent ces choses-là mais n'osent pas le dire, parce que... (*elle hésite*)... elles ont peur de certaines choses...

– *Oui, il y a beaucoup de peur dans les usines...*

– Ah, ouais, ouais, ouais ! Maintenant c'est ça, hein ! Les gens ne parlent pas, c'est tout rentré [en eux]... Après c'est tout intérieurement, et c'est la santé qui en prend un coup... c'est beaucoup de déprimes, c'est les nerfs, c'est l'angoisse, c'est tout ça, quoi...

Grâce à la fréquentation de ces figures ouvrières à l'ancienne, héritières d'un long passé militant, Véronique se sent plus légitimée dans sa manière d'être ouvrière et comme renforcée dans le choix précoce qu'elle a fait à contre-courant (à un moment où tout le monde « fonçait » dans les études longues). Elle n'emploie pas de grands mots pour nous le dire, mais on sent bien, dans l'admiration sincère qu'elle porte aux « anciens », une forme de reconnaissance pour le bien-être que ceux-ci lui apportent dans la vie de tous les jours. Et cette présence amicale, cette chaleur affective contribuent à rehausser singulièrement l'image qu'elle a d'elle-même, image qui avait été sérieusement écornée, et même abîmée, par son passage à Grapha. C'est pourquoi elle déclare « revivre » à Sochaux. Un signe de « remoralisation » qui ne trompe pas : le fait que, par exemple, à 5 heures du matin, elle déclare souvent « péter la forme » : « On irait bien en boîte, non ? » lance-t-elle volontiers sur le mode de la plaisanterie à ses collègues de travail.

Certains jeunes, pourtant, ne parviennent pas à s'inscrire dans cet état d'esprit et se laissent prendre par la logique du commérage négatif, de la médisance – qui peut aller jusqu'à la tentative d'humilier. Pour dire la gêne qu'elle éprouve face à leurs attitudes, elle recourra à plusieurs reprises à la même expression : « Ils sont moqueurs. » Or, cette façon de se conduire lui rappelle Grapha, lorsque la peur régnait en maître et dictait les conduites des uns et des autres : méfiance, défiance, suspicion, duplicité, fayotage généralisé.

2. Technoland, un cas pur de fragilisation salariale

L'usine de Sochaux, la grande usine, est devenue un cas à part dans la filière automobile au niveau local. Il était donc essentiel d'aller observer ce qui se passait au même moment dans les entreprises du Technoland. Au cours de cette période, je [Michel Pialoux] continue à mon rythme l'enquête dans les usines de ce site, en maintenant un contact régulier avec les responsables CGT de l'union départementale d'Audincourt, où se retrouvent souvent les militants du Technoland (il n'existe sur le pôle lui-même aucun lieu de rassemblement).

Beaucoup de rencontres avec des militants, mais aussi avec des ouvrier(e)s de base, auront lieu là, dans un cadre naturel et familier, où parviennent par vagues les histoires d'ouvrier(e)s de ces usines. En restant là à discuter, le plus souvent sans que le magnétophone ait été ouvert, j'apprendrai beaucoup sur les formes prises par l'intensification du travail et sur la difficulté de résister. On y sent battre le cœur de la vie syndicale de la zone d'emploi : les petites grèves, les débrayages, les coups tordus qui sont faits aux salariés les plus démunis, les visites des salariés en complet désarroi (parfois en pleurs) qui viennent chercher aide et refuge à la CGT (« On m'a dit d'aller voir la CGT... »), les rares responsables (en petit nombre) toujours débordés, assaillis par les appels sur les portables (un délégué en porte toujours deux sur lui, accrochés à la ceinture de son jean, toujours prêt à dégainer en cas d'appel) les petites bagarres entre syndicats, voire à l'intérieur d'une même organisation... C'est la vie syndicale vue des coulisses : un observatoire passionnant des transformations en cours dans la filière automobile.

C'est ainsi qu'un jour de juin 2001 je rencontre Corinne C., ouvrière et déléguée du personnel CGT dans une entreprise du Technoland. Elle est venue discuter d'un problème avec le responsable de l'UD et n'a que peu de temps devant elle. Mais lorsque je la sollicite pour parler un peu plus longuement, elle n'hésite pas un instant. Elle va parler avec passion, véhémence même, de son engagement dans l'usine. Elle anticipe volontiers les questions, entre dans le détail des faits, cherche surtout à me faire comprendre en donnant des détails précis. Corinne a une quarantaine d'années, un mari OP (un « outilleur » dont j'apprendrai par la suite qu'il est parti travailler il y a peu en Suisse pour « gagner plus »), deux enfants (son fils aîné, 20 ans, vient de passer un bac professionnel, et sa fille, 14 ans, est élève de quatrième au collège). Après avoir travaillé dans une grande surface et en intérim, Corinne C. est entrée à l'usine en 1989 comme ouvrière non qualifiée, « opératrice », comme on dit maintenant.

L'étude de cette usine du Technoland, qu'on appellera ici Tubeco, fort différente de Grapha), présente un double intérêt : d'une part, elle fournit un cas exemplaire de fragilisation de l'ensemble des salariés ; d'autre part, ce cas permet de mettre en relation la montée de la précarité institutionnalisée, les usages du travail féminin (on y voit à l'œuvre le remplacement d'une partie des hommes au travail par des femmes) et le militantisme syndical.

Alors qu'un équipementier de l'automobile comme Grapha apparaît comme une sorte de création artificielle, émanation d'un grand groupe américain, Tubeco est une vieille entreprise familiale, fondée en 1937. C'est la seule, au fond, parmi les dizaines d'entreprises installées au Technoland qui ait une véritable histoire mais, pour des raisons en partie circonstancielles (sa localisation ancienne dans cette zone géographique), elle s'est retrouvée noyée au milieu des années 1990 dans ce qui est devenu une grande zone industrielle. Fabriquant des tubes métalliques pour l'industrie automobile, elle avait acquis dans les années 1960-70 une taille respectable pour une entreprise familiale (elle comptait 300 salariés en 1989). Au début des années

1990, elle a été repérée par un grand groupe métallurgique français (Vallourec), qui l'a achetée en 1994. Si, au départ, les nouveaux responsables ont déclaré vouloir maintenir la production en l'état sans bouleverser l'entreprise, celle-ci va être de fait, en l'espace de six ans (1994-2000), complètement réorganisée.

Pendant longtemps la quasi-totalité des ouvriers avaient travaillé sur des machines individuelles ; désormais, beaucoup sont sur des postes « en ligne » et le travail s'intensifie considérablement. De nombreux postes de travail ont été supprimés, et les deux plans sociaux mis en place pendant ces six années se traduisent par des licenciements. En juin 1999, un nouveau plan social provoque 60 licenciements dont 45 « secs » (et 15 en préretraites) qui ne touchent que les ouvriers « en fixe », dont le nombre passe de 270 à 210.

Cette courte période de six ans aura été vécue comme fortement traumatisante par les salariés de l'usine, habitués à une gestion traditionnelle et paternaliste de la main-d'œuvre. Les ouvriers, autrefois assurés de leur emploi, commencent à vivre dans la hantise du licenciement. Un climat extrêmement malsain s'installe dans l'entreprise, comme l'atteste la circulation récurrente de listes des futurs exclus au sein des différents ateliers, qui ne cessent d'alimenter suspicions et rumeurs. Parallèlement, certains salaires sont réduits et se rapprochent dangereusement du SMIC tandis que les primes (d'intéressement et de participation) sont supprimées.

Corinne C. insiste longuement, au cours de l'entretien, sur les dégâts occasionnés par la procédure de « sélection » des ouvriers, autrement dit la mise au point tâtonnante de la « liste » des 45 licenciés : selon elle, tout s'est fait « à la tête du client », sans critères objectifs (compétence, âge, ancienneté...), contrairement à ce qui avait été dit.

> C'est sûr que dans la semaine où la liste [des 45 licenciés] a été établie, je dirai pas que les gens étaient en guerre... mais ils se demandaient : « Est-ce que tu vas y passer ? Pas moi... » C'est des ambiances terribles ! terribles ! Y en a qui nous disaient : « Je sais que mon chef m'aime pas, j'ai été absent une semaine, je fais pas une production extraordinaire, j'ai de fortes chances de passer à la casserole... » Bon... Par contre, y a des surprises dans l'autre sens, y en a qui étaient je dirais pas en bonne position pour être licenciés,

mais pas loin, et qui ne l'ont pas été... etc. Et puis d'autres... (*silence*). Moi, j'avais une collègue qui travaillait à côté de moi, elle avait jamais été absente, jamais eu de maladie, jamais de litige, toujours fait son boulot nickel, eh bien, elle a été licenciée... Pour quel motif ? (*Elle lève les yeux au ciel.*)

Corinne dresse ensuite la liste des gens qu'elle a vu licencier « sans motif réel et sérieux ». Et c'est d'abord le sentiment d'arbitraire qui a frappé les témoins de cette histoire. Mais c'est aussi l'impuissance des salariés, comme si désormais toutes les cartes étaient dans les mains des patrons, comme si, comme elle le dit, les « gros » les tenaient à leur merci sans qu'ils puissent peser sur leurs décisions. C'est sur ce fond d'impuissance sociale des salariés que l'on peut comprendre la nostalgie de la gestion paternaliste à l'ancienne, qu'éprouve la déléguée CGT, quand il existait une « direction du personnel » que tout le monde connaissait et qui, surtout, s'efforçait d'être « arrangeante ». La description qu'elle fait du fonctionnement de Tubeco, entreprise familiale (« avant »), contraste avec celle de la gestion « moderne » de la main-d'œuvre : une DRH cassante, qui ne connaît pas la région, a reçu mission d'appliquer des directives venues d'en haut. Elle dénonce surtout cette façon de toujours mettre en avant une argumentation de type catastrophiste : « On ne sort pas du rouge », « Faut rationaliser », « On risque de fermer le site, etc. ».

[Avant le rachat en 1994 par le groupe] il faut dire qu'on avait un chef du personnel qui était très bien. C'est M. B., qui était du coin, d'ici, quoi. Lui, il était très arrangeant, c'est pour ça qu'ils l'ont licencié. Il embauchait... Si on avait envie de se faire embaucher, on allait le voir, on lui disait : « Moi, le travail m'intéresse, j'ai envie d'être embauchée parce que l'intérim, c'est pas sûr... » Dès qu'il pouvait, il embauchait... Il comprenait la situation... Ah, lui, il connaissait tout le monde individuellement [...]. Moi, j'avais eu une fois un problème de transport, il m'avait demandé où j'habitais. Il m'avait dit : « Oh ! Y a celle-là qui habite là, elle va pouvoir te dépanner »... Il était « social », quoi... [On compare ensuite avec la nouvelle direction mise en place par le groupe.] La nouvelle DRH ? Oh ! Avec elle, c'est pas la peine de discuter... Elle s'en fout complètement... S'il y a un problème, quel qu'il soit, elle va même pas essayer de le résoudre, parce qu'elle sait qu'elle n'a aucun pouvoir ! Et puis, ça ne l'intéresse pas... Elle n'est pas là pour ça... Elle est là pour gérer... Un point, c'est tout !... Elle n'est pas là pour faire du social [...]. Elle vient d'une boîte d'un groupe qui était situé à Lyon, y a eu des licenciements l'an dernier et ils ont fait des mutations. Elle était responsable au planning. Mais elle n'était pas du tout aux relations humaines. Elle avait des notions juridiques parce qu'elle s'occupait des mutations. J'ai été pas plus tard que la semaine dernière dans son bureau avec un gars qui voulait démissionner... il voulait pas réaliser son préavis... Il avait trouvé un boulot pour le lundi, il voulait partir le vendredi. Bon, elle a accepté de lui payer son préavis. Mais en aucun cas elle n'a essayé de le retenir, ni de lui dire : « Vous avez peut-être de l'avenir chez Tubeco. » Il était marié, avec des enfants. Elle aurait pu dire : « Vous partez aujourd'hui, de quoi vous allez vivre ? » Non... non... Y a juste des règles, les détails juridiques, de réalisation... et puis le paiement... C'est tout !

Le moral des salariés de Tubeco, déjà fortement troublé par cette période de sélection de la main-d'œuvre, a été profondément altéré par un autre événement à leurs yeux très symbolique : l'embauche de 45 intérimaires en 2000, qui est survenue six mois après le licenciement « sec » des 45 ouvrier(e)s. Les délégués syndicaux ont vécu cet épisode comme caractéristique du cynisme des nouveaux dirigeants de l'entreprise.

— Donc, un an après les licenciements secs, il y a maintenant dans l'usine 45 intérimaires. Vous avez l'impression que c'était une décision préméditée ?

— C'était avant tout une opération pour alléger la charge salariale pendant un certain temps... Tout en sachant qu'en l'an 2000, comme aujourd'hui, il y avait de bonnes chances qu'on ait du travail. D'ailleurs, l'expert-comptable à qui on avait fait appel avait dit que le plan social était surchargé de 20 personnes, ce qui veut dire qu'ils l'avaient gonflé au maximum pour pouvoir, après, reprendre des intérimaires qui coûtent moins cher. Quand on licencie des gens qui ont quinze ans, vingt ans, vingt-sept ans d'ancienneté... c'est quelqu'un à qui on ne paye plus ses acquis et ses droits, si on prend un intérimaire derrière... on ne lui paye pas ses jours d'ancienneté, on ne lui paye pas ses congés payés comme on nous les paye à nous... Ils ont beaucoup moins de charges sur un intérimaire que sur une personne qui a vingt ans d'ancienneté [...].

— Ce qui paraît violent, c'est cette logique de précarisation qui se développe... Qu'est-ce qui dit que dans deux ans on ne refera pas la même chose ?

— Qu'est-ce qui nous dit qu'on ne le refera pas à la fin de l'année ? Parce qu'on vient quand même de nous envoyer une lettre qui, si ça va mal, envisage d'autres solutions. Donc ça peut être une manière de prévenir les gens, moralement, que leur situation n'est pas stable. On sait pas si cette année ça va pas se reproduire...

On voit comment, chez les salariés, l'idée s'est répandue que le « coup » avait été bien préparé et relève d'une logique de gestion. C'est ainsi que, désormais, leur situation professionnelle et sociale a perdu la stabilité qui la caractérisait il y a peu encore. À travers les mille et un petits récits ou anecdotes qui font la vie d'atelier, et qui remontent journellement aux différents délégués syndicaux, à travers les canaux formels (réunions de délégués du personnel, du comité d'entreprise, du comité d'hygiène et de sécurité, etc.) ou informels (discussions avec les chefs, avec des cadres ou des techniciens), on mesure à quel point la pression est forte sur les salariés. Au total, la rationalisation de la production et de la gestion de la main-d'œuvre s'est soldée par une baisse sensible des effectifs salariés. En juin 2000, Tubeco ne comptait plus que 210 salariés (160 ouvriers, 50 ETAM[1]) : un personnel dans l'ensemble assez jeune (38 ans de moyenne d'âge, les plans sociaux ayant permis le départ des salariés les plus anciens) : on constatait le poids accru des ouvrier(e)s dans la structure des emplois (trois quarts contre la moitié environ en 1990), tandis que les postes à responsabilité étaient occupés par des hommes (les chefs d'équipe, appelés « chefs de poste », sont tous des hommes). Sur les 160 ouvriers, 25 sont des régleurs, appelés « pilotes », qui sont rémunérés presque tous à 190 points (selon la convention de la métallurgie) comme des P1, bien qu'ils soient, dans leur travail, chargés de la maintenance[2]. Durant les années 1990, l'entreprise n'a embauché aucun opérateur mais des techniciens – des hommes en grande majorité – à bac + 3, des BTS qui paraissent radicalement coupés du monde des ouvriers, tant

---

1. Employés, techniciens, agents de maîtrise.
2. Notons que Tubeco a tendance à faire appel à de la main-d'œuvre extérieure.

par leurs diplômes que par le fait qu'ils viennent souvent de l'extérieur de la région.

3. La déstabilisation des stables au travail

Le témoignage de Corinne a un autre intérêt : il permet de bien caractériser la situation qui est aujourd'hui celle de ces salariés de 40-45 ans qui, ayant eu la chance d'appartenir à une génération somme toute moins marquée par le chômage que celles qui la suivent, se trouvent néanmoins pris, eux aussi, dans cette logique de « déstabilisation des stables » dont parle Robert Castel. Corinne, en tant que déléguée du personnel, sait parfaitement comment s'est opérée au jour le jour l'opération de restructuration de son entreprise. Elle est donc particulièrement bien placée pour en évoquer les conséquences. Tout au long de l'entretien, elle cherchera à me faire comprendre comment la gestion de la main-d'œuvre, sur fond de précarité organisée et anticipée, durcit et institutionnalise les conflits latents entre statuts d'emploi (CDI/intérims), entre générations (vieux/jeunes) et entre sexes (hommes/femmes). Et ses propos permettent de comprendre les raisons pour lesquelles certains salariés d'âge moyen (la quarantaine, donc dans la force de l'âge) sont conduits à rejeter les intérimaires.

On a dit qu'au cours du printemps 2000, lorsque la reprise a fait sentir ses effets, la direction de Tubeco avait embauché de nombreux intérimaires (ici comme ailleurs, on assistera à un fort turnover parmi eux, mais 50 resteront...) tout en continuant d'envoyer des lettres de menace à certains « embauchés » afin qu'ils deviennent « plus efficaces » et « plus productifs » sous peine d'être « remerciés ». Or, au cours de cette période, il se produit chez les « embauchés », titulaires de CDI, une vague de démissions volontaires qui touche plus de 40 ouvriers (presque uniquement des hommes...). Ceux-ci, compte tenu du climat délétère qui s'est installé dans l'entreprise, trouvent en effet plus intéressant de tenter leur chance ailleurs dans le bassin d'emploi (notamment Peugeot-Sochaux), où ils pensent pouvoir mieux faire reconnaître leurs mérites, et, comme ils disent, « monter » ou « évoluer ».

Sur ce fond de déstabilisation morale des salariés de

Tubeco, l'embauche des 45 intérimaires va bien sûr créer une situation d'animosité structurelle entre ces derniers et les « embauchés » – opposition qui, par moments, pourra prendre une forme exacerbée et même violente.

Pour le dire de façon schématique, la venue des intérimaires est perçue comme une provocation tant par les titulaires de CDI que par les anciens. En outre, le comportement au travail des nouveaux venus, soucieux avant tout de trouver une place stable, ne fait que renforcer la suspicion et les préventions que les embauchés ont pu nourrir à leur endroit : non seulement ils prennent la place des collègues de travail (dont le seul défaut était d'avoir de l'ancienneté), mais ils semblent décidés à s'emparer des postes stables. C'est ce que laisse entendre Corinne, en dépit de sa réserve – une réserve qu'elle doit s'imposer en raison de ses responsabilités syndicales.

> – [En termes de cadences de travail] ces dernières semaines, c'est beaucoup moins contrôlé et suivi que ça l'était autrefois... S'il est marqué qu'il faut faire 300 pièces à l'heure, faut en faire 300, faut pas en faire 150... mais, bon, si on en fait 250 (*mimique montrant que ce n'est « pas grave »*)... je dis bien « en ce moment »... parce que, là, ils [les chefs] sont calmes, ils nous emmerdent pas trop, mais faut pas non plus exagérer ! Mais les intérimaires, eux, ils ont tendance à dire : « Moi, j'en fais 400, mieux que l'embauché ! » Seulement la quantité c'est bien, mais la qualité, elle est pas là ! (*Gênée.*) Nous, on peut pas trop se permettre de critiquer les intérimaires, mais on sait bien d'où viennent les problèmes... Alors qu'avant on avait trois ou quatre « litiges », on en a, ce mois-ci, vingt-deux !... En réunion de comité d'entreprise, on nous a dit : « vingt-deux litiges »... Mais c'est des litiges, ça peut être qu'une pièce, une pièce pas forcément mauvaise, qui passe, mais qui est hors cote... ça peut être qu'un problème de zingage, de revêtement, de conditionnement. Tout est compté dans les litiges, c'est pas forcément des litiges d'arrêt de chaîne, de pièces mal fabriquées... (*Baissant la voix :*) On sait d'où viennent les litiges mais on ne peut pas se permettre de dire : « C'est la faute des intérimaires »... Tout ce qu'on peut dire, c'est : « Quand un intérimaire entre dans la société, il faut lui faire visiter l'entreprise, faut lui expliquer son travail, faut surtout lui expliquer les moyens qu'il a de contrôler son travail... Si on ne lui a pas montré les instruments de contrôle, c'est pas de sa faute s'il contrôle pas... »

– *Le lendemain de leur arrivée, ils sont mis au travail ?*

– Le jour même !... Ils sont mis, hop, sur la machine... On leur montre comment la machine fonctionne, un point, c'est tout.

– *Ça se passe pas toujours très bien ?*

– (*Gênée, un peu honteuse, baissant la voix.*) Quand on est à côté, on essaie de leur montrer... Toujours pareil, tout ça dépend de la personne... Y a des salariés qui refusent encore aujourd'hui qu'il y ait des intérimaires dans la société en disant : « ils vont nous piquer la place ! »

– *Des anciens ?*

– Bien sûr ! Bon, autrement, nous, les élus du CE, les délégués du personnel, quand y a un jeune qui vient, on essaie de lui expliquer... Nous, un intérim, quand on voit qu'il est un peu perdu, on lui montre le principe de base, mais enfin (*avec violence*) c'est pas notre rôle à nous, c'est celui des dirigeants de les informer et de les mettre en place dans de bonnes conditions. Mais c'est vrai que les dirigeants s'en foutent un peu ! Les intérims, ils sont là pour produire, alors...

– *Alors le rapport entre anciens et jeunes est tendu quelquefois ?*

– Quelquefois, oui... Les embauchés, ils sont là depuis je sais pas combien de temps... Donc, c'est des gens qui n'ont pas été licenciés, qui ont eu de la chance d'échapper au licenciement... Bon, ils ont reçu la lettre [de la direction] à la maison qui leur dit que, si dans quatre mois ils sont pas meilleurs, on les foutra dehors... Ils se disent : « Non seulement je suis pas bon, mais en plus ils vont foutre un intérimaire à ma place »... Bon, ça crée quelques tensions... C'est vrai, y a toujours des gens qui n'acceptent pas que les intérimaires viennent travailler dans la société. Bon, l'intérimaire, c'est pas de sa faute à lui, c'est de la faute de la direction qui n'a pas su gérer, mais qui a renvoyé les collègues l'année d'avant...

À travers cet extrait on entrevoit la violence de l'opposition structurelle entre ces deux catégories et l'on touche du doigt la difficulté de la position syndicale. En effet, pour une déléguée du personnel, syndicaliste de terrain s'il en est, défendre les intérimaires, c'est, bien sûr, se couper de sa base électorale (les intérimaires ne votent pas aux élections professionnelles de Tubeco) et s'infliger un lourd handicap dans la compétition intersyndicale. C'est aussi se mettre en situation de défendre des pratiques de travail qui, comme le zèle ou le forçage, sont contraires à l'éthique des « anciens », et d'autant plus que le zèle en question est perçu comme une manière indécente, lorsqu'il est le fait des jeunes, d'exhiber un avantage relatif imparable : l'âge. Quoi qu'il en soit, les attitudes jusqu'au-boutistes et productivistes des intérimaires ont pour effet d'élever la norme de production en mettant en difficulté les anciens, les embauchés, qui éprouvent dès lors le sentiment d'être poussés vers la porte par la concurrence sans vergogne des jeunes. On voit ici à quel point peut être portée, et délibérément encouragée par les directions d'entreprise, la logique de concurrence entre générations.

Il est toutefois frappant que, lorsqu'elle parle des intérimaires, Corinne accorde si peu de place à la question des enfants d'immigrés. Lorsqu'on la questionne sur le sujet, on sent chez elle un refus de répondre, une volonté de ne pas s'attarder sur la question en la minimisant (« Y a pas de discrimination »). Cette réaction ne doit-elle pas être rapprochée de l'hostilité, latente ou déclarée, des « fixes » contre les intérimaires ?

– Et dans les 45 intérimaires qui sont arrivés, il y a autant de garçons que de filles ?

– Oui...

– Vous ne savez pas les diplômes qu'ils ont ?

– Non... Bon, si on leur demande : « Qu'est-ce que t'as fait avant ? » Bon, ils ont travaillé en intérim, dans toutes les boîtes de la région... Ils ont déjà beaucoup tourné en intérim... ça fait deux ou trois ans qu'ils tournent comme ça...

– Est-ce qu'il y a parmi eux beaucoup d'enfants d'immigrés ?

– Oui, y en a pas mal...

– Parce que c'est un problème, ceux qui restent sur le carreau chez les intérimaires... Parce que, dans les embauchés, il n'y a pas un pourcentage d'étrangers très élevé...

– Pas beaucoup... C'est une moyenne « respectable », comme partout...

– 8, 10 % ?

– Oui... (*sans conviction*). Mais chez les intérimaires, c'est vrai qu'on en voit plus...

— *Parce qu'il y a des boîtes où des DRH font freiner de ce côté-là ?*

— Là, non... Parce que ce pourcentage est bien respecté...

— *Là, y a rien à leur reprocher ?*

— Non, là, y a pas de discrimination (*avec le désir que s'arrête là la discussion*).

4. Des hommes qui quittent l'usine, des femmes qui s'accrochent au boulot...

L'histoire de cette petite entreprise est aussi significative du type de changements survenus au long des années 1990, dans le travail des femmes et dans les formes prises par le militantisme ouvrier dans le Technoland. Pour résumer : au cours de la décennie 1990, et davantage encore lors de la reprise qui a redynamisé le marché externe du travail dans la région, beaucoup de femmes en sont venues à occuper des postes de travail auparavant réservés aux hommes. D'une part, les postes de travail requièrent de moins en moins d'efforts physiques et deviennent plus accessibles aux femmes – dans un contexte où la représentation qu'on a d'elles a sensiblement changé (comme en témoigne, par exemple, le fait qu'elles peuvent désormais travailler la nuit). D'autre part, les femmes présentent des avantages indéniables aux yeux des employeurs : non seulement elles peuvent être moins payées que les hommes, mais, pour des raisons multiples, elles peuvent aussi se montrer moins exigeantes qu'eux sur ce terrain. C'est ainsi qu'après les « démissions » masculines de 2000 les femmes se sont retrouvées nettement majoritaires, dominant démographiquement – et aussi en quelque sorte politiquement. Les hommes, de leur côté, tentent leur chance ailleurs qu'en production. Si certains sont encore OS et continuent (dans une semi-innocence) à occuper les meilleurs postes dans l'usine, essayant de faire jouer leurs minces avantages (pour accéder à des postes de « professionnels » ou de « semi-professionnels »), la plupart cherchent surtout à se protéger contre le risque de licenciement et, dès que le marché du travail se détend (comme au cours de cette année 2000), à mieux se placer, comme l'explique Corinne :

– Avant le plan social, on avait à peu près 50 % d'hommes et 50 % de femmes [à l'usine]. Par contre, aujourd'hui, on a beaucoup plus de femmes. Parce qu'il y a beaucoup d'hommes qui ont été licenciés. Et puis y en a beaucoup qui ont pris leur compte, démissionné...

– *Ces derniers mois ?*

– Oui... Depuis le plan social, il y a eu au moins 30 ou 40 démissions... Parce que, bon, les femmes, c'est pas qu'elles ont pas le choix... mais qu'est-ce qu'elles vont retrouver ? Un poste d'opérateur, donc la même chose... Donc, elles se disent : « Opérateur pour opérateur, je reste là, jusqu'à ce qu'on me mette dehors »... Tandis que l'homme, s'il est un peu « évolué » et qu'il a ne serait-ce qu'un peu de bagage, une petite expérience, il va trouver du travail ailleurs, où ça paye plus, où les conditions de travail sont meilleures, où il peut espérer avoir de l'avancement, alors qu'ici c'est saturé...

– *Au fond, les femmes sont plus liées à l'entreprise et sont moins...*

– (*Coupant.*) Ah bon, les femmes qui travaillent ici, si elles sont là, c'est que très souvent elles ont besoin d'un deuxième salaire. La femme qui bosse à Tubeco, elle se dit : « Si je m'en vais, je vais aller où ? Dans un même magasin, retrouver le même genre d'emploi ? Je pense pas retrouver mieux... tandis qu'un homme, quelle que soit sa formation, il obtiendra bien le coefficient supérieur à 190, s'il a un peu d'ambition et qu'il a un peu les moyens de les faire, ben il cherche ailleurs, quoi ! »

On l'a dit, dans le courant de l'année 2000, un nombre croissant d'hommes quittent soudainement – parfois sans préavis – l'entreprise, annonçant leur démission, avec l'assentiment de la DRH. À écouter la déléguée CGT de l'usine, les femmes (les ouvrières) semblent considérer comme assez normal, voire légitime, que les hommes soient mobiles, « bougent », comme elles disent, et fassent valoir leurs atouts sur le marché. À l'inverse, les femmes, elles, s'accrochent au travail : elles ont très peur de partir, à cause des enfants notamment, mais aussi de la conscience très vive qu'elles ont de ne pouvoir rien trouver de mieux ailleurs. Et puis, en partant, elles prendraient le risque de bouleverser un équilibre de vie très fragile. Ces ouvrières, jeunes mères de famille, ont appris au fil du temps à gérer le quotidien sur le fil du rasoir et à composer avec les multiples contraintes de la double activité dans le couple : distance domicile/lieu de travail, prise en charge des enfants[1], vie décalée selon les tournées (travailler « en contre-tournée » signifie travailler dans la tournée opposée à celle de son conjoint). Ce sont autant de freins objectifs à la mobilité professionnelle horizontale des femmes, qui expliquent, bien sûr, pourquoi on trouve, dans ces usines du Technoland, autant de femmes prédisposées à subir cette sorte de surexploitation.

La féminisation de la population ouvrière n'est évidemment pas sans effets directs sur le style de relations personnelles dans les ateliers de fabrication, sur l'« ambiance » qui y règne. À suivre la description quasi ethnographique que fait Corinne C. des rapports hommes/femmes dans son secteur de travail, on est conduit à émettre l'hypothèse que la raréfaction des hommes dans les ateliers est parfois à l'origine de formes rénovées de domination masculine au travail :

> Dans le secteur où je suis, on est quatre femmes à peu près du même âge, entre 38 et 40 ans... On n'a pas vraiment de problèmes comme ça... Avant le plan social, on était plus nombreuses dans ce secteur, donc il y avait beaucoup plus de problèmes, même de relations, comme ça... Maintenant, on est beaucoup moins nombreuses. Moins on est, moins on se bagarre ! Et puis y a moins de litiges sur les pièces comme dans le temps ! Mais c'est vrai que le secteur « four » était réputé pour ça [les disputes] ! Y avait aucun homme qui voulait « piloter » là-bas : « Oh ! Et puis j'en ai marre de ces bonnes femmes ! » Pourtant c'est un gros secteur, mais c'est que du « petit » boulot féminin... enfin... je dirais pas que c'était du « petit » boulot, mais c'était un peu minutieux... ils préfèrent y mettre des femmes parce qu'il fallait ranger en cartons... Il fallait que ça soit correctement emballé, etc. C'est vrai que c'était un secteur féminin ! Mais, bon, tous les jours, y avait quelque chose ! Pas des histoires catastrophiques... mais toujours un petit problème entre deux femmes : l'une qui voulait changer de tournée

---

1. Une anecdote significative. Un matin, à 7 h 15, nous prenons le bus qui relie Gercourt à Montbéliard. Dans le bus, quelques « scolaires » et une jeune mère de famille avec un bébé de 9 mois dans les bras. Dix minutes plus tard, à un arrêt, cette jeune femme descend sur le marchepied du bus et tend son enfant emmitouflé dans une couverture à sa mère qui l'attend, avec le grand-père, sur le bord de la route et qui le gardera pour la journée...

parce que celle-là l'énervait... Seulement, maintenant, depuis le plan social, on voit bien que les femmes occupent les postes que les hommes occupaient avant... Y a beaucoup d'hommes qui sont partis, y en a d'autres qui ont donné leur démission... Comme maintenant y a beaucoup moins d'hommes qui travaillent ici, les femmes maintenant font le travail des hommes ! Parce qu'avant il y avait des postes qui étaient très durs, où il fallait être debout toute la journée, ils y mettaient des hommes ! Maintenant, c'est des femmes qui occupent ces postes-là, puisqu'il y a moins d'hommes : soit ils ont été licenciés, soit ils ont pris leur compte, soit ils ont trouvé du boulot ailleurs... Donc, comme il y a une population féminine qui s'est accentuée par rapport à la masculine, c'est les femmes qui occupent tous les postes... Y a plus de distinction [de sexe] ! C'est même illogique quelque part : qu'on a un gars, un grand, un costaud, lui il veut pas travailler là, il dit : « C'est fatigant »... Bon, il a de l'asthme, il veut pas faire ci, il veut pas faire ça... Et on voit une toute petite bonne femme qui est à côté, qui bosse sur la machine, qui est couchée sur la machine (*elle mime la posture désarticulée*), et puis lui, il est à côté, il contrôle la pièce !... Sans se fatiguer !... Eh bien, moi, je sais que je le fais remarquer... Je dis : « Attends ! Tu te fous de qui ? Tu contrôles toute la journée... et il y a la petite qui est vautrée sur la machine... » Et, en plus, lui, il gagne 70 balles de l'heure, et elle, elle en gagne 40... Faut quand même qu'on le leur fasse remarquer, parce que, à eux, ça leur vient pas à l'idée ! Que le gars est quand même un peu plus malin que la fille...

— *Et ça, vous l'avez fait remarquer quand même ?*

— Oui... ça dépend du chef de secteur... Si l'autre veut qu'elle soit là pour qu'elle en chie toute la journée, il fera rien ! Dans ces cas-là, on peut appeler le comité d'hygiène et de sécurité... Vu son niveau, ses compétences et son salaire, il devrait être là plutôt que la fille...

5. Les ouvrières de base aux commandes des sections syndicales

En même temps, ce qui retient tout particulièrement l'attention dans l'entretien avec Corinne, c'est le lien qu'elle établit, spontanément et fortement, entre les changements survenus dans la structure des emplois d'exécution et la transformation du militantisme syndical, non seulement chez Tubeco mais dans la plupart des entreprises du Technoland.

La féminisation des emplois ouvriers s'accompagne d'un retrait de l'engagement syndical des hommes. Dorénavant, il semble bien que seul le relais assuré par les femmes permette de maintenir en vie les sections syndicales CGT ou CFDT de ce type de petites et moyennes entreprises. Dans ces usines où, pour le dire brutalement, les directions ont fait le ménage, on se bat pour se protéger : c'est un syndicalisme de combat. La question du militantisme se trouve intimement liée à celle des conditions de travail.

Pour occuper les postes de délégués du personnel à Tubeco, il n'y a plus que des femmes (ouvrières). Elles ont conquis les deux syndicats : CFDT (7 femmes sur 7 élues) et CGT (5 femmes sur 7 élues). Ces femmes ont le sentiment qu'elles sont vouées à ces postes d'opératrices sans perspectives, qu'elles ne pourront trouver mieux tandis que les hommes, eux, ont leur petite chance et ne doivent pas la laisser échapper. Pour peu qu'ils aient un minimum de bagage scolaire ou d'expérience, ils peuvent en effet espérer « monter », s'engager dans une nouvelle voie. Dans cette usine où tous les postes d'OP sont occupés par des hommes, on voit ainsi s'opérer une sorte de déplacement. C'était traditionnellement les hommes (ouvriers) qui étaient militants et qui, en tant que délégués, effectuaient le travail syndical auprès des femmes. Or, à partir du début des années 1990, tout se passe comme si les hommes n'avaient plus voulu prendre de tels risques pour leur carrière et plutôt cherché à faire jouer leurs atouts professionnels pour se placer sur le marché interne ou externe du travail. Et ce sont les femmes qui se bagarrent désormais pour continuer à faire vivre au jour le jour un militantisme de résistance :

> – Par contre, il faut reconnaître une chose qui est à l'inverse [du mouvement de départ des hommes de l'entreprise Tubeco]. Ici, toutes les personnes qui ont pris des responsabilités syndicales, c'est tout des femmes... Rien que des femmes ! On n'a aucun homme qui a jamais voulu se présenter aux élections, qui a voulu prendre une responsabilité ! Si, maintenant à la CGT, on en a un depuis l'année dernière... mais les années d'avant, c'était que des femmes ! Délégué syndical, c'est une femme ! DP [délégué du personnel], à part ces deux hommes, c'est que des femmes ! Et ça fait quand même dix ans que c'est comme ça ! C'est

toujours des femmes qui ont pris des responsabilités dans cette usine...

— *Et les risques aussi ?*

— Oui... Parce qu'on voit toujours ça au moment des mouvements [de grève], c'est toujours les femmes qui dirigent... C'est que nous, on est obligées de diriger des hommes... Parce que, eux, ils suivent, mais ils ne veulent pas prendre de responsabilités... Faut dire (*rires...*) qu'il n'y en a plus beaucoup maintenant...

Quand Corinne explique que ce sont des femmes qui ont pris depuis une dizaine d'années des responsabilités dans le syndicat, il est significatif qu'elle donne l'impression de comprendre les hommes, sinon de les excuser. Ce qui ne l'empêche pas, à d'autres moments de l'entretien, de tenir des propos plus critiques sur les hommes de son usine, qui se rapprochent beaucoup de ceux que nous avons souvent entendus dans la bouche d'autres militantes à l'UD-CGT d'Audincourt : ayant pris des responsabilités syndicales, notamment pour suppléer l'absence croissante (la désertion ?) des hommes dans les syndicats contestataires, ces dernières tendent à s'exprimer sur les hommes de manière ironique, parfois agressive, en raillant leur peu d'« aptitude » à s'investir aujourd'hui dans le syndicalisme. En filigrane, elles font comprendre à leurs interlocuteurs le contraste qu'il y a entre les attitudes masculines d'il y a une dizaine d'années (lorsque les hommes s'engageaient, non sans adopter vis-à-vis des femmes une attitude condescendante...) et l'espèce de calcul individualiste des hommes d'aujourd'hui, leur désinvestissement de l'action publique.

Quelles sont les caractéristiques sociales de ces femmes militantes ? Ce sont principalement des « opératrices », âgées d'une quarantaine d'années, en charge de famille, souvent détentrices de petits diplômes et qui sont passées par le lycée. Elles se sont vu irrémédiablement barrer la route dans l'usine et ne croient plus à la possibilité de « monter ». Elles restent attachées par réalisme à une usine où elles veulent tenter de rendre la vie plus tolérable.

Cette lutte obscure, ingrate, au jour le jour, que ces femmes, ouvrières peu ou non qualifiées, mènent à côté de leurs collègues de travail (on dit de moins en moins « camarades »), revêt des spécificités : elle s'inscrit sans nul doute dans des stratégies moins grandioses que du « temps des hommes » (c'est-à-dire lorsque les hommes militaient et dirigeaient le syndicat), elle recourt à d'autres armes qu'autrefois, et une autre rhétorique, plus terre à terre, moins politisée – mais à plus forte connotation éthique. Avantage de cette stratégie et de ce positionnement : ces militantes semblent moins préoccupées par les rivalités entre syndicats. Elles mettent aussi en avant d'autres formes de revendication, plus réalistes, moins dogmatiques, moins inspirées de considérations « politiques », notamment autour du temps de travail. D'où la nécessité pour le syndicat de mieux réfléchir aux objectifs spécifiques aux différentes catégories : vieux, jeunes, femmes ayant des enfants.

6. Un cas de syndicalisation improbable d'un jeune ouvrier

L'histoire de Nicolas[1] – un jeune ouvrier de 29 ans qui, après avoir été victime d'un grave accident du travail et avoir beaucoup hésité, décide de se syndiquer et de militer à la CGT – aide à comprendre les très grandes difficultés, objectives et subjectives, que les jeunes ouvriers de PME rencontrent aujourd'hui pour s'engager dans des syndicats contestataires ou pour refuser de prendre leur carte dans les syndicats « maison ».

Nous avons rencontré Nicolas au tribunal de Montbéliard où, avec le soutien des militants de la CGT et aidé par l'avocat du syndicat, il défend sa cause. Il a engagé un procès pour faire reconnaître la responsabilité de son entreprise dans le grave accident qui lui est arrivé dix-huit mois plus tôt. C'est en mars 1999 que sa vie a basculé. Ce matin-là, à la prise de poste, Nicolas travaille sur une presse réputée dangereuse. La sécurité ne fonctionne pas sur la presse, sa main est broyée – deux doigts de sa main droite devront être amputés et un troisième sera très durement touché. Hospitalisation en urgence, d'atroces douleurs et six mois d'arrêt de travail. Sur ce poste, un accident du même type, mais moins grave, était survenu un mois plus tôt... La CGT avait dénoncé les conditions de travail et

---

1. Que nous avons déjà racontée partiellement dans « Le syndicaliste. Un jeune ouvrier qui franchit le pas », *in Les Français peints par eux-mêmes*, t. IV, *L'Entreprise*, sous la direction d'Arnaud Viviant, Paris, La Découverte, 2003. Nous mettrons ici l'accent sur d'autres points.

l'insécurité entourant bien des postes de cette usine, où l'on engageait des jeunes qui n'avaient pas été réellement formés. Elle avait dénoncé aussi la manière dont l'entreprise avait falsifié les faits et refusé d'assumer ses responsabilités. En mars 2000, une rente à vie est accordée à Nicolas par la caisse d'assurance maladie : une indemnité représentant 18 % de son salaire. Et, de fait, il touchera désormais 900 F par mois. Nicolas est profondément déçu.

Pendant la période qui suit immédiatement l'accident, il a essayé, aidé par son père (retraité et ancien chef d'équipe), de négocier, avec la direction pour obtenir réparation – à savoir au moins une garantie sur son avenir, une « bonne place » adaptée à son handicap. Mais il a fini par comprendre que la direction cherchait surtout à gagner du temps pour l'empêcher de porter plainte dans les délais légaux et le berçait de belles paroles. Et c'est lorsqu'il a soudainement compris que la direction allait se montrer intraitable – son « potentiel » de travail était irrémédiablement compromis – qu'il a accepté, après avoir longtemps hésité, la « solution » du procès, de l'affrontement avec l'entreprise, de la solidarisation avec la CGT de l'usine où un noyau de vieux militants organise la résistance dans les ateliers.

Revenons un peu en arrière. Nicolas, né en 1972, est issu d'une famille ouvrière. Son père, ouvrier puis chef d'équipe dans une petite entreprise, a toujours été respectueux de l'ordre établi. Sa mère n'a jamais travaillé. Nicolas est orienté vers des études courtes, professionnelles. Il obtient la partie pratique du CAP de pâtissier, mais échoue aux épreuves théoriques. Ses connaissances scolaires de base semblent limitées, il n'est pas à l'aise avec l'écrit, c'est d'ailleurs son père qui rédigera pour lui tous les courriers adressés à l'usine. À 16 ans, il est embauché chez un pâtissier, où il travaille pendant six ans. Après son service militaire, le pâtissier refuse de le reprendre : pendant trois ans, il fera de nombreux petits boulots en intérim, le plus souvent comme manutentionnaire. Il reste bien sûr marqué par ce temps de galère. En 1993, il entre à l'usine d'Équip-Auto, un équipementier de la région, avec un contrat (CDD) de dix-huit mois. Pour obtenir un CDI, il va se comporter comme un ouvrier modèle : « Moi, j'ai jamais tiqué au niveau travail dans les quatre ans avant l'accident. J'ai jamais manqué ! J'ai dû refuser de travailler deux samedis en tout, parce que je comptais pas rester à la chaîne... » Comme il donne tous les signes d'une bonne conduite au travail, son contrat est prolongé à plusieurs reprises et il finit par être embauché « en fixe » en septembre 1997, comme « opérateur », classé APF1 (à 170 points, ce qui est le plus bas niveau). Il gravira progressivement les échelons de la carrière ouvrière : en 1998, il est APF2, passe à 180 points et devient « polyvalent d'atelier », c'est-à-dire qu'il tient différents postes de travail. Il fait également fonction de « conducteur d'installation » (normalement payé à 190 points), sans être rémunéré à ce titre. Entre-temps, Nicolas se marie, a deux enfants, sa femme travaille à mi-temps. Il fait construire en s'endettant lourdement : il doit rembourser 2 200 F par mois, ramenés à 1 500 F grâce à l'APL. Son salaire est d'environ 6 500 F net. Il fait par ailleurs des petits boulots.

Sa vie bascule avec l'accident. Non seulement du fait de l'infirmité qui le frappe, mais aussi parce qu'il découvre la duplicité de l'entreprise, lui l'ouvrier serviable et modèle. C'est tout un monde qui s'effondre, et il ne va cesser de ruminer son histoire, de se reprocher dans l'après-coup sa « naïveté ».

Après son accident, les choses se passent à ses yeux « normalement » : son chef d'atelier vient le voir à l'hôpital, on le rassure, sa carrière n'en sera pas affectée, on lui promet même de lui trouver un poste adapté à sa situation, on dessine pour lui un plan de carrière. Mais il ne tarde pas à se rendre compte que les actes ne suivent pas : par exemple, on lui propose un poste de « facteur » dans l'entre-prise en feignant d'ignorer que ce travail en « horaire normal » lui fait perdre la prime de tournée (environ 1 000 F par mois). Au fil des mois l'inquiétude le gagne puis, peu à peu, la colère. Son père, qui avait confiance dans la parole de l'entreprise, s'inquiète bientôt lui aussi et le pousse à exiger des engagements fermes. Nicolas presse alors l'entre-prise de lui trouver un poste qui lui convienne : « Il y a eu une espèce d'accord : je porte pas plainte, mais eux s'oc-cupent de moi... En gros, c'était ça. »

Au travail, il est toujours à 180 points, et ne voit aucune possibilité de progresser. Il est alors muté dans un secteur de contrôle. Il est réopéré peu après, mais l'opération échoue, et l'on craint de nouvelles complications. La goutte d'eau qui fait déborder le vase survient le jour où on affecte au poste de travail (de nuit) qu'il ambitionnait un jeune qu'il a lui-même formé. Il réalise alors qu'il est disqualifié aux yeux de l'entreprise. Dernière tentative de conciliation de sa part : il envoie une lettre (rédigée par le père) à la direction de l'usine, qui ne répondra (en termes très évasifs) que trois semaines plus tard. Il comprend alors que la direction cherche à gagner du temps. Ayant perdu tout espoir de se voir confier un poste en compensation du grave dommage subi, il décide de prendre langue officiellement avec la CGT.

En fait, jusqu'à son accident, Nicolas n'avait jamais eu aucune velléité de s'engager dans l'action syndicale. Dépourvu de toute formation ouvrière, passé par l'apprentissage en artisanat, il espérait bien échapper au destin d'ouvrier. S'il s'est retrouvé à l'usine, c'est surtout pour rompre avec la succession des petits boulots sans débouché durable et dans l'espoir de bâtir une « [petite] carrière » chez Équipauto. Il se tient donc sagement à l'écart des syndicats, mal vus (la CGT) dans l'entreprise, et d'autant plus que, par tradition familiale, le syndicalisme lui est totalement étranger. Son père, longtemps ouvrier, a fini sa carrière comme chef d'équipe dans une petite entreprise où régnait le plus pur esprit paternaliste. Comme lui, Nicolas respecte l'autorité[1]. Il est ainsi le type même du jeune ouvrier prêt à accepter, sans protester, les logiques de concurrence que les nouvelles usines imposent. Prudent, un peu timoré, soumis et lucide à la fois, soucieux avant tout d'évoluer dans l'usine, il a longtemps joué la carte de l'entreprise. Cependant, il va faire la connaissance d'un vieux militant cégétiste, âgé de 56 ans, Dédé, auprès de qui il travaille et avec qui il noue des relations d'amitié. Celui-ci lui apprend par petites touches la vie d'usine et les manières de résister. Tout au long de l'entretien surgissent et s'entrecroisent les figures du père et de son ami de la CGT : on sent Nicolas tiraillé entre ces deux influences, qui s'exercent simultanément sur lui.

– [À l'usine] quand je travaillais dans la tournée A, j'avais un collègue qui était à la CGT et qui a déjà de la bouteille...

---

1. Lorsque son patron pâtissier lui signifie, après trois ans de bons et loyaux services comme apprenti, qu'il ne peut pas le prendre comme employé, Nicolas s'incline.

Il est bientôt en retraite... et puis bon, on était assez amis, quoi. Et puis M. L. [le directeur] l'avait même remarqué, puisque tous les jours il allait voir, parce qu'il avait trop peur qu'il me donne des conseils au niveau syndicalisme et puis que ça lui porte préjudice. Donc, ils m'ont changé de tournée, comme ça... Mais, bon, on se voyait pendant l'heure de relève... Mais ça n'empêche pas, quoi, quand je veux le voir... il n'y a pas de problème, je veux dire que... ça me dérange pas, si je finis à une heure le travail d'aller jusqu'à son poste discuter pendant une demi-heure et lui demander, même encore maintenant, conseil...

— *Et cette année, quand vous avez eu votre accident, il s'est manifesté ?*

— Lui, oui. Mais pas tout de suite. Parce que, comme il m'a dit, lui il arrivait au bout [de sa carrière], c'est un gars qu'a pas vraiment évolué, il était de la CGT, on l'a peut-être aussi saqué. Et puis, donc, il voulait pas qu'on sache justement qu'il venait chez moi, donc il est pas venu tout de suite, il est venu au bout de quatre mois, quoi. Sans compter qu'il m'a téléphoné quand même avant pour prendre de mes nouvelles. Moi aussi je lui téléphonais, mais il voulait pas venir tout de suite, justement pour pas qu'on sache que... Parce que, lui, il m'a conseillé de porter plainte tout de suite. Il m'a dit : « Je suis pas à ta place », donc il y avait mon père qui était là aussi, il a dit : « Je suis pas à ta place, je suis pas à votre place... Mais moi, si ça m'arrive je porte plainte tout de suite. » Et après, bon... en entendant tout ça, j'ai dit : on va attendre quand même, quoi, on va pas porter plainte tout de suite, peut-être... Ça va peut-être s'améliorer, moi je croyais toujours que la direction allait négocier mon affaire...

— *Et votre père, il vous disait quoi ?*

— Mon père, lui, il était plus inquiet au niveau de ma carrière, quoi. Lui, il voulait pas me conseiller, c'est ce qu'il me disait : « C'est toi qui vois... » Les négociations que j'ai eues avec eux, il était pas présent. Donc la seule fois qu'en fait, je pense que ce jour-là il était peut-être un peu plus énervé que d'habitude, et puis il s'est dit : « Ce coup-ci je peux pas laisser aller comme ça, s'il a pas de lettre, s'il a rien, il va rentrer, on va le foutre à un poste où... où il va stagner toute sa vie, quoi. »

— *Donc, finalement, la seule personne qui vous ait dit : « Il faut porter plainte, c'est... le copain... »*

— C'est lui, voilà. En fait, il m'a dit : moi je serais à ta place, je porterais plainte. Et là je l'ai regardé, je lui ai dit : « Eh là, mais attends, tu as 57 ans – parce qu'on se tutoie malgré tout... » (*silence, avec un petit soupir*)... Quand j'étais à l'usine nos autres collègues disaient : « T'es toujours vers ton père ». Donc, je veux dire, c'était quand même... une amitié de travail assez forte quoi, donc ils disaient toujours : « T'as pas vu ton père ? » qu'ils disaient quand des fois je tournais dans l'atelier puis que je le cherchais en fait. Et puis moi, je lui ai dit : « Tu as 57 ans c'est sûr que... Il te reste trois ans à faire... » Je dis : moi, si je porte plainte, si ça se trouve, ça va me suivre toute ma vie. Donc, après, j'ai attendu, puis quand j'ai vu qu'ils m'avaient mis là, puis qu'au bout d'un an (*forçant le ton sur ces deux mots*) toujours pas d'augmentation, rien ! Là j'ai dit, ce coup-ci, ça y est... Le créneau il est fait... t'es filmé... tu vas rester là toute ta vie, quoi. Et puis donc c'est là que j'ai décidé de contacter un avocat et puis, bon, je pense qu'à ce moment-là le syndicat CGT devait être un peu à l'affût, quoi, de mes réactions de ce que j'allais faire, et puis donc, là, ils m'ont contacté, et puis ils m'ont donné un rendez-vous un samedi matin dans un café, et puis juste à côté il y avait l'avocat en fait. Donc ils m'ont dit : « Voilà... on aurait besoin de quelques éléments parce que nous on se porte partie civile, c'est sûr, on aurait besoin de quelques éléments au niveau des papiers, quoi », et puis moi j'ai dit : « Bon, d'accord, mais je voudrais déjà savoir ce que vous vous avez. » Donc tous les papiers hygiène et sécurité, tout ça, que moi j'avais pas en fait, donc là, ils m'ont dit : « Voilà », ils allaient faire tout photocopier, puis donc moi j'avais mon dossier qui était pas si épais que maintenant, donc je leur ai tout... j'ai dit : « Je vous donne tout, je vous fais confiance », donc ils ont tout photocopié, dès le lundi on s'est revus, ils m'ont donné mon dossier plus le dossier photocopié...

Si Nicolas ne parle pas directement de ses hésitations, des revirements par lesquels il est passé, il laisse entendre qu'il a été « tiraillé ». On entend ici comme un écho de ses préoccupations intimes. Pendant des mois entiers, il semble avoir été travaillé de l'intérieur par cette question. Le débat se joue en quelque sorte entre Dédé, le vieux militant qui, au lendemain même de l'accident, lui conseille de porter plainte contre la direction, et son père, qui, tout en entrevoyant parfaitement le risque qu'il court, l'incite (surtout au début) à la prudence, lui conseille de temporiser – tout en essayant de faire lui-même, avec son faible poids, pression sur la direction de l'entreprise. La distance entre les deux personnages se réduira au fil du temps, le père et l'ami se rejoignant dans la conviction qu'il n'y a plus grand-chose à perdre et qu'il faut tenter de forcer le destin en recourant au soutien syndical.

Si Nicolas bascule finalement du côté de la CGT, c'est pour des raisons très exceptionnelles : son accident, ses conséquences terribles pour lui et sa famille, et le double jeu de la direction à son égard. Et si l'adhésion de Nicolas à la CGT est bien sûr une décision réfléchie, longuement mûrie, on ne la comprend que par référence à l'ancien paternalisme et aux règles morales sur lesquelles celui-ci reposait. Autrefois, dans de telles circonstances, l'entreprise se serait montrée loyale vis-à-vis d'un salarié frappé par le malheur (où elle a d'ailleurs sa part de responsabilité). Dans le système ancien, on aurait trouvé un poste de travail adéquat pour l'ouvrier accidenté. Mais aujourd'hui, l'entreprise s'inscrit dans un autre réseau de dépendance. Les faits sont là : le potentiel physique de Nicolas est considérablement amoindri, il ne possède aucun diplôme, sa valeur sociale tenait à son énergie au travail et à sa bonne volonté, l'entreprise ne peut espérer qu'il se lancera dans une vraie formation parce qu'il n'a pas les bases nécessaires. Enfin, et ce n'est pas anodin, Nicolas n'est pas entièrement « sûr » : il a quelques mauvaises fréquentations, il s'entend bien avec des « vieux » proches de la CGT. En se syndiquant à la CGT, Nicolas sait qu'il saute le pas, qu'il franchit la ligne jaune et qu'il passe de l'autre côté de la barrière. Il sait qu'il prend un risque, qu'il s'engage dans une voie non balisée.

Il s'y engage pourtant. Le cas limite de Nicolas fait bien apparaître l'extrême difficulté qu'éprouve d'aujourd'hui un jeune non qualifié à rejoindre le combat syndical. Ceux qui, comme lui, n'ont pas fait beaucoup d'études estiment ne pas disposer des armes intellectuelles pour se lancer dans l'action militante, et d'autant plus que, dans le contexte actuel des études prolongées, ils rencontrent plus de difficultés encore à s'affranchir des jugements scolaires négatifs qui les ont marqués au plus profond d'eux-mêmes. À la fin de l'entretien, alors que nous lui posons presque brutalement la question : « Le fait d'être un ouvrier syndiqué, est-ce que tu considères que c'est quelque chose d'important pour toi ? », il répond : « Oui, mais c'est autre chose, je veux dire, c'était pas mon but de départ... Mon but, c'était d'arriver à quelque chose... Moi, je sais que mon père a fini chef d'équipe... C'est pas ce que je voulais être... Mais j'aurais voulu arriver à quelque chose quand même, pour lui prouver aussi que [il hésite, ému]... Je sais pas, moi, que j'étais pas aussi nul... Mais que je vaux aussi quelque chose, quoi ! » On est ici dans la logique de l'honneur social. Or, ce qui est en jeu dans le militantisme, c'est aussi la capacité à prendre la parole, à s'adresser aux autres, à bâtir une argumentation solide, à défendre ses positions face aux ouvriers aussi bien que face aux cadres. L'absence de formation militante et la distance par rapport à la culture légitime sont autant d'obstacles à l'engagement syndical.

— [À RESA] ils essayent de déstabiliser la CGT parce qu'ils savent que c'est celle-là le syndicat le plus à craindre, quoi.

— *Et quand vous vous étiez intérimaire, on vous a dit : «Surtout ne vous occupez pas de syndicat » ?*

— Non, non, on ne me l'a pas dit comme ça, mais je veux dire qu'un coup j'étais prêt à faire grève, on m'a dit non... Mon chef d'équipe m'a dit : « Non, c'est pas la peine, si tu fais grève demain, t'es plus là, quoi. »

— *Et après, quand vous avez été embauché, est-ce que vous avez hésité ?*

— (*D'un ton très fort.*) J'ai jamais pu faire grève en fait parce que, à chaque fois, j'étais en congé quand ils ont déclenché un truc de grève. Donc j'ai jamais fait grève. En fait, c'est ça qui doit les surprendre aussi, parce qu'ils m'ont jamais vu, mais c'est tombé comme ça. Encore là, il y a pas longtemps, la dernière grève qu'ils ont faite, moi j'avais perdu mon grand-père. Donc j'avais trois jours pour le décès. C'est tombé qu'ils ont fait grève donc contre la retraite à 65 ans, qu'ils disaient, eh bien j'étais pas là, donc j'ai pas fait grève, donc jusqu'à ce moment-là, il y a pas si longtemps je veux dire... ils ont jamais su ce que je pensais vraiment, ce que j'allais faire, quoi. Donc là, le mardi, je signe le papier, on me donne mon carton de délégué et, deux jours après, je suis convoqué par la direction. On m'a dit : « Maintenant tu as une grande étiquette dans le dos, rouge, elle te poursuivra toute ta vie où tu iras. » Donc, après, on va pas me dire que ça, c'est pas du harcèlement moral... de me tuer à petit feu, quoi... C'est pas compliqué, quand je me suis syndiqué à la CGT, mon chef a dit : « Réfléchis bien, j'ai pas de conseil à te donner, mais je serais toi, j'arrêterais tout maintenant... »

– *Vous lui avez répondu ?*

– J'ai dit : « Si j'avais eu besoin de conseil, je vous aurais demandé, jusqu'à présent je vous ai rien demandé. » Mais mon opinion est telle que pour l'instant je suis à la CGT et je compte y rester. Je lui ai dit : « On m'a rien donné, j'ai essayé de négocier, on m'a rien donné, on m'avait promis un poste de nuit peu de temps avant, donc j'ai formé un moniteur qualité. Je l'ai formé pendant trois semaines. Il devait justement apprendre ces marques de produits parce qu'il devait reprendre ma place, puis moi je partais de nuit. » Donc le vendredi arrive, le dernier vendredi de formation, et je dis à mon chef : « Maintenant, il faudrait peut-être savoir : est-ce que je suis de nuit et tout ça ? » Et lui, il me dit : « Non, non, c'est pas toi qui es de nuit, c'est lui. » Alors là, je veux dire que là (*soupir*), ça vous tombe dessus... Alors j'ai commencé à me retourner, avec ma femme on a commencé à discuter, je lui ai dit : « Écoute, maintenant on va être obligés de s'organiser autrement parce que je vais travailler de nuit, donc faudra prévoir autrement pour les gosses, pour tout, quoi. » Donc moi je préviens, elle de son côté elle essaie de planifier quelque chose, tout, je reviens le dernier vendredi au bout de trois semaines, je lui dis : « Écoute, tu peux tout laisser tomber. Je veux dire que là on me recasse encore une fois moralement, à la dernière minute on me dit : non, c'est pas toi. »

– *Mais pourquoi ils vous ont refusé ce poste... parce que vous auriez été délégué, ça se serait compris...*

– Si, parce que eux ils savaient qu'on allait au tribunal, donc ils essaient de leur côté de casser quelqu'un pour faire qu'il arrête, quoi. En fait, c'est ça, quoi. Ils se disent que si ils arrivent, en gros, à le briser un petit peu... il va peut-être arrêter et se calmer. Moi, au contraire, plus on avance, plus je me dis, puisque eux veulent me faire chier, moi aussi, moi ce coup-ci je veux partir dans le but de les emmerder pour la moindre bricole, quoi. Ça c'est clair que maintenant moi j'ai déjà chopé l'agent de sécurité, là je lui ai déjà montré deux trois trucs au niveau extincteur qui n'allaient pas... tout ça, j'ai dit que je voulais que ce soit réglé le plus rapidement possible.

À travers ce récit, on a aussi tenté de faire mieux comprendre les raisons pour lesquelles aujourd'hui la plupart des jeunes se refusent à entrer dans un syndicat, sans pour autant être dupes des propositions que les directions d'entreprise peuvent leur faire. Faire comprendre aussi au terme de quels combats et de quelles hésitations un jeune qui se décide à militer peut prendre sa décision.

La recomposition de la main-d'œuvre consécutive à la reprise a accéléré la tendance des ouvriers du Technoland à fuir ces usines fragiles. Ceux qui sont restés se tiennent à l'écart de tout engagement syndical et cherchent plutôt leur salut dans des stratégies de type individualiste. Il faut des circonstances assez exceptionnelles, comme dans le cas de Nicolas, pour franchir le pas et militer dans un syndicat non agréé par l'employeur. Les ouvrières du Technoland, de leur côté, n'ont guère d'autre solution que de se raccrocher à leur CDI (pour celles qui en ont un). Les plus combatives, pour pallier l'absence et/ou la désertion de leurs homologues masculins, se livrent à des bagarres menées pied à pied, au jour le jour, contre les multiples humiliations vécues au travail et/ou contre l'arbitraire patronal. Si elles s'engagent dans l'action syndicale, c'est parce qu'elles ont été blessées personnellement par la vie à l'usine – et aussi parce qu'elles s'indignent que certaines injustices trop criantes soient perpétrées dans leur atelier et que personne n'y réagisse. Mais très peu d'entre elles sont portées à se révolter contre la situation qui leur est faite, beaucoup sont prêtes à subir, en espérant qu'elles pourront, un jour, échapper à l'usine...

À l'opposé, la vieille usine de Sochaux, forte d'un passé et d'un capital collectifs, peut être, dans certains secteurs, le lieu d'une transmission réussie des manières d'être ouvrières. On peut y voir d'ailleurs une sorte d'alliance se nouer, parfois, entre certains vieux militants français et certaines filles maghrébines formées à la solidarité familiale, qui pourrait peut-être à terme déboucher sur d'autres formes d'engagement militant de la part de ces dernières. Un syndicalisme au jour le jour, sur fond d'indignation éthique ?

Conclusion

La reprise économique, on le sait, n'a pas duré. À la relative euphorie qui l'accompagnait a succédé une nouvelle période de morosité, de peur face à l'avenir et de pessimisme. Cette période de reprise aura permis d'éclairer, a contrario si l'on veut, le dispositif d'exclusion/élimination qui avait fonctionné dans les années de sous-emploi structurel, révélant le caractère arbitraire des procédures de sélection à l'embauche.

Le « plein emploi » qui s'est installé en 1999-2000 est ainsi apparu pour ce qu'il était : un plein emploi précaire. L'intérim était devenu la norme d'embauche, norme qui semblait presque acceptée par les jeunes eux-mêmes. Les agences d'intérim furent (et restent) les premiers et presque les seuls interlocuteurs des jeunes à la recherche d'un emploi. Il faut bien prendre la mesure des effets diffus du développement global de l'intérim de masse sur le bassin d'emploi : selon l'un des responsables de la police, il y aurait eu en 2001 sur l'agglomération une « population flottante » − c'est son expression (qu'on croirait directement empruntée à Marx) − de 10 000 anciens intérimaires. Car très nombreux sont ceux (les garçons, rarement les filles) qui, après quelques jours ou quelques semaines de travail, ont quitté l'entreprise, souvent sur un coup de tête. Certains ont loué des appartements à plusieurs, d'autres se sont retrouvés logés dans des foyers de travailleurs − mais d'autres ont dû recourir à des moyens de fortune (coucher dans leur voiture, squatter des appartements, etc.).

Ces jeunes vivotent dans la région, « pèsent » sur les autres, sont accusés de « faire des conneries » : les vols sur les parkings ou dans les vestiaires de l'usine leur sont souvent attribués.

La généralisation et l'institutionnalisation de l'intérim auront ainsi contribué à la consolidation d'une sorte de précarité structurale, qu'il faut aussi comprendre dans le cadre des rapports entre générations au sein du monde ouvrier. D'une certaine manière, les jeunes des cités, presque tous intérimaires, sont pris dans ce mouvement qui les dépasse. Et ils tendent à voir dans cette situation les effets d'une politique systématique de discrimination dont ils seraient les premières victimes dans l'entreprise, sur le mode du « On nous accepte pour un temps, on se sert de nous comme intérim, mais on ne nous embauche pas ». À leurs yeux, si la barrière sociale a reculé d'un cran, elle n'en a pas disparu pour autant : elle coupe l'entreprise en deux.

Troisième partie

LA RELÉGATION SOCIALE
ET SPATIALE
DES ENFANTS D'IMMIGRÉS

Après l'émeute et, au moins, jusqu'au premier tour de l'élection présidentielle du 21 avril 2002, le quartier de la Petite-Hollande n'a jamais retrouvé la tranquillité. Les jeunes les plus impliqués dans la culture de rue – essentiellement des garçons d'environ 13-18 ans, habitant les immeubles des secteurs les plus pauvres du quartier, le plus souvent en difficulté à l'école – n'ont pas raccroché : le sentiment de révolte qui les anime (et qui se fixe principalement sur la police) a continué de s'exprimer, de manière larvée ou ouverte, sous la forme d'une sorte de guérilla urbaine quasi permanente : « caillassage » des bus, incendie de voitures d'habitants du quartier, harcèlement visant à empêcher l'implantation d'une annexe du commissariat de police au rez-de-chaussée d'une tour située au cœur de la ZUP[1].

---

1. Ces incidents, quasiment journaliers, alimentent la chronique des faits divers de la presse locale, dont la lecture, en retour, nourrit le moulin à ragots du commérage local : « Vous avez vu le journal de ce matin ? "Ils" ont encore remis ça... » est l'une des formules les plus régulièrement entendues dans un des deux cafés de la ZUP. Certaines personnes utilisent encore un langage euphémisé mais, selon la conjoncture et/ou le degré d'exaspération de la population, le pronom personnel « ils » cède la place plus explicitement – pêle-mêle – aux « petits immigrés », « petits Arabes », « petits voyous », etc. L'impact local de l'émeute du 12 juillet et les comptes rendus par la presse de l'espèce de guérilla urbaine que livrent les jeunes pour défendre leur quartier de toute intrusion de la police ont aggravé la « mauvaise » réputation de la ZUP dans l'espace local : chute des prix des appartements en propriété, accélération du mouvement de fuite des familles disposant de ressources vers le pavillonnaire, demandes de location dans d'autres quartiers HLM moins « chauds » de la part des familles sans capacité d'emprunt immobilier.

Prenant pour point d'appui l'émeute urbaine dans la ZUP, l'enquête devait passer, à un moment ou à un autre, par une analyse plus spécifiquement centrée sur les jeunes du quartier. Mais dans ce contexte très troublé des lendemains de l'émeute, c'est peu de dire que le climat sur place n'était pas favorable à l'enquête, tant s'était renforcée la suspicion des jeunes à l'égard de tous les étrangers au territoire (journalistes, photographes, « sociologues » et autres « intellos »).

Pour mener à bien cette partie de l'enquête, nous avons donc choisi de procéder prudemment, par approches successives : en commençant par les sphères les plus éloignées du « public cible » (les responsables d'institutions, les éducateurs, les responsables associatifs), avant de nous rapprocher des principaux intéressés (les « emplois jeunes », les parents), en remettant à plus tard le moment des entretiens avec les jeunes directement concernés : nous savions fort bien qu'il y faudrait de la patience, que l'enquête par entretien auprès de ces derniers serait difficile. Nous avons donc saisi toutes les opportunités d'enquête qui se sont présentées, en mobilisant différents réseaux (animateurs et travailleurs sociaux du quartier, des militants syndicaux, « emplois jeunes » des écoles primaires et collèges de la ZUP, etc.), en choisissant d'étudier des cas intermédiaires – des jeunes en voie d'insertion professionnelle – qui font bien apparaître, a contrario, les difficultés d'insertion de ceux qui sont encore moins pourvus de ressources sociales qu'eux.

CHAPITRE VIII

Un intérimaire permanent
en quête d'embauche

J'ai [Stéphane Beaud] rencontré Selim, 30 ans, fils d'immigrés algériens, par l'intermédiaire des animateurs de la ZUP qui m'avaient vivement recommandé de le voir : il fait partie de ces jeunes qui ont cherché à s'investir dans le quartier, qui ont été à plusieurs reprises dans les années 1990 « animateurs » au service actions-jeunes, mais qui n'ont jamais réussi à obtenir un poste fixe malgré les promesses réitérées de la mairie. Celle-ci s'est contentée de les employer en fonction de la demande et de la gravité de la situation à la ZUP, dans le cadre d'opérations ponctuelles, afin de rétablir la paix sociale et de « calmer » certains jeunes. La plupart de ces animateurs ont ainsi été reconduits de contrat précaire en contrat précaire (de CES en CES) pendant des années. L'embauche définitive n'est jamais venue, pas plus pour Selim que pour les autres : et il aura fallu une dernière expérience, en 1998, pour qu'il se résigne et fasse son deuil d'un travail dans l'animation. Les jeunes comme lui (tous d'origine algérienne ou marocaine) ont été nombreux à avoir ainsi été découragés et contraints de se rabattre sur d'autres solutions : certains sont partis travailler comme animateurs dans d'autres villes, comme Belfort ou d'autres villes du pays de Montbéliard, d'autres ont finalement cherché leur salut à l'usine, notamment lorsque la conjoncture économique s'est soudainement éclaircie à partir de 1999.

1. Selim, un rescapé des « années noires »

Selim incarne, aux yeux de tous les animateurs du quartier, l'exemple même du gâchis qui a résulté de la politique à courte vue en matière de gestion du personnel de la mairie, laquelle n'a pas su saisir les occasions qui se sont offertes pour enrôler les jeunes du quartier dans un travail suivi d'encadrement des jeunes de la ZUP[1] (« C'est un travail de fond, l'animation », ne cessent de dire les animateurs). Conséquence : le riche potentiel d'encadreurs, compétents et dévoués, qui existait encore au milieu des années 1990, a été détruit.

Selim avait pourtant toutes les qualités et les dispositions requises pour bien faire ce métier : il a grandi dans le quartier, y connaît beaucoup de monde (« Entre chez moi et le centre commercial, soit 300 m, moi je serre vingt mains »), a une excellente réputation, pratique à un bon niveau le football, bref, un modèle de « grand frère ».

La demande d'entretien portait plus spécifiquement sur le thème des animateurs et l'historique du travail d'animation à la ZUP depuis dix ans, de manière à comprendre le surgissement de l'émeute du 12 juillet 2000. À travers les premiers échanges téléphoniques, j'apprends que Selim travaille aujourd'hui en usine, en équipe de nuit. Il se montre tout de suite disponible pour réaliser l'entretien et me fixe un rendez-vous chez lui pour le lendemain. Il habite avec sa femme un appartement dans un immeuble situé un peu en retrait de la ZUP, parmi les immeubles « bien » du quartier où, comme il dit, il y a du « brassage » (« Ici, il n'y a que deux Maghrébins dans l'immeuble », dit-il assez vite). L'entretien se déroulera de 14 heures à 17 heures, en présence de sa femme qui écoutera avec attention l'ensemble de nos propos, intervenant très ponctuellement, puis s'occupant du bébé au réveil de sa sieste. La sœur de Selim est là, elle aussi, et supplée de temps à autre sa belle-sœur dans ses tâches maternelles.

Selim a prévu de parler longtemps et, à cet effet, a libéré tout son après-midi. S'il a envie de raconter son histoire, ce

---

1. À l'inverse, d'autres mairies, comme celle de Belfort, qui ont mis en place des équipe structurées d'animateurs dans les quartiers sensibles de leur ville.

n'est pas dans un but de dénonciation (ou à titre purement individuel) mais parce qu'il pense (ou pressent) que son témoignage peut valoir comme élément d'une histoire collective à laquelle il a participé – et dont il se sent aujourd'hui encore solidaire : l'histoire des enfants d'immigrés de la ZUP. Et si aujourd'hui certains d'entre eux font la une du journal local ou en alimentent les rubriques « faits divers » ou « justice », il ne veut pas qu'on oublie la toile de fond socioéconomique sur laquelle se déploient ces comportements déviants (qu'il condamne par ailleurs), à savoir les dix années au cours desquelles les frères aînés, comme lui, ont été victimes d'une véritable discrimination à l'embauche. C'est d'abord de cela qu'il veut témoigner, instruit qu'il est par sa longue expérience du marché du travail. Il le fait sans amertume, mais avec la conscience claire qu'un certain nombre de choses doivent aujourd'hui être dites en ce domaine. Pour l'avoir éprouvée personnellement, il considère que cette expérience du rejet – insidieux, jamais dit explicitement mais suggéré de mille et une manières – a pesé lourd (et continue de le faire) dans la tête des jeunes. C'est quelque chose qu'il tient à dire dès les premières minutes de l'entretien.

> Moi je vais vous dire, je me voile pas la face, et je le dis ouvertement... Ici, sur le pays de Montbéliard... je voudrais qu'on me prouve le contraire, parce que j'en suis sûr, là-dessus j'ai une intime conviction... Donc, à un moment donné, les entreprises du pays de Montbéliard ne voulaient pas de... (*il hésite, cherche le mot juste*) Maghrébins... Il y a une loi, du moins il y a une convention, qui a été signée sous Moscovici, comme quoi il fallait prendre des jeunes issus des quartiers. Et depuis là, bon, les entreprises ont fait des efforts. Et moi je vois les jeunes, je côtoie tous les jours des jeunes de mon quartier qui travaillent à mes côtés, dans les autres équipes, où je travaille, et ça se passe superbien... C'est pas parce que la personne vient d'un quartier qu'elle sait pas travailler, qu'elle a pas sa place dans la société... C'est pas vrai du tout... C'est des jeunes... ils sont (*il cherche le mot juste, se reprend*)... Faut leur tendre la perche... Faut pas les mettre de côté... C'est en les mettant de côté qu'on a beaucoup de problèmes. Parce que, après c'est la drogue qui s'installe, c'est la délinquance, c'est les vols, c'est... toute la petite délinquance, juvénile comme on dit... tout ça qu'on pourrait éviter...

En écoutant son histoire, on ne peut pas ne pas se dire qu'il a déjà dû beaucoup déchanter. Pourtant, comme nombre de gens qui ont connu la même trajectoire (Algérie, ZUP) et qui ont son âge, il apparaît largement « blindé », il a clairement dépassé la phase de révolte sociale très violente que ses cadets expriment tous les jours, sous des formes variées. À 30 ans, sa situation professionnelle a comme principale caractéristique de n'être ni entièrement stable ni entièrement précaire : c'est celle d'un ouvrier qualifié, intérimaire depuis deux ans dans une grande usine d'équipementiers de la région (RESA-Gralland), et qui commence à gagner assez bien sa vie (9 300 F net par mois, primes de nuit comprises). Au moment de l'entretien, il a fait des « choix de vie », comme il dit, qui lui paraissent irréversibles : il semble, notamment, avoir fait son deuil de tout travail d'animation et compte assumer pleinement ses nouvelles responsabilités de père de famille.

Après s'être concentré sur les problèmes propres aux animateurs de la ZUP, l'entretien va rapidement glisser sur le thème de l'usine – car les deux domaines sont très étroitement imbriqués dans l'expérience de Selim. En fait, celui-ci, depuis sa sortie du système scolaire (1989), avec un BEP d'usinage en poche, n'a cessé jusqu'à 1998 (date de la fin de son dernier contrat d'animateur) d'alterner divers boulots en usine (presque toujours en intérim ou en CDD, mais dans de grandes entreprises de Belfort) et un travail d'animateur de quartier dans le cadre de CES, synonyme de statut précaire et de très faible rémunération (2 300 F par mois). Il va progressivement raconter par le détail l'itinéraire exemplaire d'un « intérimaire permanent » d'aujourd'hui.

Selim se vit aujourd'hui, avec le recul, comme un rescapé du quartier. S'il se compare avec ses copains du même âge qui ont fréquenté le même lycée professionnel que lui, il peut se dire que, finalement, il ne s'en est pas si mal sorti. Sa petite fierté est d'avoir depuis dix ans réussi à enchaîner sans interruption de brefs contrats de travail. La semi-stabilité professionnelle dont il a ainsi bénéficié lui a permis de fonder une famille, de s'installer « chez lui », non loin de ses parents, dans un appartement qu'il espère pouvoir acheter un jour. Par ailleurs, dans la course au CDI dans laquelle il est lancé au sein de son entreprise, il est, comme il dit, « en avance » par rapport aux autres intérimaires.

C'est cette position relativement installée qui le pousse à vouloir raconter son histoire, et par là même témoigner au nom de ses anciens compagnons d'infortune – tous ceux qui, dans le quartier, ont eu moins de chance que lui, tous ceux à qui on n'a pas tendu la perche, tous ceux qui étaient pourtant, comme il dit, « récupérables » mais qui, pour diverses raisons, sont restés au bord de la route ou sont tombés dans la délinquance (comme Momo, le « bandit de la ZUP », qu'il a bien connu). La qualité et la justesse de son témoignage sont sans aucun doute liées à cette position de « rescapé » de ces années noires au cours desquelles il a vu tomber certains de ses amis d'enfance et de quartier. L'entretien est pour lui l'occasion d'analyser, avec le recul, les petits riens qui leur ont fait prendre le « mauvais chemin » et basculer de l'autre côté. Il a pu aussi prendre la mesure, dans son propre cas, de quelques petits atouts dont il a su se servir et qui, au bout du compte, ont contribué à le maintenir dans la bonne direction : d'abord, des parents présents lorsqu'il le fallait (quand il traversait des périodes difficiles, au chômage), mais aussi Sabri (son mentor en animation) et d'autres amis du quartier qui l'ont fait évoluer dans un « bon milieu », la rencontre avec sa future femme. Sans oublier la pratique assidue, en club, du football, qui l'a contraint à avoir un mode de vie réglé et lui a valu une petite notoriété locale dont il a pu se servir dans les entreprises (il connaît tout le monde dans la région). À 30 ans, il peut ainsi comparer finement le destin des uns et des autres et évaluer la chance relative qu'il a eue d'échapper à l'engrenage du chômage et du quartier.

Selim n'était pas, comme il dit, « très école » (« Moi, à l'époque, y avait que le foot qui comptait »), mais il obtient son BEP en 1989. À l'époque, les débouchés à la sortie du lycée professionnels sont minces : c'est bien souvent, notamment pour les jeunes des quartiers, la direction de l'ANPE qu'ils prennent – et parfois en même temps celle de la Mission locale de l'emploi. Selim n'échappe pas à la règle puisqu'il connaît, lorsqu'il sort de l'école, six à sept mois de chômage. Il refuse alors d'envisager la voie des stages proposés par la Mission, fort de son diplôme professionnel (« Moi, j'étais déjà formé ») et sceptique vis-à-vis de cette institution qui, selon lui, offre des « formations bidon ». Faute d'ouvertures dans le monde du travail, il devient, grâce à ses relations dans le quartier, animateur. Il travaille auprès de Sabri, l'un de ses partenaires de football, qui l'initie et le guide dans ce travail d'animation. Il obtient un CES d'un an, s'investit totalement dans ce travail (« C'est vrai qu'on a fait du supertravail... ») mais n'en retire aucun bénéfice du point de vue de sa carrière. Faute de perspectives claires dans cette voie, il se rabat sur l'usine, en décrochant un CDD de quatre mois et demi dans une petite entreprise d'assemblage de pièces de bois située à 30 km de chez lui. Il travaille comme opérateur sur une petite ligne de six personnes, mais ne cherche pas à aller plus loin (« C'était pas mon domaine, je ne suis pas opérateur »), entendant bien défendre sa formation professionnelle acquise au lycée et se refusant à brader son diplôme. Assez vite, il décroche un CDD de quinze mois dans une des usines d'Alstom de Belfort. Là, il travaille « dans son domaine », c'est-à-dire qu'il met à profit les connaissances acquises à l'école en travaillant à l'électroérosion, sur des turbines. Le travail et l'ambiance lui plaisent, il rêve de se faire embaucher dans cette « grosse usine », plus intéressante « au niveau technique » que celle de Sochaux (où du travail répétitif est alors proposé aux jeunes comme lui).

Mais entre-temps survient la récession de 1993, si bien que son CDD n'est pas renouvelé. Retour à la case départ. Huit mois de chômage s'ensuivent : c'est alors une période noire dans la région (le chômage touche massivement les jeunes des quartiers HLM). S'il a alors pu tenir, c'est parce qu'il est quelqu'un d'« équilibré » (« J'étais costaud dans ma tête », dira-t-il à deux reprises au cours de l'entretien), et grâce aussi aux indemnités ASSEDIC assurées par son travail antérieur. Habitant le domicile familial, il ne dépend pas entièrement de ses parents, même si ceux-ci ont toujours fait le geste qu'il fallait pour l'épauler dans les circonstances difficiles (il se souvient qu'ils lui prêtaient leur voiture pour aller aux entraînements de football).

Au cours de cette période, qui a été la plus difficile de sa longue insertion professionnelle, il est de nouveau aidé par le responsable des animateurs qui, le voyant au chômage, le remet en selle en lui trouvant un CDD d'un an comme animateur. Dans ces années-là, le besoin d'animateurs se fait plus pressant dans le quartier, alors que la situation se dégrade. Selim espère cette fois une titularisation, ses chefs au niveau du service jeunesse appuient sa demande de CDI.

La mairie lui propose un nouveau CDD de trois mois. Dans l'intervalle, Alstom le rappelle pour un travail à l'usine, encore une fois comme intérimaire. Selim joue de cette proposition à Belfort pour faire pression sur la mairie, mais rien n'y fait : celle-ci se refusant à embaucher les CES du quartier, sa titularisation est de nouveau écartée. Il retourne donc à l'usine d'Alstom pour une nouvelle mission d'intérim de quinze mois, qui sera renouvelée pour une durée de douze mois (soit un total de vingt-sept mois).

À la sortie de ce contrat, comme il dit, « toujours pas d'embauche », puisque Alstom embauche très peu ses intérimaires. Mais la conjoncture économique commence à s'améliorer dans la région : et tandis que son contrat prend fin le 30 mars 1999, il signe un nouvel engagement trois semaines plus tard à RESA-Gralland. Il a juste eu le temps de prendre deux semaines de vacances avant d'être contacté par une agence à la recherche de « bons ouvriers professionnels ». Au moment de l'entretien, en mars 2001, cela fait donc presque deux ans qu'il travaille à RESA comme opérateur régleur, toujours en intérim...

Il est intéressant de réinscrire la trajectoire professionnelle de Selim dans le cadre de la trajectoire collective des jeunes ouvriers de la région et de l'évolution du marché du travail local dans les années 1990. En fait, Selim a eu la malchance de démarrer dans la vie active à un moment économiquement difficile, après la grève de 1989 à Peugeot et les débuts de la guerre du Golfe, puis d'affronter dans la foulée ce qu'il appelle les « années noires » – de 1992 à 1998. Malgré cela il « se bat », explore toutes les pistes qui se profilent (des boulots d'OS, des CES dans l'animation, puis l'intérim) : on a l'impression qu'il a fait tout ce qu'il a pu pour passer à travers les mailles du filet qui se resserrait alors sur les jeunes des quartiers, notamment les jeunes maghrébins.

Il ne veut pas trop insister sur le thème de la discrimination, pour ne pas se présenter comme une « victime[1] », maintenant qu'il semble largement tiré d'affaire. Mais on sent bien qu'il aurait beaucoup à dire. Il n'en oublie pas pour autant que le chômage a frappé en masse les jeunes

---

1 .S'il n'insiste pas trop sur ce point, c'est parce que l'argument du « racisme » est progressivement devenu une ritournelle chez les jeunes du quartier, qu'elle justifie tout.

de sa catégorie, qu'ils éprouvent bien des difficultés aujourd'hui à se défaire de l'image négative qui leur colle à la peau, eux, les « jeunes de la ZUP », ces garçons et filles issus de parents immigrés maghrébins, dont les diplômes professionnels sont plutôt moyens.

2. Une « petite précarité »

L'itinéraire professionnel de Selim est celui d'un ouvrier qualifié (P2 ou conducteur d'installation, selon ses missions d'intérim) qui a toujours tenu à travailler dans son domaine, qui a refusé de se voir déqualifier (ravaler au rang de simple opérateur), mais qui est depuis plus de dix ans désespérément en quête d'un CDI. En l'écoutant et en tentant de retracer précisément sa trajectoire – il est d'ailleurs difficile pour lui de le faire (« Il faudrait voir mes CV », dit-il lorsqu'il n'arrive pas à se souvenir des dates de ses différents contrats), compte tenu de la variété de son parcours depuis dix ans et de la fréquence de ses allers et retours entre ses diverses positions –, on a l'impression que Selim a tenté, tout au long des années 1990, de passer entre les gouttes de la crise qui sévissait dans la région, en se frayant à chaque occasion un petit chemin dans un monde du travail qui lui était a priori fermé, en profitant des rares ouvertures qu'il entrevoyait (ou que des connaissances lui avaient indiquées). Malgré ces handicaps de départ, qu'il partage avec plus d'un dans le quartier, il peut aujourd'hui se féliciter, lorsqu'il se retourne vers le passé, de n'avoir connu que de rares phases de chômage (deux seulement, semble-t-il) et qui n'ont jamais excédé huit mois (la plus longue, en 1993). C'est ce qui fait sa force et lui permet d'affronter le sociologue avec le sentiment du devoir accompli.

En même temps, cette force sociale est toute relative parce que, s'il est toujours parvenu à enchaîner les « boulots » et les « missions », le fait est qu'aujourd'hui, à presque 30 ans, malgré tous les efforts fournis à l'occasion de ses différentes missions et les gages donnés à ses employeurs, il n'a pas encore réussi à décrocher un CDI, objectif qu'il s'est donné depuis le début de son entrée dans la vie active – car il sait d'expérience que la stabilité de sa situation passe par là. Or, le CDI semble lui échapper à chaque fois qu'il est à sa portée, comme il le raconte ici :

– [Quand je travaillais dans l'animation], moi je voulais un CDI... Comme je vous l'ai dit tout à l'heure, j'ai mes convictions, j'ai mes dates butoirs, je me dis voilà : vous travaillez avec quelqu'un pendant un an, vous savez qu'il y a un poste à créer. Maintenant, la mairie me dit : « Il y a pas de sous. » C'est grave quand même... Vous allez pas demander la charité, c'est un travail, c'est pas... il y avait besoin de personnel, c'était pas de la bêtise, il fallait du monde. On vous dit : « Non, on vous fait un CDD de trois mois... » On vous fait patienter mais c'est de l'abstrait, c'est pour calmer un peu le bonhomme... c'était une période où c'était assez chaud [dans le quartier], il fallait...

– *Donc, à ce moment-là, c'est aussi un risque que tu as pris, de dire : bon, voilà, moi, j'arrête. Et alors tu as cherché où, après, de nouveau à l'usine ?*

– Après Alstom, ils m'ont rappelé. Ça tombait juste... Je me souviendrai toujours, c'était le 17 décembre... Mon contrat [de CDD] allait jusqu'au 31.

– *De quelle année à peu près ?*

– [Il réfléchit. Je lui souffle 1994.] Non, non, après j'ai travaillé pendant longtemps, j'ai fait un an... (*en réfléchissant*)... j'ai refait combien... Non, j'ai fait deux ans, presque deux ans, ouais deux ans et ça... mon contrat il arrivait à terme le 31 décembre je sais plus combien, c'est en 95 ou en 96, je sais plus... je me rappelle plus des dates sur les CV. Et là, c'était le 17 décembre, je reçois un coup de fil, Alstom qui me rappelle, ils me disent : « On aurait besoin d'un gars et tout... » Et moi j'avais déjà travaillé avec le responsable, Michel et tout. Michel, bon, il était OK, il avait appuyé ma demande pour qu'on puisse m'embaucher et tout. Et à la ville, ils voulaient pas. Je leur ai dit : « Bon, écoutez, mon contrat arrive le 31... » Lui, il m'avait pas pris au sérieux. J'ai dit : « Mon contrat il arrive le 31, vous me renouvelez pas en CDD, ça m'intéresse pas ! Soit vous me faites un CDI, soit vous m'arrêtez... vous faites fin de mission. » Ils m'ont pas pris au sérieux, puis bon, moi, dans ma tête, c'était clair, quoi, s'ils m'embauchent pas je m'en vais. Puis je suis arrivé le 31 décembre, je suis parti à Alstom... Là, c'était dans le même genre de boulot, je fais opérateur-régleur, c'est toujours le même système, vous savez, donc, moi je vais d'une machine à une autre, mais... ils me montrent un peu les touches, après c'est tout fait, il n'y a rien à toucher, quoi.

– *Donc, tu as deux ans de travail de nouveau et tu étais encore intérimaire ?*

– C'était encore intérimaire, ouais.

– *Et là non plus, il n'y a pas eu de possibilité d'embauche ?*

– Ah pareil, comme je vous dis, maintenant c'est le phénomène de société, vous faites plusieurs boîtes (*sur un ton plus bas*), vous travaillez... vous travaillez... mais c'est toujours l'intérim, quoi... Mais, attention, c'est une très bonne boîte, Alstom... J'étais dans l'équipe où il y avait que des jeunes. Bon, il y avait un ou deux anciens, quoi. Mais ouais, c'était pas mal, pas mal. [...] chacun fait son taf et tout, et puis c'est jeune, c'est dialogue facile...

– *Et là, tu gardais un contact avec l'animation ?*

– Tout le temps tout le temps, ouais, je passais à la salle... Je voyais les jeunes, je voyais Sabri. Je voyais tout le monde, quoi. J'ai des bonnes relations moi-même avec mes anciens employeurs... Tout le monde se donnait un coup de main dans le quartier. Non, c'était bien. Il y avait des animateurs et tout [...]. Mais après, je suis pas revenu... en animation. Depuis, j'ai pas remis les pieds, j'avais décidé que... Je fais pas la navette, je vais pas m'amuser à faire ça, j'avais décidé que je retournerais qu'en usine. J'ai fini Alstom... Pareil, il n'y avait pas d'embauche... Je suis parti à RESA à Lorville [à 5 km de chez lui].

– *Et là, comment tu as trouvé du boulot, par les petites annonces ?*

– Non, agence... Quand vous commencez à avoir quand même un peu d'expérience, ça devient un peu plus facile, quoi [il explique la procédure]. Ce qui joue, c'est pas une évaluation, c'est sur la durée. Déjà elles regardent surtout... les agences d'intérim, elles regardent sur la durée... Si vous arrivez avec un CV où vous avez fait deux ans dans une boîte, Alstom c'est connu mondialement. Alors au niveau de la région... je sortais d'Alstom... Ils savent que vous êtes quand même professionnel... Si Alstom vous a gardé pendant vingt-sept mois, la durée des contrats c'est quinze mois et douze mois, ça fait vingt-sept, ils se disent ils l'ont pas gardé pour rien. Et, dans l'élan, ils m'ont appelé, à RESA [...]. Je travaillais pour Intérim-Belfort, mon contrat arrive à terme, c'était le 31 mars... il y a deux ans, en 99. J'ai fini mon contrat. Ils m'avaient appelé entre-temps à RESA, mais je pouvais pas me libérer parce que j'avais mon contrat, je... j'honore toujours mes contrats, je dis je vais jusqu'au 31 mars, j'avais fini mes contrats chez Alstom. Je suis parti en vacances, une semaine et demie, puis je suis revenu, j'ai fait mon CV... Et, dans l'élan ils m'ont appelé, j'ai commencé le 23.

– Avant, pour les ouvriers, il n'y avait pas de CV...

– Non, il y avait pas de CV, mais maintenant vous êtes obligé de mettre le CV, il faut qu'il soit constamment à jour et... toutes les expériences sont bonnes à marquer, tout ce que vous avez fait... Et le CV, c'est la première approche qu'ils ont de vous. Des fois, sans vous voir, ils regardent votre CV, puis ils peuvent savoir si vous correspondez au profil ou pas... Et bon, après ça...

L'entretien a lieu à un moment où sa situation s'améliore et se complique à la fois. Elle s'améliore objectivement, parce que la reprise économique et la forte pénurie de main-d'œuvre qualifiée qui l'accompagne font soudainement de lui un ouvrier apprécié et recherché, une sorte de produit rare sur le marché du travail de sa catégorie, désormais très tendu. À preuve, les agences d'intérim, auprès desquelles il est inscrit depuis des années (une vingtaine sur Montbéliard et Belfort), ne cessent de le relancer sur son téléphone portable pour lui faire des offres intéressantes de « mission ». Mais sa situation personnelle se complique aussi parce que cette amélioration du rapport de force individuel (entre ses employeurs potentiels et lui) intervient sans changement majeur du rapport de force collectif, sans aucune perspective apparente de voir les entreprises contraintes d'accélérer leur rythme de transformation des contrats précaires en CDI, notamment du fait de l'affaiblissement continu du syndicalisme dans les entreprises.

Selim est donc partagé, il sent bien qu'il se trouve à un tournant de sa trajectoire professionnelle et qu'il doit choisir entre deux voies différentes : d'un côté, jouer la sécurité de l'emploi en privilégiant la voie du CDI dans son entreprise actuelle, et, de l'autre côté, prendre acte de la nouvelle donne du marché du travail (qui voit les entreprises locales jouer à fond la carte de l'intérim) et opter pour la voie d'un intérim choisi, en quelque sorte « offensif », où l'ouvrier qualifié qu'il est s'efforce de vendre au plus offrant sa force de travail et ses compétences à chaque mission... Sa nouvelle situation de père de famille semble faire pencher la balance du côté de la première option mais on sent bien qu'il ne serait pas mécontent de pouvoir explorer la deuxième qui serait, pour lui, comme une sorte de revanche sur les années de vaches maigres sur le marché du travail.

Il est tout de même significatif que, durant cette très forte période de reprise économique que connaît la région (« Moi j'ai jamais vu ça depuis que je travaille... »), il soit resté en intérim. Mais, cette fois, il ne le vit pas sur un mode négatif, d'abord parce qu'il a réussi à améliorer son salaire (il travaille en équipe de nuit) mais surtout parce que, depuis au moins un an, il ne cesse d'être appelé par d'autres agences d'intérim du secteur qui cherchent à le « débaucher ». Les sollicitations nombreuses dont il est l'objet le rassurent sur sa valeur professionnelle et sociale. En même temps, il sait que les ouvriers comme lui ne sont pas à l'abri d'un brutal retournement de conjoncture. On pourrait dire, compte tenu de son histoire, qu'il est particulièrement bien placé pour connaître le retentissement de la conjoncture macroéconomique sur les destinées individuelles de ceux qui n'ont que leur force de travail à vendre. C'est ce mélange de signes positifs liés à son parcours individuel, sur fond de vulnérabilité structurelle du monde ouvrier, qui lui fait dire que ce qu'il vit, reste de la « petite précarité ». « Précarité » quand même, car l'absence de CDI est le marqueur indéniable de la place subalterne que l'on occupe lorsqu'on est au bas de l'échelle sociale... Mais « petite » parce que, depuis la reprise, la marge de manœuvre des intérimaires qualifiés et chevronnés comme Selim s'est accrue. Tel est le paradoxe qui le rend si lucide sur le système productif. Il a expérimenté personnellement le double langage des dirigeants : « On donne, on donne, on donne, et en retour y a rien... » Comme si le système d'échanges, au fondement du rapport économique, se trouvait durablement déstabilisé. Dans son usine, il espère toujours une « embauche ». Il y a des signes prometteurs, mais aucune certitude :

> — Là, ça fait deux ans que je suis à RESA et je suis toujours intérimaire... J'ai fait la visite médicale... j'ai fait les tests d'embauche et tout... et j'attends ! Mais c'est une boîte qui a aussi... il y a des soudeurs, ça fait dix ans qu'ils sont là-bas, hein ! Ils sont toujours intérimaires...

> — *Moi, je croyais que juridiquement qu'on n'avait le droit qu'à dix-huit mois ?*

> — Dix-huit mois ! Je sais, mais juridiquement c'est toujours contourné... Je donne un exemple. Là on arrive... on va arriver en été. Ils vous arrêtent quinze jours, vous avez le droit à quinze jours de vacances... Vous revenez au mois de

septembre, votre contrat, il repart à zéro. Ils vous basculent sur un autre poste... Mais vous faites toujours le même travail. Moi, je suis toujours dans le même atelier... Mais souvent, mes contrats ils changent de motif... Un jour je remplace quelqu'un, un mois je remplace untel, un jour c'est « surproduction ». Les contrats changent... Et les contrats, ça varie, ça varie d'un contrat d'une semaine à... deux mois... En ce moment, j'ai un contrat jusqu'à fin avril, j'avais un contrat de deux mois. Sur le même poste de CI [conducteur d'installation]. Toujours pareil, même si le motif il change, je suis toujours au même poste. Mais le papier... en lui-même, il est changé.

– Donc, si tu veux, tu pourrais très bien...

– (Coupant)... Je pourrais exiger qu'on m'embauche... Je suis dans mes droits... mais c'est vrai que je fais rien parce que... si vous faites ça, ils vous court-circuitent, et puis ils vous jettent, quoi, ils vous mettent de côté. Bon, là... ils ont fait un geste, là ils m'ont envoyé à la visite médicale... de préembauche, j'ai fait l'entretien. On m'a dit : « Il faut patienter. » Maintenant, comme j'ai dit à mon chef, c'est un jeune, il a mon âge, il a un BTS, c'est pas parce qu'il a un BTS qu'il est supérieur à moi, parce que moi j'aime bien être franc avec lui. J'ai dit : « Maintenant il va falloir mettre une date butoir, vous allez pas me traîner en intérim pendant X temps. Sur vingt-quatre mois, je vous conviens ou je vous conviens pas ! » Même si je conviens au chef, des fois ça dépend pas du chef, ça dépend d'au-dessus, ça vient du directeur. « Maintenant vous voulez me garder, on fait un CDI. Vous voulez pas me garder, vous me le dites, je vais voir ailleurs, je vais à Sochaux, je vais à Alstom, je vais... » On arrive à un âge où on peut plus se permettre, vous arrivez à 30 ans, après ça commence à être bouché ! Même si vous êtes qualifié, on vous dira : vous êtes trop vieux, vous êtes trop ceci... il y a des jeunes qui ont 18 ans, qui arrivent et qui poussent derrière. C'est clair, c'est comme ça que ça se passe, hein.

L'histoire de Selim est finalement celle, exemplaire, d'un jeune de la ZUP qui n'a jamais réussi à trouver un emploi stable, une « place » comme il dit, en reprenant un mot ancien du vocabulaire ouvrier, alors qu'il a pourtant tout fait pour tenter de convaincre ses différents employeurs de ses qualités. Mais, depuis des années, il bute sur ce mur de l'intérim et de la précarité institutionnalisée qui paraît désormais très difficile à franchir. Histoire exemplaire aussi par l'énergie qu'il a dû déployer pour se stabiliser, pour devenir ce conducteur d'installation que les agences d'intérim se disputent. Car il s'est fait au fil du temps un beau CV, accumulant des expériences de travail variées et se constituant ainsi un très large « portefeuille de compétences ». Il est considéré maintenant comme un intérimaire de haut vol.

Mais Selim se rend bien compte que l'entreprise où il est actuellement employé « tourne » en permanence avec un volant important d'intérimaires (350 pour 1 000 salariés, soit 35 %). Il mesure là à quel point lui et ses collègues intérimaires ne sont que des « pions » (« Nous, les intérimaires, on est rien, on n'est que des pions ») qui, en tant que tels, n'ont aucun pouvoir de négociation à l'intérieur de l'entreprise sur ce que les économistes appellent le marché interne du travail. Chez RESA, les intérimaires qui espèrent se faire embaucher se retrouvent ainsi soumis au bon vouloir des chefs. Ils ne peuvent rien collectivement et attendent une très hypothétique mobilisation des « embauchés » pour les défendre. Or, les « embauchés » sont perçus par des gens tels que Selim comme des sortes de privilégiés qui ignorent leur privilège – et souvent comme des vieux qui « attendent la retraite ». Et le problème est précisément que l'opposition entre embauchés et intérimaires recouvre celle qui oppose les vieux et les jeunes.

En fait, si par moments Selim peut se prévaloir de son titre d'intérimaire fréquemment contacté par les agences – ce qui lui permet de se présenter comme celui qui fait monter les enchères et sait se faire désirer –, la conception qu'il s'est progressivement faite de l'intérim est plus critique. D'une part, parce que l'intérimaire ne sera jamais considéré de la même manière que l'embauché dans l'entreprise, et, d'autre part, parce que son statut, s'il est compatible avec la mobilité horizontale dans l'entreprise, lui interdit quasiment toute forme de mobilité verticale. Or, c'est ce à quoi Selim aspire le plus fortement : découvrir, apprendre sur de nouveaux postes de travail, « monter », ne pas rester opérateur-régleur, c'est-à-dire ouvrier au sens large du terme. On peut aussi raisonner en termes de coûts d'opportunité lorsqu'on est intérimaire : tout ce à quoi on n'a pas droit, tout ce qu'on ne peut pas faire. En fait, le statut d'intérimaire permanent ne lui permet pas d'être embauché pour pouvoir acheter son appartement, commencer à se constituer un patrimoine : « [À 30 ans], moi, je veux faire ma vie maintenant. »

3. Un état d'esprit d'« animateur » à l'usine

À RESA, Selim est donc « opérateur-régleur sur machine », comme son contrat de travail l'indique. Dans les faits, il est le plus souvent conducteur d'installation, et l'on s'aperçoit qu'il occupe différents postes de travail dans son secteur, selon la demande de main-d'œuvre, en fonction des « trous » à combler. Il lui arrive même parfois de « redescendre » au niveau opérateur. Bref, il est une sorte de polyvalent dans son équipe de nuit, où il peut être affecté, selon les besoins, à n'importe quel poste de travail, qualifié ou non.

Ce qui est frappant, c'est que cette polyvalence, qui semble plus subie que voulue, ne le rebute en rien. S'il faut travailler comme simple opérateur, il le fera sans rechigner, du moment que « tout le monde tire dans le même sens », et sans guère se soucier des hiérarchies et des différences de statut. On a l'impression que l'écrasement de la hiérarchie ouvrière est ici à son comble, d'autant que le travail de nuit brouille encore plus les choses. De fait, lorsqu'il parle de son travail, il a le souci de se présenter comme un ouvrier toujours disponible, mettant ses compétences au service du collectif de travail, un peu à la manière, dans une équipe de football, du parfait coéquipier qui joue pour le collectif. Il ne semble pas attaché en tant que tel à un poste de travail précis et apparaît curieux de découvrir d'autres postes, et surtout désireux de se former, dans son atelier, à la polyvalence la plus large possible. Il faut sans nul doute voir dans cette disponibilité et cette aptitude un effet direct de son statut d'intérimaire, qui le pousse, à chacune de ses missions, à donner le meilleur de lui-même, à se prémunir contre l'avenir en engrangeant des points, en élargissant son champ de compétences professionnelles. Si bien qu'on peut se demander, à partir de cet exemple, si la demande de « polyvalence » des entreprises ne rencontre pas les aspirations d'un certain nombre de jeunes. Aspirations qui renvoient, d'une part, au refus de la monotonie du travail ouvrier, et, d'autre part, au souci de « nourrir » son CV.

Le télescopage entre, d'une part, les effets de socialisation liés à son origine sociale (sa famille d'ouvrier algérienne) et géographique (la ZUP) et à sa pratique sportive (le foot) – notamment l'attachement au groupe, le sens de l'entraide, etc. –, et, d'autre part, sa trajectoire professionnelle et sa connaissance de la dureté du monde du travail explique en partie ce mélange si particulier d'individualisme et d'ouverture aux autres qu'on constate chez beaucoup. L'ouverture, on la constate dans la mise en pratique, dans la vie quotidienne, de son précepte favori : « Tendre la perche », ne pas jouer « perso », aider les autres (les jeunes de la ZUP qu'il ne peut pas se permettre de recommander à son chef et/ou aux agences d'intérim). L'individualisme, lui, est le produit de son histoire de perpétuel outsider. C'est ce mélange qui le prédispose à devenir un jour « chef » (« Moi, je suis un meneur d'hommes »).

Si l'histoire de Selim est exemplaire, c'est encore par la conscience aiguë qu'il a de la nécessité d'aider les enfants des quartiers pour qu'ils parviennent à échapper aux menaces que leur environnement fait peser sur eux. Cette aide, il en a lui-même bénéficié, il a voulu la dispenser à son tour par le biais de l'animation, et aujourd'hui à l'usine : par exemple, en se comportant en véritable sergent recruteur auprès des jeunes du quartier au profit de son usine. Car, pour être passé par les années noires, il sait combien il est important de ne pas rater le « bon wagon », de s'engouffrer dans la brèche du « plein emploi précaire » :

> – En ce moment, je vous dis franchement, celui qui veut travailler, il travaille. Il y a du boulot, et puis il y a celui qui veut pas travailler... Je vous dis, le portable il sonne... trois à quatre fois par jour... Ah souvent ils m'appellent : « Alors, est-ce que vous êtes disponible ? »

> – *Et ça, par exemple, aux jeunes du quartier qui n'ont pas de boulot, tu le leur dis ?*

> – Moi, j'en ai déjà fait rentrer [à l'usine], moi... J'ai déjà donné des coups de main... même là je donne des coups de main, si je vois qu'un jeune a un bon CV qui correspond au profil, je l'envoie à l'agence. Je lui dis : « Tu dis que tu viens de ma part », ou bien même à mon chef, j'ai déjà fait rentrer des personnes par mon intermédiaire.

> – *Donc, tu joues à ta manière ton rôle d'animateur...*

– Voilà, des fois hop, je sais qu'ils cherchent du monde. Je prends le CV du collègue ou du jeune du quartier, je sais que le jeune tient la route, c'est un gars qui travaille, pas d'histoire, tout ça... Je me porte garant, il y a pas de problème...

– Pour la fraction des jeunes qui posent problème, qui sont plus ou moins faciles au niveau du comportement, qu'est-ce qu'on peut faire pour eux, à ton avis ?

– Personnellement je trouve certains, comme dans les grandes entreprises, tu peux pas te mouiller pour eux. C'est pas ton entreprise, c'est pas toi qui vas... maintenant demain tu vas le faire rentrer. Il va pas assurer, il va y avoir des problèmes. Quelque part, ça va te retomber dessus. Ça va redescendre à la source, on dira c'est untel qui l'a fait rentrer. Moi, j'ai fait rentrer des gens, ils y sont encore, en intérim... je fais attention pour que ça marche... j'ai ciblé, il y a des jeunes, bon, peut-être qu'ils ont pas eu de la chance avec l'agence, ils ont pas eu le feeling avec l'agence, l'agence n'a pas voulu faire le nécessaire... Moi, j'ai déjà été voir mon chef, je lui dis : « Ouais, j'ai entendu dire, il paraît que tu cherches du monde. » Il me dit : « Ouais », je dis : « Ben voilà, je connais untel », il prend son nom : « Ramène-moi son CV. » Je ramène son CV, je l'emmène à l'agence, je lui dis : « Voilà, tu dis que tu viens de ma part. » Je vais avec lui à l'agence, je dis c'est un jeune, il va se faire appeler là par l'agence... Un coup, la secrétaire de l'agence, n'a pas trouvé la personne, elle m'a appelé sur mon portable. J'ai été chez le jeune, j'ai toqué, j'ai dit : « Demain tu commences à telle heure... » (*Rires.*) Obligé, il faut faire ça (*souriant*). Quand on peut rendre service, moi ça me gêne pas, et lui ça lui permet de travailler... Moi, en ce moment, je me dis : celui-là qui prend pas le wagon maintenant (*moue inquiète*)... Il y a du boulot, il y a du boulot, je vous dis franchement, il y a du boulot. Là, cet hiver, avec le truc qu'ils ont voté, là, qu'ils ont fait, la convention... Ils ont fait un truc pour les jeunes de quartier, là, ça se voit, ça se voit ils en prennent plein. Ils en prennent. Dans le quartier, il y en a pas beaucoup qui travaillent pas maintenant. Puis ça calme ! Vous voyez, c'est calme ici, il y a pas de [grabuge]. [On parle du quartier, des problèmes, de la drogue...] Moi je dirais que la drogue (*silence*), c'est un petit peu accentué, mais, bon, là, avec le travail (*silence*), on en voit moins quoi, on en voit moins. Et... il y a pas photo, le travail, c'est à la base de tout. C'est un équilibre. Que ce soit pour les parents, dans les familles, les parents, quand leurs enfants travaillent, ils sont bien, les parents. C'est un souci en moins... Vous avez pas le gamin qui rentre à 2 heures du matin tous les soirs. Le gosse, il sait qu'il doit se lever à 4 heures pour aller à Sochaux. À 9 heures, 9 heures et demie, il est au lit. C'est le calme plat, quoi. C'est beaucoup de critères, mais bon, le plus gros critère, c'est le travail, faut pas l'oublier...

— *Et toi, psychologiquement, j'imagine que tu as eu des phases de haut et de bas...*

— Mais moi, ce qui m'a aidé, c'est un peu les sports, c'est un peu... un peu on va dire même beaucoup, en étant foot-balleur je m'occupais quand même, même en n'ayant pas de boulot, j'allais à l'entraînement, j'avais quand même des parents... franchement, mes parents ils sont géniaux. Ils me laissaient la voiture, j'allais à l'entraînement, tu vois. Ils faisaient tout pour que je sois bien dans ma tête, voilà. Puis, bon, le problème, faut pas sombrer, quoi. Puis, bon, je fume pas, bon je dis pas que je bois pas, mais bon, je bois pas, c'est pas le... moi je suis assez clean dans mon mode de vie...

— *Et depuis que tu as ton contrat d'intérim, ça t'a renforcé ?*

— (*Hésitant.*) J'ai l'habitude, en fait. Même si demain on me dit « fin de mission », ça me fera pas mal... J'ai l'habitude... C'est des choses... c'est pas des coups qui font mal main-tenant, j'ai l'habitude, puis actuellement je suis confiant parce que même pour les jeunes, il y a du boulot actuel-lement... Bon, je sais pas combien de temps ça va durer. Je sais pas, mais actuellement je sais qu'il y a du taf. Le lundi vous arrêtez là, demain vous reprenez ailleurs, c'est pas... C'est beau, c'est rassurant, quoi, c'est rassurant... Mais maintenant jusqu'à quand, ça, je sais pas... Il y a comme un coup, j'entendais à la télé sur une émission, je sais pas si tu l'as vu, ils disaient qu'en 2010 la France elle aurait besoin de beaucoup de main-d'œuvre. Alors, ça, c'est rassurant quelque part...

4. *Le conflit avec les autres conducteurs d'installation*

Comment se faire remarquer de ses chefs pour être promu sur la liste informelle (qui doit, Selim en est convaincu, exister dans les bureaux) des « embauchables » ? Comment attirer l'attention de ses supérieurs sans pour autant passer pour un « fayot » ? Comment se distinguer positivement des autres intérimaires, et notamment de ceux qui veulent comme lui être embauchés ?

La seule solution, légitime et noble, passe par une conduite exemplaire au travail : présence, efficacité et

rendement, bref, « motivation », « très bon comportement »
ou « très bon état d'esprit », pour reprendre les catégories
de jugement des recruteurs. Il accepte de travailler de nuit
car les embauchés préfèrent continuer à travailler « de
tournée ». Ensuite, il se fait fort de prouver ses qualités en
manifestant un bon état d'esprit : pas de fixation sur un
poste particulier, polyvalence, ouverture aux autres, etc.
Attitude conforme à sa philosophie : « Ici [à l'usine], on tire
tous du même côté. » Ce qui implique aussi une attitude
très soupçonneuse et critique à l'égard de ceux qui ne
jouent pas le jeu.

C'est le cas de deux de ses collègues, conducteurs d'installation comme lui, qui ont enfreint la règle en question et
qui, un vendredi soir, l'ont laissé en rade et sont partis plus
tôt que prévu du travail (de nuit)... Ce jour-là, ils ont trahi
la confiance que Selim pouvait avoir en eux et ont rompu
le contrat informel qui lie entre eux les membres de l'équipe
(il faut savoir que Selim est au premier poste de la ligne et
que c'est lui qui donne le cadencement de celle-ci). Comme
il n'est pas une « balance » (pour reprendre un mot qui fait
florès dans les quartiers depuis quelque temps), il s'est tu,
n'a rien laissé filtrer de cet épisode, n'en informant pas sa
hiérarchie. En même temps, il s'est senti « pris pour un con »
et, de ce fait, n'a pas voulu clore l'incident sans réagir. Il a,
pour ainsi dire, planifié sa petite vengeance et concocté la
forme que prendraient ses représailles, attendant pour ce
faire le moment propice.

— Au boulot, je me suis déjà pris la tête une fois avec mon
chef..., il y a pas longtemps d'ailleurs (*silence*).

— *C'était sur quel sujet ?...*

— Ça... c'est pas que c'est complexe mais c'est... On
travaillait sur une machine... En fait, on m'a mis avec des
gars qui voulaient rien foutre... Et les trois, on était des CI...
Et le chef, dans sa tête, il s'est dit, c'est Selim qui va prendre
la tête de la machine pour cadencer le groupe. Moi, en
voyant que les autres voulaient rien faire, je me suis mis au
deuxième poste, parce qu'on est arrivés à plusieurs CI, je
suis CI, l'autre il est CI. Je dis : « Il y a pas de problème,
vas-y, tu démarres la machine. » Il connaît aussi bien que
moi le boulot [il explique]. Le problème c'est démarrer la
machine, mettre en route. Je me suis mis au deuxième poste.
Fin de journée, on arrête avec quatre heures de boulot,

généralement on sort avec sept heures, sept heures cinquante. On n'a fait que la moitié de la journée... Et le lendemain... il a pas été voir les collègues, le chef, il est venu vers moi. Il me dit : « Selim, qu'est-ce qui s'est passé ? » Puis il a attendu qu'il y ait du monde dans la cafétéria, mais moi, ça, ça m'a pas plu. Je lui dis : « Tout à l'heure... tu es passé, on n'était que tous les deux, tu m'as rien dit. Maintenant qu'il y a du monde, tu cherches à me casser ? – Non, non mais j'ai oublié et tout. » Je lui ai dit : « J'ai pas aimé ton approche comme tu as fait là par rapport à tout le monde. » J'ai dit : « Si tu as quelque chose à me dire, tu m'appelles, on va au bureau, on en discute. » Il me dit : « Ben viens, on monte. » On est montés et tout. Il me dit : « Alors, qu'est-ce qui s'est passé ? » Je lui dis : « Ben voilà, voilà, voilà. » Il me dit : « Pourquoi tu t'es mis au deuxième poste et tout ? » Je dis : « De toute façon on est trois CI », je lui ai dit : « Ça n'a pas d'importance. Que ce soit moi qui démarre ou que ce soit untel ou Jérôme... Cyril ou un autre, quoi, je lui fais, c'est pareil. » Il me dit : « Ouais. » Mais il voulait savoir pourquoi, moi, j'ai pas démarré la machine... Je dis : « Voilà, je voulais être au deuxième poste, on a les mêmes compétences, ça change rien que ce soit lui qui conduise ou... Un exemple, si on fait un voyage ensemble, on a les deux permis. Que ce soit vous qui preniez le volant en premier ou moi en deuxième, ça a pas d'importance » (*silence*). Il cherchait à comprendre et tout. Et je lui dis : « Moi, je me suis mis au deuxième. » Il me dit : « Ouais, mais pourquoi ? » Je lui dis... je lui ai ressorti un truc, je lui ai dit : « Tu te rappelles le... il y avait une date, voilà, il y a deux, trois mois. » Il me dit : « Ouais. – Tu te rappelles, un soir, tu m'as amené avec des gars, là, ils étaient partis, il les avait jetés. » Je lui dis : « Ouais. » Puis, excuse-moi du mot, je dis, ils m'ont pris pour un con. Il me dit : « Ah bon ? » Je lui dis : « Tu te rappelles, j'ai commencé, j'ai tout fait le boulot... les messieurs le vendredi soir à 11 heures ils ont pris un bon de sortie, ils se sont taillés. » Il me dit : « Ouais, c'est vrai, je m'en souviens. » J'ai dit : « Maintenant, on le fera plus, maintenant le vendredi. » Il me dit : « Pourquoi ? » Je dis : « Parce qu'il y en a qui ont pris un bon de cinq jours. » Je dis : « Ben voilà, moi je fais pas le travail des autres ! » Je dis : « Moi, je suis payé pour faire un travail, je fais mon travail. » Mais bon, je veux bien vous rendre service, OK une fois, mais moi on me prend pas pour un con. Moi, je travaille pas pour les autres. Lui, il a le même salaire que moi. Moi, je veux bien qu'on partage les tâches, OK je dis, mais... je fais pas 70 % du boulot, puis l'autre il fait 30 % du travail. Bon, il l'a bien pris, quoi... On s'est un petit peu frottés mais, pour finir, il m'a dit : « Ouais, c'est vrai, tu as

raison. » Et il a été juste, j'ai apprécié parce qu'après il m'a...
quand même tendu la perche deux, trois fois, il m'a mis sur
des lignes un peu moins dures, il m'a dit : « Voilà, c'est vrai,
j'étais pas au courant. » J'ai dit : « Voilà, maintenant tu sais,
faut pas te voiler la face. On est une équipe, on tire tous du
même côté. » S'il y en a qui veulent tirer au flanc... moi, je
suis pas d'accord.

— *Pour que je comprenne bien, quand tu dis dans l'équipe...*

— (*Me coupant la parole* :) Quelque part, lui, quelque part ça
me fait plaisir, même qu'on s'est pris la tête parce qu'il a
totalement confiance en moi. Je vous dirai que c'est souvent
moi qui démarre, qui lance... qui fait tout. Mais moi
(*silence*), je peux pas imposer à un gars qui travaille avec
moi, lui dire : « Ouais, vas-y, speede », parce qu'on a tous la
même qualification, je sais pas, mais je veux pas jouer le
chef... sur la ligne, c'est pas moi le chef. On était trois ou
quatre, on avait les mêmes responsabilités, je peux pas leur
dire : « Ouais, il faut y aller, quoi. » (*Silence.*)

À travers cette histoire d'atelier, Selim cherche à montrer
à l'enquêteur sa conscience professionnelle et le jeu
compliqué qu'il est obligé de jouer pour attirer l'attention
de son chef sur les dysfonctionnements du groupe et la
différence qui existe entre lui et les deux autres. En se
laissant sciemment glisser au deuxième poste, Selim a
réalisé une sorte d'expérimentation de travail *in vivo* : c'était
pour lui la seule manière de démontrer aux yeux de son
chef (et peut-être de ses supérieurs) que, par-delà l'égalité
du statut (tous sont CI et intérimaires), il existe une différence entre intérimaires : par exemple lui, 30 ans,
maghrébin, jeune père de famille, diffère des deux jeunes
CI, « Français », par son état d'esprit, son sérieux au travail
et son éthique professionnelle. La démonstration tourne
sans conteste à l'avantage de Selim. Par ce conflit dont il a
su se tirer à son avantage, il avance ses pions en vue de la
présentation de son dossier de candidature pour un poste
en fixe.

On voit ici à nouveau comment l'utilisation d'un volant
structurel d'intérimaires, et comment la bataille pour les
rares postes d'embauchés dans l'entreprise suscitent
immanquablement la concurrence entre les intérimaires
eux-mêmes. Ce qui est particulièrement intéressant dans ce

cas, c'est la forme que prend la lutte : elle n'est ni frontale ni mesquine. Elle se développe sur la base d'un code de l'honneur au travail. Ici, pour affirmer le sérieux de sa candidature à l'embauche, Selim ne recourt ni au fayotage ni à la dénonciation de ses collègues mais s'efforce de mettre en place un dispositif (qui ressemble bien aussi à un traquenard), le plus objectif possible, qui permettra au chef de démasquer enfin les « tire-au-flanc » – ceux qui cachaient leur jeu en s'abritant derrière les performances collectives de l'équipe managée, de manière informelle, par Selim. Ce (petit) conflit est l'occasion pour lui de faire reconnaître le rôle (essentiel à ses yeux) qu'il joue dans le bon fonctionnement du collectif de travail et dans la réalisation des objectifs de production...

Ce qui est en jeu dans cette histoire, c'est donc aussi une certaine forme d'éthique de travail. On pourrait dire que, dans le cadre de la concurrence objective qui oppose les intérimaires entre eux, Selim, peut-être le plus expérimenté et le plus fin connaisseur de ces situations de rivalité (dans le quartier, au foot), a voulu gagner « à la régulière », en respectant les « fondamentaux » moraux de la compétition, en ne trahissant jamais ses convictions personnelles, en ne faisant pas d'entourloupes ou de coups fourrés. Lorsqu'on déroule le fil de cette histoire, on s'aperçoit qu'il se comporte de bout en bout en vertu d'un certain code de l'honneur social. D'abord, il refuse à son chef le droit de jouer de l'arme du blâme en public (le lendemain de cette affaire) et le contraint à s'expliquer dans son bureau en tête à tête. Ensuite, lorsqu'il lui fournit les raisons de sa conduite de la veille (son refus de prendre une nouvelle fois les commandes de la machine), il a l'habileté de ne pas lui donner le nom de celui qui occupait le premier poste de travail, afin de ne pas le mouiller et de ne pas passer pour une balance.

Si l'on prend un peu de recul, on voit bien que cohabitent dans le même espace de travail deux types de travailleurs intérimaires : d'une part, ceux, en particulier les plus jeunes, qui se considèrent comme des ouvriers de passage (par exemple certains intérimaires de Sochaux), qui « n'en ont rien à foutre du travail » et qui se comportent comme tels (faisant plus ou moins bien leur boulot, se préoccupant surtout d'engranger « de la monnaie »), et, d'autre part, des intérimaires comme Selim, plus anciens dans le métier, qui sont des « précaires malgré eux », qui cherchent à se faire embaucher sur leurs titres et travaux. La confusion opérée par l'usage du même terme pour désigner ces deux catégories (et il y en a sans doute plus de deux) explique le travail patient et discret qu'effectue Selim pour se démarquer de ceux qu'il appelle les « branleurs », qui gâchent le métier et salissent la réputation des intérimaires. On a pourtant l'impression que la quête de respectabilité auprès de son chef dans laquelle est engagé Selim peut être sans fin. Elle le conduit à multiplier les signes de son excellence au travail, mais aussi à se proposer comme sergent recruteur qui ramène « du quartier » les bons éléments qu'il a lui-même triés sur le volet...

Ce conflit larvé suggère aussi qu'il serait intéressant d'analyser les rapports sociaux dans les ateliers en fonction des modes de socialisation territoriale des jeunes. Dans le cas de Selim, on voit qu'il importe à l'usine une éthique qui préexiste dans le quartier : on ne « moucharde » pas, on ne « donne » pas, on sait tenir sa langue face aux gens qui ont le pouvoir. Étant une figure exemplaire de son quartier, il doit, au travail, sans cesse composer avec son chef. Car, pour avoir une chance d'être embauché, il doit non seulement le ménager mais aussi le « séduire » sans pour autant tomber dans la flagornerie ou le fayotage. Ce qui explique aussi l'insistance avec laquelle il expose que les problèmes se sont réglés en tête en tête, dans un bureau, à l'issue d'une franche explication.

Autre effet possible de la socialisation territoriale : le refus de Selim de « jouer au chef », c'est-à-dire de donner des ordres, de se comporter comme un supérieur hiérarchique, même s'il reconnaît que, dans les faits, il se conduit comme un leader « naturel », qui n'hésite pas à prendre des initiatives, mais sans pour autant chercher à tirer la couverture à lui. On sent chez lui un souci constant de faire prévaloir le collectif au détriment des intérêts individuels, ou plus exactement le souci de convaincre ses collègues que la réussite des uns et des autres passe par l'union de leurs forces individuelles – et non pas par le jeu des égoïsmes personnels.

On retrouve chez certains jeunes des quartiers comme Selim des comportements d'ouvriers qui ont baigné dans l'ancienne culture d'atelier et l'ancienne culture politique, notamment le refus d'un fayotage manifeste et un certain sens du collectif. Deux fortes différences toutefois : la première est que le statut d'intérimaire, d'outsider permanent, à la recherche de l'« embauche » ne leur permet pas de se confronter brutalement aux chefs. Structurellement affaiblis par leur statut, ils sont obligés de « composer » avec la hiérarchie, de donner des gages par-ci par-là, si bien qu'ils ont du mal à se reconnaître dans l'ancienne culture d'opposition, de type CGT, qui tend à leur apparaître comme largement rhétorique (ils l'identifient aux « tracts » ou, comme disent certains jeunes, aux « prospectus ») parce qu'elle ne prend plus appui sur des avancées matérielles (comme les augmentations de salaires) et qu'elle paraît à leurs yeux incapable de prendre en charge la question de la précarité... Comme si cette question était insoluble, et comme si les syndicats avaient trop tôt baissé les bras.

La deuxième différence entre vieux ouvriers politisés à l'ancienne et jeunes intérimaires des quartiers est que, en dépit des valeurs communes que peuvent partager ces travailleurs de deux générations, et qui renvoient *in fine* à des ethos de classe assez proches, les valeurs des jeunes des quartiers ne sont plus aujourd'hui arrimées à une culture politique de type CGT-PCF (qui produisait des effets de coalescence, de condensation), ne sont plus soutenues par une eschatologie historique (qui donnait immédiatement un sens politique aux formes ordinaires de résistance à la « domination »). Les « jeunes-vieux » intérimaires comme Selim cherchent à faire respecter une morale collective qui n'est pas si éloignée de celle que, lui, a tenté d'imposer dans son quartier à travers son métier d'animateur. La difficulté est qu'à l'usine ils agissent dans un univers très individualisé et avec le handicap de la faiblesse de leur statut. On voit bien ainsi les avantages à moyen terme que les entreprises retirent du maintien cette population de jeunes des quartiers à la lisière de l'entreprise, en les faisant stationner indéfiniment devant les portes de l'« embauche ».

5. *Le rapport au syndicat et à la politique*

Dans l'entretien, le contraste est fort entre, d'une part, la description plutôt lisse et globalement positive faite par Selim de son univers de travail à RESA et, d'autre part, la contestation fondamentale du « système » (économique et politique) dans lequel il se retrouve pris en tant qu'ouvrier intérimaire depuis des années à la recherche d'une stabilité professionnelle. Sa critique des « patrons » (« On ne peut rien attendre des entreprises », dit-il à un moment de façon tranchante) et du capitalisme ne débouche pas pour autant sur une proximité de pensée avec les syndicats. Bien au contraire, même... Il développe une virulente critique de ceux-ci, qu'il ne confond pas entièrement les uns avec les autres (il distingue clairement la CFDT et la CGT). Ce qu'il leur reproche dans leur ensemble, et pêle-mêle, c'est leur attentisme, leur frilosité, leur manque d'impact, et aussi leur routine et leur défaitisme. Il est exaspéré par l'attitude de son délégué de secteur (CFDT), qui considère que « les gens ne veulent pas bouger ». En fait, il perçoit les délégués comme des bureaucrates qui « complotent » auprès des directions et avec les directions, dans le dos des salariés, et les accuse plus ou moins de « mentir » à ces derniers, notamment lors de l'annonce des plans sociaux.

> — *Et le fait d'avoir été, comme ça, assez longtemps animateur, de t'être occupé des autres, j'imagine aussi que ça t'a construit, socialement...*

> — Bien sûr ! Mais, que je vous dise, même là, quand je peux aider quelqu'un, je dépanne, il y a pas de problème. Moi, il y a des fois je trouve des gars, ils ont pas de voiture, ils sortent du boulot à 5 heures du matin, je les prends, je les ramène dans le quartier, il y a pas de problème. Et ça, c'est le truc de tous les jours. C'est rare que je rentre vide. Je rentre à 5 heures, des fois je trouve quelqu'un sur la route... un jeune qui travaille, je le ramène, je le dépose, je le ramène jusque devant la maison.

> — *L'autre fois je t'ai parlé du délégué, parce que beaucoup de délégués sont un peu les animateurs dans une boîte. Ils savent faire le lien...*

– Le lien entre patron et ouvriers, écouter un peu les ouvriers, c'est des revendications et tout. Ouais, c'est un peu ça, c'est de l'animation, quoi.

– Et si tu avais une embauche, ça te dirait un jour de te syndiquer, de devenir délégué ?

– Délégué, je sais pas... Mais je sais que moi... je pense, je suis un meneur d'hommes. Je (*hésitant*)... je voudrais bien me voir chef. Pas dans le sens être méchant ou commander, c'est pas dans l'esprit, mais j'aime bien un peu diriger, un peu conseiller, un peu...

– Donc, ça pourrait être soit chef d'équipe, soit délégué ?

– Délégué, je sais pas... J'aime pas... entre nous, les délégués, moi je sais qu'il y en a qui racontent des bobards... Et c'est pas bon quand vous racontez des bobards aux gens, vous allez pas loin... Les délégués, bon je dis pas tous, mais des fois ils sont pas francs. Ils savent des choses que le patron leur dit et tout, mais qu'ils dévoilent pas, quoi.

– Tu veux dire qu'ils dissimulent les informations ?

– Voilà, des fois ouais... Il y en a... Il y a des exemples ! Des fois ils savent qu'il y a un site qui va fermer, mais bon, ils disent : « On en a entendu parler vaguement. » Mais ils savent très bien que ce site-là, un exemple, ou cette ligne-là elle va être transférée par exemple en Pologne, parce que ça coûte dix fois moins cher... C'est... Des fois il y en a [à l'usine], ils disent que les syndicats sont au service du MEDEF.

– Qui dit ça ?

– Il y a beaucoup d'ouvriers qui disent ça des fois... À l'atelier... Il y en a beaucoup qui disent que les syndicats sont au service du MEDEF. Mais bon, c'est un peu ironisé, c'est pour rigoler, mais quelque part il y a un peu de vrai, quoi... (*N'écoutant pas le début d'une question, continuant dans son fil :*) Parce que regardez, nous, en France, ici, on a beaucoup de syndicats. Il y en a beaucoup, quand vous regardez FO, CGT, CFDT... SUD, en Allemagne il y en a qu'un. On en aurait un... superfort... Eh bien, on serait puissants, les ouvriers... On revendique, on veut ça, ben on obtient. Mais si vous dites... il y en a un peu là, un peu là, c'est trop divisé, quoi. C'est divisé pour mieux régner, quoi... Non mais c'est vrai... Je prends un exemple où c'est que je travaille. (*Silence.*) C'est une plaque tournante européenne. On travaille pour tous les groupes constructeurs d'automobiles. Par contre on est pas beaucoup payés. Je vous ai pas caché le salaire... Demain, on ferme le site, je parle pour les gens qui sont embauchés, parce que nous, intérimaires, on peut rien faire, on est des pions... Mais les gens embauchés, ils bloquent Lorville, un exemple Lorville... (*Sonnerie du téléphone portable, une agence d'intérim.*) Je te disais, tu prends un exemple comme Lorville, c'est le centre de l'Europe, au niveau industriel, il travaille pour l'Allemagne. C'est un site, il travaille pour toute l'Europe. Même pour l'Amérique. Tu le bloques, ne serait-ce que quinze jours, si les syndicats voulaient, eh bien tu obtiens les 1 500 F qui te manquent... Il y a un syndiqué qui travaille dans notre... un délégué, qui travaille avec nous... dans la ligne, là. Je lui en parle et il me dit : « C'est vrai, tu as raison. » Et je lui dis : « Mais pourquoi vous le faites pas ? » Il me dit : « Ouais, mais les gens ils bougent pas. » Je dis : « Ouais, mais si tu leur donnes pas l'envie de bouger ils ne bougeront pas. Il faut... revendiquer. » Tu bloques ça quinze jours, (*puis d'un ton plus fort*) je dis quinze jours, c'est déjà beaucoup quinze jours, parce qu'ils lâcheront, parce qu'ils peuvent pas se permettre de... ils ont du stock pour un ou deux jours, parce qu'on travaille tout en flux tendu. Alors tu bloques, ça ben tu obtiens. Tu obtiens, tu obtiens ce que tu veux. Je dirai pas 2 400 balles mais tu obtiens... mais tu obtiens... 700, 800 balles facile. (*Silence.*) Ouais, ils en font du bénef. Ils se rendent pas compte les gens, les anciens ils sont... ils ont leur petit boulot, ils sont... c'est comme ça, quoi, c'est la vie de tous les jours, ils prennent pas de risque...

— Ils ont fait leur vie, ils ont leur maison...

Ils attendent la retraite. Ils ont leur maison, ils ont leurs crédits. C'est voulu, ça, tous les trucs de crédit... ils s'engagent et tout, ils disent : « Crédits, ah moi je peux pas j'ai un crédit... » Ils ont peur, les mecs, ils sont... C'est ouvrier, ouvrier quoi.

— Et quand tu dis que c'est « ouvrier, ouvrier », ça veut dire quoi ?

— Ils cherchent pas plus haut ! C'est... ils veulent pas prendre de risques. C'est : j'ai mon petit boulot, ça s'arrête là... On me déplace pas...

— Beaucoup de jeunes maintenant n'utilisent plus le mot ouvrier, ils disent opérateur, toi tu l'as employé plusieurs fois.

— Ouais, c'est ouvrier en vrai, c'est pas... opérateur, c'est nouveau, c'est les... c'est le nouveau terme quoi, quand vous dites les gens qui balaient ou bien qui font le ménage, on dit c'est des techniciens de surface. C'est des mots... c'est en fonction de comme on avance, c'est des mots de l'an 2000, quoi. Mais le boulot est le même (*dit en souriant*).

– Mais toi, tu n'hésites pas à dire : « Moi je suis ouvrier » ?

– À la base, moi, je suis ouvrier, moi je... le cache pas, mais bon, là-dessus, je suis opérateur régleur en système d'usinage, mais je... suis ouvrier, des fois je fais le boulot d'ouvrier ! Ça arrive, des fois ça m'est déjà arrivé qu'on me prête, il y a pas de boulot dans le secteur, j'ai déjà été monter des... échappements. Je fais un boulot, comme on dit, ils disent opérateur, mais c'est un boulot d'ouvrier. Je me retrouve avec des vieux, des moins vieux et puis... c'est ouvrier. C'est sous la responsabilité d'un chef, c'est pas le...

– C'est ça qui définit pour toi le...

– Non, ça définit pas mais... ça contribue à définir le salaire, bon, il y a beaucoup de critères à prendre en compte quand tu es ouvrier, c'est pas... tu as le salaire d'ouvrier, il faut dire ce qui est, tu es le petit P1... tu es, tu exécutes, quoi, tu es ouvrier.

– Et le petit P1, justement, le salaire, tu m'as donné ton salaire, mais toi, tu estimes, dans ton mode de vie par exemple, qu'il manque 1 500 balles.

– Oh ! globalement ouais, pour les gens il manque 1 000, 1 500 balles. Puis nous, en étant intérimaire, c'est encore... (*Soupir.*) Ils travaillent pas deux, trois mois, eux, ça devient dramatique hein ! Faut pas croire que c'est facile, parce que là c'est vrai que c'est tout rose là. Il y a du boulot, il y a de l'argent, c'est vrai ! On fait des heures supplémentaires, et tout. Mais si demain ça vient à s'écrouler... on s'écroule nous aussi ! Nous on est tributaires de ça.

– Et toi, en ce moment, tu as le sentiment d'une précarité ou tu... ?

– Une petite précarité, parce qu'il y a du boulot, c'est une petite précarité. Actuellement il n'y a pas de risque. Mais jusqu'à quand ? On dépend de, on dépend de... tout. Du capitaliste, du bon vouloir des patrons, de tout. Bon là, il y a de la demande. S'il y a de la demande, il y a du boulot. Si demain il y a moins de demande, qui c'est qui saute ? C'est nous ! Je parle pour les usines, c'est nous les premiers, et ça dégringole, ça... pour tous les jeunes qui travaillent, ben ils se retrouvent au quartier. C'est une suite quoi, c'est un [enchaînement]. Mais moi, comme je le dis, tout part du boulot, en fait ! Pour mon point de vue... parce que... Peut-être qu'il y a autre chose, mais moi je dis que ça part du boulot, quand vous avez du boulot vous avez une stabilité quand même. Moi je sais que quand je travaille, c'est pas que c'est planifié mais je travaille, je vais à mes entraînements trois fois par semaine, de foot. Mon samedi je le passe en famille, le dimanche je fais mon match... je suis réglé, quoi, je suis, je sais que... j'ai un devoir professionnel à remplir.

Travailler en intérim (non choisi) pendant dix ans semble bien avoir prévenu Selim contre toute tentation de s'engager un jour dans l'action syndicale. Ce qui ne l'empêche pas d'être un analyste avisé des pratiques d'atelier, de constater à ce niveau les effets ravageurs de l'émiettement des forces (qui, pour lui, contraste avec l'unité du syndicalisme allemand). On serait tenté de dire qu'il a toutes les dispositions d'un bon délégué à l'ancienne, mais que celles-ci ne peuvent pas aujourd'hui trouver à s'employer, compte tenu de l'état du champ syndical. Si le rapport de Selim au syndicalisme est particulièrement intéressant à analyser, c'est notamment parce qu'il est en mesure de juger les pratiques syndicales à partir d'une expérience professionnelle prolongée (une dizaine d'années) et variée (des grandes entreprises et des PME, des ateliers d'OS et des ateliers d'OP).

D'abord, il est frappant que la critique sévère des syndicats qu'il dresse, il ne la fasse pas en son nom propre mais reprenne dans un premier temps des expressions entendues de la bouche de ceux qu'il appelle « les ouvriers » (terme ambigu dont il se sert pour se démarquer sans cesse de tel ou tel type de comportement mais qui désigne plutôt ici les « vieux », les « embauchés », les « planqués »).

Mais ensuite, ce qu'il constate aujourd'hui, et qu'il critique avec force de son point de vue d'intérimaire permanent, c'est l'impuissance syndicale à transformer le rapport de force, alors que tous les éléments lui semblent réunis pour une contre-offensive en cette période (anormalement) euphorique de reprise économique. C'est cette impuissance qui à ses yeux décrédibilise totalement les syndicats. Selim ne cesse de parler en termes de rapport de force, quand les délégués qu'il rencontre à l'usine lui paraissent « terriblement » apathiques, résignés, frileux et attentistes. En fait, c'est un bilan de faillite qu'il dresse du syndicalisme – trop faible, à ses yeux, pour s'opposer en quoi que ce soit aux stratégies patronales. La figure du délégué lui apparaît à l'opposé de celle des délégués ouvriers dans les années 1960-70 (et même 1980). Ironie de l'histoire : c'est lui, le jeune intérimaire, qui avance l'idée d'une grève du site qui paralyserait la livraison des pièces aux constructeurs européens. (Y participerait-il, au risque de ruiner son crédit ?) Les syndicalistes lui rétorqueraient que ce ne sont là que des « paroles ». On voit là aussi l'effet du vieillissement des usines : d'un côté vieillissement des embauchés, auxquels Selim reproche leur attentisme coupable (ils « attendent la retraite ») ; de l'autre côté rajeunissement des usines, qui s'opère par l'entrée massive d'intérimaires dont la puissance subversive et le potentiel de révolte sont en quelque sorte annihilés par la fragilité structurelle de leur statut et les usages sociaux différenciés qu'ils en font : en se conduisant soit comme des ouvriers subalternes de passage, avides de gains rapides et indifférents à leur environnement de travail, soit comme des personnes mues entièrement par le désir d'être embauchées. Au total, une impression de fin de cycle du mouvement syndical.

En même temps, on doit s'interroger sur l'impossibilité où s'est trouvé le mouvement syndical local de structurer quelque chose autour de ces jeunes intérimaires. Quel sens donner à ce quasi-mot d'ordre de la CGT : « On ne touche pas aux intérimaires ? » Cela signifie sans doute : on ne les mouille pas dans nos affaires pour ne pas les pénaliser, etc. Certes, mais cette position est-elle encore tenable quand plus d'un tiers – et parfois la moitié – de la main-d'œuvre ouvrière est composée d'intérimaires ? Le problème ne se pose-t-il pas dans des termes bien différents ? Est-ce que cet attentisme ne finit pas par se retourner violemment contre les syndicats, jugés impuissants et compromis dans un dialogue social truqué ?... Résultat : les syndicats apparaissent le plus souvent aux yeux des jeunes intérimaires, comme un « club » qui serait en quelque sorte réservé aux « embauchés », qui forment un public captif pour les élections professionnelles (une « réserve » de voix pour eux). On peut prendre la mesure de l'écart qui s'est creusé entre les générations ouvrières, et notamment la perte du sens politique, le brouillage des catégories de perception, en écoutant attentivement ce que Selim dit des syndicats...

Par exemple, il ne comprend pas vraiment le sens de certains propos lancés à la cantonade dans les ateliers, tels que : « [Aujourd'hui] les syndicats, c'est le Medef. » Faute de pouvoir les interpréter comme la critique par les « vieux » ouvriers, ouvriérisés dans une culture d'opposition, de l'abandon (par la CFDT ultra-recentrée[1]) de la lutte syndicale frontale contre le patronat, il les prend au premier degré. L'impuissance syndicale est d'autant plus mal supportée qu'elle ne fait qu'exprimer l'absence de solidarité des embauchés vis-à-vis des intérimaires. Car ce sont eux, et seulement eux, qui pourraient faire avancer quelque chose.

Il peut être intéressant d'esquisser un parallèle entre le rapport de Selim aux syndicats et sa perception du monde politique. De même que sa critique des patrons ne débouche pas sur un sentiment d'affiliation naturelle aux syndicats, de même sa critique du maire de Montbéliard (froid, distant, ne venant jamais dans le quartier) et sa relative proximité avec des personnalités de gauche de la région ne débouchent pas pour autant sur un position-nement affirmé, à gauche, sur l'échiquier politique. Les mêmes causes produisant les mêmes effets, la « petite précarité » qui est la sienne depuis dix ans lui commande de juger sur pièces les représentants politiques, c'est-à-dire sur leurs actes. De même que le maire n'a, selon lui, « rien fait pour le quartier », de même la gauche au pouvoir a échoué à édifier un contre-pouvoir au pouvoir économique, à freiner l'arbitraire patronal dont il est, à titre individuel, une des victimes. C'est ici, au niveau territorial, la même impuis-sance politique que celle constatée au niveau de l'usine pour les syndicats.

L'impuissance dont fait preuve depuis des années la gauche institutionnelle pour améliorer les conditions d'exis-tence des classes populaires conduit Selim à renvoyer dos à dos la droite et la gauche – topique très courante chez nombre de jeunes des quartiers, y compris parmi les plus politisés.

D'un autre côté, et cela est typique du rapport à la poli-tique des classes populaires, on retrouve chez Selim un certain penchant à juger les hommes politiques, sur leur facilité à entrer en contact avec le peuple. S'il apprécie Jacques Chirac, c'est pour sa capacité à parler au peuple, à serrer les mains de la foule, qui est interprétée comme une forme d'intérêt pour les gens de la base, comme une

---

1. En mai 2003, plus « à droite » que la CFTC sur la question des retraites.

absence de mépris pour eux. Il y a ceux qui resteront toujours loin des gens du quartier, et les autres, ceux qui sont capables de « tendre la perche ». Ce qu'il n'aime pas dans la gauche (« de gouvernement »), c'est la façon qu'elle a de faire la morale, ce côté « prof » si l'on ose dire en prolongeant sa pensée, et cette forme d'ignorance des conditions réelles d'existence des classes populaires d'aujourd'hui. Un symptôme de cette méconnaissance : le fait que le député socialiste reprenne à son compte la rumeur locale selon laquelle les belles voitures (BMW, cabriolets) des jeunes intérimaires seraient le fruit du trafic de drogue. Des jeunes comme Selim ne peuvent que se montrer ultra-sensibles à cette rumeur des « voitures de dealers » qui parcourt la région depuis la reprise économique. Elle est pour lui particulièrement blessante : elle signifie au fond que, quoi qu'ils fassent, les jeunes de la ZUP sont dans leur tort, qu'ils n'ont pas le droit (ou la légitimité) d'acheter une belle voiture, que cet achat est entaché à la racine d'un soupçon, celui d'être le produit de l'argent malhonnête...

Comme si les jeunes des quartiers étaient cernés : lorsqu'ils « tenaient les murs » (lors de la grande période de chômage), on leur reprochait d'être « paresseux », de coûter cher à l'ANPE, à la Sécu, de « squatter » la Mission locale. Maintenant qu'ils sont entrés à l'usine et qu'ils ont un peu d'argent, on les accuse de rouler dans des « voitures de dealers », on leur conteste d'une certaine façon le droit de jouer aux riches. Dans les deux cas, pas d'échappatoire possible : ils sont par essence « coupables ». Mais le plus troublant, aux yeux de Selim, est qu'une telle vision des choses puisse être reprise, sans autre forme de procès, par un homme de gauche vivant sur place.

Ce qui nous a frappés, au cours de cette enquête, à l'occasion de tel ou tel entretien avec des enfants d'immigrés, c'est que nous avons rencontré bien des garçons (plus que des filles) qui, nous semble-t-il, seraient devenus, en un autre temps, dans un autre contexte social et politique, de bons, voire d'excellents militants ouvriers. Ils en avaient toutes les ressources scolaires et sociales, et surtout toutes les dispositions. Rebelles dans l'âme, ayant connu à l'école et dans leur cité des situations dures, ayant vécu dans leur chair – et au plus intime d'eux-mêmes – l'inégalité sociale (jamais d'argent de poche, jamais de vacances, sauf de temps en temps « au bled », une très forte privation matérielle), ayant éprouvé plus que les autres le sentiment de l'injustice, tout particulièrement à travers le racisme, mais aussi par la manière dont ils sont traités dans les institutions : d'abord la police, parfois aussi la justice, l'école, les administrations [1].

Mais il est clair que l'époque n'est pas à cet engagement-là.

_____

1. Une lycéenne de 19 ans, élève de bac pro secrétariat, désireuse d'acquérir la nationalité française (elle est venue du Maroc en France à l'âge de six mois), raconte, encore traumatisée, la manière brutale dont un inspecteur de police l'a interrogée, par téléphone, dans le cadre de l'enquête sur sa demande de naturalisation. Extrêmement cassant et désagréable, il lui pose des questions de plus en plus privées et finit l'entretien par la question suivante : « Y a des barbus chez vous... dans votre famille ? » Elle ne comprend pas le sens de la question. Il précise sa pensée : « Oui, parce qu'à Gercourt, y a plein de barbus !... » Elle, fille très sage et douce, me confie à la fin du récit de cette anecdote : « Ça ne vous donne pas envie de devenir française... »

CHAPITRE IX

Trajectoires de « bac pro » :
le poids des origines

Les difficultés rencontrées par Selim, comme par bien d'autres enfants d'immigrés, pour décrocher un emploi stable renvoient-elles principalement à l'existence d'une discrimination des employeurs à leur égard ? Ou ne font-elles que confirmer le fait que l'insertion professionnelle est plus difficile lorsqu'on est peu diplômé (titulaire aujourd'hui d'un CAP ou d'un BEP) ? Pour apporter une réponse pertinente à ces questions, examinons si l'élévation du niveau de diplôme possédé fait apercevoir des processus comparables de discrimination. Nous prendrons ici comme exemple le cas des titulaires de bacs professionnels industriels en restreignant le champ d'étude aux seuls garçons[1] (le cas des bacs pro féminins et du tertiaire étant à bien des égards très différent).

Nous avons mené une enquête auprès d'un ensemble de jeunes ouvriers[2] qui avaient obtenu leur bac pro dans la première moitié des années 1990 et qui étaient entrés sur le marché du travail juste après, le plus souvent chez les grands équipementiers de la région ou chez Peugeot. Tous sont d'origine française ou européenne (plusieurs ont un grand-père italien, espagnol, polonais...) et leurs familles

---

1. Sur cette question des bac pro, et pour une analyse générale et approfondie, voir Henri Eckert, « L'émergence d'un ouvrier bachelier : les "bac pro" entre déclassement et recomposition de la catégorie des ouvriers qualifiés », *Revue française de sociologie*, XL (2), 1999, pp. 227-253.
2. Une quinzaine d'entretiens approfondis, souvent très longs (trois heures), parallèlement avec des entretiens menés avec les bac pro qui se sont inscrits à l'université en septembre-octobre 2000.

sont, depuis longtemps, implantées dans le pays de Montbéliard. Le père est presque toujours ouvrier, le plus souvent non qualifié. Tout en nous appuyant sur les autres cas au moment de généraliser notre propos, nous examinerons ici de façon détaillée le cas de deux ouvriers (Étienne G. et Benoît L.) qui ont obtenu leur bac pro au début des années 1990 et qui sont devenus « ouvriers programmeurs » par la suite dans un établissement d'un grand équipementier de la région. Nous comparerons ces deux trajectoires professionnelles avec celle d'un bac pro d'origine algérienne (Fouad) qui, lui, est resté opérateur-régleur dans une PME. La comparaison de ces trajectoires de bac pro, appartenant à peu près à la même génération mais d'origine différente (familles ouvrières françaises/familles immigrées), fait apparaître de nettes différences d'insertion professionnelle au détriment des membres du second groupe, et tout particulièrement des jeunes des cités.

1. Devenir programmeur, passer ETAM...

Étienne G., né en 1972 (il a donc 29 ans au moment de l'entretien, en avril 2001), est programmeur chez RESA. Sa femme, elle, titulaire d'un BEP d'hôtellerie, travaille dans un salon de coiffure. Ils ont deux enfants et ont fait construire leur maison trois ans après l'embauche en CDI du mari. Son père est ouvrier en usine (électromécanicien), sa mère, d'origine ukrainienne, d'abord femme au foyer, a fait des ménages après son divorce (« Je dis pas que j'ai été élevé à la dure, mais je sais ce que c'est que le travail »). Il a un frère cadet, qui, après des études assez chaotiques, est parvenu à décrocher un bac pro d'électrotechnique à l'âge de 22 ans pour travailler ensuite comme ouvrier électricien puis se mettre à son compte comme artisan.

Étienne, lui, a obtenu un BEP d'usinage puis un bac productique en 1990 : il appartient donc à la deuxième promotion de bacs pro productique dans la région. Son choix du bac pro, il l'a fait, dit-il, en prenant en compte le nombre d'années scolaires lui restant à faire après la troisième : comme il devait redoubler cette classe s'il voulait passer en seconde générale et qu'il voulait faire quatre ans d'études après la troisième, il se laisse convaincre par la perspective de suivre la nouvelle voie du bac pro au LEP

(« Là, j'étais sûr au moins, avec un bac pro, d'avoir un travail »). « Bon en maths », comme il dit, et habile dans les matières pratiques, il obtient sans difficulté le bac pro productique en juin 1990. Dès la sortie du lycée, durant les vacances, il est prérecruté par RESA via une agence d'intérim pour occuper un emploi de fraiseur, sur une machine traditionnelle. Il proteste un peu auprès de sa maîtrise (ses profs du LEP lui avaient affirmé qu'un bac pro, dans son domaine, ferait surtout « de la programmation, de l'ordonnancement... ») mais n'obtient pas satisfaction : il reste plus d'un an et demi « derrière une machine » en rongeant son frein (comme il y a peu de travail, il fait beaucoup de « pinaille »).

Pendant les trois années qui suivent, il est « prêté » dans différents ateliers de l'usine pour travailler comme ajusteur, parfois fraiseur, se transformant en une sorte d'ouvrier professionnel polyvalent disponible sur l'ensemble du site. Cette situation lui pèse : non seulement il ne progresse pas « en classif » et a l'impression d'être baladé au gré des demandes de la hiérarchie, mais surtout il souffre de ne pas pouvoir mettre vraiment à l'épreuve ses compétences de bac pro productique. Le fait de se trouver dans une grande usine et le niveau de sa classification lui permettent néanmoins de patienter dans des conditions convenables (« le seul avantage que j'ai eu en étant embauché, c'est d'être P3 directement, à 215 points »). Mais plus le temps passe, plus il « regrette » d'avoir accepté l'offre d'emploi de RESA (où nombre de bac pro continuent, quatre ans après leur embauche, à travailler sur des machines traditionnelles). Surtout quand il voit certains camarades de promotion, embauchés dans d'autres usines de la région, travailler dans des bureaux, sur des prototypes. En fait, il s'aperçoit progressivement, en regardant autour de lui dans l'usine, que les bac pro qui s'en sortent le mieux sont ceux qui se sont lancés sans tarder dans la formation en passant un bac technologique (F1) puis en enchaînant sur un BTS. La formation lui apparaît alors comme la seule solution pour « passer ETAM », ce qui est devenu, au fil des années, son objectif.

Quand il prend conscience, quatre ans plus tard, qu'il stagne, que son avancement est limité – en un peu moins de dix ans, il est passé de 215 à 225 points –, il cherche à partir, prospecte, trouve une entreprise proche de chez lui,

fait pression sur sa maîtrise (« J'ai poussé une petite gueu-
lante, ça leur a ouvert les yeux ») qui, face à la menace de
le voir partir, lui propose un meilleur poste en programmation (en 3D, c'est-à-dire usinage des formes). Il reste
néanmoins sur un « poste ouvrier » (c'est-à-dire dans la grille
de classification ouvrière). Finalement, la situation se
débloque pour lui à la fin de l'année 1996, quand on lui
propose de faire de la programmation dans le secteur de
l'ajustage. Il se retrouve donc programmeur en CFAO.
Mais au moment de l'entretien, il espère « passer ETAM »,
atteindre les 240 points de classif. Il est frappant que, dans
l'entretien, il ne cesse d'évoquer cette question des formes
concrètes de la promotion : comme il est assez fréquemment en déplacement, il lui est loisible de comparer
son salaire à celui de ses collègues qui ont la même
formation et le même poste que lui et de revendiquer en
conséquence. Ce qui le surprend toujours un peu, c'est l'arbitraire de la gestion des promotions : il ne parvient pas à
saisir les critères objectifs qui sont mis en avant par la
hiérarchie. Sa propre expérience lui a appris qu'il fallait se
débrouiller tout seul, « pousser de temps en temps sa gueu-
lante » pour espérer se faire entendre.

Comme les autres bac pro industriels interviewés, il se
compare avec des gens de son niveau et jamais avec les
OS qu'il a laissés derrière lui, sans plus de trouble de
conscience, comme si ces derniers appartenaient à un autre
monde social, celui des soutiers de la société qui se sont
laissé entraîner sur la mauvaise pente, qui n'ont pas
« rattrapé le bac », pour reprendre une de ses expressions...
En fait, comme tous ceux de son secteur, il a les yeux fixés
sur les autres bac pro de l'usine qui ont « progressé » plus
vite que lui. Même si de temps en temps il se compare aussi
avec d'anciens ouvriers professionnels, ou avec son
« doubleur » (classé à 240 points), il se refuse désormais à
rester derrière une machine traditionnelle. Il a pleine
conscience de la valeur de son diplôme, et entend le
défendre : on voit bien que c'est tout le rapport aux études
en LEP qui est ici engagé. Dans cette période de transition
professionnelle qui est la sienne, entre ouvrier et technicien,
la représentation qu'il se fait de sa position sociale ne cesse
d'osciller, comme en témoigne sa réponse lorsqu'on lui
demande de se définir socialement :

Là, j'ai le statut ouvrier, mais étant en programmation... on travaille déjà dans un bureau... je vais pas dire que je suis pas ouvrier mais... je suis un peu technicien, c'est vrai... j'aime beaucoup faire de la programmation, j'aime bien ce que je fais. J'aime bien m'investir, mais je me suis peut-être un peu trop investi parce qu'en même temps on profite de moi (*silence*). Je me sens ouvrier... mais pas ouvrier en tant que (*il cherche ses mots*)... comme toutes ces personnes qui sont en fabrication, au montage, ou comme ces personnes qui sont aux machines [il veut dire : les anciens OP]. (*Puis, après petite réflexion* :) Ouvrier sans être ouvrier, quoi...

Nous aurons confirmation, à travers le portrait suivant, du fait que cette hésitation à se situer est constitutive de l'identité sociale des « bac pro » de cette génération.

2. *Benoît L. : bac pro par la formation continue et délégué FO*

Benoît L., né en 1970, est, au moment de l'entretien (avril 2001), programmeur dans un atelier de maintenance (il est classé P3). Il est marié, a deux enfants en bas âge, sa femme est employée (comptable). Il est issu d'une famille ouvrière des Vosges : son père était OS à Sochaux, « agent de fabrication aux amortisseurs », dit-il, sans prononcer le mot d'OS, son frère aîné est ouvrier qualifié en Suisse, et un autre de ses frères, de deux ans plus âgé que lui, est « technicien » chez Peugeot après avoir obtenu un BTS d'informatique industrielle.

Au moment où nous réalisons l'entretien, il est lancé sur le chemin de la promotion. En effet, s'il a effectué une scolarité « moyenne », comme il le dit lui-même, une scolarité qui l'a conduit à suivre des études au lycée professionnel (d'abord un CAP de mécanicien ajusteur, puis un BEP de mécanicien moteur), il ne veut pas s'arrêter en si bon chemin, et, pour rejoindre la voie du BTS dans laquelle est engagé son frère, il a décidé de rejoindre le lycée technique afin d'y préparer un bac technologique industriel (un bac F1, dit de « mécanique »).

Il avait déjà obtenu le passage en première d'adaptation (F1) au lycée polyvalent, mais avait arrêté sa scolarité à la fin de la classe de première, las des études, mais surtout, explique-t-il, « débauché » de l'école par ses copains de l'époque, déjà engagés, eux, dans la vie active et engrangeant les bénéfices matériels associés au statut d'apprenti (« Bien sûr, quand on est jeune, on est plus ou moins solide... J'avais mes collègues, je dirais, à l'extérieur de l'école, qui étaient plus ou moins apprentis, ceci, cela, qui me disaient : "Eh bien, nous, à la fin du mois on a un petit salaire, on peut se permettre d'acheter ci, de faire ci, de faire ça." Et moi, j'avais rien du tout, quoi. Mes parents étant ouvriers, on n'avait pas d'argent de poche pour nous permettre de faire des fantaisies. Alors, je me suis inscrit pour travailler en tant que scolaire chez Peugeot »). Il effectue alors pendant un an plusieurs missions d'intérim comme agent de fabrication (il dit d'ailleurs de manière significative : « J'étais en lieu de fabrication ») avant de partir au service militaire. À son retour, il travaille deux mois dans un garage comme « préparateur auto » et, par ailleurs, se marie. Puis, grâce à son frère aîné qui y travaille, il se fait embaucher dans une usine en Suisse comme « mécanicien d'entretien » : les conditions de travail sont bonnes, l'ambiance excellente, le salaire bien meilleur qu'en France (à l'époque, 12 000 F de salaire net), bref « c'est une très bonne expérience, ça s'est très bien passé... ». Il y serait d'ailleurs bien resté, mais sa femme, qui n'a pas pu trouver là-bas de travail, s'y sent trop isolée (« elle n'avait plus de point d'attache »). Et c'est elle qui lui demande de revenir travailler dans le pays de Montbéliard.

Fort de son expérience professionnelle en Suisse, et juste avant la récession de 1993, c'est-à-dire à un moment où il existe encore un filet d'embauche pour les bons ouvriers qualifiés, il réussit à se faire embaucher chez Peugeot – en 1992, à l'âge de 22 ans, « en tant que P1 », dit-il. Il est significatif qu'il ne précise pas davantage le statut de son emploi. En fait, tout laisse à penser qu'il s'agit d'un emploi d'agent de fabrication. Un an plus tard, sa hiérarchie lui fait passer le P1C puis, un an après, il est nommé P2 (« P2, c'est une nomination... au choix, ni plus ni moins »). On voit là, à travers ces petits signes, que les « chefs » de son secteur de travail cherchent à le promouvoir assez vite dans la hiérarchie ouvrière. Il n'empêche, cette promotion interne ne lui suffit pas. Il prend donc des cours du soir pendant deux ans (de 1996 à 1998), afin d'évoluer plus vite et de se former. Il prend des renseignements autour de lui, parle à des collègues de travail qui sont partis en formation pour préparer un bac technique puis le BTS. Il s'informe auprès de l'AFPA et du GRETA. Il obtient finalement un financement du Fongecif et du GRETA, pour préparer non pas un bac technique (ce qu'il ambitionnait d'abord et avant tout, avec le projet du « BTS au bout ») mais un bac professionnel de « productique-mécanique ». Un peu déçu de ne pouvoir viser une formation en bac technique (« ça ouvre sur le BTS »), il prend ce que l'organisme de formation lui offre (« on n'avait pas tellement le choix »).

Il effectue donc, de 1996 à 1998, la préparation en cours du soir du bac professionnel. (« On est en 96, j'ai donc décidé de reprendre mes études. Pour pouvoir évoluer, je dirais, plus vite »). C'est une période de travail intense. Il obtient de sa hiérarchie de travailler toujours « du matin » (de 5 heures à 13 h 15) afin d'être en mesure de suivre les cours du soir. À cette époque, il décide avec sa femme de « faire construire », ce qui lui fait des journées très remplies. (« Ces études du soir, c'est quand même un sacrifice dans la mesure ou j'ai travaillé deux ans que du matin. J'ai construit en même temps. Chose que j'aurais peut-être pas dû faire non plus, mais bon, c'est les circonstances qui ont fait que. Et puis, bon, le soir, les cours du soir. Donc gérer tout ça, la vie familiale et tout, ça a été, je dirais, deux années, quand même, pas très très roses... »)

En même temps, il reconnaît aujourd'hui que l'obtention de son bac pro lui a procuré des avantages, même s'il a dû batailler pour les avoir (il trouve que l'usine ne fait pas assez pour des gens comme lui, valeureux, qui se sont bagarrés pour obtenir une formation et passer des diplômes...). Deux mois plus tard, en effet, à la rentrée des vacances, en septembre 1998, il quitte l'atelier pour entrer dans les bureaux, « muté en programmation » en octobre 1998, puis passe P3 six mois avant ses collègues de travail. Surtout il travaille dorénavant dans de meilleures conditions, dans un bureau et non plus à l'atelier. Il a, objectivement, franchi un pas décisif en quittant le bleu de travail ou, pour reprendre une expression typiquement ouvrière, en « prenant la blouse ».

Il envisage ensuite de « continuer », de passer un BTS, mais cela ne lui paraît pas facilement compatible avec ses obligations familiales (« on a eu un deuxième enfant »).

En regardant derrière lui, ce que l'entretien lui permet de faire, il n'est pas mécontent de son parcours. En effet, au départ, dans l'enfance et l'adolescence, il présentait tous les traits de comportement de l'« enfant de prolo » (de milieu rural) : médiocre travail scolaire, insouciance par rapport à l'avenir, vie au jour le jour, goût du bricolage et de la mobylette, etc. D'où son parcours scolaire en demi-teinte puis, pour suivre ses copains de village ou de collège, ce vif désir de travailler et de gagner de l'argent (pour la voiture, les vacances, la belle vie...). Le fait d'avoir connu deux types de travail ouvrier – en Suisse (« les rapports avec la maîtrise étaient très conviviaux, dit-il, ils mettaient pas la barrière hiérarchique comme ici ») et en France dans les ateliers de Sochaux (« chacun pour soi ») –, l'a fait mûrir très vite et lui a fait comprendre qu'il ne pouvait envisager de rester « simple P2 », qu'il lui fallait, par la formation continue, rompre avec le monde des ateliers (même s'il évoluait dans un monde d'ouvriers qualifiés), monde qui lui est apparu comme de plus en plus difficile à supporter (la mesquinerie des comportements, la « mauvaise ambiance », pour reprendre une fois encore cette expression).

Pour comprendre son souci d'évoluer à l'usine, il faut tenir compte du rôle décisif joué par ses deux frères aînés, surtout celui qui a deux ans de plus que lui, titulaire d'un BTS d'informatique industrielle et qui est devenu jeune technicien chez Peugeot (« il dirige un groupe de quinze personnes »). On peut dire, en effet, que Benoît a en partie calqué sa propre évolution sur la trajectoire scolaire et professionnelle de ce frère qu'il a toujours admiré (« lui, il a toujours été mieux ») et qui n'a cessé de lui montrer le chemin à prendre pour « s'en sortir ». C'est en mûrissant et en observant les différences de situation professionnelle, de milieu de travail et de conditions de vie, qu'il a compris « soudainement » l'importance du niveau d'études et des diplômes, que ses yeux se sont dessillés et qu'il s'est mis à vouloir rattraper le temps perdu.

– Les cours du soir, c'était très intéressant. Et je dirais que la motivation qu'on a, à ce moment-là, n'est pas du tout la même que quand on est dans le cycle de l'Éducation nationale. Il y a deux choses qu'il faut prendre en compte. C'est-à-dire que quand on est à l'école à 16 ou 17 ans, on connaît pas le monde du travail. Donc on connaît pas ses avantages, je dirais, et ses contraintes. On connaît rien du tout. Les gens se font, je dirais, une mauvaise idée. C'est-à-dire que, pour eux, c'est tout rose, ils sont chez les parents. Donc ils évoluent normalement, comme tout le monde. Et puis l'école, ils s'en foutent plus ou moins. Mis à part une minorité quand même, notamment moi j'ai un de mes frères qui rentrait pas dans ce cas de figure-là, qui lui avait quand même bien compris la chose, parce que, moi, je me rappelle, j'avais 16 ou 17 ans et mes camarades venaient me chercher pour sortir, lui était sur ses bouquins et piochait à fond, à fond quoi. Et puis je lui disais : « Mais pourquoi tu prends pas un peu de bon temps et tout ? » Et il m'avait fait une réflexion à ce moment, il m'avait dit : « Quand je serai en blouse dans l'atelier et puis que toi tu seras en bleu, c'est là que tu comprendras », qu'il m'avait dit. Et c'est vrai que, lui, au niveau carrière il a bien réussi, quoi... Il est technicien, il encadre un groupe de personnes, une quinzaine de personnes... À l'usine. Et puis, enfin, il a un BTS informatique industrielle, et puis il a une fonction informatique, quoi. Donc, ça lui convient bien.

– *Et lui, il avait compris ça tout de suite ?*

– Tout de suite. A priori il a eu, je dirais, une certaine maturité à ce moment-là que moi je n'avais pas [...]. On a deux ans d'écart. Donc j'étais deux ans plus jeune que lui. Il a toujours été, je dirais, mieux... Passionné de télévision, alors que moi j'aimais bien bricoler, j'avais la mobylette, machin. Fallait que je fasse de la mécanique...

– *Vous étiez plus manuel...*

– Voilà, plus manuel, quoi. Et c'est peut-être ça qu'a fait le cheminement qu'on a eu au jour d'aujourd'hui...

Benoît s'exprime là comme une sorte de repenti scolaire. Quand il évoque ses cours du soir en bac pro, il ne peut s'empêcher de comparer son travail d'aujourd'hui avec son insouciance de l'époque : « On a une motivation qui fait qu'on est presque obligé de réussir... C'est incroyable... Alors que quand on est un simple scolaire on est dans une sorte de nuage : on est à un âge..., on est naïf, on pense plutôt à sortir, à faire la fête... ce qui a été mon cas personnel, quoi. Mais je dirais que ça rejoint beaucoup de jeunes, quoi... Mais après, quand on est dans l'engrenage, eh bien, si on veut s'en sortir, il n'y a pas trente-six mille façons. Et encore, s'en sortir ! Ça dépend où... »

Pour conclure sur ce cas, il faut insister sur le contexte

familial de la trajectoire individuelle de Benoît, qui ne prend sens que dans la logique d'une mobilité intergénérationnelle assez forte au sein du groupe domestique. Sur deux générations, cette famille ouvrière réalise une forte ascension sociale : alors que le père a été toute sa vie OS à Sochaux, les trois fils ont rompu, de manière certes inégale, avec les aspects les plus infériorisants de la condition ouvrière. Ils ont tous su « évoluer » à leur manière : l'aîné par la réussite matérielle attachée à son état d'ouvrier qualifié/travailleur frontalier en Suisse, les deux cadets en devenant techniciens. Et le parcours personnel du benjamin de la fratrie ne prend évidemment tout son sens que par rapport à ceux de ses deux frères qui ont tracé le chemin et contribué à lui faire reprendre le bon sillon au bon moment. On verra plus loin que dans les cités, rares sont les cas de ce type.

Aujourd'hui, Benoît est donc « programmeur en ligne », il travaille dans les bureaux – mais aussi en flux tendus. Il se situe hiérarchiquement en dessous des programmeurs 3D (ceux qui programment en trois dimensions). Son classement dans la grille de classification ouvrière (P3, à 215 points), la fréquence quotidienne de ses visites à l'atelier auprès des ouvriers qui usinent les pièces manuellement, les bons contacts qu'il a gardés avec eux, sa manière d'être et de parler, etc., font qu'il se regarde encore comme ouvrier et non pas comme technicien. Dans ce type d'atelier, l'expression « ouvrier professionnel » a encore du poids, et tout particulièrement pour un fils d'OS comme Benoît qui, par mémoire familiale, connaît avec précision les différentes strates de la hiérarchie ouvrière – et surtout le prestige local des « professionnels ». Ainsi entend-il bien défendre son identité professionnelle, tout en affirmant fermement la distance qui le sépare des simples OS. Car s'il ne veut pas pour l'instant jouer au technicien, il est clair qu'il aspire à le devenir.

Ce n'est pas un hasard s'il a adhéré à FO, puis est devenu délégué. Cet engagement syndical est marqué par son histoire, par la somme des efforts qu'il s'est imposés pour ne pas rester simple ouvrier, pour « évoluer ». Au moment de l'entretien, on l'a dit, il est en train de rattraper le terrain perdu à grandes enjambées. Il s'agit, pour lui, de faire preuve de réalisme, de progresser, de consolider ses acquis professionnels et sociaux, et c'est cela qui explique pour une large part son engagement à la FO.

Ce qui frappe chez lui, c'est sa détermination à s'« en sortir », à tenir éloigné de lui, fortement et durablement, le groupe socialement repoussoir des agents de fabrication d'aujourd'hui. Il n'a pas (ou plus) de copains parmi eux (sauf un ami de ses parents...). Au fond, les questions d'OS ne l'intéressent pas, si bien que son engagement syndical s'enracine dans son histoire personnelle (la réticence de sa hiérarchie à reconnaître son bac pro et la formation professionnelle en général) et le syndicalisme tel qu'il l'entend s'inscrit dans une logique catégorielle et corporative...

3. Les bac pro : un nouveau style d'ouvriers professionnels ?...

On l'a déjà entrevu, à travers les deux portraits des jeunes issus de cette génération de bac pro, il existe quelques similitudes fortes avec les ouvriers professionnels classiques, tant du point de vue du comportement au travail que de celui du système de valeurs. Signalons entre autres : le goût du travail bien fait, une relative autonomie professionnelle (même si les programmeurs travaillent eux aussi en flux tendus), une capacité à se défendre et à revendiquer, une certaine fierté à occuper une position au sommet de la hiérarchie ouvrière. Sans compter d'autres considérations tout aussi importantes mais liées au mode de vie : installation en couple précoce, famille avec enfants tôt constituée, ménage de « doubles actifs » (leurs femmes sont le plus souvent employées), et souci vite affirmé d'asseoir sa position sociale par l'accession à la propriété et la construction d'un pavillon, en général facilitée par la capacité à faire du travail de « petit œuvre » (goût du bricolage). Mais on doit aussi insister sur les différences, tant dans le rapport au travail que dans celui à la politique, qui les rendent assez sensiblement distincts de leurs aînés « professionnels ».

D'abord, les vieux OP (les « professionnels » de Sochaux par exemple) leur apparaissent dans l'ensemble comme des « durs à cuire », dotés d'un exceptionnel savoir-faire manuel constitué tout au long de leur vie de travail et fait d'un tas de petits astuces qui ne sont pas formalisables mais transmissibles uniquement dans une relation de compagnonnage. Une autre grande différence réside dans le rapport que OP et bac pro entretiennent avec la hiérarchie (agents de maîtrise et contremaîtres). Les premiers ont du répondant et du « cran » face aux chefs, ils ne se laissent pas démonter, affichent une fierté sociale qui ne manque pas d'impressionner les seconds, lesquels, passés par le tamis social des études longues, ont tendance à se montrer structurellement moins courageux – on pourrait presque dire « poltrons ».

> Les anciens ! Oui, oui, même au jour d'aujourd'hui. On a des agents de maîtrise qui ont... entre 30 et 35 ans, donc qui ont réussi par les formations style BTS et qu'essaient de faire, je dirais, parler un peu la poudre. Eh bien moi, c'est clair que je ne manque pas de respect envers ces personnes-là, mais les anciens ils ne s'en privent pas. Ils les mettent en caisse tout de suite [on lui demande des exemples]. Voilà... du style un ancien est en train de discuter avec un collègue, si l'autre [le chef], il passe une fois et puis qu'au bout de la deuxième fois il s'immisce dans la conversation, il va lui dire : « Tu permets, là, on est en train de parler. Ça ne te regarde pas. » Hein, c'est du tac au tac, quoi. Sans, je dirais, manquer véritablement de respect, quoi. Mais... Parce que, comme ils disent, notre avenir, il est derrière, il n'est plus devant. Nous on en a... Sans dire pour autant que c'est des tire-au-cul, loin de là... Attention ! C'est pas du tout leur mentalité parce que le boulot, ils le font, les gars. C'est clair...

Il y a, de la part des bac pro des années 1990, une sorte de fascination et d'admiration pour ces vieux OP qui sont, à leurs yeux, les héros de la résistance ouvrière au quotidien, symbolisant ce pouvoir ouvrier à l'ancienne qui existait si fort dans les ateliers de professionnels de Sochaux. Mais aujourd'hui les choses ont changé et rendent ce type de comportement plus improbable et/ou plus irréaliste : d'une part, les OP comme ces bac pro n'ont plus le monopole du savoir technique, ils sont concurrencés par ceux qu'on appelle les « prestataires de services », ces mercenaires des (nouveaux) temps modernes industriels, et, d'autre part, l'ancienne élite du groupe ouvrier s'est vu marginaliser numériquement, donc fragiliser socialement.

À la différence des « professionnels » qu'ils admirent pour leur culot social, ces bac pro trentenaires ont appris à respecter les autorités de l'usine, à ne pas s'opposer à elles frontalement. Pour comprendre cette attitude, ou ces traits de caractère, on peut mettre l'accent sur deux points. Ces bac pro, faute d'avoir pu décrocher ce sésame qu'est le BTS, sont « pris », d'une manière très forte et parfois même obsessionnelle, dans la logique (et la spirale) de la promotion professionnelle : ne supportant pas de rester sur des machines traditionnelles et de ne pas valoriser leur formation initiale au lycée (qu'ils ont, semble-t-il, beaucoup appréciée), ils sont très souvent en quête de formation continue, d'amélioration pour « se décrocher » au travail. Pour obtenir ces formations, ils n'ont d'autres solutions que de donner des gages, faire preuve d'une grande bonne volonté et ménager leur maîtrise tant qu'ils n'ont pas obtenu satisfaction. Ce n'est pas à proprement parler du fayotage, mais il s'agit tout de même de se faire bien voir, afin de ne pas hypothéquer son avenir d'ouvrier à profil technicien. Le jeu de la formation est devenu objectivement contradictoire avec celui des logiques de solidarité.

En outre, il faut insister sur le fait que ces bac pro n'ont pas la culture de maints ouvriers professionnels, telle qu'elle a pu se transmettre dans les années d'effervescence militante (à travers les diverses instances culturelles favorisées par le comité d'entreprise tenu par la CGT-CFDT). Ce mode de transmission exerçait des effets sociaux très importants : habitude de lire (non seulement la presse militante mais aussi des documents sociaux ou politiques, voire des romans ou des poèmes), goût de se cultiver, de découvrir d'autres mondes, de sortir de sa « petite vie », occasions de se frotter à d'autres milieux sociaux et culturels, d'être bousculé par ces rencontres... Bref, il se produisait là tout un travail d'émancipation qui, pour certains OP, ne faisait que réactiver des dispositions à la culture bridées et mises en sommeil par l'interruption précoce (et non désirée) des études. Cette culture politisée des OP a cédé le pas chez les bac pro à un rapport plus instrumental, utilitaire, à la culture. Pour le dire de façon schématique, il ne s'agit plus de se doter d'armes culturelles pour « changer le monde » et/ou « inventer le socialisme », mais de parfaire des connaissances techniques pour se donner les moyens d'une progression de carrière et rejoindre les bureaux et le groupe des classes moyennes.

Dans la mesure où les ateliers sont aujourd'hui le lieu de coexistence de différentes générations ouvrières, ces jeunes

bac pro sont souvent envahis par une certaine nostalgie lorsqu'ils voient à l'œuvre la force sociale (ou ce qu'il en reste...
mais ce sont de beaux restes) des OP à l'ancienne. Cette
génération, orpheline d'espoirs politiques, se vit comme
plus inquiète, moins sûre d'elle, mais aussi – ceci expliquant
cela – plus individualiste, plus sérieuse, plus tendue vers
l'avenir, le regard fixé vers le haut. Il est désormais acquis
que les lignes de clivage passent ailleurs, que le monde des
bac pro est aimanté par celui des techniciens et par tout ce
qui tourne autour de l'informatique industrielle. En conséquence, ils semblent avoir opéré, dans leurs têtes et de
manière sans doute définitive, la rupture avec les simples
agents de fabrication qui leur semblent relever d'un autre
monde.

On ne saurait trop insister sur ce point : ce que nous a
appris peut-être de plus essentiel la série d'entretiens avec
ces bac pro, c'est la profondeur du fossé qui les sépare du
monde des « agents de fabrication » – terme qui s'est maintenant imposé et qui a supplanté celui d'OS, trop vieux et
démonétisé.

L'absence de communication à l'usine entre « bac pro »
et « opérateurs » se retrouve dans l'opposition entre le
monde des pavillonnaires ou des lotissements, qu'habitent
les premiers, et celui des « blocs » qu'habitent les jeunes des
cités et, plus encore, celui des jeunes issus de l'immigration,
sans qualification (ou sans reconnaissance sociale de leur
qualification ouvrière...). En relisant les entretiens, on
s'aperçoit que ces univers sociaux n'ont plus guère à voir
les uns avec les autres, qu'ils sont étanches et cloisonnés.
Ces deux mondes autrefois cousins ne communiquent plus
entre eux (sauf de temps en temps « dans le bus », pour ceux
qui habitent la même petite ville ou le même village).

Autrefois, si les univers sociaux des OP et des OS étaient
éloignés, il existait des points de raccord, des moments de
jonction – et surtout des formes de capillarité sociale entre
l'un et l'autre qui résultaient, pour une large part, de la
proximité dans le logement (HLM ou cités ouvrières) et de
l'engagement social et politique. L'appartenance à la classe
ouvrière apportait des bénéfices, notamment symboliques,
à chacun de ses membres, y compris aux OS, alors qu'aujourd'hui les ponts semblent coupés entre ces fractions d'un
groupe ouvrier de plus en plus polarisées : d'un côté, le

sous-groupe minoritaire des ouvriers à profil technicien (principalement des bac pro) lorgnant vers le « haut » et s'identifiant aux classes moyennes, et, de l'autre, le sous-groupe majoritaire des « opérateurs », très défavorisés dans le rapport de force avec la hiérarchie, développant une identité négative, talonnés par les RMIstes et autres intérimaires « volontaires ».

Pour comprendre l'écart croissant entre ces deux groupes, il ne faut pas sous-estimer non plus la différence de leurs conditions de travail. En fait, les bac pro devenus OP à profil technicien n'ont plus guère l'occasion de fréquenter à l'usine les agents de fabrication qui, de plus en plus, vivent cantonnés dans leurs ateliers et astreints à des horaires de tournée. Comme si la « place » de ces derniers dans la société était dictée, et en quelque sorte légitimée, par leur arrivée « bons derniers » dans la compétition scolaire et qu'ils étaient assignés de ce fait à la « basse classe » sur le plan professionnel. L'usage de l'outil informatique fait souvent la différence.

[La différence entre l'atelier et le bureau] Je dirais déjà, au niveau conditions de travail, c'est clair, c'est pas du tout les mêmes. J'étais ajusteur avant, donc là, pas de bruit, j'ai la radio à côté de moi, on travaille sur un micro, on travaille qu'avec des papiers, des plans. Donc, c'est vrai qu'au niveau conditions d'ouvrage c'est passé du simple au... c'est indéniable. Et puis je dirais qu'au niveau ambiance avec les collègues, ça se passe bien aussi. C'est... je dirais plus... intime qu'à l'atelier. Parce qu'à l'atelier ce qui se passe c'est que, bon, il y a quand même des personnes, enfin, beaucoup de personnes..., moins maintenant. Mais un jour il y a du boulot là, donc vous faites votre boulot là. Le lendemain on va vous dire, bon, à l'équipe du bas, ils ont besoin d'une personne pour donner un coup de main et tout. Alors on faisait la yoyote quoi, hein ! C'était pas : on restait à une place fixe et puis on faisait notre outil du début à la fin quoi. C'était un coup tu vas là, un coup tu vas là, un coup tu vas là. Alors que là, maintenant, là où je suis, le problème se pose plus, quoi. Je suis programmeur, je suis maintenant directement lié avec l'usinage... Donc c'est... c'est plus du tout le même métier, quoi...

Il faut insister aussi sur ce qui fait la singularité de cette génération qui a grandi dans les années 1980 et est devenue adulte dans les années 1990 : la hantise du chômage et la peur de l'exclusion, la dévaluation vertigineuse des idéaux politiques liés au socialisme (la chute du mur de Berlin en 1989, la gauche de gouvernement en France et sa gestion sans état d'âme de la modernisation), l'effondrement des croyances collectives et la délégitimation des élus politiques (et, dans une moindre mesure, syndicaux), bref, une grande résignation politique qui s'accompagne d'un réinvestissement dans la réussite individuelle au travail et d'un repli sur la vie personnelle et familiale. Ces hommes et ces femmes n'ont presque jamais senti souffler sur eux le vent de l'histoire, n'ont jamais été pris dans le tourbillon de l'action collective.

Un point encore : beaucoup reconnaissent après coup qu'ils n'ont pas assez travaillé à l'école dans leur adolescence, qu'ils ont « déconné », comme ils disent, n'ont pas mesuré à l'époque l'importance d'un bon placement dans la compétition scolaire. Si bien qu'ils ont l'impression qu'on a su leur tendre la perche au bon moment et s'en montrent très reconnaissants –, d'abord vis-à-vis de l'école (même si c'est dans l'après-coup) et ensuite à l'égard de l'entreprise, qui a su leur donner une seconde chance. Ce passé scolaire et professionnel explique aussi que leurs revendications soient très « réalistes ». Sans compter que leur éthique de travail se situe dans le prolongement de la vieille idée du travail bien fait, du mérite, de l'ascension professionnelle et sociale ; d'où les propos acides de certains sur les jeunes des cités qui tutoient trop facilement, qui n'ont aucun respect pour les hiérarchies sociales ou professionnelles. Alors que les bac pro de cette génération, eux, au contraire, depuis qu'ils ont mis un pied dans l'entreprise, sont confrontés à une évidence : la nécessité d'évoluer, de monter. C'est cette obligation, très vite intériorisée, qui les guide dans leur comportement au travail – et surtout les conduit à se démarquer avec vigueur de ceux qui sont « en bas », qui, à leurs yeux, se laissent aller à la facilité, incapables qu'ils sont de prendre la mesure des efforts à fournir s'ils veulent s'en sortir[1]...

---

1. La lucidité sociale et le réalisme de ces bac pro doivent certainement beaucoup à leur éducation dans des familles ouvrières traditionnelles, mais aussi à leur installation assez précoce en couple et aux contraintes de la vie de famille.

Parmi ces derniers, beaucoup d'enfants des cités et d'immigrés qu'ils perçoivent comme incapables d'intégrer cette contrainte du nouveau capitalisme : être « ouverts », « mobiles » et/ou prêts à la mobilité, regarder toujours au-delà de son propre environnement, quitter son petit monde et son « confort douillet » (la famille, la cité), voir plus loin et plus haut, adhérer au credo de la fin d'un métier « à vie », et donc se convertir au thème de la « formation tout au long de la vie ». Les jeunes des cités, qu'ils ne connaissent d'ailleurs plus que par ouï-dire et par observation de leurs conduites dans l'espace public, leur semblent perdus dans un rêve social : celui de l'argent facile et du monde de la frime (bagnole, marques, etc.), sans souci des réalités qui passent par une inscription durable dans le marché du travail et par la formation. En fait, les propos qu'ils tiennent à l'égard des jeunes des cités ne sont pas particulièrement empreints d'agressivité, ils n'expriment même aucune hostilité de principe (raisonnée) contre eux, dans la mesure où ils sont protégés du ressentiment par leur perspective professionnelle. Cela ne les empêche pas toutefois, à l'occasion, d'être révoltés par ce qu'ils lisent dans les journaux, notamment ces dégradations dans la ZUP qu'ils condamnent avec la plus grande fermeté. Sur ce point, les bac pro partagent l'indignation des « vieux », de leurs parents et beaux-parents (il se peut même qu'à la faveur de tel ou de tel événement certains votent FN). C'est pour eux une manière de réassumer le moralisme caractéristique des classes populaires, de réaffirmer la validité d'une charte non écrite des droits et des devoirs.

Bien entendu, ces bac pro, issus de familles ouvrières françaises, ayant grandi en pavillon, ne partagent en rien la « révolte » des jeunes des cités. Ils ne lui trouvent aucune légitimité (« Sochaux n'est pas le Nord ou la Lorraine sinistrés : il y a du boulot ici... »).

Ce point de vue est aussi façonné par le fait qu'ils ont bien connu ces jeunes au LEP où, entre « Français » et « immigrés », cela ne s'est pas toujours bien passé. D'abord, par leur nombre, les jeunes des quartiers étaient souvent en position de force, pouvaient en profiter, certains d'entre eux jouant volontiers aux « caïds » (les « petits Blancs » venus des villages environnants devaient passer sous leurs fourches caudines et avaler pas mal de couleuvres). Ensuite, la majorité d'entre eux ne travaillaient pas au LEP, mépri-

saient ce lieu qu'ils vivaient comme un accélérateur de relégation, voire comme une prison, et déployaient pour le dire
vite toute une gamme d'attitudes provocatrices.

4. Fouad, un bac pro qui défend son titre scolaire

Les premières promotions de bac pro ne comportaient
pas beaucoup d'enfants d'immigrés, en particulier du fait
d'un taux d'abandon plus élevé en cours d'études au lycée
professionnel et de la « petite sélection » effectuée à l'entrée
en première année. Comme on l'a vu plus haut, la première
génération de bac pro a eu des opportunités d'embauche et
de promotion professionnelle non négligeables. Il est, à ce
titre, instructif d'analyser en détail la trajectoire d'un bac
pro « issu de l'immigration » qui appartient, lui aussi, aux
premières générations titulaires de ce diplôme et de la
confronter avec celles des bac pro issus de familles ouvrières
françaises. Ce faisant, il ne s'agit pas de mettre unilatéra-
lement l'accent sur le phénomène de discrimination mais de
comprendre le faisceau de facteurs qui fait que la trajectoire
professionnelle de l'un sera beaucoup moins linéaire, rapide
et progressive que celle des autres. Car c'est précisément à
ce type de comparaison pratique, à partir de cas précis, et
dont l'on parle et reparle au sein des groupes de jeunes des
« quartiers », que s'alimente le scepticisme de ces derniers
quant à l'égalité des chances professionnelles.
    Fouad, 27 ans, fils d'un ouvrier algérien qui a toute sa
vie travaillé en fonderie à Sochaux, est titulaire d'un bac
professionnel de productique. Depuis 1995, il est « opérateur-régleur », c'est-à-dire ouvrier qualifié, dans une petite
entreprise de mécanique (comptant 70 ouvriers) située à
une quinzaine de kilomètres de son lieu de résidence
(Gercourt). Il est issu d'une famille algérienne de huit
enfants, dont les deux cadets (un frère et une sœur) ont fait
des études supérieures (DUT et BTS). Après avoir loué
pendant un an un studio plus proche de son lieu de travail,
il est revenu habiter chez ses parents dans le quartier HLM
de Gercourt.
    Je connais Fouad depuis l'enquête par observation que
j'ai menée au lycée professionnel Niepce en 1992-93[1]. Pour

---

1. Il était alors élève en deuxième année de BEP d'usinage.

l'enquête sur les jeunes ouvriers, je m'étais fait fort de le retrouver. C'est Fehrat, son voisin de « bloc », un autre enquêté, qui me remettra en contact avec lui. Comme il habite toujours chez ses parents, la seule manière de le voir est de le rencontrer en dehors du domicile familial. Le jour dit, il arrive avec un quart d'heure de retard. Il n'a guère changé depuis que je le connais. Il est de taille moyenne, trapu, sportif, cheveux coupés très courts, de teint mat, un large sourire éclaire souvent son visage. Mais c'est aussi quelqu'un qu'on sent nerveux, le regard très mobile et fureteur, comme s'il était sur ses gardes, comme s'il guettait le danger. Par exemple il ne cessera, tout au long de l'entretien, de regarder autour de lui, dehors, à travers la vitre. Parler devant un magnétophone l'intimide : au départ, il parle doucement, j'ai du mal à le comprendre et lui demande de répéter des mots qui restent souvent bloqués dans sa gorge, puis, peu à peu, il va se détendre et parler plus en confiance. Il est vrai que le cadre du café n'est pas propice à la confidence ou à des récits détaillés des événements qui lui sont arrivés, encore moins de certains aspects de sa vie privée : par exemple, je n'aborderai à aucun moment la question des « copines » ou du mariage[1]...

Au moment de l'entretien (janvier 2001), Fouad est donc titulaire d'un bac professionnel productique, qu'il a passé en 1994 au lycée Niepce. C'est alors la période la plus sombre sur le marché du travail : la région connaît depuis 1993 une grave crise, les perspectives d'avenir sont sombres pour les jeunes ouvriers, fussent-ils titulaires de bacs professionnels industriels, Peugeot-Sochaux embauche très peu. Fouad hésite avant de commencer à travailler. Comme il veut éviter de se retrouver au chômage, il examine les possibilités de formation à l'AFPA en dessin industriel et fait une demande d'inscription en BTS productique. Dans les deux cas, il échoue, et se voit contraint de tenter sa chance sur le marché du travail. Fouad connaît alors, juste après sa sortie de l'école, une assez longue période de chômage, six mois, qui l'a marqué comme tous ceux qui commencent leur vie active de cette manière. Il reste toujours quelque chose de

---

1. Au milieu de l'entretien, cependant, il recevra un coup de téléphone sur son portable et, après un bref conciliabule, il me signalera qu'il s'agit d'« une amie », comme s'il voulait me signifier qu'il a aussi une vie amoureuse.

traumatisant de cette première expérience de chômage consécutive à la sortie du lycée : cela signifie démarrer sa vie professionnelle avec une carte ANPE en poche. Mais cette expérience semble aussi endurcir durablement. Ceux qui ont franchi l'épreuve en parvenant à trouver un emploi sont habités par une sorte de force morale liée au fait qu'ils ont le sentiment d'avoir vaincu la malédiction qui semblait peser sur eux.

Après cette période de chômage, Fouad parvient donc à trouver un travail d'opérateur-régleur en intérim dans une entreprise industrielle (FARD), sous-traitante de grandes entreprises de Belfort, située à 18 km de chez lui (il s'achète vite une voiture pour s'y rendre tous les jours). Et même si cet emploi ne lui permet pas de valoriser son diplôme de bac pro, Fouad ne fait pas le difficile : il s'empresse de l'accepter, trop heureux de pouvoir travailler. Il restera deux ans dans cette entreprise comme intérimaire, puis s'impatientera et réclamera une embauche qui lui sera proposée après qu'il aura forcé la main de la direction.

Il est intéressant de s'arrêter un instant sur la façon dont il s'y est pris pour décrocher son CDI, car elle en dit long sur les ruses employées par un jeune des cités pour se défendre socialement. L'entreprise lui promettait l'embauche mais n'abordait jamais concrètement la question. Faute d'obtenir un engagement ferme, il prend les devants et répond à des petites annonces en mettant soudainement ses chefs devant le fait accompli : une offre de CDI avancée par une autre entreprise où il avait entre-temps passé des tests qui s'étaient avérés concluants. Lui, un jeune arabe intérimaire, sans le moindre appui syndical, aura donc forcé sa direction à venir à la table de négociation pour statuer sur son cas. Finalement, il obtient l'embauche et parvient même à négocier son salaire (un démarrage de carrière à 215 points comme le prévoient les conventions collectives pour un titulaire de bac pro.

> — Quand je suis arrivé en 1995... j'étais intérimaire quoi... Je suis resté deux ans intérimaire... (*silence*).

> — *Comment tu as fait pour te faire embaucher, tu demandais régulièrement à ton chef ?*

> — Je demandais, mais on m'a dit que... enfin ils pensaient à moi, ils voyaient que j'étais un gars sérieux et tout... Ils me

disaient qu'il y avait pas l'opportunité pour l'instant d'embaucher mais que, si par la suite il y avait une opportunité, j'étais dans le lot... Mais moi je pense que ce qui a poussé à l'embauche c'est le fait que j'avais trouvé un CDI à côté... J'avais trouvé une embauche à côté... Mais je leur en avais pas parlé, j'ai dit que s'ils ne m'embauchaient pas, je partais. C'est pour ça qu'après ils ont pu négocier, c'est pour ça qu'ils m'ont embauché après [il explique sa démarche pour trouver ce CDI]. J'ai trouvé ça par une annonce dans le journal : « Recherche opérateur-régleur »... Comme j'avais travaillé deux ans en intérim, deux ans d'expérience, j'ai téléphoné et on m'a donné l'adresse, on m'a dit de me présenter. Je me suis présenté là-bas... On a fait un essai et on m'a dit qu'ils m'embauchaient, enfin qu'ils me prenaient sur le coup, quoi. Alors j'en ai parlé à ma boîte, je leur ai dit... Ils m'ont dit qu'il fallait attendre, qu'il fallait pas que je parte. Et puis quinze jours après ils m'ont appelé au bureau et ils m'ont dit que l'embauche allait se faire. Et c'est à partir de là qu'on m'a embauché... Heureusement que j'avais trouvé quelque chose à côté, autrement ils m'auraient laissé poireauter comme ça pendant longtemps...

À travers cet épisode, on comprend que, pour un intérimaire qui a travaillé deux ans en donnant satisfaction, l'embauche est quelque chose qui non seulement se mérite mais qui, aujourd'hui, se conquiert de haute lutte. Et si Fouad est sorti gagnant de cette bataille, c'est parce qu'il disposait d'atouts dont il a su tirer le meilleur parti – notamment cette menace de fuite vers une autre entreprise – et parce que son entreprise avait besoin de quelqu'un qui avait sa formation et son expérience. Depuis 1996, il travaille toujours comme agent de production mais a été reclassé à 215 points (soit environ 8 000 F net par mois) du fait qu'il travaille « de tournée » un mois, matin et après-midi, puis un mois « de nuit ». Au moment de l'entretien, il n'est pas satisfait de son salaire et cherche à négocier une meilleure rémunération (il a obtenu, dit-il, « 200 balles » le mois précédant l'entretien).

Lorsqu'il évoque son itinéraire d'« embauché » et la façon dont il se voit dans l'espace socioprofessionnel de l'atelier, Fouad parle avec assurance de sa valeur au travail. Dès le début de l'entretien, il déclare, avec un brin de fierté : « Moi je suis opérateur-régleur. » Il effectue ainsi un travail d'ouvrier qualifié qui mobilise des compétences acquises à la fois au LEP et sur le tas, notamment dans le domaine des machines à commande numérique (les « CN » comme il les appelle). Il est convaincu de sa compétence professionnelle. En ce sens, il est très différent des simples opérateurs d'aujourd'hui et fait penser aux ouvriers qualifiés à l'ancienne. On peut voir là certainement les effets du passage par le lycée professionnel et de l'obtention du bac pro[1]. L'expérience du « temps masqué » est un bon exemple de la façon dont les bac pro utilisent leurs compétences dans l'usine. Fouad découvre qu'on applique, dans son atelier, cette notion de temps masqué, qui engage l'opérateur-régleur à doubler son activité, à suivre la machine d'un autre poste de travail. Pourquoi Fouad y est-il favorable ? Il y a chez lui la fierté de son diplôme, la défense de ce bac professionnel qui lui permet de s'adapter très vite au contexte, qui lui fait affronter sans trop de crainte les nouvelles exigences industrielles. C'est qu'on a appris aux élèves des lycées professionnels à découvrir les nouvelles techniques, à anticiper, à réparer les pannes, à être polyvalent, à se servir des différentes machines, à trouver des solutions. Et surtout, on leur a inculqué une éthique qui est en étroite correspondance avec les nouvelles règles du travail en milieu industriel : rompre avec les attitudes attentistes des vieux ouvriers, être au contraire toujours en mouvement, toujours « opérationnel », ce que Fouad traduit dans son langage par « ne pas rester les bras croisés » (expression à laquelle il recourt pour expliquer le « temps masqué »), occuper au mieux tout son temps de présence dans l'atelier, tenir plusieurs postes de travail à la fois, accepter de temps en temps d'effectuer les tâches déqualifiées des opérateurs, ne pas rechigner au travail, toujours se placer dans une logique d'apprentissage, etc. Par exemple, Fouad a appris à travailler sur plusieurs postes et a fait une petite formation (en Suisse) pour apprendre la programmation sur une nouvelle machine à découper, appelée la G2 (« La G2, c'est l'avenir », dit-il). Il apparaît ainsi comme quelqu'un qui veut toujours aller de l'avant, qui souhaite se perfectionner, s'améliorer, élargir la sphère de ses compétences. C'est là, on l'a vu, un trait récurrent de la plupart des bac pro interviewés.

---

1. On saisit ici la différence qui s'est creusée entre Selim, titulaire d'un BEP d'usinage, qui peine à trouver un CDI, et Fouad, qui retire quand même les bénéfices de son bac pro productique, passé après un BEP d'usinage.

D'ailleurs, lorsque Fouad décrit les raisons qui lui font apprécier son travail d'opérateur-régleur, il reprend une large partie du vocabulaire des ouvriers professionnels : responsabilité, autonomie (« Y a pas de chef vers moi »), travail relativement intellectualisé (« Il faut un peu de réflexion »), qui se fait sur de petites séries de pièces, marge de manœuvre et sens de l'initiative au travail (« J'essaie de trouver des solutions »), capacité à intervenir sur plusieurs machines (« Moi je peux dépanner sur plusieurs machines »), etc. Dans la description de son travail, il ne cesse en fait de se démarquer des opérateurs ravalés au rang de simples exécutants, qui lui apparaissent relégués dans un travail purement répétitif. Il les voit comme des subordonnés (il dit à plusieurs reprises « mes opérateurs ») qui doivent être surveillés pour éviter qu'ils ne commettent des erreurs, notamment en programmation de la machine (« Les opérateurs, faut jamais leur faire confiance », dit-il, à propos d'un incident dans l'usine), bref, comme des gens moins sérieux au travail et, pour tout dire, plus limités à la fois intellectuellement et professionnellement.

Dans son travail stricto sensu, tout irait relativement bien s'il n'y avait la question des horaires. Il était opérateur-régleur de tournée en 2 × 8, mais, depuis environ deux ans, les horaires ont été modifiés pour faire face à l'accroissement de la charge de travail (dixit la direction) : une équipe de nuit a été créée dans cet atelier qui compte soixante-dix ouvriers. Désormais, ceux qui ont accepté d'être dans l'équipe de nuit ont un rythme de travail assez singulier : durant un mois ils sont « de tournée » le matin et l'après-midi en semaines alternantes et, pendant le mois suivant, ils travaillent « de nuit », sauf le week-end.

Comme on l'a dit, Fouad déclare dans un premier temps que c'est la direction qui lui a imposé ce travail de nuit, mais je comprends assez vite qu'il s'est porté volontaire pour bénéficier de la prime correspondante (soit 2 000 F par mois). Avec un peu de recul, il s'est aperçu que ce travail de nuit n'était pas sans inconvénient car il contribue objectivement à la dégradation de ses conditions de travail. L'alternance mensuelle entre équipe de nuit et travail de tournée de jour est difficile à supporter (« On est complètement déréglé »). Au bout de deux ans, il a commence à en subir le contrecoup tant en termes de fatigue physique (il déclare que le repos est son « activité » de loisir préférée) qu'au niveau de sa vie sociale (par exemple, il a arrêté le handball de compétition car ses horaires de travail sont impossibles à concilier avec un entraînement exigeant).

Il est frappant que ce soit au moment de se quitter (Fouad doit aller déjeuner chez lui, on a déjà un peu dépassé le temps qu'il s'était accordé), et juste après que j'ai éteint le magnétophone, que mon interlocuteur revienne de lui-même sur une question qui lui apparaît tout à coup essentielle, comme s'il voulait, en guise d'ultime message, dire à travers elle la vérité du rapport qu'il entretient avec sa condition : le salaire. Son diagnostic est sans appel et il le répétera plusieurs fois, le martelant même à l'occasion et, pour la première fois dans l'entretien, en s'emportant : « De toute façon, avec notre salaire, on ne vit pas, on survit. » Il passe, dit-il, son temps à dormir lorsqu'il n'est pas au travail. Son objectif professionnel, maintenant qu'il a « fait sa place » dans l'usine, c'est de « grimper » comme il dit, d'obtenir un poste de technicien, via la formation profes-sionnelle. Car l'idée de rester « agent de production » ne lui paraît pas supportable. Et c'est cet objectif qui l'éloigne de toute perspective de lutte collective. D'autant plus qu'il a l'impression que « ça ne rapporte rien », que les syndicats ne sont pas efficaces, qu'ils ne se donnent pas les moyens de peser sur les décisions.

5. *La découverte du racisme au travail*

Le contraste est grand entre, d'une part, la présentation somme toute assez positive que Fouad fait de lui-même en tant qu'opérateur-régleur, relativement à l'aise dans son travail et, d'autre part, sa sombre description des relations sociales dans son atelier, tant du point de vue des relations entre « Français » et « jeunes immigrés » que de celui des rapports entre générations (les deux aspects de la question étant en partie liés).

Ce qui frappe le plus, toutefois, c'est la manière dont il présente le traitement qui lui a été réservé par les « autres » en tant que jeune Maghrébin. Cette question du racisme traverse une grande partie de l'entretien, on peut même dire qu'elle est le centre absent autour duquel il s'ordonne. C'est elle qui donne à l'échange sa gravité. Mais il hésite à en parler. Et l'on sent bien, à travers ses hésitations et sa difficulté à finir ses phrases, à reprendre les mots les plus blessants qui lui ont été adressés, son refus de donner des exemples concrets et patents, que Fouad est extrêmement embarrassé. La violence de ce racisme, et surtout son côté ouvert et « triomphant », l'a surpris (il ne s'attendait certainement pas à de tels débordements) et meurtri. Il ne cherche d'ailleurs pas à noircir le tableau, affirme qu'on ne doit pas généraliser, ne verse jamais dans le pathétique.

En l'écoutant, j'ai le sentiment qu'on lui a fait subir, lors de ces premiers mois, une sorte de bizutage musclé qui était, semble-t-il, destiné à lui faire quitter l'usine. Les vieux ouvriers qui l'ont vu débarquer dans l'atelier en 1995 « tenaient » là leur premier jeune maghrébin. En situation de force, par le nombre et par l'ancienneté dans la place, ils n'ont pas raté l'occasion de marquer la défiance que suscite, dans leur usine, l'arrivée des jeunes Arabes. Mais c'est peut-être la forme prise par l'expression de ce racisme qui a le plus choqué Fouad : rien ne s'est dit ou fait en face à face, « devant » lui, mais tout « par-derrière », comme par exemple cette inscription raciste (« sale Arabe ») dans les toilettes de l'usine, écrite de la manière la plus visible possible (« avec une bande de peinture »).

— Eh bien, écoutez, au début l'ambiance de travail c'était pas ça, quoi. Parce que là, je vais vous dire franchement, il y avait quand même pas mal de gens qui étaient un peu... (*il hésite, puis continue*)... Enfin, vous voyez ce que je veux dire... Au début... quand j'étais arrivé ça se passait pas très bien, j'ai eu des tracts, des [mots]... de racisme et tout.

— *Ah bon ? Tu as eu des tracts contre toi ?*

— Ouais, ouais... Non mais c'est vrai... (*il se met à sourire, un peu gêné*)... « Sale Arabe »... et tout... C'étaient des gens, je sais pas, moi... (*réfléchissant*). [La première fois], c'était dans les toilettes... carrément, dans les toilettes ils ont mis ça... avec une bande de peinture... (*Silence, il ne veut pas trop insister.*) Bon, ils ont pas mis mon prénom, ils ont mis ça... (*Se reprenant.*) Bon, il y en avait pas cinquante d'Arabes dans la boîte... J'étais le seul... Mais on n'a jamais su qui c'était.

— *Et quand il y a eu ces insultes racistes, il y a quelqu'un qui t'a défendu dans la boîte ?*

— Ouais, il y a quand même eu le chef du personnel qui est venu... Ils ont pris des photos, ils m'ont quand même demandé si je voulais porter plainte. Quand on a vu ça [l'insulte raciste], on a dit ça au chef, quoi. On a été informer les « chefs » [d'équipe] et les chefs l'ont dit au chef du personnel. (*On revient sur l'attitude de ceux qui auraient pu écrire cette insulte.*) Vis-à-vis de moi, ils ont pas d'attitudes agressives, c'est pas ça... En fait, devant, ils sont gentils avec vous... Devant ils vous parlent bien quoi, voilà, et puis derrière... derrière... (*silence*). Bon, au fur et à mesure du temps, ça s'est calmé... parce que, à mon avis (*silence*), au fur et à mesure du temps, on a commencé à se connaître, et puis l'ambiance elle est plus pareille, elle est meilleure... Au début il y avait moins de contacts, j'avais moins de contacts avec les gens...

— Tu étais aussi, toi, un peu sur la défensive, non ? Au départ...

— Ouais, c'est-à-dire en recul ?... Non, pas spécialement, je suis quelqu'un... je suis quelqu'un d'ouvert, je discutais un peu avec tout le monde, quoi. Par contre, si on me dit... si on me dit : « Ouais, écoute, je te connais pas, tu parles avec moi, bon OK je me recule », mais moi je suis quelqu'un d'ouvert. C'est sûr que le contact au début quand je suis arrivé à Lanville, c'était pas ça. Mais... maintenant au fur et à mesure du temps ça s'améliore quand même, il y a quand même plus de contacts avec les gens. On a quand même... je dirai pas une bonne ambiance mais il y a... une petite ambiance quand même... c'est mieux maintenant, parce qu'en fait on a repris des employés de chez Alstom [...]. Je sais pas parce que... peut-être qu'on a appris à se connaître... peut-être qu'il y a des gens... des gens qui pensaient que j'étais comme ça, et finalement en discutant ils se sont aperçus que j'étais quelqu'un qui était, je vais pas dire correct, mais quelqu'un de sans problème...

— Comme les autres, quoi...

— Voilà... Parce qu'eux, la première fois, ils voyaient, par exemple, ils disent un Arabe, ils disent tout de suite : « Ouais, c'est un mec, c'est un mec qui vole, c'est un mec qui fait ci qui fait ça... qui deale »... Ils ont cette image-là, quoi, bon on n'est pas tous comme ça... il y en a quand même des bons... il y a des bons et des mauvais partout. [Un peu plus loin dans l'entretien, on évoque les moments de pause, les repas pris en commun entre jeunes, qui mangent très rarement avec les vieux.] Moi, ce qui me gêne dans la conversation des vieux, c'est qu'il y a beaucoup de racisme !... Il y a beaucoup de racisme, je vous le dis franchement... Ça parle trop, moi il y a des fois je les entends... je [un peu suffoqué]... mais c'est fait volontaire... volontairement !... Quand on est au réfectoire... non mais c'est fou, c'est trop, hein... ça c'est hallucinant ! On n'a pas l'impression qu'on bosse avec eux...

— Ils peuvent dire des choses haut et fort contre les Arabes ?

— Oui, ils le disent haut et fort... « sale Arabe »... ils peuvent vous dire ça mais pas directement... indirectement... Ils le disent à d'autres, mais pas à toi... Ils le disent indirectement. (*Devant ma mimique d'incompréhension.*) Par exemple, moi, je sais pas... Ah oui, ils mangent du porc, c'est leur religion, hein... Alors tout de suite, eux, tout fort, devant nous [les trois Maghrébins de l'usine] : « Ouais, pourquoi on mangerait pas de porc ! »..., vous voyez... À chaque fois, c'est ça, ils nous disent comme ça : « Pourquoi ci, pourquoi ça... »

— Mais ça peut être dit gentiment...

— Ouais, ça peut être dit gentiment, oui... Mais c'est comme quand ils parlent des gens qui vont à la mosquée... vous savez, pour la religion... Alors, ils ont vu quelque chose à la télé... « Ouais, on a vu les Arabes ce qu'ils font... [les rites de la prière]... Bon, c'est vrai que, moi, j'en ai entendu qui le disaient en rigolant comme ça, et moi je l'ai jamais mal pris... Mais par contre, vous avez des gens ils le disent (*en imitant leur sourire ironique*), ça veut dire je m'adresse à toi, quoi... [...]. Mais pour ce problème-là [du racisme], depuis le début, moi je me suis dit : « Laisse tomber », je fais même pas attention parce que, comme je dis au chef du personnel, je lui fais : « Écoutez, moi, je suis là pour bosser, je suis là pour faire mes heures de boulot... je suis donc payé pour mes heures de boulot, je suis pas là pour... faire du racisme ou... faire de la politique dans l'entreprise ou... » vous comprenez ? Moi, j'ai été clair et net là-dessus, j'ai dit : « Moi je suis là pour bosser, je suis là pour faire mes heures, vous me payez pour justement, et dès que mes heures sont finies je m'en vais. Je suis pas là pour me prendre la tête avec les gens ou quoi que ce soit... »

On se rend compte que Fouad a été en quelque sorte cueilli à froid dans cette entreprise. Il débarquait comme jeune intérimaire : effrayé par l'accueil que d'aucuns lui ont réservé, il s'est isolé, constatant à regret : « J'avais moins de contacts avec eux. » Au cours de ces premières années où il s'est retrouvé seul Arabe dans l'atelier, les « vieux » du coin ont voulu, dit-il, lui imposer leur loi. D'où ce mouvement de défiance vis-à-vis d'eux et de tous les autres (« j'étais en recul », dit-il, pour analyser sa réaction). En recul par rapport à ce qu'il a perçu comme un bloc d'hostilité. En fait, il suggère à mots couverts qu'on lui a clairement fixé les limites de son territoire ; on lui a fait comprendre aussi qu'il y avait une liste de gens à qui il valait mieux ne pas parler. On lui a imposé, d'une manière sournoise, une sorte de mise en quarantaine en restreignant sa marge de liberté d'action. Il s'est mis en retrait, a choisi de ne pas faire de vagues. Il dit « mauvaise ambiance », mais tout laisse à penser qu'il s'agit là d'un doux euphémisme. Ses mimiques et son mouvement de tête, comme s'il voulait oublier, disent mieux que des mots une ambiance poisseuse, lourde de sous-entendus et d'arrière-pensées racistes.

Durant ces premières années, c'est vraiment le racisme au quotidien qu'il a affronté au travail. Face à l'ambiance de suspicion et parfois de haine, il faut être fort mentalement pour résister. Fouad ne veut pas oublier cette première expérience : il avait cru pouvoir, en entrant à l'usine, devenir un « travailleur » comme les autres, il a été traité comme le bouc émissaire de la misère du monde...

Son salut est finalement venu de la réorganisation de l'entreprise, qui a vu le transfert de son établissement sur le site d'une autre plus grande (donneuse d'ordres), à Dancourt. La population ouvrière de l'atelier s'en est, en effet, trouvée mélangée. Les ouvriers de Dancourt lui sont apparus plus ouverts, peut-être davantage habitués à la présence de « jeunes Arabes » dans les ateliers. Et puis, petit à petit, le temps a fait son œuvre, les relations se sont nouées avec une partie des collègues (« peut-être qu'on a appris à se connaître », dit-il en guise d'explication, lui-même surpris que les choses aient pu évoluer dans un sens favorable). Surtout, avec la reprise de l'embauche ouvrière, il n'a plus été le seul « Arabe » de l'atelier. Il s'est senti épaulé par l'arrivée de deux « Maghrébins » (c'est le mot qu'il emploie). Si l'ambiance, de ce point de vue, ne s'est pas entièrement assainie, l'atmosphère est devenue un peu plus respirable pour lui.

Le racisme n'a pas disparu pour autant de l'entreprise, et il en reste des traces manifestes. Les anecdotes qu'il livre sur ce qui se passe au réfectoire sont parlantes. Les ouvriers de l'usine y mangent ensemble, mais les jeunes avec les jeunes, les vieux avec les vieux. Et c'est en ce lieu que se libèrent le plus facilement les pulsions et les propos racistes, de la part des vieux ouvriers qui, parfois, s'en donnent à cœur joie.

Fouad n'ose pas rapporter tout ce qu'il entend. Mais ce qui là encore le choque le plus, c'est la manière dont le racisme s'exprime : dans un lieu public, le réfectoire des ouvriers, à la fois devant tout le monde mais jamais en face, toujours « en biais » : les vieux parlent fort (« c'est fait volontairement... », insiste-t-il à plusieurs reprises) pour que tout le monde entende, comme si les jeunes Arabes n'avaient pas le droit de se rebeller (« c'est hallucinant », dit-il pour évoquer la forme que prennent ces provocations).

Dans ce racisme ouvertement proclamé des anciens, on peut lire comme une tentative de reconquête du monde intérieur de l'usine. On peut facilement imaginer les propos qui y sont tenus (« on est chez nous ici », « on va pas se gêner », « faudrait voir qu'ils aient quelque chose à dire », eux qui ont déjà pris le pouvoir dans les quartiers). Comme la manifestation de l'occupation légitime de l'espace sonore : le réfectoire, c'est le territoire des vieux et ce ne sont pas les « jeunes Arabes » qui vont y faire la loi...

Il faudrait analyser plus en détail la spécificité de cette entreprise, son histoire, de même que celles de Lanville, toujours évoquée par les jeunes des cités du pays de Montbéliard comme une ville très raciste... Il n'empêche, on entrevoit là un racisme désormais très ancré dans la tête des anciens, une absence d'autocensure sur cette question, comme l'indique l'expression « sales Arabes ». Face à cela, Fouad est obligé de composer, d'accepter, de se taire, ce qui est pour lui une humiliation supplémentaire... La technique qu'il utilise est fondée sur la neutralisation : il se fait tout petit, ne semble pas entendre et se contente de faire son boulot (« moi, je suis payé pour mes heures de boulot et pas pour faire du racisme ou de la politique dans l'entreprise »). Surtout, il évite d'« avoir des histoires », ne veut « pas se prendre la tête avec les gens ». On se souvient que la génération des pères immigrés baissait la tête à l'usine quand ils subissaient le racisme....

Le cas de Fouad, bien sûr, est loin d'être isolé, et nous avons recueilli bien des témoignages de ce type au cours de nos différentes enquêtes[1]. C'est, à notre avis, un élément

---

1. Il semble bien que ce racisme fasse même partie du lot quotidien des enfants d'immigrés, de l'air qu'ils respirent depuis leur plus jeune âge. Ils évoquent pêle-mêle ces femmes qui serrent instinctivement leur sac à main dès qu'elles les croisent dans la rue ou dans le bus, différentes brimades subies lors des contrôles de police ou lorsqu'il s'agit de « faire les papiers » à l'état civil ou à la préfecture, en passant par le refus d'entrée dans les boîtes de nuit de la région.

de contexte décisif si l'on veut comprendre la forme que prend la poursuite d'études sur les enfants d'immigrés dans la région.

6. *La fac pour échapper au verdict du marché du travail*

D'un côté, les bac pro comme Étienne et Benoît sont issus de familles ouvrières et relèvent de fratries à l'intérieur desquelles s'élaborent peu à peu les nouvelles carrières ouvrières. De nombreuses petites informations circulent dans la famille élargie et sont ensuite mobilisées pour que les fils de la fratrie amorcent des stratégies de promotion professionnelle adaptées à l'état du champ économique. À l'opposé, les jeunes des cités, comme Fouad, appartiennent à des familles et à des fratries plus diversifiées sous le rapport des itinéraires scolaires et professionnels. Certains de leurs frères et sœurs ont été aspirés dans le régime des études longues et tentent leur chance dans les concours de la fonction publique, en espérant ainsi s'arracher à jamais à la condition ouvrière, condition sociale devenue repoussoir à leurs yeux. D'autres ont échoué précocement à l'école et se retrouvent sur les marges du marché du travail. Les bac pro, dans ces familles immigrées, semblent relativement isolés ; ils sont même parfois regardés avec un peu de condescendance par ceux qui ont « mieux réussi l'école ». Au travail, ils sont relativement minoritaires venant des cités ; faute de relations, ils se retrouvent là aussi assez isolés.

D'autre part, les espaces de mobilité diffèrent grandement entre les deux catégories de bac pro étudiées. Il est frappant que Fouad reste cantonné dans le monde de l'atelier, rivé à la production, alors que Benoît et Étienne ont eu, tous deux, assez vite accès au monde des bureaux. Comme Fouad n'est pas courtisé et ne se voit pas proposer un emploi d'ouvrier à profil technicien, il n'est pas étonnant qu'il reste, dans sa tête, pleinement « ouvrier » et qu'il ne paraisse guère tenté par l'idée de devenir « technicien » et encore moins de se définir comme tel socialement. Enfin, il ne faut pas oublier que les carrières professionnelles se construisent aussi en relation étroite avec la situation matrimoniale : la vie de couple et les charges de famille constituent un aiguillon souvent déterminant à qui veut « monter » : c'est le cas pour Étienne et Benoît. Fouad, qui a mis fin à sa vie de célibataire isolé (un studio loué à Belfort) pour retrouver, à 27 ans, ses parents et le domicile familial (« Les parents ne sont pas éternels, je veux encore en profiter », a-t-il dit à la fin de l'entretien), ne jouit pas de cette incitation à la mobilité professionnelle[1].

On peut aussi évoquer l'effet des changements de conjoncture... Six ans après l'entrée sur le marché du travail de la première génération des bac pro (à laquelle appartient Fouad), leurs conditions d'insertion professionnelle ont changé : d'une part, la reprise économique est survenue et, d'autre part, les bac pro industriels ne semblent plus aussi assurés de trouver des emplois d'ouvriers qualifiés. Nombreux, parmi les jeunes des cités, sont ceux qui ont été embauchés comme simples opérateurs à Sochaux ou au Technoland. Il faut ici revenir sur une donnée a priori surprenante : au cours de ces trois années de très forte demande de travail dans ce bassin d'emploi, on a vu des titulaires de bacs pro industriels (productique, maintenance, électrotechnique, plasturgie), en théorie fort courtisés par les entreprises, refuser d'entrer à l'usine pour, au contraire, tenter leur chance en première année d'université[2]. Cette poursuite d'études supérieures concerne, chez les garçons, une grande majorité de fils d'immigrés, déçus de ne pas avoir été acceptés en classe de BTS et qui espèrent trouver leur salut dans les études longues. Pour les filles titulaires du bac pro (commerce, comptabilité, secrétariat, force de vente), les débouchés professionnels sont minces dans la région[3]. En dépit du sombre tableau que dressent préventivement à leur intention les responsables des lycées professionnels à propos du parcours des bac pro à l'université, les élèves, une fois connu leur échec à l'entrée en BTS, envisagent un peu plus sérieusement de « faire la

---

1. L'enquête mériterait d'être approfondie sur ce point : la difficulté des jeunes comme Fouad à trouver une partenaire sur le marché matrimonial...

2. Même si le bac professionnel a été considéré à sa création comme un diplôme de fin d'études, il donne néanmoins, en théorie, le droit de poursuivre des études dans l'enseignement supérieur. Une toute petite minorité – les meilleurs élèves de bac pro – ont accès aux classes de BTS. Ceux et celles qui entrent en première année de DEUG le font en général après avoir été refusés en BTS. Et, à l'université, leur échec est massif.

3. D'autant que la mobilité géographique de ces filles qui cherchent un emploi à partir de leur domicile familial est faible. Très peu s'autorisent à quitter la région.

fac ». Mais c'est au moment de la rentrée de septembre que l'inscription à la fac leur apparaît, soudainement, comme la seule solution pour avoir un « statut » d'étudiant (« C'est la sécurité, la fac », nous dit une étudiante). Il ne s'agit pas seulement de goûter à ce statut, de bénéficier des avantages matériels de la bourse (2 000 F par mois en règle générale), il y a aussi le désir très vif de rejoindre la « norme étudiante », une envie sourde de prendre sa revanche sur ces années de LEP où ils ont eu l'impression d'avoir été tôt écartés de la « voie normale ». Après avoir suivi un cursus complet dans la filière professionnelle (de la quatrième technologique à la terminale bac pro), ils aspirent à autre chose, au « vrai » monde étudiant, à accéder à ce qui leur a été longtemps interdit, bref, à rentrer dans la norme. Il faut donc comprendre aussi cette poursuite d'études des bac pro comme une manière de réintégrer le courant social de la jeunesse locale, par ajustement à la norme de l'étudiant, devenue dominante à cet âge de la vie. Et même si beaucoup d'entre eux savent que cette période de rattrapage risque d'être éphémère, c'est, nous semble-t-il, le rêve social qui est à la source de cette poursuite d'études. Bien sûr, rien de cela ne saurait se dire ouvertement, encore moins devant un sociologue[1].

Les responsables universitaires, comme les enseignants des lycées professionnels de la région, considèrent la présence de bac pro industriels dans une faculté de lettres comme une « aberration » (un mot qui reviendra souvent dans la bouche de nos interlocuteurs) et surtout comme un « beau gâchis ». Directement employables et opérationnels sur le marché du travail, ces jeunes, fortement demandés

---

1. Le décalage s'avère vite considérable entre les exigences de l'institution universitaire et leurs propres compétences scolaires. L'enquête a porté sur les bac pro inscrits en première année de DEUG d'histoire (baptisé sciences humaines et sociales). Par exemple, ils ne savent rien du programme de DEUG d'histoire, ni comment on y travaille. Ils reconnaissent tous avoir des difficultés à l'écrit, même si beaucoup d'entre eux s'expriment bien à l'oral. Lors de ces entretiens, nombreux sont les « quiproquos » culturels qu'on a pu relever. À une étudiante, bac pro secrétariat, qui nous déclare son goût prononcé pour l'histoire et son plaisir à lire des ouvrages d'histoire, on demande le titre d'un livre qui l'a marquée. Elle répond : *Les Grands Crimes de l'histoire* de Pierre Bellemare, auteur dont elle a, dit-elle, tous les livres dans sa bibliothèque personnelle (elle les achète à 5 F dans les brocantes de la région où elle se rend avec ses parents).

par les entreprises, pourraient commencer vite une carrière d'ouvrier qualifié. Alors qu'ils ont une qualification entre les mains (qualification qui, comme disent beaucoup de responsables, a coûté assez cher à l'État...), ils la mettent en jachère, voire la stérilisent, en allant « en fac », sans bien mesurer les risques de dévaluation de leur diplôme que ce détour leur fait prendre.

Ce point de vue doit, bien sûr, être confronté à celui de ces bac pro étudiants, dont il faut rappeler que 80 % sont des « jeunes des cités », fils d'immigrés algériens ou marocains, qui habitent chez leurs parents dans les quartiers HLM de la région. Lorsqu'on les écoute[1], on relève une rationalité certaine dans leur décision de poursuivre leurs études. Pour les garçons, le choix de la faculté après le lycée professionnel apparaît surtout comme une manière d'éviter les désagréments liés à la recherche d'un emploi. On pourrait dire que, instruits par des expériences antérieures faites personnellement ou par des proches (frères, amis du quartier), ils ont tendance à anticiper le pire sur le marché du travail et cherchent à éviter autant que faire se peut d'être confrontés à la discrimination à l'embauche. Il s'agirait, pour filer la métaphore hippique, d'une sorte de « refus devant l'obstacle », motivé par la peur d'être une nouvelle fois atteint par une expérience qui fait, psychologiquement, très mal. Au-delà du désir de devenir étudiant et/ou de « venger » l'affront d'avoir été refusé en BTS, l'essentiel, dans leur stratégie, semble bien résider dans ce souci de se protéger – on serait tenté de dire psychologiquement – du marché du travail, du racisme diffus qu'ils anticipent (à tort ou à raison) dans les entreprises. Choisir la fac, à leur âge, c'est éviter d'être trop remis en question dans l'image qu'ils se font d'eux-mêmes.

---

1. La plupart ont accepté le principe de l'entretien, puis ont fait faux bond au moment du rendez-vous...

CHAPITRE X

Au-delà des attitudes de provocation

L'examen détaillé des trajectoires individuelles de jeunes des cités fait apparaître les différents obstacles objectifs que ceux-ci rencontrent dans leur insertion professionnelle, notamment lorsqu'ils se mettent en quête d'un emploi stable. Or, les études de cas précédentes étaient consacrées à des jeunes des cités qui, malgré tout, disposent d'atouts sociaux non négligeables – scolarité honorable, bonne volonté au travail, respectabilité familiale, petit capital social au niveau local, ou « capital civique » (pour reprendre une expression de Jean-Noël Retière[1]). Elles peuvent donc étayer un raisonnement qui permet de comprendre, par comparaison, le destin social des jeunes du quartier qui sont, eux, partiellement ou totalement, privés de telles ressources et, de ce fait, bien plus fragiles, socialement et psychologiquement (et qui sont aussi les plus difficiles à atteindre par l'enquête...). C'est ainsi que les expériences sociales de ceux qui ont toutes les caractéristiques de la « bonne intégration » (en utilisant ici provisoirement cette notion de sens commun) et qui rencontrent pourtant, on l'a vu, des difficultés importantes pour « faire leur vie » informent directement sur l'espace des possibles, sociaux et professionnels, qui s'offre aux jeunes des cités[2].

Ce dernier chapitre sera précisément consacré à l'étude des comportements sociaux de ceux qui sont mal partis, qui se vivent plus ou moins comme « sans avenir », qui ont la

---

1. Lors de son intervention orale, comme discutant de notre exposé, au Séminaire du Centre nantais de sociologie, MSH Ange Guépin, mai 2002.

2. Car ces expériences sont connues et diffusées dans le quartier par le truchement du commérage local.

« rage », celle-ci s'exprimant par une sorte d'agressivité permanente et un comportement de provocation systématique vis-à-vis de tout ce qui représente l'institution. Elle peut aussi, selon le contexte politique – tant national (bavure policière touchant l'un des leurs, décision de « justice de classe », victoires électorales du FN, etc.) qu'international, surtout quand il concerne le Moyen-Orient (guerre du Golfe, conflit israélo-palestinien, guerre d'Irak) –, se muer en « haine » : haine des autres mais aussi, on l'oublie trop souvent, haine de soi, et déboucher aussi sur des formes de violence (dont il faut rappeler la dimension éminemment autodestructrice).

D'où ces « flambées de violence », incompréhensibles aux profanes et, bien sûr, stigmatisées par les faiseurs d'opinion, qui surgissent à la première occasion, mais ne sont compréhensibles que si l'on a étudié le terreau social et psychologique auquel elles s'alimentent.

1. L'appropriation du quartier comme envers de la dépossession sociale

De l'émeute jusqu'aux élections présidentielles d'avril 2002, la ZUP a connu des montées de tension récurrentes. Ayant habité plusieurs semaines dans le quartier, nous avons pu procéder à un travail par observation qui, tout en restant lacunaire, livre néanmoins quelques éléments intéressants d'analyse, d'autant plus qu'ils correspondent aux résultats d'enquête tirés d'autres travaux sur les cités[1]. Le plus frappant est peut-être cette impression de suroccupation de l'espace public par une catégorie de jeunes : des petits groupes de garçons (quatre à cinq en moyenne), tous habillés en « uniforme banlieue » (casquette, survêtement et chaussures de sport « de marque » – Lacoste, Tacchini, Nike), qui semblent avoir peu à peu pris possession du quartier.

Au moment de notre enquête (2000-2001), ils occupaient tout au long de la journée les halls d'immeubles, le

---

1. Voir notamment Dominique Duprez, Michel Kokoreff, *Les Mondes de la drogue*, Paris, Odile Jacob, 2000 ; David Lepoutre, *Cœur de banlieue*, Paris, Odile Jacob, 1999 ou, aux États-Unis, Philippe Bourgois, *En quête de respect*, Paris, Seuil, 2001.

bas des blocs, les carrefours stratégiques du quartier, les entrées et sorties du centre commercial, toujours en petite bande, se sifflant à distance ou s'appelant vivement à travers les rues et les immeubles. La nuit, le plus frappant, surtout dès l'apparition des beaux jours, c'est la profusion de bruits en tout genre qui envahissent le quartier : des cris, des interpellations à haute voix de tour à immeuble, dans la rue, des scooters aux pots d'échappement cassés et des voitures à gros cylindres (BMW, Golf GTI, 406...) dont les conducteurs font « fumer » les pneus au démarrage, etc. Ce bruit multiforme, qui augmente lorsqu'arrivent les beaux jours (« On est plus tranquille en hiver... au moins, ils se tiennent un peu plus tranquilles », disent souvent les résidants), est devenu une source permanente de plaintes et de conflits – ceux et celles qui travaillent « de tournée » et qui ont un besoin quasiment vital de se reposer ne supportent pas une telle nuisance.

L'observation *in situ* dans le quartier témoigne de la diffusion de ce qu'on peut appeler une « culture de la provocation », qui est faite à la fois de défis et de menaces, d'insultes, de propos déplacés, etc. Tout prétexte semble bon à saisir pour « choquer » : non seulement les « Français » (perçus souvent par eux comme un bloc qui leur serait unanimement hostile), mais aussi bien des « immigrés », y compris certains pères, (pré)retraités, qui tentent en vain de leur faire la morale[1].

On peut ici prendre l'exemple des bus : les incidents y sont nombreux, il arrive fréquemment que des jeunes agressent verbalement et gratuitement les passagers qui, apeurés, « laissent dire » ; certains ont mis une fois le feu dans un bus ; dans les espaces situés en dessous des « blocs », notamment dans les secteurs réputés « durs » du quartier, les jeunes (garçons) qui participent de cette culture de rue vivent dehors, se rassemblent au bas des blocs, affirment de mille et une manières leur présence sur place, leur légitimité à être là, et leur totale indifférence aux autres. Le plus frappant chez eux est cette manière qu'ils ont de prétendre contrôler le territoire : ils se postent aux carrefours qui marquent l'entrée dans le quartier à partir du

---

1. Ce sont ces pères immigrés qui, lorsqu'on les rencontre, en appellent avec le plus de force à plus de sanctions, de répression, plus d'intervention de l'État pour imposer le respect.

centre-ville, devant l'entrée du centre commercial, poumon
de la vie sociale de la ZUP, filtrant symboliquement l'accès
à ses endroits considérés par eux comme stratégiques, et,
selon les moments et leur humeur, proférant à l'intention
de telle ou telle personne des remarques désobligeantes, « de
loin », comme s'ils maintenaient la pression sur les habitants
du quartier qui ne sont pas de leur monde.

Un exemple, peut-être le plus instructif : l'usage qu'ils
font des rues de la ZUP. Beaucoup de ceux qui travaillent
comme intérimaires possèdent des voitures puissantes
(BMW, Mercedes) ou élégantes (cabriolet BMW ou 306,
206), écoutant à bord la musique (beaucoup de rap
« dur ») au plus fort volume sonore possible, fonçant au
volant, faisant « fumer » leurs pneus lorsqu'ils ont du public
autour d'eux, notamment les « petits » du quartier qui
regardent, fascinés, ces puissantes machines et admirent la
maestria de leurs pilotes. La conduite déviante en automobile ou en scooter est un des traits essentiels de cette
culture de la provocation qui s'est peu à peu installée dans
le quartier. Voici, parmi bien d'autres, une scène typique
du quartier.

> Dans une des rues de la ZUP, qui est considérée comme
> appartenant au secteur « dur » du quartier, deux jeunes au
> volant d'une BMW rouge, apparemment neuve (ou en tout
> cas très bien retapée), croisent un de leurs copains au volant
> d'une Golf G3 noire, plus usagée. Ils arrêtent leurs véhicules
> et se parlent, les vitres baissées, en prenant tout leur temps
> et ce de manière ostensible. Comme cette rue est assez
> empruntée dans le quartier, arrive peu de temps après une
> petite voiture (205) conduite par un homme seul, d'une
> soixantaine d'années, « français ». Il attend patiemment : on
> le sent exaspéré par l'attitude de barrage des jeunes, mais
> il n'ose pas manifester son mécontentement de voir la rue
> bouchée par leur babil. Au bout de deux ou trois minutes,
> il se décide quand même à klaxonner, timidement. Visi-
> blement, c'était ce qu'attendaient les deux occupants de la
> BMW qui se retournent et l'insultent copieusement, tout en
> continuant de discuter avec leur copain, conducteur de la
> Golf. Deux minutes plus tard, ils lèvent le « barrage », la
> BMW démarre en trombe, fait fumer ses pneus arrière puis
> tourne immédiatement à gauche en faisant déraper son
> arrière, puis le conducteur se gare tranquillement sur le
> parking d'un immeuble longeant la rue (où habite l'un
> d'entre eux). C'est aussi l'utilisation d'une des grandes rues

qui ceinturent la ZUP comme un circuit de formule 1, des violentes accélérations et des tournants pris en faisant crisser le plus fort possible les pneus. Conduites certainement minoritaires, mais qui ont le don d'exaspérer tout le monde dans le quartier, en tout cas de rendre très dangereuse la chaussée pour les enfants et les personnes âgées.

À travers ces attitudes, qui suscitent à la fois incompréhension et colère chez les habitants qui en sont les victimes (« On ne leur a rien fait », « Ils nous agressent pour rien » reviennent comme des leitmotive dans leurs propos), on ne peut pas ne pas voir une volonté farouche de s'approprier complètement l'espace du « quartier », de s'accrocher à ce qui leur reste en propre, ce quartier dans lequel ils sont et se sentent protégés. La recherche de la maîtrise des lieux, et la dépossession des « autres », perçus comme installés dans la vie, apparaissent comme la retraduction spatiale et l'envers de leur dépossession économique et sociale.

Abdelmalek Sayad a bien analysé ce processus au début des années 1990, notamment lorsqu'il a travaillé sur l'émeute de Vaulx-en-Velin : « La stigmatisation qui est, en apparence, le produit du territoire stigmatisé finit toujours, en réalité, par produire un territoire propre, un territoire revendiqué comme territoire stigmatisé et territoire de stigmatisés. Sous l'effet de la discrimination spatiale, qui est aussi et nécessairement une discrimination sociale et culturelle par l'intermédiaire de l'espace, certaines cités des banlieues des grandes agglomérations (Paris, Lyon, Marseille, etc.), cités de transit et cités HLM habitées exclusivement ou majoritairement par des familles immigrées, le plus souvent maghrébines, ont été revendiquées durant les affrontements récents comme de véritables territoires "indépendants", qu'il s'agit de s'approprier contre la population française, nationalement et socialement différente, et surtout contre la police gardienne de l'ordre social et spatial : "Nous sommes ici chez nous !", "Nous sommes sur notre territoire !", "La cité est à nous !". Cela doit être entendu comme ceci : "Nous (stigmatisés) sommes chez nous, dans notre espace stigmatisé qui nous stigmatise et que nous stigmatisons." Ces slogans, en la circonstance, sont autant de manifestations d'autoaffirmation. Or n'est-ce pas précisément cette « appropriation impossible » [...] qui est au principe même de la violence et de la culture de la violence, volonté pathétique de s'approprier un monde impossible [1] ? »

Ce comportement caractérisé par la violence ne concernait au départ qu'une fraction d'entre les jeunes du quartier : principalement enfants d'immigrés ayant subi une élimination scolaire précoce, orientés vers les mauvais LEP de la région et s'étant très tôt sentis enfermés dans un destin de futurs losers. Précocement repérés par l'institution scolaire et marqués négativement, ils appartiennent à des familles nombreuses, en sont souvent les cadets : leur père – retraité, en longue maladie, ayant quitté le domicile conjugal ou décédé – est souvent absent et leur mère tient avec les plus grandes difficultés la maison. Ils manquent souvent de repères familiaux, en rupture précoce avec les institutions et tout ce qui symbolise l'ordre social. Mais, symptôme de ce que les habitants appellent la « dégradation » du quartier, cette « rage » des jeunes ne se limite plus aux seuls garçons sans bagage scolaire et mal partis dans la vie, elle gagne à la fois les élèves des lycées généraux, qui peuvent encore nourrir des espoirs scolaires, et les plus jeunes, élèves de l'école primaire, âgés de 10 à 12 ans [2]. Pour expliquer la diffusion chez certains enfants de cette logique de provocation, il faut tenir compte, outre le spectacle de la déréliction du quartier (dégradation des lieux, abandon de l'encadrement des jeunes, renforcement de la surveillance policière...), d'un facteur essentiel : la fermeture de l'avenir, le rétrécissement des possibles sociaux que les jeunes du quartier à faibles ressources scolaires et sociales perçoivent de mieux en mieux – et surtout de plus en plus précocement.

D'une part, les expériences « globalement négatives » des fractions relativement dotées en capital scolaire du groupe des jeunes du quartier – comme l'assignation des bac pro à un statut d'ouvrier travaillant « de tournée », somme toute prolétarisée (cf. Fouad), ou comme les bac + 2 ou 3 stoppés dans leur promotion sociale potentielle et ayant cherché

---

1. Abdelmalek Sayad, *La Double Absence. Des illusions de l'émigré aux souffrances de l'immigré*, Paris, Seuil, 1999, p. 324.

2. Les instituteurs de l'école primaire qui recrute dans le secteur le plus défavorisé du quartier font tous le même constat : l'apparition d'élèves de plus en plus « durs » en CM1 et CM2, la naissance de « petits caïds » à ce degré de la scolarité.

refuge dans les divers dispositifs d'emplois jeunes (les garçons comme les filles) – contribuent à alimenter chez les adolescents (collégiens et lycéens) un scepticisme de plus en plus affirmé vis-à-vis de la poursuite d'études et de la certification scolaire. Face aux ratés de l'« intégration » de ceux qui apparaissaient à tous (le groupe des pairs comme les enseignants et les éducateurs) comme les plus « intégrables », ceux qui sont objectivement les plus mal partis dans la course à l'emploi sont amenés à se penser plus que jamais comme des jeunes sans avenir.

D'autre part, cette lucidité sociale s'explique aussi par le fait qu'ils sont bien informés du destin souvent tragique de certains de leurs aînés qui n'avaient pas ou peu de bagage. Dans le quartier, nombre d'entre eux sont « tombés » au cours de ces dix à quinze dernières années : dans la drogue, l'alcool, la délinquance, la prison – mais aussi la perte de soi, la « folie » ou d'autres formes d'autodestruction (accidents de la route qui ne sont pas seulement le fruit du hasard ou de la malchance, suicides, etc.). D'où, pour leurs cadets, qui ont des propriétés sociales homologues à ceux qui ont « mal tourné », la crainte de reproduire les mêmes schémas et d'être à leur tour des victimes de l'absence d'avenir. Il se développe alors souvent en eux une sorte de « rage » multiforme qui, lorsqu'elle n'est pas tournée vers soi, se fixe sur les autres – d'abord, tous les représentants de l'institution puis, par extension, les autres habitants du quartier –, nourrie par le moindre événement de la vie quotidienne. Ce genre d'attitude plonge dans le désarroi les travailleurs sociaux ou les enseignants qui tentent de faire quelque chose « pour la ZUP ».

Nous avons été très frappés par le témoignage, recueilli un mois et demi après l'émeute, d'un instituteur chevronné (45 ans, plus de vingt ans d'ancienneté à la ZUP), militant syndical et politique, qui s'est toujours montré, tout au long de ces années, aux côtés des immigrés dans les luttes menées pour les défendre, eux et leurs enfants, et qui est aussi très respecté des parents pour sa fermeté en classe et pour son dévouement. Malgré tout, il nous tient un discours très sombre sur l'évolution de la situation dans son école et dans le quartier. Son récit se révèle être une succession d'anecdotes témoignant de la dégradation multiforme des rapports entre enseignants et élèves, entre élèves eux-mêmes, entre anciens élèves de l'école primaire et leurs anciens « instits ». Comme si tout était dorénavant gangrené par une espèce de violence diffuse qui s'affiche de plus en plus ouvertement. Violence physique (deux élèves qui se battent dans la salle de classe), violence verbale, qui survient de plus en plus tôt au sein même de la salle de la classe (entre des filles de 10-12 ans). Et puis, pour les garçons plus âgés (16-17 ans), une susceptibilité particulière (ils ne supportent pas d'être « regardés » par un adulte) et une agressivité, un comportement de provocation, qui laissent désarmés tant le pédagogue qu'il est (et qui voudrait encore croire en sa mission...) que le militant politique qui a défendu leur cause et qui se voit traîné plus bas que terre. C'est bien un constat de faillite qu'il dresse là[1]...

Écoutez, la violence, on en a eu le cas pas plus tard que ce matin. J'ai un jeune enseignant qui m'a dit tout à l'heure : « Ce matin, ça a été l'horreur. Y en a une qui n'a pas supporté que sa camarade à côté fasse l'imbécile. Elle a commencé à rouspéter. Celle qui était devant a commencé à l'insulter, passez-moi l'expression, elle l'a traitée de "petite pute". L'autre n'a pas admis ça, elle lui a fichu une claque... L'autre s'est déplacée et ça a été le cirque le plus complet dans la classe. » Et c'est des gamines de 10-12 ans !... Vous savez, quand y en a que vous rouspétez, parce que moi je vais à l'école régulièrement pendant les vacances, c'est rare que je laisse l'école pendant cinq ou six jours sans une petite visite... Eh bien, il y en a qui me font des bras d'honneur, des gestes obscènes parce que vous osez les rouspéter, vous osez les regarder !... (Silence.) Les regarder !... (comme incrédule). Y en a certains, c'est des tranches d'âge de 16-18 ans. Encore dernièrement, y a un inspecteur qui était là, il sortait d'une classe, c'est un jeune Maghrébin qui est arrivé... Il s'est planté en face de lui et il s'est empoigné les testicules d'un air de dire... Parce qu'on le regardait, on ne faisait que le regarder... Bon, c'est de la provocation... Mais cette provocation, vous ne pouvez pas la contourner. Pourquoi ?... Je n'en sais rien... mais le fait est qu'ils n'admettent pas qu'on les regarde... Ils se sentent mal à l'aise... Ils se sentent pris en défaut peut-être, et c'est toute leur défense... Mais je vous assure qu'il y en a certains, c'est pas piqué des vers... mais c'est vrai aussi qu'il y en a certains qui ont très peu de repères... [on évoque des « problèmes familiaux »]. Oui, mais nous on veut pas entrer dans les

---

1. D'ailleurs, un an plus tard, cet instituteur, de guerre lasse et sentant la partie perdue, demandera sa mutation dans l'Ouest de la France.

détails ! Y a trop de problèmes... Les problèmes de couples qui se séparent, qui se rabibochent comme on dit vulgairement, on ne les compte plus... Mais ce qui se passe aussi, on essaie malgré tout à l'école élémentaire d'expliquer aux gamins qu'ils ont des droits mais aussi qu'ils ont des devoirs ! Et c'est ces devoirs qu'ils ne reconnaissent pas. Certains... Et c'est ça qui fait mal...

Les différents types d'agents d'institutions (enseignants, travailleurs sociaux, animateurs, etc.) qui, à défaut d'habiter tous dans le quartier, vivent au contact quotidien des jeunes et les connaissent bien, ont du mal, comme cet instituteur, à garder ne serait-ce qu'un fonds de bienveillance à leur égard, du fait de la détérioration grave de la situation dans le quartier et de la dégradation de leurs propres conditions de travail. Ces comportements de provocation sont certes le fait d'une minorité de jeunes du quartier : ceux, donc, qui participent de la culture de rue. Mais ils entraînent immanquablement, en retour, le développement de réflexes d'autodéfense sociale des habitants de la ZUP qui, ulcérés par ces attitudes, ont tendance à assimiler l'ensemble du groupe des enfants d'immigrés du quartier à la minorité constituée par ces jeunes. Il est alors très difficile pour les lycéens-étudiants et pour les jeunes au travail, qui ne font pas parler d'eux, et plus encore pour les filles, de ne pas être « pris » eux-mêmes dans les jugements dépréciateurs que l'on porte sur les « petits immigrés », les « petits Arabes ». Norbert Elias a mis au jour ce processus social dans son étude sur deux communautés ouvrières anglaises des années 1960 : quoi qu'ils fassent, les membres du groupe sur lequel pèse un opprobre collectif apparaissent comme suspects.

2. *Les racines sociales de la culture de provocation*

La culture de provocation, qui s'est solidement installée dans les cités au cours de la deuxième moitié des années 1990, n'est pas un phénomène *sui generis* : elle doit être comprise comme le produit de ces années d'exclusion du marché du travail des jeunes non diplômés des quartiers, comme une contre-violence opposée à la violence sociale qui leur a été faite, à l'étiquette d'« inemployables » qui leur colle à la peau. Leur disqualification sociale et symbolique pèse de tout son poids sur leurs attitudes, sur leur rapport au corps et aux autres. Ils sont, à leur manière, des produits historiques d'une certaine conjoncture économique, sociale et politique. Enfants de la crise du dernier quart de siècle pour le dire vite. Ils sont loin d'avoir eu les mêmes facilités d'insertion professionnelle que leurs aînés et, en outre, ont dû faire face à la pression exercée par la forte élévation de la norme scolaire (dont était relativement protégée la génération précédente) : pour le dire autrement, le dossier scolaire tend à devenir de plus en plus un « casier » scolaire pour les moins dotés.

Mais ils ont dû aussi composer, dans la gestion de leur identité sociale et politique, avec les effets sociaux, diffus et multiformes, de l'installation durable du FN dans le paysage politique français : omniprésence médiatique du thème du « problème de l'immigration », suspicion généralisée à l'égard des jeunes d'origine immigrée, accusés de ne pas vouloir « s'intégrer » et en outre soumis en permanence à une série d'injonctions contradictoires, enfin et surtout légitimation d'un racisme (antiarabe) ordinaire qui s'avance à découvert (comme le montre aujourd'hui la levée de l'autocensure sur les mots utilisés pour les désigner : les « gris », les « melons », etc.), autorisation des diverses formes de discrimination à l'encontre des jeunes, notamment de la part des employeurs (petits patrons, artisans, commerçants...). Pour comprendre la nature de cette « culture de provocation » et ce qui est interprété souvent comme du « racisme » (antiblancs) par les « Français », il s'agit de ne pas tomber dans le piège interprétatif du culturalisme pratique, si prégnant dès lors qu'il s'agit des jeunes issus de l'immigration maghrébine, mais de rappeler de quelle histoire sociale ce système d'attitudes est le produit.

On ne peut rien comprendre non plus aux violences urbaines ni aux problèmes des quartiers sans revenir sur l'histoire de l'immigration coloniale en France, et sans prendre en considération l'histoire des pères immigrés. Pour ce qui concerne le pays de Montbéliard, on sait que Peugeot est allé, dans les années 1960-1970, chercher les immigrés – en les choisissant jeunes, analphabètes et en pleine force physique – dans les régions rurales du Maroc ou de la Turquie. Il faut donc évoquer la place qui, depuis qu'ils sont en France, a été assignée à ces parents. Les enfants savent que ces derniers se sont toujours retrouvés au plus bas de la société, que ce soit à l'usine (où les pères ont été exploités comme force de travail simple, avec très peu d'espoirs de promotion professionnelle) ou à l'extérieur, dans les quartiers HLM (où ils ont été concentrés dans les blocs les plus « pourris ») et dans la vie sociale où ils ont été traités comme des non-citoyens, des personnes sans droits, des objets de manipulations politiques. Tout cela, joint à leur histoire scolaire propre et à l'histoire du quartier, a contribué à générer une certaine psychologie : on parle souvent, pour la disqualifier, de « culture de victimisation » ou de « mentalité d'assistés ». Il est à nos yeux plus intéressant et plus juste de se demander comment ce système d'attitudes s'est formé au cours du temps, et pourquoi il a pris cette forme-là.

Suivons sur ce point un guide sûr, Hamid, longtemps délégué CGT à Sochaux, qui s'efforce, dans cet extrait d'entretien, de nous faire toucher du doigt les contradictions que vivent ces jeunes et la complexité des relations intergénérationnelles dans lesquelles ils sont pris :

Il faut voir comme, par exemple, certains jeunes, encore aujourd'hui, sont sacrifiés... Parce que leurs parents n'ont pas su se prendre en charge. Leur problème à eux [les jeunes du quartier], c'est que maintenant ils essaient de « réparer » parce que leurs parents n'ont pas su... Et alors ils cassent tout en essayant de venger leur père. Et puis le père, en ne disant rien, eh bien l'un comme l'autre, ils vont dans le mauvais sens !... Le père, il va le regretter ! J'ai même connu un père qui me disait : « Je suis content de voir [mon enfant casser]. » Je lui ai dit : « Tu es content, mais si jamais un voisin aussi excité que ton fils excédé par cette injustice, s'il voit sa fille ou sa femme se faire arracher son sac tout ça, tu crois qu'il dira rien ? Y'a beaucoup de gens qui n'attendent que ça... Il va rentrer dans sa maison, il va prendre sa carabine, il va tirer sur ton fils et il va le tuer. Et toi, qu'est-ce que tu vas dire ? Tu vas dire : "Ah c'est un raciste qui a tué mon fils !" Ou bien tu vas dire : "Il est en légitime défense parce qu'il a craché..." Il aurait dû cracher lui aussi au lieu de le tuer ? » Moi je lui dis : « Est-ce que tu penses à tout ça ? » Il me répond : « Mais non, il n'osera pas. » Il est convaincu que son fils a raison et qu'il le venge, et puis que son fils est très bien ! Et moi j'ai beaucoup de difficultés à lui expliquer que ce que son fils fait, c'est pas bien... et que ce qu'il fait, lui, c'est encore pire... Parce qu'il peut un jour foutre la vie de son fils et la sienne en l'air... Grâce à des considérations d'un autre temps... C'est-à-dire qu'il se rappelle que lui [en tant qu'immigré], il a été maltraité... « Alors mon fils, il me venge ! » Et il est content... Et ça, ça m'a beaucoup marqué... et moi je pense que beaucoup de jeunes aujourd'hui ont été maltraités... Ou bien ils n'ont pas eu le savoir... Leurs pères n'ont pas pu les gérer, leur donner l'éducation qu'il faut, alors ils se vengent ! Et en plus, ils sont méchants, non seulement par rapport aux Français et aux Françaises, mais ils détestent tout le monde !... À part leur père qui est bien, ils détestent tout le monde !... Tous les autres !... Les autres Maghrébins aussi qui travaillent chez Peugeot : c'est des bêtes, ils ont fermé leur gueule, c'est des « mange-merde » !... Toutes les expressions que nous [à la CGT], on utilise pour parler des autres syndicats, c'est celles-là qu'ils reprennent !... Ils [les jeunes] nous disent : « Parce que vous, vous avez accepté de travailler dans des conditions inhumaines. » Mais moi je leur dis : « Va travailler, toi, dans des conditions inhumaines et bagarre-toi légalement, va te syndiquer dans le syndicat de ton choix, ou le parti de ton choix, à l'intérieur ou à l'extérieur... » Moi, je suis pour que les gens se prennent en charge, que ce soit à l'usine ou ailleurs. Mais c'est vrai... Alors je leur dis : « Moi, je la connais l'usine, toi tu la connais pas l'usine... l'usine où a travaillé ton père. Alors, va déjà faire l'expérience et, après, seulement après, tu viendras nous donner des leçons de morale... »

3. Du besoin d'encadrer les jeunes des cités

Pour comprendre à la fois la logique de provocation d'une minorité active et la dégradation des relations garçons/filles dans le quartier, il faut bien sûr décrire la toile de fond de ce processus : le marché du travail, le rapport à l'avenir, la déstructuration du monde ouvrier, les transformations du logement social, et, plus largement, les difficultés d'accès à l'âge adulte. Il convient aussi de compléter l'analyse par une étude localisée des formes d'encadrement de la jeunesse populaire[1]. Sans lui donner nécessairement la première place dans le modèle interprétatif, il n'en reste

---

1. Pour une étude approfondie de cette question, cf. Olivier Masclet, *La Gauche et les cités. Enquête sur un rendez-vous manqué*, Paris, La Dispute, 2003.

pas moins nécessaire d'examiner la politique locale en direction de la jeunesse du quartier.

Pendant les années de chômage structurel au cours desquelles de nombreux jeunes n'avaient aucune perspective de travail, errant entre l'ANPE, la Mission locale et la ZUP, la question essentielle qui a été posée aux divers intervenants dans les quartiers, notamment à la ZUP (qui regroupait le plus gros contingent de population jeune), a été la suivante : Comment « tenir les jeunes » ? (expression récurrente des animateurs), comment les occuper et, si possible, resocialiser les plus fragilisés ? Le défi à relever était quotidien et le plus souvent très pratique : il fallait parfois intervenir sur le moment, empêcher qu'untel ou untel « disjoncte » soudainement.

Pour faire face à ce défi, pendant environ quinze ans, de 1982 à 1997, une équipe d'animateurs, tous issus du quartier, a travaillé à la ZUP de manière étroitement coordonnée en proposant des activités collectives (notamment des tournois de foot, des matchs jeunes/éducateurs, des camps de vacances), des services (permis de conduire contre petit travail) et en aménageant un lieu de rencontre et d'écoute (le point jeunes). Le travail des animateurs du quartier s'est largement fait au feeling : surveillance constante de ceux qui « ne vont pas bien », aménagement d'un moment de parole, d'une écoute, d'un réconfort moral. Bref, ils ont effectué un travail de proximité, comme le raconte ici l'un de ces animateurs, Meziane G., 32 ans, qui a longtemps travaillé auprès du responsable de l'animation de la ZUP.

> Le plus gros travail qu'on a essayé de mettre en place à la ZUP, c'était surtout un travail de proximité... Uniquement au niveau de la prévention... ça veut dire tout simplement qu'on essayait d'être sur le terrain au maximum... Pourquoi ? Eh bien pour répondre un petit peu à une certaine attente... parce qu'il y a deux solutions : soit vous dites : je fais mes trente-six heures ou mes trente-neuf heures et je fais de l'animation traditionnelle, soit j'essaye d'aller un peu plus en profondeur, d'aller un peu plus en amont des problèmes éventuels... Et c'est le choix qu'on avait fait... Par conséquent, ça nous faisait travailler six jours sur sept ou même sept jours sur sept... Surtout l'été... parce qu'on allait souvent à la piscine municipale... Ah la piscine, la piscine, c'est quelque chose... La piscine a été créée en

1965-66, quelque chose comme ça... Elle a été implantée dans un grand quartier, je sais pas, 13 000, 14 000 habitants... Donc, on peut dire que forcément, inconsciemment, elle leur appartient. En tout cas, c'est ce que les jeunes pensent : elle nous appartient parce qu'elle est dans notre secteur... Et beaucoup de jeunes posent des problèmes à l'intérieur de la piscine, voire à ses abords... Pourquoi ? Parce que le coût de l'entrée à la piscine était un peu cher... Celui qui a plusieurs enfants ne peut pas se permettre de mettre 50 ou 60 F tous les jours pour aller à la piscine et tout, sans compter le Coca ou autre... Donc, c'était pas évident... donc les jeunes, ils ont pris l'option du mur, et ensuite il y a eu des débordements à l'intérieur. Et suite à ce constat, le service dans lequel je travaillais a fait une proposition en disant : y a des emplois saisonniers qui existent, on va tenter une expérience... Et cette expérience, c'était de donner la possibilité aux jeunes du quartier de pouvoir travailler... Tu gagnes de l'argent, tu travailles, tu es étudiant, ça ne te fera pas de mal... Deuxièmement, ton comportement, au lieu d'être négatif, il va être positif parce que tu auras un statut et on va te regarder différemment... Et cette première expérience s'est bien déroulée... en sachant que la première année, les jeunes qu'on prenait en saisonniers n'étaient pas rémunérés... les jeunes donnaient un peu de leur temps et nous, en contrepartie, on leur proposait un service vacances... les familles mettaient 100, 200 F, je ne sais plus... Cette politique entre guillemets a porté ses fruits parce qu'on réussissait à canaliser une grosse partie de la jeunesse, on réussissait aussi à désamorcer des situations tendues, on réussissait à récupérer des objets volés malheureusement... Quand les gens se faisaient piquer des affaires, on arrivait toujours à les récupérer... Pourquoi ? Parce qu'il y avait un réseau qui existait... Ce réseau, c'est des jeunes du coin, ils arrivaient toujours à savoir... C'est untel, c'est untel... On récupérait, on redonnait les affaires, on tirait les oreilles au gamin, il allait s'excuser, y avait un travail un petit peu d'éducation à la base... et comment dire ? Cette petite approche au niveau pédagogique nous amenait ensuite à développer ce qu'on appelait le permis de conduire... Ensuite les jeunes travaillaient cent quarante ou cent soixante heures dans le mois et on leur facilitait l'obtention du permis de conduire, c'est-à-dire que nous on leur finançait une partie du Code de la route et tant de leçons au niveau du permis de conduire... Et on brassait beaucoup de jeunes comme ça... [...] Ça, c'est au début des années 90... et ça a tellement bien fonctionné qu'on a développé ce genre de missions ailleurs qu'à la piscine, on a travaillé avec les espaces verts de la ville... Tout ce que les espaces verts de la ville ne pouvaient pas faire, c'est nos jeunes qui le faisaient... Bon, je dis n'importe quoi, y avait de la peinture à refaire, c'étaient nos jeunes qui y allaient... Deux styles de jeunes : des jeunes qui travaillaient pour financer leur permis de conduire, soit des jeunes qui finançaient leurs vacances... C'était une logique d'échange, de se montrer utiles, de montrer aussi aux parents finalement qu'on est capable aussi d'avoir un comportement positif, de travailler pour financer notre bien entre guillemets... Donc ça fonctionnait bien, tout ça... entre les différents chantiers... aller peindre une école maternelle pendant les vacances... mais ces gros chantiers fonctionnaient bien l'été. Et en parallèle, on n'a pas dissocié le jeune qui est lycéen, collégien, qui reste sur le carreau entre guillemets... Donc, qu'est-ce qu'on fait par rapport à ça ?... On avait développé des animations, ce qu'on appelait des sorties à la journée... On partait le matin en VTT, le casse-croûte dans le sac à dos et on revenait le soir... et puis on avait aussi d'autres sorties sur Strasbourg, des sorties culturelles, on allait dans des musées de l'automobile, etc. On essayait d'avoir beaucoup de diversité au niveau des activités de manière à toucher le maximum de public, quoi... (*Silence.*) Quoi vous dire ? Le problème qu'on a rencontré au niveau du permis de conduire, c'est quand on fait des choses régulièrement, après ça devient un dû... Plus on avançait, plus on avait de demandes... et des demandes de Montbéliard, pas forcément que de la Petite-Hollande... Donc, ensuite, on s'est organisés, on a créé une commission de recrutement, on a essayé d'être le plus pointus possible à savoir qui est vraiment dans le besoin... Et dans cette commission, il y avait quelqu'un du service des sports de la ville, une assistante sociale, les éducateurs spécialisés, et puis il y avait nous, les gens d'actions-jeunes... [...] On essayait d'avoir le maximum d'informations pour être le plus compétitifs possible... Donc, ça on l'a fait jusqu'en 1998...

L'enjeu du travail des animateurs consiste essentiellement, on le voit, à tisser au jour le jour la confiance, exercer une surveillance constante, montrer discrètement de l'intérêt à l'égard de ces jeunes qui se savent sur la mauvaise voie et à qui on ne propose guère d'avenir. En croisant les informations recueillies lors des divers entretiens que nous avons eus avec des animateurs au cours de cette période, nous nous sommes aperçus que la relative efficacité de cette politique tenait à la constitution d'un maillage serré du territoire, au contrôle social « souple » des jeunes repérés comme les plus fragiles par l'équipe d'animateurs. Ceux-ci habitant tous différents secteurs du quartier et en étant presque tous issus, ils savaient très bien « prendre » les jeunes les plus « difficiles. » Tout ne se jouait donc pas dans les lieux de regroupement institutionnalisés des jeunes (la MJC, le point jeunes, etc.), mais aussi à travers l'occupation du temps libre (étirer les activités offertes du lundi au samedi soir, en proposer d'autres les soirs de la semaine, etc.) et dans une sorte de contrôle social diffus qui s'opérait dans les divers secteurs du quartier, y compris avec des représentants des commerçants (dont certains s'étaient impliqués dans cette politique de prévention).

Cette politique coûtait bien sûr de l'argent (même si l'embauche des CES permettait d'alléger la masse salariale), et certaines de ses orientations étaient sans doute contestables, notamment celles qui débouchaient sur une offre de services gratuits (le risque n'était pas mince alors de transformer les jeunes en « assistés » et de susciter les récriminations des autres habitants du quartier qui, touchés eux aussi par la pauvreté, ne bénéficiaient pas de tels avantages). Il n'en reste pas moins que s'est inventée – sur le tas et avec les moyens du bord – une pratique continue d'encadrement des jeunes de la ZUP qui a largement suppléé à l'absence de politique municipale en direction de la jeunesse de la ZUP.

Or, la dégradation de la situation sociale dans les années qui ont suivi la dépression de 1993 – la première voiture brûlée dans la ZUP l'a été en 1995 – a rendu beaucoup plus difficile le travail des animateurs. Assez vite ceux-ci se sont retrouvés submergés par l'ampleur des problèmes auxquels ils devaient faire face quotidiennement. L'équipe dirigeante a longtemps réclamé plus de moyens, surtout la titularisation des nombreux CES qui faisaient « tourner la boutique ». En vain... Beaucoup d'entre eux, qui vivotaient sur des contrats emploi-solidarité et à qui on avait pendant des années promis la titularisation, vont eux-mêmes se décourager (« On n'avait pas de week-end, très peu de vacances, on était toujours sur la brèche », nous dit l'un d'entre eux). Ils vont alors partir en quête d'un poste stable dans l'animation à Belfort ou à Besançon ou s'embaucher à l'usine.

À partir de 1997-98, cette équipe soudée d'animateurs et d'amis va purement et simplement se disperser. En outre, les deux principaux responsables de l'équipe dirigeante, ne se sentant pas assez soutenus par la mairie, vont se résoudre à quitter, la mort dans l'âme, leurs fonctions et vont s'établir ailleurs professionnellement. Avec l'impression d'un immense gâchis et de voir le « terrain perdu », c'est-à-dire réduit à néant ce long et patient travail de proximité auprès des jeunes, qui entre autres effets cantonnait le « bizness » aux marges des cités, au profit d'une anomie croissante et d'un face-à-face de plus en plus fréquent entre les jeunes en déshérence du quartier et la police en quête de « sécurisation » de celui-ci. Écoutons encore Meziane.

> Moi je vais vous dire en toute honnêteté, hein... juillet, ce qui s'est passé... juillet 2000, ça devait arriver... ça devait arriver... On l'avait senti... Je l'avais dit et redit... C'est pas le fait de l'avoir dit, mais c'est surtout le fait de l'avoir senti... Quand on sent les choses et qu'on remonte les choses... mais le problème, il est très très simple... Quand on travaille sur la problématique jeunesse, en tout cas, moi, c'est ce que j'en tire aujourd'hui... soit vous faites un gros travail de terrain, vous êtes présent, vous connaissez un petit peu le comportement des uns et des autres et vous allez pouvoir anticiper sur le problème ou sur la chose que celui-ci peut faire ou que l'autre peut faire... Parce que vous êtes présent... (*Réfléchissant*)... À une époque, moi, je pouvais vous dire : « Ce soir, ce jeune-là va faire une connerie »... parce que vous le sentiez, parce que vous avez fait des choses avec lui la journée, parce que vous avez vu qu'il était agressif la journée, parce qu'il vous avait donné deux trois signalements. Et ce signalement, qu'est ce que vous en faites ?... Soit vous le prenez en considération, bien sûr sans tomber dans l'excès... Mais il y avait beaucoup de choses qu'on sentait et sur lesquelles on pouvait intervenir... (*silence*). J'ai une image très forte... 1989... C'est très loin... Un jeune vient dans la salle de jeux... Alcool interdit... À l'époque, on pouvait fumer dans des lieux publics, la cigarette et pas autre chose... Lui, il vient « allumé »... Deux solutions : il vient, il joue, je le laisse tranquille... Il se comporte mal, je suis obligé de lui dire : « Maintenant, tu n'es pas bien, rentre à la maison, et tout, etc. » Je l'ai gardé... Il a joué au baby-foot, ping-pong, etc. Il sort, il rentre, il sort, il rentre, il se comporte mal... Je me suis dit : je le vire et puis quoi... Finalement, il va embêter la passante qui est dans le coin, des mots, etc., vous savez comment ça se passe... un mot, deux mots, trente jeunes qui sont autour, etc. Depuis ce jour-là, j'ai eu un gros déclic... Un jeune qui arrive, qui est difficile... enfin, qui est difficile, qui n'est pas bien, on dira...

Tu dois le jeter, OK... mais si tu le jettes comme ça dans la nature, qu'est-ce que tu vas faire ? Tu ne vas pas lui rendre service, hein... Je ne dis pas qu'il fallait le garder, mais simplement après, un travail de médiation... Je prends le jeune, je le ramène chez lui, etc. Un mois après, il se repose le même problème... Même chose, etc. Sauf que là, je l'ai gardé, je l'ai mis dans mon bureau, il est resté, j'ai passé trois quarts d'heure avec lui à discuter... La salle a fermé, je l'ai mis dans la voiture, je le ramène chez lui, j'ai dit à ses parents : « Voilà, il a peu bu, etc., etc. » Moralité : il n'y a pas eu de débordements, alors que si vous avez un jeune comme ça, si vous le jetez en pleine nature, le problème va être déplacé... C'est comme aujourd'hui... les jeunes, ils squattent dans une entrée d'immeuble, vous les virez de cette entrée, ils vont dans une autre, le problème ne va pas être réglé. Le problème est : on va les rencontrer, qu'est-ce qu'on peut faire ? Et le gros problème aujourd'hui, c'est que le travail de terrain est délaissé... Il a été délaissé à qui ? Eh bien à des « perturbateurs » ou à des dealers... Le fond, il est là... Le fond, il est là... Le terrain a été perdu... et il est perdu mais ça fait longtemps... Même à l'époque quand j'y étais, fin des années 90 quand j'y étais encore, il était perdu... Parce que, avec Medhi [un des piliers de l'animation dans le quartier], on n'avait plus les moyens pour faire le travail qu'on faisait autrefois... Bon, il y a la reprise de l'emploi mais il y a toujours les laissés-pour-compte [...]. À cette époque-là, on était forts parce qu'on était sur le terrain... Rien ne nous échappait... Rien ne nous échappait... On était tout le temps, tout le temps présent... On était au courant de tout ce qui pouvait se passer... On pouvait anticiper les choses... Et ça, c'était une grosse force... À l'heure actuelle, il n'y a plus ce travail de terrain... Donc, le terrain, il est pris par qui ? Ben, il est pris par les « méchants »... Et les méchants, c'est les dealers... (*Silence.*) Bon, il y a la reprise de l'emploi... Beaucoup de jeunes travaillent à l'heure actuelle... Dieu merci, c'est une très bonne chose... Maintenant les jeunes des quartiers ont leur place... Celui qui se débrouille bien, celui qui est volontaire, a du travail... Et la majorité de ceux qui sont là, ils ont du travail alors qu'avant ils ne travaillaient pas... Simplement, il y a toujours les laissés-pour-compte... À l'heure actuelle, par rapport à ce qu'on peut appeler le temps libre... Pour ceux qui sont en rupture scolaire, les mercredis, les soirées, les vacances scolaires, etc., et ça ils n'ont pas encore compris que ce temps-là, il fallait l'occuper... Je dis pas que nous, on allait tous les soirs au gymnase, c'est pas vrai... On y allait deux fois par semaine, mais on y était les deux fois... C'était pas du vent.. C'était le lundi soir et le samedi après-midi, on était au gymnase... et le mercredi après-midi, on était présents... Et quand c'était les vacances scolaires, on se débrouillait pour avoir un gymnase pendant la période de vacances... Et il y avait tous les jours un sport collectif qui était proposé... D'autres activités extérieures... et la salle d'accueil jeunes... Vous voyez comment on travaillait.. Tout le temps, tout le temps plusieurs possibilités... Toujours pour un souci de diversifier les activités pour un maximum de monde... Et ça aujourd'hui ?... Le 12 juillet, c'est ce qui s'est passé hein... Vous faites le calcul des programmes... Qu'est-ce qu'ils leur ont proposé aux jeunes ?... 1999 : il n'y a pas eu un camping... Zéro camping... 2000 : qu'est-ce qu'il y a eu comme programme ?... Faites le tour... Ils leur ont proposé des camps à 1 000 F... C'est quoi ? C'est sérieux, ça ? 1 000 F pour un camp ! Le jeune, il part sans les services que vous représentez... C'est pas sérieux... Et en plus de ça, il ne fallait pas partir pour partir... Il y avait quand même un projet derrière... Ce qu'ils [le service des sports de la ville] ne comprenaient pas, c'est que l'été, pour nous, c'était un moyen de faire découvrir des activités nouvelles, c'était un moyen de faire partir du béton des jeunes qui ne partent pas... C'était un moyen de connaître davantage les jeunes, sous des aspect différents du quotidien... C'était aussi un moyen de leur rappeler dans l'année... « Tu te rappelles ce moment-là... Tu te souviens de ça »... Et souvent... Aujourd'hui, ma grande fierté hein, quand je rencontre des jeunes et qu'ils me disent : « Tu te souviens de ceci, t'étais méchant avec nous par rapport à ça, tu m'avais mis un coup de pied là, tu m'avais tiré les oreilles là, on avait rigolé ce moment-là... etc., etc. » Et ça, c'est la plus grande richesse... C'est qu'il reste quelque chose... Et l'été, ça nous servait à ça et après on gérait sur l'année... On gérait... on gérait... On semait l'été et on récoltait tout au long de l'année... Il y avait des moments très très forts... Pourquoi ? On me disait souvent : « Ah ouais, mais, toi, Meziane, tu peux te permettre certaines choses avec les jeunes »... Ben oui... Parce que j'ai donné de ma personne... Parce que j'ai été là quand il fallait... Parce qu'ils ont eu une oreille à qui parler... Parce qu'ils ont eu un interlocuteur à qui parler... Trouvez-moi aujourd'hui un interlocuteur dans le quartier... Et ça, les gens de la municipalité ne l'ont jamais compris... Aujourd'hui, un jeune a un problème... qui il va aller voir ? C'est pas parce que vous êtes éducateur qu'ils vont venir vous voir... Il y a une certaine complicité qui doit se créer... Pour que le jeune se livre à vous, il en faut du temps !... il faut en passer du temps ! Beaucoup de temps à discuter... En discutant, on a peut-être le sentiment de ne rien faire... Là, on a tout faux... tout faux... Si vous saviez les discussions que j'avais avec les jeunes... Je vais être très franc, ça commençait de la copine, du sport, de l'école, du travail, de la drogue, de la police... C'était très très diversifié... L'important, c'était que le gosse s'exprime au travers d'une discussion intelligente... Des fois, c'était difficile... des fois, c'était : « J'en ai rien à faire ! C'est tous les mêmes... C'est des racistes... Ils veulent qu'on casse pour qu'on existe, etc., etc. » Des fois, on avait des discussions très sérieuses... Et des fois, j'étais confronté à des discussions, y avait dix jeunes, j'étais le seul hein... et puis, là, vas-y, tu as des arguments, ils ont les leurs... Comment tu vas t'expliquer aux jeunes qui te disent qu'aujourd'hui il n'y a pas de travail mais, par contre, celui qui deale, il gagne beaucoup d'argent... Comment tu vas lui expliquer ? T'as tes mots, hein. T'as ta sensibilité... t'as ton éducation qui fait la différence à un moment donné... T'as beaucoup de choses... Et toute cette ligne de conduite qui nous a permis d'être reconnus par les citoyens de la Petite-Hollande...

Meziane, après l'émeute, est découragé : c'est tout un travail collectif qui s'effondre, il n'entend autour de lui que des histoires de bagarres, de coups bas (« Depuis quand deux gars de la ZUP se battent entre eux ? »). Surtout, il se sent impuissant et constate que le patient travail mené avec le responsable de l'animation (Aziz) n'est pas suivi, qu'ils ont tous échoué, faute de réel soutien politique. Il recourt à plusieurs reprises à l'expression « c'est coupé », comme pour mieux dire la rupture qui est survenue entre les générations du quartier, le non-passage de relais entre elles, l'espèce d'hostilité qui fait que le groupe des jeunes se divise sans cesse.

En fait, depuis l'éclatement de l'équipe d'animateurs, leur présence est bien plus faible sur le terrain. On n'y trouve plus que deux agents de médiation sociale pour une ZUP de 14 000 habitants – et ceux-ci consacrent l'essentiel de leur temps au travail de bureau, obéissant aux ordres de leur chef de service qui, surtout, ne veut pas de vagues. Du côté de l'accueil des jeunes, en plein été, il n'y a personne. Cette structure ne fonctionne plus. L'animateur qui a été recruté en septembre 2000 n'est pas resté plus d'un an. De même, le directeur de la MJC s'en ira lui aussi un an après sa prise de fonctions. Tout donne l'impression d'un abandon. D'autant que les animateurs, issus du quartier, les plus impliqués dans leur travail, n'ont pas le diplôme d'éducateur qui leur permettrait de tenir les structures les plus en contact avec les jeunes[1].

4. *Une vraie fille de la ZUP*

Dans ce contexte difficile, où, pour le dire schématiquemement, « les garçons » ont pris le pouvoir dans l'espace public et où l'offre de loisirs s'est raréfiée, la situation des filles est délicate, leur marge de manœuvre limitée au moment de l'adolescence. On retrouve ici, comme dans d'autres cités, les mêmes « régularités collectives » : contrôle social étroit des filles dans l'espace local, particulièrement par certains garçons, difficultés croissantes de s'émanciper ou de s'individualiser, de prendre part à des activités, comme à la MJC où, aidées par l'équipe des animateurs, elles essaient néanmoins de se faire une petite place.

Quand elles sortent dans le quartier, elles doivent se défendre contre l'agressivité de certains garçons. Songul, 22 ans, aide-éducatrice au collège, qui a passé toute son enfance et son adolescence à la ZUP, raconte la manière dont elle tentait de se frayer un chemin dans ce paysage et de composer avec l'agressivité, latente ou manifeste, de certains garçons opérant dans les secteurs durs du quartier :

> – C'est vrai que ça m'est déjà arrivé de me faire embêter [par des garçons] dans le quartier... Quand il y en a un qui vient pour te draguer... Ils vous disent bonjour... vous ne répondez pas... Alors là, tout de suite, ils vous disent (*imitant leur ton brutal*) : « Dégage ! », « Elle se la pète, celle-là !... » Un tas de remarques comme ça, pas agréables du tout. Ça arrivait toujours rue Corelli, rue Milhaud, parce que j'avais une sœur qui habitait là-bas... Et quand j'allais chez elle, dans l'immeuble, c'était le barrage [à l'entrée]. « Tu passes pas tant que tu n'as pas dit bonjour »... C'était pas évident... (*silence*)... en fait, des gens qui vous font ça, c'est des gens qui vous connaissent pas... On dit que quand vous avez un grand frère, c'est le grand frère protecteur, quoi, eh bien ici c'est vrai... Quand ils sont amenés à savoir

---

1. Olivier Masclet (*op. cit.*) montre très bien, à travers des biographies fouillées d'animateurs bénévoles, comment, dans les années 1990, ceux qu'il appelle les « militants de cité » se sont peu à peu épuisés dans cette tâche d'encadrement qui a fini par prendre la forme d'un travail de Sisyphe.

que c'est la sœur d'untel, alors, c'est « Excuse-moi »... Après, il y a un respect... Mais quand ils vous connaissent pas, c'est vrai que c'est comme ça...

— Et, pour revenir à ce que tu dis, quand ils font le barrage, qu'est-ce que tu fais ?

Ben, on attend... et puis il vaut mieux leur dire bonjour que de s'attirer des problèmes... Quand on leur dit bonjour, ça leur fait plaisir, quoi... *(rires)*... Mais c'est vrai qu'on est toujours un peu sur ses gardes... Mais sur le quartier, nous, les filles, on est toujours à plusieurs, on ne se balade pas seule... Parce qu'une fille toute seule... vaut mieux pas... ça se fait pas... *(dit sur un ton très doux et fataliste)*... Dans la journée, il y a pas de problème... À partir de 10 heures le soir, il vaut mieux pas trop sortir toute seule... même si on vous connaît... il vaut mieux pas [...]. Ma sœur a déménagé de la rue Milhaud, elle n'en pouvait plus... mais où elle habite, ce n'est pas encore ça non plus *(rires)*. Elle compte aussi acheter une maison... C'est vrai qu'il y a ce phénomène, tout le monde commence à vouloir acheter une maison... Il y en a pas mal...

La gamme des attitudes possibles pour les filles du quartier est limitée. La solution la plus économique pour elles consiste à ne pas faire de vagues, à se comporter selon les règles, en « filles modèles » (en tout cas pour l'extérieur). Lorsqu'elles vivent au sein de « familles lourdes » habitant dans les immeubles du cœur de la ZUP, avec des frères (en échec) s'érigeant en gardiens de la tradition, la pression qui pèse sur elles est particulièrement forte. Si l'on excepte celles qui choisissent la voie de la déviance (qui signifie assez vite la rupture et de multiples drames), une ressource possible, pour ne pas prêter le flanc aux remarques des garçons et gérer sans drame leur identité sexuelle d'adolescente, consiste à annuler ou à nier leur féminité et à masculiniser leurs manières d'être (apparence physique, démarche, langage, rapport au corps).

Lors des entretiens effectués auprès des aides-éducateurs dans un collège considéré comme « assez dur » de la ZUP, nos interlocuteurs ont insisté sur l'émergence depuis quelques années de « filles pirates » (c'est le nom qu'on leur donne dans le groupe des collégiens) : habillées comme des garçons, en quelque sorte asexuées, elles s'évertuent à parler comme eux, en verlan, et à tenir des propos grossiers (« de garçon »). Une aide-éducatrice du collège, ex-habitante du quartier, nous décrit comment elle voit émerger aujourd'hui ces nouveaux comportements.

> Les garçons ils sont encore plus mal vus que les filles... Mais c'est vrai que les filles aussi elles commencent à [faire pareil]. Moi, je trouve qu'il y a une dégénérescence chez certaines filles, que ça se dégrade un peu... Comme les jeunes disent dans le quartier, c'est la « femme pirate »... Habillée en vêtements masculins... démarche un peu masculine aussi... On a des cas ici (*elle lève les yeux au ciel*)... Des fois, je me demande comment elles vont devenir mères, si elles continuent comme ça ... La femme pirate, ça désigne une femme habillée masculin, qui parle « comme un gars », comme les élèves disent... Et puis c'est des filles qui sont plutôt en quatrième-troisième, qui ont plutôt du mal à l'école... C'est difficile de parler avec elles, elles râlent souvent... (*silence*). Je sais pas comment mieux vous expliquer... Elles ne se maquillent pas... ça va jusque dans la démarche... la fille qui se balance, les mains dans les poches... Et qui, à l'occasion, va donner des coups... C'est vrai, il y en a qui sont vachement agressives... J'ai déjà vu une gamine qui tapait un gamin, mais elle était violente, hein !... Le gamin, il s'est pas révolté, mais elle, je peux vous assurer, elle y allait... Pour le langage, ben, c'est tout à l'envers... en verlan... mais moi je capte, j'ai un petit frère qui est dans un collège.

Illustrons cette question de la place des filles dans le quartier par un récit d'observation d'un après-midi passé dans une famille algérienne qui, après avoir habité vingt-cinq ans à la ZUP (dans la rue Corelli), s'est installée en 2000 dans un pavillon situé dans un faubourg de Montbéliard. Une heure après le début de l'entretien, des ex-voisines de la ZUP viennent rendre visite de manière inopinée à notre hôtesse (Mme Lemani) : une femme marocaine d'une cinquantaine d'années, qui est ce jour-là accompagnée de deux de ses filles : la plus jeune (Sofia, 19 ans) vient d'achever un CAP « technique de collectivité », l'aînée (Zoulika, 23 ans) travaille comme intérimaire chez Peugeot depuis neuf mois.

Notre hôtesse, qui nous signale discrètement que leur venue n'était pas prévue, nous les présente en disant : « Ça, c'est des enfants de la ZUP... Elles ont grandi là, c'est pareil [que mes enfants]... », comme pour leur passer le relais de la conversation. Au début, ne sachant pas vraiment qui nous sommes, toutes trois se tiennent sur la réserve, nous répondant par monosyllabes (le magnéto qui trône sur la table de la salle à manger n'est pas fait pour les rassurer). Personne ne nous a présentés, si bien que nous nous efforçons de le faire – en insistant sur notre travail de longue durée dans la région –, afin de tenter de dissiper le malaise qui s'est installé.

Un peu rassurée par cette présentation, convaincue que nous ne sommes pas des « enquêteurs » liés à la police, l'aînée des deux sœurs, Zoulika, va peu à peu s'enhardir et répondre à nos questions sur la ZUP. On sent progressivement chez elle une envie de discuter, de donner son point de vue, de le confronter au nôtre, quitte à nous demander sur un ton qui ne souffre pas désertion de notre part : « Et vous, qu'est-ce que vous en pensez ? »

Zoulika, les cheveux au carré tombant sur les yeux, le regard très sombre, est habillée en noir (un chemisier noir, un collier avec le coran en pendentif) : on sent chez elle, à la fois dans ce regard et dans cette manière tranchante, presque abrupte de parler, un fonds de révolte alimenté par ce qu'elle voit dans le quartier depuis qu'elle y est revenue. Elle a son franc-parler, s'exprime avec un léger accent de banlieue, apparaît comme une « vraie fille de la ZUP », pour reprendre une expression des animateurs qui connaissent bien la mentalité de celles qui y ont grandi et qui ont, elles aussi, attrapé une sorte de « rage » depuis quelques années.

Orientée dans les classes dites d'insertion dès le collège, Zoulika a d'abord entrepris des études dans un lycée professionnel de la région dont elle a gardé le plus mauvais souvenir : « un lycée de fous », comme le qualifie sa sœur cadette qui vient d'y achever un CAP d'employée de collectivité, où elle a détesté ses profs (« Les profs, ils ne s'occupaient pas de nous... Ils en avaient vraiment rien à foutre de nous »). Sur les conseils d'une amie du quartier un peu plus âgée qu'elle, et qui avait le même type de parcours scolaire, elle a quitté le lycée public en fin de première année de BEP (« vente ») pour partir en internat dans le lycée privé catholique à 50 km de Montbéliard, où elle a passé et obtenu le BEP puis un bac professionnel « accueil services » pour, dit-elle, travailler « dans l'hôtellerie, tout ça... ». Après son bac pro, elle n'a pas cherché immédiatement un emploi dans sa branche mais a commencé par travailler deux mois en juillet et août comme « scolaire » à

Sochaux. Puis, satisfaite de cette expérience et attirée par le salaire proposé, elle a continué, à la rentrée, en intérim. Aujourd'hui, on lui propose à l'usine un CDI mais elle hésite, car elle ne veut pas travailler toute sa vie en un tel lieu (sauf s'il y a des « possibilités d'évolution »).

Lors de cet entretien, Zoulika met d'emblée l'accent sur l'absence de dialogue et de médiateurs sociaux qui pourraient, à ses yeux, empêcher que les choses dégénèrent à la ZUP comme elles ont tendance à le faire depuis quelques années. Elle est bien placée pour comprendre le problème puisqu'elle habite l'une des rues les plus « agitées » du quartier et participe depuis son adolescence aux activités de la MJC. Elle connaît bien, dit-elle, les problèmes des jeunes, notamment des filles. Elle déplore l'absence d'encadrement de ces dernières et de possibilités pour elles de se divertir, et constate le quasi-monopole des garçons sur l'espace public dans le quartier. Elle prend assez vite la posture de celle qui veut faire comprendre aux étrangers le malaise des jeunes de la ZUP. En insistant sur ce qu'elle appelle l'« absence d'écoute des jeunes », elle affirme que, à la ZUP, « il n'y a rien pour eux ». Elle donne une série d'exemples qui font sens pour elle : les vélos qu'il faut aujourd'hui louer alors qu'avant ils étaient prêtés, des activités qui n'existent plus, etc.

> – *Dans votre idée de vouloir travailler dans l'animation, j'imagine que ça doit être difficile de se dire que le niveau des revenus va tomber...*
>
> – *(Coupant)...* Ouais, mais quand on aime ce qu'on fait, le problème du salaire, c'est pas [grave]... peu importe... Là, moi, je voudrais passer mon BAFA... C'est pour ça que je veux voir Amar [un animateur du quartier]. Moi, ça me plairait bien de travailler avec les jeunes... Parce que les jeunes, ils me respectent beaucoup... Les jeunes, il faut savoir les prendre... Il faut du dialogue... Faut pas dire : « Ouais, toi, tu prépares ça »... il faut pas se sentir supérieure... il faut montrer qu'on est au même stade qu'eux... C'est pas parce qu'on est animateur qu'on est plus haut qu'eux... je sais pas comment vous expliquer... je sais que, nous, ils nous respectent beaucoup... [Elle prend l'exemple d'un incident à la piscine où un surveillant a été blessé après avoir séparé deux ados qui se battaient. Sa petite sœur, présente ce jour-là, lui a raconté la scène.] Ma petite sœur, elle a sa version, c'est qu'il y avait deux petits jeunes qui se

battaient et qu'Amar, il a empoigné un jeune et il lui a dit :
« Oh calme-toi ! Dégage de la piscine. » Il lui a mal parlé,
quoi... Et puis l'autre, il a été chez son frère ou chez son
cousin, et puis ça a dégénéré... C'est la version de ma sœur,
hein... (*Puis, revenant sur sa jeunesse et les moments passés à la
piscine* :) Ben, nous, on a tous un petit peu cherché la
bagarre (*rire gêné*)... Mais pas à en arriver comme ça... Là,
ça dégénère... Bientôt, ils vont se foutre sur les fusils...

Vis-à-vis des garçons du quartier, elle tient des propos
qui peuvent paraître contradictoires. D'un côté, elle cherche
à les protéger et presque à les excuser, par exemple en
montrant du doigt l'institution policière (les provocations
de la police de proximité). De l'autre, elle reproche à l'institution judiciaire de ne pas jouer son rôle de régulateur social
en refusant de sanctionner lourdement les coupables pour
les empêcher de nuire. Cette dénonciation des jeunes qui
« font le bordel » rejoint en partie celle d'un des fils Lemani,
engagé dans des études supérieures (BTS de communication, stage de journalisme), qui, lui, se montre violent, et
même radical : « Ils nous foutent la honte », ne cesse-t-il de
dire à sa mère pour stigmatiser leur attitude, notamment
lors des émeutes urbaines. Zoulika affiche une position plus
nuancée, parce que, dit-elle, elle habite à la ZUP, connaît
les « gamins », veut les « aider ». Elle sait par expérience que
beaucoup d'entre eux ont un « bon fond », qu'ils se laissent
entraîner dans des engrenages – dont l'omniprésence policière dans le quartier est une des pièces essentielles.

Son leitmotiv : il faut davantage d'agents de médiation
dans le quartier (« des animatrices, dit-elle, pas des gens
mous mais des gens qui en veulent pour leur quartier »).
Elle aperçoit bien que l'action de proximité peut avoir d'excellents effets et enrage de voir qu'elle n'est pas plus développée. Si elle veut devenir animatrice, c'est parce qu'elle a
déjà entrevu les logiques sociales qui font « plonger » les
jeunes et qu'elle veut défendre l'image de son quartier.
C'est d'ailleurs pour cette raison que, ayant jeté un coup
d'œil sur notre article du *Monde diplomatique*, intitulé
« Émeute urbaine, violences sociales », elle marque sa
surprise en relevant la phrase de l'introduction qui
mentionne que la grande majorité des jeunes émeutiers
étaient des « garçons d'origine maghrébine ». Elle inter-
rompt sa lecture et nous demande, sur un ton sec, de nous

expliquer : « Pourquoi vous avez employé ce mot ? »
Pourquoi stigmatiser ainsi les jeunes qui ont participé à
l'émeute ? En tant que jeune Marocaine, elle se sent directement visée par l'expression. Nous tentons de lui expliquer
la nécessité de dire les choses objectivement, de ne pas nier
la réalité, tout en tentant rendre compte des causes sociales
de la très forte surreprésentation de cette catégorie de
jeunes. Elle ne semble ni rassurée ni convaincue par nos
explications. Nous sommes soupçonnés d'avoir voulu
« généraliser » et de ne pas avoir assez défendu le quartier.

Au fond, lors de cet après-midi passé auprès de femmes
du quartier, il nous a été donné de saisir sur le vif la manière
dont s'expriment les différents points de vue générationnels
sur la situation, tous plus ou moins articulés autour de la
défense du quartier et de ses habitants principaux, les
familles immigrées, montrées du doigt après l'émeute.

Chacune d'entre elles va jouer *mezza voce* sa partition de
manière à donner une image honorable du quartier. Mais
chacune aussi, lors de ce qui est devenu un entretien
collectif, a tenu à s'exprimer, à sa manière, en tant que
porte-parole. Notre hôtesse, Mme Lemani, la première, a
parlé en tant qu'« ancienne habitante » de la ZUP (vingt-
quatre ans, dit-elle avec fierté), mais surtout en tant que
porte-parole des familles immigrées respectables qui se
trouvent impliquées aussi dans l'acte d'accusation, explicite
ou implicite, contre le quartier. La mère de Zoulika, qui
intervient toujours sur le ton de la colère rentrée, tient le
rôle de représentante des familles de la ZUP qui sont au
front et se sentent lâchées par les institutions et les pouvoirs
publics, l'État le premier, qui les abandonne alors qu'elles
sont confrontées à des formes de violence quasi maffieuse ;
en effet, ce sont ces familles ordinaires habitant les
« mauvais blocs » qui subissent au premier chef les effets de
la dégradation du quartier (le bruit, les provocations des
jeunes). C'est elle qui en appelle explicitement à la
protection de l'État : une présence policière accrue afin de
garantir la vie quotidienne des habitants (les voitures pour
aller travailler, les cages d'escalier), une justice plus
répressive pour qu'on en finisse avec le sentiment d'im-
punité (qui semble atteindre les jeunes qui squattent les
halls). L'aînée des filles (Zoulika) s'exprime, de son côté,
comme une sorte de porte-parole de la jeunesse dynamique
du quartier – celle que l'on ne doit pas confondre avec les

« fauteurs de troubles » – c'est-à-dire la majorité silencieuse qui essaie de « faire sa vie » – des jeunes filles qui « bossent » à l'usine, qui donnent toute satisfaction. Porte-parole aussi de la fraction des jeunes filles qui habitent dans les secteurs durs de la ZUP, et sur lesquelles l'étau se resserre. D'où, pour elle, l'impérieuse nécessité de « refaire du social » et son désir de devenir animatrice dans le quartier pour contribuer à défendre ses sœurs de condition.

Ce qui ressort fortement de la comparaison que l'on peut faire avec les entretiens que nous avons réalisés avec les enfants d'immigrés à différents moments des années 1990, c'est bien la radicalisation des attitudes des nouvelles générations. Et d'abord le refus de reproduire le schéma de leurs parents surexploités, maltraités socialement ici et ailleurs (le monde arabe dominé à l'échelle planétaire...) et qui ont toujours subi sans résister. Cette perspective de soumission fait littéralement horreur aux plus révoltés d'entre eux, qui n'entendent plus « baisser la tête » (ou « courber l'échine ») et qui déclarent vouloir venger un jour, d'une manière ou d'une autre, l'honneur social de leurs parents, à leurs yeux trop longtemps bafoué par les « Français ». Un enseignant d'un lycée professionnel évoque pour nous, en septembre 2000, le cas d'un élève qui lui paraît exemplaire de ce refus du travail ouvrier :

> Malik, c'était un bon élève, il avait en quatrième 16 de moyenne en maths, pareil en français. Il passe en troisième, pareil. Son père meurt d'une maladie. Il entre en seconde l'année dernière au lycée, et là, il pète les plombs, brûle des bagnoles et, bien sûr, fait de la tôle. Bref, la galère comme il dit. Refusé partout dans la région, et bien entendu il se retrouve ici, le lycée de la dernière chance (*dit avec ironie*). C'est en septembre, ça. Chez nous, il a été nickel, on est plein de profs à dire : « Si on n'avait que ce genre de môme, ce serait génial. » Alors pourquoi vient-il de passer au conseil de discipline ? Il refusait d'aller en atelier ! Tout, sauf enfiler la cotte ! On ne pouvait pas se permettre de le garder dans ces conditions. Le lycée est devenu une coquille vide, on gère quelques zoulous et on surveille que les autres profs ne dépriment pas. Un de nos objectifs est de faire venir plus de filles en LEP, en se disant qu'elles, au moins, elles sauront prendre le train en marche.

Portrait d'un jeune récidiviste
de la ZUP

Un cercle vicieux mine depuis des années les cités : paupérisation des habitants, dégradations diverses (y compris des bâtiments), départ des familles stables vers d'autres lieux d'habitat, concentration des cas sociaux, affaiblissement des normes de bon voisinage et de la sociabilité d'autrefois, monopolisation de l'espace public par les jeunes, démoralisation des militants associatifs, etc. Parallèlement, pour faire face à l'état endémique de rébellion d'une partie des jeunes de la ZUP, les forces de l'ordre – police nationale, police de proximité, et en cas de débordement CRS – ont progressivement étendu leur emprise sur leurs quartiers. Cette présence policière plus intense n'a pas pour autant ramené durablement le calme dans les secteurs agités du quartier : les contrôles d'identité à répétition sur les mêmes jeunes (et aussi plusieurs fois par jour) sont ressentis comme relevant du harcèlement (« Ils nous cherchent, les flics » est une des expressions qui reviennent le plus souvent dans les discussions avec les adolescents) et suscitent parfois, en retour, des rébellions classées comme « outrages à agents ».

L'entretien réalisé avec un jeune de la ZUP âgé de 24 ans, qu'on appellera ici Farid, illustre bien cette dégradation de la relation jeunes/police dans le quartier. Je [Stéphane Beaud] l'ai rencontré un vendredi matin de la fin du mois d'avril 2001, juste après sa comparution devant le tribunal correctionnel pour « outrage à agent ». Il faut ici rappeler le contexte de cette audience : la période qui suit de près la réélection du maire RPR de Montbéliard, c'est-à-dire un moment très particulier de l'histoire du quartier. En effet, une fois les élections municipales passées (et gagnées haut la main par l'équipe en place), le maire, en collaboration avec le préfet, décide de mettre un terme aux désordres et incivilités qui ne cessent de s'amplifier dans la ZUP. Cela fait déjà quelques mois qu'on y brûle des voitures. Or, cette forme de vandalisme traumatise fortement les habitants du quartier, car il s'agit des voitures de « simples ouvriers », nous disent-ils, et les assurances remboursent mal ces véhicules faiblement cotés à l'argus ; elle vicie et pollue les relations entre les gens, en aggravant les suspicions réciproques. Tenue avec soin par la presse locale, cette chronique des voitures brûlées renforce encore l'image d'un quartier repoussoir, d'un nid de « délinquants » (certains ne se gênent pas pour dire « jeunes Arabes »).

L'affaire qui conduit Farid J., un « multirécidiviste » comme dit le juge, en comparution immédiate devant le tribunal de Montbéliard est la suivante. Deux jours plus tôt, dans la soirée, il est bientôt minuit, survient un incendie de voitures sur le parking d'un immeuble, dans la rue Corelli où il habite. La voisine de palier de Farid, s'inquiétant pour sa voiture, le prévient et lui demande d'aller voir « en bas ». Ce qu'il fait... Au pied de l'immeuble, il y a déjà la police – et plus précisément des membres de la BAC (brigade anticriminalité) qui le reconnaissent aussitôt. Les « inspecteurs » (comme Farid ne cessera de les appeler tout au long de l'entretien) lui demandent sans ménagement ce qu'il fait là. Farid refuse de répondre. La situation dégénère assez vite. Selon son témoignage, il est frappé au visage puis au plexus. Les deux inspecteurs de la BAC qui ont procédé à son interpellation vont, dans un premier temps, déclarer qu'il a sorti un « rasoir » (ou un cutter) que Farid déclare, en effet, toujours porter sur lui « pour se défendre » en cas de nécessité. Il est donc accusé d'« outrage à agent » (une accusation devenue habituelle pour les jeunes des quartiers) pour avoir menacé les policiers.

Farid nie tout en bloc, crie au complot et à la manipulation. Lors de cette comparution directe, les deux « inspecteurs » qui se trouvaient sur les lieux se montreront beaucoup moins affirmatifs à la barre que dans leur déposition écrite. Ils ne sont plus certains que l'accusé ait effectivement sorti le cutter. L'enjeu central de leur déposition et de l'audience porte sur ce point précis des faits, et le juge prend le temps d'examiner la question en détail. L'accusé a-t-il, oui ou non, sorti un cutter de sa poche et les a-t-il menacés ? Les deux policiers ne peuvent assurer avoir vu le cutter mais ils montrent, geste à l'appui – en portant la main derrière le dos vers la poche arrière du pantalon –, qu'il aurait fait ce geste, à leurs yeux équivoque, qui pouvait laisser supposer la recherche d'une arme blanche. Cette modification du témoignage originel des policiers bénéficiera au prévenu, et d'autant plus que celui-ci est parvenu à faire figurer dans son dossier le certificat médical indiquant qu'il a bien reçu des coups pendant sa garde à vue. Pour Farid, la position en retrait des policiers est liée au fait qu'il ait pu comparaître « libre », le juge n'ayant pas été convaincu, au vu des pièces du dossier, de la nécessité de son incarcération préventive et suspectant peut-être un possible excès de zèle policier. Le juge relâchera finalement le prévenu.

Cette audience cristallise divers points de notre enquête. Juste après son audience, Farid sort de la salle et se retrouve, dans le hall d'entrée du tribunal, entouré de quatre ou cinq garçons du quartier qui sont venus le « soutenir » – regroupés aux derniers rangs[1] – et qui le félicitent d'être sorti libre de sa comparution. Je me mêle discrètement à eux, écoute leurs commentaires sur l'audience et, sans tarder, me présente, demandant à Farid s'il est possible de discuter un peu plus longuement avec lui. Il reprend le travail à l'usine chez Peugeot deux heures plus tard, mais accepte volontiers ma proposition, ne serait-ce que pour donner, comme il dit, sa « version » des faits à quelqu'un qu'il perçoit comme un « étranger » au milieu local.

On se dirige vers un café proche. Un des jeunes, Brahim, un lycéen, tient à nous accompagner car il a été en garde à vue une journée avec Farid et il veut lui aussi « témoigner », comme pour ajouter plus de force aux propos de son camarade. L'entretien a lieu sur la terrasse d'un café de la ZUP, dans un recoin, relativement à l'abri du bruit et des regards. Il durera une heure et demie et sera interrompu par l'impératif horaire lié à la reprise du travail chez Peugeot

---

1. C'est d'ailleurs une habitude qui s'est installée au cours de ces dernières années et qui peut parfois se terminer par des incidents (expulsion de la salle des jeunes qui troublent les débats ou manifestent contre les décisions des juges).

(« Faut que je rentre chez moi, que je me douche et que je mange un bout », dit Farid pour mettre un terme assez brutalement à la discussion...)

Farid J., âgé de 23 ans au moment de l'entretien, est le deuxième d'une famille marocaine de cinq enfants. Son père est venu travailler « pour Peugeot » au début des années 1970, puis a fait venir sa famille en France. Les parents, tôt brouillés, ont divorcé, si bien que Farid et ses frères et sœurs ont été élevés par leur mère, qui vit du RMI. La famille habite un immeuble dégradé dans un des secteurs les plus durs de la ZUP (« la Corelli », comme disent les jeunes pour désigner ce lieu où sont concentrées les familles « lourdes » du quartier). Farid, lors de l'entretien, ne tient pas à s'appesantir sur sa scolarité, un lointain souvenir pour lui. Il a fréquenté le collège du quartier, puis a été orienté en BEP (maintenance) dans le lycée professionnel de la région à « mauvaise réputation ». À ce moment, je comprends à mots couverts qu'il a déjà plus ou moins entamé sa carrière de « délinquant ». Son premier séjour en prison – « trafic », « bizness », il le laisse supposer sans le dire explicitement – l'oblige à interrompre sa scolarité alors qu'il est en deuxième année de BEP. Lorsque je lui demande explicitement s'il a été incarcéré pour vol, il se cabre, offusqué, presque vexé, comme si cela n'était pas digne de lui (« Moi, jamais de vol... jamais de vol... Coups et blessures, oui... outrages, rébellion... »). Farid est la figure-type du « délinquant récidiviste » du quartier, difficile à approcher dans le cadre d'une enquête ordinaire. Ses caractéristiques sociales correspondent bien au portrait-type des délinquants des quartiers HLM de la région tel qu'on peut le reconstituer à travers les articles publiés par la presse locale.

Lors de cet entretien, Farid ne cherche pas à nier son passé, encore moins à se poser en saint. Il n'hésite pas à dire qu'il a déjà effectué plusieurs séjours en prison pour bagarres et « trafic de drogue »... Au total, a-t-il compté, il y a passé plus de trois ans, depuis son premier séjour en 1997, à l'âge de 19 ans. L'entretien est l'occasion pour lui de réfléchir avec un peu de recul – il travaille comme intérimaire, son statut social est présentable, il est engagé dans une relation amoureuse durable – sur son histoire, et notamment son entrée dans la délinquance. Il insiste sur les conditions sociales – la pauvreté, sa mère RMIste, etc. – qui ont, à ses yeux, pesé sur son parcours et l'ont fait passer de l'« autre côté », sans pour autant nier sa part de responsabilité personnelle.

> *— Si on revient sur votre histoire, qu'est-ce qui fait qu'à un moment donné vous vous êtes retrouvé sur la mauvaise pente ?*

> — (*Silence, il réfléchit.*) Honnêtement ? (*Silence.*) Mes parents, ils étaient divorcé (*silence*). J'avais trois frères, une sœur... que j'ai toujours actuellement... Étant jeune, je me voyais mal aller vers ma mère et lui dire : « Maman, donne-moi 500 F pour que je m'achète un "5-1" [un jean Levi's 501]. » C'est pas pour autant que je suis allé directement voler... Non, je m'arrangeais... je faisais des magouilles... (*petit silence*). J'achetais certaines choses qu'étaient volées [par d'autres]... pour pouvoir les revendre... faire un bénéfice... Apporter le maximum [à la maison]... Éviter le maximum de dépenses à mes parents, si vous voulez... Vous comprenez ?

> *— Aider votre mère, quoi...*

> — Voilà... Mais moi je dis pas que j'ai fait tout ça pour aider ma mère... Non, ça serait mentir... Moi, je manquais de rien... mais vous imaginez une femme qui vit seule... Qui se contente du RMI... Parce que ma mère, moi, elle travaille pas... Elle se contente du revenu minimum d'insertion... Mes bourses de l'école, je les ai jamais touchées, je les ai toujours données à ma mère... Moi, mes frères, on a toujours fait comme ça, pour aider la famille... Même pour aller en vacances, je travaillais dans du nettoyage d'entreprise... J'allais là-bas, je travaillais « au black », je faisais mes huit heures dans la journée en nettoyage d'entreprise... des mois non-stop pour permettre à ma famille d'aller au Maroc... Maintenant, je vous dis pas que j'ai fait tout ça pour vivre dans le luxe... Ou ci ou ça... mais... mais, d'un côté, c'est un choix que j'ai fait... J'ai préféré faire ça... Ben, écoutez, sur toute ma famille, il n'y a que moi qui [il veut dire « ai mal tourné »]... mes frères, ils sont pas connus des services de police, rien... Maintenant, y a une chose que je voudrais dire : si, un jour, on est amené à mettre un pied en prison, eh bien, ça sera ni plus ni moins que la clé pour ouvrir la prochaine porte de la prochaine prison... Parce que ça fait un antécédent... Après, ça en refait un autre... Après un autre !... Après un autre !... Après un autre !... (*en martelant son propos et en tapant en même temps à chaque fois sur la table*).

> *— Et à l'école ?*

> — (*Coupant.*) Moi, j'ai le niveau terminale « bèpe » maintenance... J'ai le niveau terminale bèpe maintenance... On m'a

incarcéré en 1997 pendant que je passais mon bèpe... J'étais au lycée de Vincourt... J'avais de bonnes notes... J'étais en maintenance... J'aurais pu faire ORSU... Tourneur-fraiseur... mais mes notes me permettaient de faire quelque chose de mieux... j'ai préféré faire dans la maintenance... Mais j'ai été incarcéré juste avant les examens... Je l'ai pas passé mon « bèpe »... J'ai été incarcéré pour vingt-quatre mois de prison... Quand je suis sorti, j'ai préféré travailler pour récupérer le temps perdu plutôt que me remettre à réétudier... Voilà... En vérité, ce qui m'a beaucoup nui, c'est la première fois que j'ai fait de la prison... Parce que la première fois que j'ai fait de la prison, les inspecteurs, ils m'ont attrapé... J'ai été en garde à vue, on a procédé à une fouille au corps, on a rien trouvé sur moi, j'arrive en prison, on me fouille, on me sort un bout de shit de mes poches... Attendez : c'est un agent de la paix qui m'a donné le shit ? C'est le juge ? C'est le procureur ? Non... ça, c'est les inspecteurs qui me l'ont mis dans ma poche... Personne n'a voulu me croire... La première fois de ma vie où je suis allé en prison, on m'a mis quarante-cinq jours de mitard dès mon entrée en prison... Moi, la prison, j'ai commencé par faire quarante-cinq jours de mitard, le plus dur qu'il y a en prison... et après, faire de la prison... Ben je peux vous dire que quand j'ai vu comment c'est la prison par rapport au mitard, j'ai rigolé... Télévision... Promenade... Foot... Muscu... C'est pas le mitard... le mitard, vous vous réveillez, vous avez une heure de promenade le matin... de 8 heures à 9 heures... Obligatoire... une douche par semaine... Parce que, moi, j'ai été incarcéré, on m'a reproché d'avoir intimidé deux personnes chargées du maintien de l'ordre public... Donc, eux, ils ont arrêté un jeune, moi je suis venu, j'ai délivré le jeune... (*silence*). Et quand j'ai vu le travail que la justice était capable de faire, je me suis dit : « Pourquoi être honnête ? »... Pourquoi ? Autant être malhonnête... Autant être un délinquant... Ma place, elle sera en prison... Mais elle y sera... J'ai fait un choix... (*réfléchissant*) peut-être par envie de vengeance...

On n'aura pas, bien sûr, au cours de l'heure et demie que dure l'entretien, le temps de développer les différents aspects – scolaires, amicaux, professionnels – de son histoire personnelle. Face à moi, qu'il perçoit comme un journaliste parisien, il voudra surtout, dans le peu de temps qui nous est imparti, prouver qu'il veut aujourd'hui se « ranger » mais qu'il est victime de sa réputation, de son « antécédent » – mot qui scandera tout l'entretien et qui désigne son passé de délinquant local, celui qui est, comme on dit dans la presse locale, « bien connu des services de police »...

1. L'antécédent de la prison et le piège de la cité

Le compagnon de Farid, Brahim, 19 ans, est encore au lycée, élève en première année de BEP de mécanique dans un LEP proche de la ZUP. Son statut de lycéen le différencie assez sensiblement de Farid, mais d'autres points les rapprochent : des parents marocains, une résidence dans le secteur « dur » de la ZUP, une participation à la culture de rue, ainsi qu'une même hostilité aux policiers. Tous deux ont été embarqués au poste de police pour une garde à vue, Brahim parce qu'il est suspecté de vols de voitures dans un parking (ce qu'il nie farouchement). Ils se connaissaient « du quartier », sans être des proches, et ont eu l'occasion de faire plus ample connaissance lors des vingt-quatre heures passées au commissariat. Brahim y a connu ce qu'on peut appeler son baptême du feu : sa première garde à vue, donc, les cigarettes qu'on demande à un copain de la ZUP de ramener, les remarques agressives de certains policiers, le fait d'y avoir côtoyé Farid, d'avoir appris à mieux le connaître. Quelques jours après, Brahim se présente, face au journaliste que je suis, en tant que « jeune de la ZUP » victime de l'arbitraire policier, et parle manifestement en tant que porte-parole des jeunes de sa génération. Il a le look des jeunes du quartier (casquette, démarche rebelle, agressivité à fleur de peau) et parle comme eux (volubile et révolté). Il poursuit ses études et n'appartient pas à la fraction de ceux qui ont été dès le plus jeune âge relégué dans les sous-classes du système scolaire (classes de « perf » de l'école primaire, classes de SEGPA). C'est un voisin de Farid, il est venu le soutenir au tribunal comme pas mal de jeunes du quartier, persuadés de l'« innocence » de leur copain – et surtout de la provocation de la police. Ce qui les soude tous deux, c'est non seulement leur origine – enfants d'immigrés, enfants du quartier –, mais, comme le dit Farid pour expliquer l'impossibilité où il se trouve d'envisager un jour de déménager, c'est le fait d'avoir « grandi ensemble à la ZUP », d'avoir connu la même histoire tout entière faite de bagarres entre bandes et, depuis quelques années, d'escarmouches avec les forces de l'ordre. Brahim écoute avec respect le récit de l'aîné et, quand il intervient dans la discussion, c'est presque toujours pour « en rajouter » dans la dénonciation des attitudes des policiers. Sur ce thème des exactions de la police dans le quartier, on sent bien qu'il serait intarissable – et l'on comprend qu'il a développé, depuis quelque temps, une véritable haine de l'institution.

À cette étape de sa vie, Farid se retrouve prisonnier de son statut de « grand délinquant » (c'est l'étiquette qui lui est désormais accolée), qui fait de lui à la fois une sorte de petit héros dans le quartier, mais aussi un homme qu'il faut affronter pour conquérir des titres de noblesse guerrière. Il raconte en particulier comment, à différentes reprises, de jeunes apprentis délinquants d'autres cités ont voulu se mesurer à lui, dans son quartier comme à l'extérieur, pour pouvoir s'auréoler de ce triomphe physique. Mais il se tient aussi sur la défensive face aux parents immigrés du quartier – qu'il appelle sans aménité les « pères et mères rebeus de famille » – qui connaissent ses « exploits » et en sont arrivés à le craindre comme la peste. En effet, avec son étiquette de « jeune délinquant », il apparaît comme celui qui fait courir en permanence le risque de contaminer leurs propres enfants et de salir la réputation des familles arabes respectables du quartier, aux yeux desquelles il est devenu proprement « indésirable ». À l'occasion de cette nouvelle garde à vue, lui qui s'était tenu tranquille depuis plus d'un an, qui pensait même s'être fait un peu oublier, mesure soudainement la fragilité d'une situation qu'il pensait pourtant avoir stabilisée grâce à son travail chez Peugeot.

> – Pendant ma garde à vue, moi je leur ai dit : « Écoutez, moi, je travaille, je suis de l'après-midi, vous m'avez serré le soir, faites en sorte que je fasse ma déposition le matin et que je puisse aller au boulot »... Ben non... Vous savez, ma déposition, à quelle heure ils l'ont faite ? Après les dépositions des cinq qu'ils ont attrapés pour vol et dégradations soi-disant... Pourquoi ? Parce que, moi, j'avais des embrouilles avec leurs collègues... Alors, moi, je passe en dernier... vous comprenez... Quand la proc' est venue, elle les a vus les cinq autres, l'un après l'autre... Après elle est venue pour leur prolonger leur garde à vue... et à moi : « Toi aussi on va te la prolonger... on va faire d'une pierre deux coups... »

*– Vous avez donc perdu deux journées de boulot... Et comment
on fait pour prévenir l'employeur ?*

– Heureusement, ma famille, elle l'a prévenu... Elle leur a
menti... Elle leur a dit que j'étais malade, que j'ai été voir
mon médecin... Hier, je suis sorti de la garde à vue à midi
quarante-cinq, j'ai eu le temps d'aller chez moi, faire une
douche... parce que je sortais de garde à vue, je me sentais
sale... j'ai pris ma douche, j'ai mangé un bout et je suis parti
au boulot... [Il explique qu'il travaille « au ferrage » dans le
cadre d'un CDD de dix-huit mois et qu'il espère l'embauche.] Après l'embauche... c'est bon...

– Et ça va le boulot ?...

– Ouais, ça va... parce qu'il y a pas le choix... on est bien
obligé de travailler... (*silence*). Moi, mon père, il est venu, il
a travaillé... Il a rien dit... Encore aujourd'hui, il travaille...
ça fait trente ans qu'il travaille... il se plaint pas... Maintenant, c'est pas [facile]... OK, j'ai déjà goûté à l'argent
facile, j'ai déjà goûté à tout... je suis pas un tendre, la
preuve, vous l'avez entendu... (*silence*). Je préfère travailler
(*dit en détachant chacune des syllabes*)... Me contenter de ce
qu'on me donne avec mon boulot... Être un homme... Un
homme comme tout le monde... fonder une famille... penser
à l'avenir... (*silence*). Mais j'ai l'impression, vous savez
quoi ?... C'te justice-là, vous savez comment elle marche ?...
On prend les mêmes et on recommence... (*silence*). J'ai l'impression d'être dans une roue... La roue, à chaque fois
qu'elle repasse à la case départ, à chaque fois elle retourne
à la même place... Elle a beau partir, tourner, elle va
repasser par la case départ... Vous comprenez ce que je veux
vous dire... Eh bien, j'ai l'impression d'être une roue... avec
ce système judiciaire... ils vont pas chercher ailleurs... ils
vont pas ! Là, je vais en prison... si je vais en prison actuellement, maintenant, je vous garantis (*en accentuant le mot*) :
75 % des détenus, je les connais déjà... Parce que j'ai déjà
fait de la prison avec eux auparavant... Parce qu'on a une
justice, ici, elle marche comme ça... Moi, j'en connais, c'est
pas des tendres, hein... le problème, c'est qu'ils ont jamais
fait parler d'eux, ils se sont jamais fait attraper... Ben ce
qu'ils font... (*il se tait*). Eux, ils méritent la prison, vous
voyez... mais eux on les embête même pas... Pourquoi ?
Parce qu'ils ont leurs têtes...

Du fait de sa déjà longue carrière de délinquant, Farid
s'aperçoit que tout le monde lui renvoie désormais sans
cesse son passé à la figure : la police en tout premier lieu
(la BAC et lui ont un très lourd contentieux à régler

puisque, lors d'une bagarre avec un commerçant turc, il a frappé un inspecteur de police « en civil »), la justice, mais aussi les jeunes du quartier qui veulent s'affronter à lui pour se faire une réputation, les pères et mères arabes, etc. Or, malgré ses efforts et son apparence (relative) d'homme rangé, la menace pèse toujours sur lui de « retomber ». S'il se sent entièrement soumis à l'arbitraire de la police, il se trouve aussi que les soupçons des policiers sont alimentés par de sacrées coïncidences. Sont-elles vraiment malheureuses ? Il est également prisonnier de ses anciennes relations : il n'a pas rompu avec ses « mauvaises fréquentations » du quartier.

Ainsi, il semble toujours être dans les mauvais coups, dans les mauvais endroits, comme ce 12 juillet 2000, le jour de l'émeute, où il se retrouve dans l'appartement d'un ami où vient se réfugier « Momo », le braqueur traqué par la police... Selon lui, ce n'est que pur hasard (ce que la justice admettra par la suite). En ce début de juillet 2000, il travaillait comme animateur dans un organisme de loisirs pour la jeunesse (en tant que CES). À la sortie de son travail, il était passé voir un ami du quartier chez qui est venu se réfugier Momo (« Je le connaissais, reconnaît Farid, on avait grandi ensemble »), lequel, poursuivi par la police, les a pris en otage. Bien sûr, cette coïncidence ne paraît pas fortuite aux yeux de la police, qui le considère le jour même comme directement impliqué dans ces événements.

Après l'arrestation de Momo, il est placé en garde à vue (il ne participera donc pas à l'émeute, qui a lieu le soir même) et incarcéré à la prison de Mulhouse – où il restera trois semaines. Faute de preuves – les résultats des empreintes et les tests d'ADN l'ont disculpé de toute complicité dans les braquages de Momo –, il est libéré. Farid a ainsi la vive impression d'être toujours perçu comme un coupable idéal, celui que l'on soupçonne toujours en priorité aussitôt qu'il se passe quelque chose dans le quartier.

On pourrait dire que, incarcéré pour la première fois en 1997 (deux ans de prison, semble-t-il pour trafic de drogue), il s'est retrouvé ensuite pris dans la logique de la dégradation du quartier. Il est fiché comme quelqu'un de violent, se bagarre pour des motifs liés à l'honneur (« il m'a manqué de respect », dit-il souvent en guise d'explication de ces algarades de rue ou de café). Il explique parfaitement bien comment se construit une réputation dans le quartier (notamment par l'exercice de la force, par le respect physique qu'on impose aux autres) et surtout comment, une fois cette réputation acquise, il devient très difficile d'y échapper. Tout se passe comme s'il lui fallait désormais se montrer à la hauteur de la sienne, ne jamais faillir, conserver cette suprématie, c'est-à-dire repousser sans cesse ses « challengers ».

2. La haine de la BAC

Se trouvant à un moment de sa vie où il est davantage stabilisé sur le plan professionnel et sur le plan matrimonial – il a à Strasbourg une amie avec laquelle il aimerait « faire sa vie » –, Farid voudrait mettre un terme à sa carrière de délinquant, bref se ranger. Et s'il n'entend pas cacher son passé, il voudrait se présenter à moi sous un autre jour que celui de « Farid, bien connu des services de police ». Tout l'entretien est sous-tendu par le désir qu'il a de prouver à son interlocuteur, juste après sa comparution à l'audience, qu'il n'est plus le délinquant que l'on dit. Il estime avoir changé. La preuve, selon lui : pendant près d'un an, il s'est tenu tranquille, n'a pas fait parler de lui dans la région. Mais, m'explique-t-il, personne dans le milieu de la police locale (qui le surveille de près) ne veut croire à son désir de rentrer dans le rang. Il prétend donc, d'une certaine manière, être victime du harcèlement des « inspecteurs ». Et c'est ce message-là qu'il veut avant tout faire passer. C'est donc logiquement pour lui l'occasion de s'étendre sur les rapports très conflictuels qu'il entretient depuis déjà plus de six ans avec la police locale.

Le comportement de celle-ci a été au cœur de cet entretien avec Farid et Brahim qui, comme tous les jeunes du quartier rencontrés, ne cessent de revenir sur la question. Et de fait, nous avons été frappé d'entendre les mêmes récits, les mêmes anecdotes sur le comportement de la police dans le quartier de la part de jeunes qui se tiennent pourtant à distance de la culture de rue et qui sont souvent engagés dans des voies de promotion sociale : des pion(ne)s ou étudiant(e)es), des aides-éducateurs, mais aussi des pères ou des mères de famille, des militants associatifs, etc. Le comportement de la police est un des nœuds du problème dans le quartier, comme dans bien d'autres en France[1].

Tout ce qui se passe au commissariat fait l'objet d'un intense commérage (« Tout se sait à la ZUP », ont coutume de dire les jeunes du quartier) : les différents types de remarques, d'insultes, de brimades circulent entre eux durant les jours qui suivent, fortifiant l'opposition entre police et jeunes, ceux qui ont entre 14 et 20 ans, et qui sont déjà sur la mauvaise pente scolaire et impliqués dans la culture de rue. Avec la mise sous surveillance du quartier, les provocations se multiplient, auxquelles répondent les contrôles d'identité arbitraires et, à l'occasion, des règlements de compte musclés dans les fourgons de police. Tout le récit de Farid est construit pour montrer en vertu de quels mécanismes il est toujours le coupable idéal, celui vers lequel on se tourne. Mais surtout il y a ce contentieux, qui semble sans fin, impossible à vider, entre lui et les inspecteurs de la BAC. Il est celui qui en a frappé deux et qui s'est, ce jour-là, vu inscrire sur leur liste noire...

Le point de vue de Farid est certes celui d'un jeune sur lequel pèse a priori un fort soupçon de partialité, mais il s'est avéré rendre compte très fidèlement du rapport que la plupart des jeunes de la ZUP (qui sont, comme lui, de longue date installés dans la culture de rue, même si lui-même cherche aujourd'hui à y échapper) entretiennent avec la police. Le portrait des policiers qu'il brosse, avec l'aide de Brahim qui intervient en permanence sur ce thème, n'est pas uniformément noir mais plutôt nuancé, attentif qu'il est aux différences internes, hiérarchiques, du corps de la police nationale. Par exemple, tous deux prennent bien soin de distinguer entre, d'une part, les simples gardiens de la paix, présentés comme débonnaires et parfois compréhensifs (il en a entendu un dire au juge qu'il s'était « calmé » depuis quelque temps), et, d'autre part, les policiers de proximité inexpérimentés et zélés, et surtout les inspecteurs de la BAC – qui sont perçus comme des « durs » et des « provocateurs » qui « jouent aux cow-boys ».

À propos de ces derniers, les anecdotes s'enchaînent dans les propos de Farid et de Brahim, les petits faits vrais qui veulent convaincre leur interlocuteur du bien-fondé de leurs

---

1. *Cf.* l'enquête faite par la Ligue des droits de l'homme (Antoine Spire, Emmanuel Terray) sur l'action de la police dans les quartiers.

dires. Ce qui les irrite le plus, c'est le goût qu'aurait la BAC pour la « provocation » : fusil à pompe sur le rebord des fenêtres ouvertes de leur voiture, doigts d'honneur à leur adresse, contrôles d'identité répétés et arbitraires, arrestations musclées, tabassage fréquent dans le véhicule de police lors du trajet qui conduit au commissariat, etc. Farid se souvient très bien des propos que les inspecteurs lui ont tenus dans la voiture de police où il a été, dit-il, frappé[1] : « Maintenant, on a carte blanche du préfet », c'est-à-dire toute liberté, y compris en contravention avec les lois, pour « mater » les jeunes de la ZUP, faire cesser le désordre qui y règne depuis déjà quelques années.

Cette omniprésence policière dans les moments calmes de la vie du quartier a sans doute pour vertu de rassurer les habitants, mais elle donne aussi l'impression aux jeunes d'être placés sous surveillance en permanence, sous la menace constante de l'arbitraire. Un indice de cette surveillance sournoise dont ils s'estiment être les victimes : les films que l'on tourne à leur insu dans le quartier, les bandes vidéo étant appelées à servir de preuves en cas de vol de sac à main. D'où cette idée de Farid, qui en dit long sur le climat qui règne à la ZUP, d'installer des caméras pour pouvoir filmer le mode d'intervention de la BAC.

Bien entendu, il ne s'agit pas de prendre pour argent comptant les propos des jeunes de la ZUP, et notamment ceux de Farid et Brahim. Mais il nous a paru important de faire entendre leur point de vue car il peut aider à faire comprendre comment s'enchaînent, dans un mouvement en spirale, les mécanismes sociaux qui aboutissent à ce face-à-face jeunes/police dans un quartier comme celui-ci. Tout cela est le produit d'une histoire, celle de ces petites humiliations quotidiennes et de ces petites injustices, de ces personnages « héroïsés » (qui ressemblent comme deux gouttes d'eau à ces bandits, à ces « primitifs de la révolte » décrits par Eric Hobsbawm), ces victimes de fait d'un ordre policier et judiciaire perçu comme injuste.

Cependant, il serait tout à fait illusoire d'autonomiser le problème de la police dans le quartier : ce qui est aussi en

---

1. Les jeunes du quartier, qu'ils soient ou non impliqués dans la culture de rue, font tous état de cette pratique, devenue coutumière, selon laquelle, une fois qu'ils se retrouvent dans le fourgon de police, ils se font souvent « tabasser »...

jeu ici, à la ZUP comme dans tant d'autres quartiers HLM, c'est la question des formes d'encadrement des jeunes de milieu populaire. Et c'est bien à partir du moment où le terrain a été perdu par les associations et les diverses instances d'encadrement de la jeunesse, où le travail social que faisaient les militants associatifs a cessé d'être soutenu à hauteur de ce qu'exigeait la dégradation de la situation sociale et économique des habitants de la ZUP, que les incidents se sont multipliés et que la réputation du quartier s'est profondément dégradée.

CONCLUSION

Le point de vue sociologique que nous avons adopté dans ce livre nous a fait emprunter de longs détours qui ont long-temps tenu le lecteur éloigné des banlieues et de leur repré-sentation médiatique[1] : exotisme social, frissons assurés, reportages télévisés à sensation (voitures brûlées, incivilités, micro-trottoirs de « jeunes à casquette » au visage mosaïqué, regroupements de jeunes dans les halls d'immeubles[2]). En allant enquêter du côté des entreprises et du marché du travail, en étudiant le mode de vie de la « génération des précaires[3] », nous avons pu observer un certain nombre de processus, certes moins spectaculaires, mais plus détermi-nants pour éclairer le phénomène des violences urbaines. De tels détours obligent à déplacer le regard vers ce qui échappe à la perception ordinaire de ces événements. Ils nous donnent aussi les moyens d'échapper aux débats piégés qu'imposent l'actualité sociale et l'agenda politique.

Mais, une fois achevé ce long parcours, à travers les méandres de la parole des enquêtés, il faut bien redire ici le

---

1. *Cf.* Patrick Champagne, « La vision médiatique », *in La Misère du monde, op. cit.*

2. C'est là l'intitulé d'un appel d'offres ministériel à l'intention des chercheurs en sciences sociales...

3. Bien sûr, les violences urbaines doivent aussi quelque chose au cadre urbain proprement dit, en tout premier lieu au mode de compo-sition sociale des populations des grands ensembles, qui renvoie à une l'histoire du logement social en France.

fond de notre pensée, tel qu'il est inscrit dans le titre et la trame du livre : ces violences urbaines, dont l'émeute est la forme paroxystique, sont avant tout l'expression de la violence inerte des structures économiques et d'une violence sociale qui pèse, depuis bientôt vingt ans, sur les jeunes peu qualifiés – et tout particulièrement sur les jeunes des cités –, mais aussi sur l'ensemble des classes populaires qui, dans le secteur privé, ont vu s'affaiblir considérablement leurs moyens de défense.

L'expression « violences urbaines » peut être trompeuse : en l'employant, les médias voudraient faire croire à l'unicité des causes, et surtout masquent le fait qu'il s'agit d'une violence sociale inhérente à une situation de chômage de masse et de précarité structurelle. Éminemment corrosive et destructrice pour ceux qui en sont les victimes, cette violence subie est, fondamentalement, au principe des soulèvements autodestructeurs des jeunes des cités.

Le travail des sociologues consiste à penser autrement l'objet, à le « construire », à lui conférer une autre cohérence que celle qui est donnée par les faiseurs d'opinion. En ce sens, le recours à l'histoire, notamment à l'histoire des dispositions, s'est avéré pour nous un puissant outil d'objectivation. Non pas l'histoire au sens événementiel du terme, donc, mais l'histoire en tant qu'elle s'inscrit dans le corps des agents sociaux (l'« histoire incorporée » dont parle Pierre Bourdieu), histoire qui contribue à fabriquer des personnalités sociales et des générations sociales. L'un des intérêts majeurs de l'enquête de terrain de longue durée est qu'elle permet de suivre dans le temps les évolutions, d'accompagner les personnes, d'observer de l'intérieur les transformations sociales. De même que bien des enquêtés de la ZUP ont pu nous dire, à partir de leur expérience d'habitants du quartier, que l'émeute ne les a pas surpris (« Je l'ai sentie venir, cette émeute », avons-nous souvent entendu dire), de même, nous qui arpentions ce terrain depuis longtemps et observions année après année la dégradation de la situation, n'étions pas dénués d'outils intellectuels pour donner de la cohérence aux impressions diffuses des habitants.

Lors de ces vingt dernières années, en France, à quelques rares exceptions près (1997-2000), nous nous sommes comme habitués – et résignés – à vivre avec un taux de chômage élevé[1]. Or, aujourd'hui, avec le recul, on aperçoit mieux les effets dévastateurs sur la société française du chômage de masse et de la précarité structurelle – combinés, bien sûr, à d'autres logiques tout aussi puissantes, comme celles de la relégation sociale (via l'école et le logement) et de la stigmatisation : la déstructuration de nombreuses familles (le thème de la désaffiliation sociale), la poussée de l'individualisme et l'accentuation des luttes de concurrence, le fait que certains jeunes – les plus vulnérables (les garçons, en échec scolaire, originaires des cités, issus de familles immigrées) – aient petit à petit perdu le goût et le désir de travailler, attitude qu'il faut bien sûr mettre en rapport avec le rejet qu'ils ont subi de la part de nombreuses institutions et entreprises.

Au fond, ce que nous avons analysé dans ce livre, c'est la manière dont cette émeute urbaine et le vote du 21 avril 2002 révèlent – et avec quel fracas ! – l'enchevêtrement de processus que l'on n'aperçoit pas ou que l'on refuse de voir, car ces deux événements (l'un local, l'autre national) ont fait surgir des contradictions qui travaillent de longue date et de manière souterraine la société française.

Reste maintenant à sortir du terrain de l'enquête monographique et à inscrire nos résultats de recherche dans une perspective plus large. Ce qui nous conduit à revenir sur les formes prises par la déstructuration de la classe ouvrière au cours des vingt dernières années.

Cette déstructuration, qui a parfois pris les traits d'une décomposition, constitue la véritable toile de fond des analyses du présent ouvrage. Elle a éclaté au grand jour, si l'on peut dire, lors du séisme électoral de 2002, qui a vu les classes populaires s'abstenir en masse – et souvent voter Front national[2]. Ces résultats électoraux constituent le

---

1. Les économistes standard, équipés de simples modèles économétriques, n'ont cessé de réviser à la hausse le fameux chiffre du taux de chômage « naturel », celui qui serait fixé par l'équilibre général. En oubliant de chiffrer le coût social du chômage de longue durée, les externalités négatives, les pertes en capital humain collectif.

2. Les analystes ont eu tendance, dans leurs commentaires à chaud de ce qui apparaît comme une défaite historique de la gauche, à se focaliser sur le seul vote FN des ouvriers, en oubliant le phénomène décisif qu'a constitué l'abstention ; comme le dit Michel Verret : « Je pense qu'il ne faut pas oublier l'abstention. Il y a une manière d'être dans la scène en refusant d'y être. C'est même une façon majeure. La majorité des ouvriers sont abstentionnistes. Après, il est vrai que la classe ouvrière se

symptôme le plus visible, à ce jour, de la spirale de dévalorisation et d'autodévalorisation qui n'a cessé de se développer depuis deux décennies au sein du groupe ouvrier, qui auparavant organisait et fédérait autour de lui les autres fractions des classes populaires. Que l'on parle en termes de « défaite ouvrière », comme Danièle Bleitrach, ou de « monde défait », comme Gérard Mauger, le constat est le même.

Pour le prolonger à partir de notre enquête, nous avons sélectionné un certain nombre de thèmes qui nous paraissent décisifs pour éclairer la situation actuelle : les « répliques » de l'implosion de la classe ouvrière, et en tout premier lieu l'effondrement des formes politiques de défense collective ; la mise en place d'une précarité structurelle, facteur puissant de sous-prolétarisation qui exerce des effets dévastateurs sur les milieux populaires ; la question de la relève syndicale et du non-passage de relais entre générations ; la constitution, sur fond de chômage de masse, d'une jeunesse sans avenir, subissant discriminations et racisme et réagissant avec ses armes : ces jeunes des cités, issus de l'immigration post-coloniale, cette nouvelle « classe dangereuse ».

1. La disparition des formes de la représentation ouvrière dans l'espace public

Nous pourrions repartir ici de l'anecdote, évoquée dans l'introduction de *Retour sur la condition ouvrière*, de la sous-estimation du nombre d'ouvriers. Le fait que des étudiants en maîtrise de sociologie évaluent ce chiffre à 10 % du nombre, établi par les statisticiens, d'ouvriers a frappé nos lecteurs, et tout particulièrement ceux qui vivent à l'écart des classes populaires (Parisiens, journalistes, hommes/ femmes de radiotélévision, etc.). Certains d'entre eux se sont lancés dans ce petit jeu lors de leurs rencontres ou dîners en ville et ont été surpris du bon fonctionnement de l'expérience (« Ça marche votre histoire... les gens nous disent toujours moins d'un million... C'est marrant... »).

---

distribue presque pour moitié dans le vote FN. Mais il existe des silences assourdissants. C'est en se taisant, en refusant d'entrer sur la scène que les ouvriers réoccupent le devant de la scène. » (*Les Inrockuptibles*, 14-20 août 2002.)

Au fond, que révèlent ces réactions ? D'abord une formidable méconnaissance de la réalité sociale, qui peut aller de pair, chez les décideurs, avec une certaine arrogance – y compris à gauche – et une fermeture très forte des hommes et femmes de pouvoir (au sens large du terme) sur leur propre monde. Le 21 avril 2002 a d'ailleurs, on l'a dit, révélé l'extrême incapacité de la gauche de gouvernement à comprendre la souffrance sociale des classes populaires, à faire remonter des informations pertinentes ou, à l'inverse, sa propension à filtrer les données et les mauvaises nouvelles[1]. L'exemple caricatural de cet autisme technocratique qui a gagné la gauche de gouvernement est celui des trente-cinq heures[2].

Certes, depuis le 21 avril 2002, c'est un fait, la gauche a redécouvert, en parole sinon en acte, les ouvriers, les classes populaires, la « France des oubliés », comme l'indiquait le titre d'un dossier consacré par *Le Monde*, en juin 2002, au sujet. Mais aucun travail d'autocritique sur cet « oubli » n'a été entrepris, et l'on s'est remis à parler des ouvriers sans presque jamais faire référence à la vie hors usine : le logement, l'école, le mode de vie, le rapport à l'avenir, etc. Malgré le relatif regain d'intérêt pour ces questions-là, il subsiste, nous semble-t-il, un profond désintérêt pour les modes d'existence des classes populaires, réputés dans le

---

1. On peut notamment penser à *La Misère du monde*, dirigé par Pierre Bourdieu, publié en 1993 : best-seller dont le contenu critique n'a en rien inspiré ou même marqué la gauche de gouvernement. Comment comprendre cette ignorance ou cette cécité à l'égard de ce type de travaux sociologiques ?

2. Maintes enquêtes de terrain dans les années 2000-2001, dont certaines financées par la DARES du ministère du Travail, avaient mis en lumière les conséquences négatives de l'application des 35 heures sur de larges fractions de salariés d'exécution (ouvriers/employés). Faute d'un rapport de force favorable aux salariés, les accords de RTT se traduisaient par un recul social important. On peut alors se demander pourquoi rien de ce qui était facilement observable sur le terrain n'est remonté au niveau des ministères, des cabinets, dans l'entourage de Jospin, du PS. Qu'ont fait les « experts » ? Il y aurait une belle étude sociologique à faire sur la manière dont des organismes ministériels (dépendant de la gauche de gouvernement), qui ont financé des dizaines d'études sur les 35 heures, ont occulté les résultats qui ne correspondaient pas au point de vue du cabinet de Martine Aubry. Cette forme d'aveuglement doit être mise en rapport avec le recrutement des hiérarques du PS et des membres des cabinets, élevés dans le sérail des grandes écoles, portés par toute leur histoire et leur habitus à ne rien comprendre au mode de vie et aux valeurs des classes populaires.

monde médiatique, être « inintéressants » et surtout « pas vendeurs ».

Ceci nous paraît constituer le symptôme de quelque chose de plus profond : à savoir la distorsion du rapport qu'entretient, pour parler vite, la société française à « ses » ouvriers et, plus largement, à « ses » classes populaires. La prise en compte de l'histoire de longue durée est nécessaire pour penser cette question.

En premier lieu, la société française n'a jamais manifesté que peu d'intérêt pour ses ouvriers, ainsi que l'explique Gérard Noiriel[1], quand bien même il lui est arrivé de les craindre et de les tenir à distance. Si, malgré tout, on a pu parler de « classe ouvrière », c'est parce que la mobilisation du groupe ouvrier s'est opérée avec l'appui des fractions progressistes d'autres groupes sociaux, notamment les enseignants et les intellectuels. En second lieu, une des spécificités de l'histoire sociale française des XIXe et XXe siècles réside dans la capacité qu'ont eue ces classes populaires d'opposer, notamment par le vote (1848), une forte résistance à la prolétarisation, si bien que le recours à l'immigration étrangère a été décisif pour assurer la main-d'œuvre nécessaire à l'industrie. L'immigration de masse, dans les années 1920 comme dans les années 1950-74, a de fait contribué à assurer la promotion professionnelle et sociale des ouvriers « nationaux ». Le mécanisme s'est grippé depuis, avec la longue crise du dernier quart du XXe siècle. « Le fait majeur des deux dernières décennies, c'est la forte marginalisation du monde ouvrier dans les représentations collectives et dans la vie politique. Ce phénomène, déjà perceptible au début des années 1980, explique l'écho rencontré par les discours sur la "fin de la classe ouvrière"[2]. » En fait, si les ouvriers ne font plus parler d'eux, ce n'est pas parce qu'ils seraient devenus quantité négligeable sur le plan statistique, mais parce que depuis

---

1. Gérard Noiriel, dans des travaux qui ont largement renouvelé l'historiographie des classes populaires en France (les ouvriers puis les immigrés), montre que la société française est restée très longtemps une société de petits-bourgeois propriétaires (paysans, artisans, commerçants) ayant du « bien ». Les ouvriers n'ont jamais vraiment eu leur part, sauf quand ils sont parvenus à exercer une forte pression (en 1936, 1945, 1968).

2. Gérard Noiriel, dans la préface à la nouvelle édition de son livre, *Les Ouvriers dans la société française*, Pars, Seuil, 2002.

quinze ans leur capacité de résistance collective a été pratiquement anéantie. Il s'agit d'un tournant majeur dans la
structuration des rapports sociaux en France.

Aujourd'hui, les ouvriers ne font plus peur aux classes
dominantes : laminés et domestiqués par le chômage,
« arme de destruction massive » des classes populaires, pour
reprendre l'expression de Numa Murard[1], ils ont aussi
perdu leurs forteresses (arbres qui ont longtemps caché la
forêt) et se sont dispersés dans l'espace résidentiel au fur et
à mesure qu'une fraction croissante d'entre eux accédait au
rêve pavillonnaire. Les transformations dans le champ intellectuel, bien analysées par Bernard Pudal, semblent tout
aussi décisives : l'alliance si particulière, entre la classe
ouvrière et les intellectuels, propre à la France (depuis
Jaurès) s'est défaite au cours des vingt-cinq dernières
années. La disqualification du personnel politique communiste et de l'histoire du communisme est allée de pair avec
la disqualification symbolique du groupe ouvrier, laissant
exsangue le PCF et abandonnant les ouvriers à la haine
sociale.

L'effondrement du communisme à l'Est et la plongée
électorale du PCF se sont trouvés associés à la thématique
de la fin de la classe ouvrière. Souvent l'ironie et le sarcasme
se sont donné libre cours sur ces thèmes. Ainsi on a pu
célébrer dans le champ intellectuel la « beauté de la mort
communiste[2] ».

Résultat : la quasi-disparition des porte-parole des
milieux populaires dans l'espace public[3] et la rupture des
liens privilégiés que la classe ouvrière a longtemps entretenus avec les intellectuels. Au temps de la forte inscription
ouvrière dans l'espace politique et syndical, les représentants traditionnels de la classe ouvrière – les militants syndicalistes – et leurs alliés dans le champ intellectuel
(journalistes, universitaires, essayistes, romanciers...) assuraient une représentation décente, plus ou moins fidèle des

---

1. Numa Murard, *La Morale de la question sociale*, Paris, La Dispute,
2003.

2. *Cf.* Bernard Pudal, « La beauté de la mort communiste », *Revue
française de science politique*, vol. LII, n° 5-6, octobre-décembre 2002.

3. Il y a bien, en banlieue, ces chanteurs de rap plus ou moins engagés,
mais, quel que soit l'intérêt de leurs textes et de leurs prises de position
politiques, le fait est que leur musique parle surtout à des gens qui ont
leur âge et qui partagent (ou ont partagé...) la même condition.

classes populaires. Ils veillaient au grain, si l'on ose dire. On sentait même, sur ce sujet, une certaine autocensure des bien-pensants, qui ne s'aventuraient jamais trop sur un terrain aussi sensible. La défaite ouvrière a, d'une certaine manière, libéré les esprits revanchards. En ces temps de restauration culturelle, où un ministre philosophe entend faire porter la responsabilité tout entière de la crise de l'école sur la seule « pensée 68 » (Bourdieu, Derrida, Foucault...), on voit réapparaître un certain ethnocentrisme de classe, qui n'est souvent pas éloigné du racisme de classe, au sein de larges fractions des classes dominantes. On pourrait dire qu'avec la défection de la plupart des intellectuels gagnés à d'autres causes, les ouvriers se sont laissés imposer une vision d'eux-mêmes qui a grandement contribué à leur démoralisation.

2. Des classes populaires sans défense

Pour comprendre ce que deviennent les membres des classes populaires lorsqu'ils perdent les supports matériel (les augmentations de salaire arrachées au patronat) et symboliques (la fierté d'être ouvrier, « d'être quelqu'un ») qu'offrait l'appartenance à une classe, il faut s'arrêter un instant sur ce qui faisait cette classe, et en particulier la spécificité de la politisation ouvrière. Celle-ci passait fondamentalement par la médiation des militants qui, de fait, sont de moins en moins nombreux.

La véritable guerre sociale entreprise au cours de ces vingt dernières années pour réduire le mouvement ouvrier a largement porté ses fruits. La bataille menée dans beaucoup d'entreprises pour atteindre, « diminuer », puis licencier les délégués – ces empêcheurs d'exploiter tranquillement – a réussi au-delà des espérances patronales. On peut prendre l'exemple de la discrimination syndicale, qui désigne dans le langage juridique ce qu'on peut bien appeler la persécution des militants ouvriers dans les usines. Or, c'est quelque chose que personne (ou presque) n'a voulu voir, malgré les cris d'alarme lancés par les observateurs, notamment les inspecteurs du travail (comme Gérard Filoche). La disqualification, et parfois l'écrasement des militants ouvriers, s'est opérée (et continue son œuvre aujourd'hui) dans le plus grand silence, sans alarmer personne. Les appels au secours et les cris de détresse des syndicalistes d'entreprise n'ont pas été entendus[1].

Pourquoi ? Il y a bien sûr des raisons conjoncturelles mais, sur le fond, on peut y voir une profonde incompréhension de ce qu'a représenté la figure sociale du militant ouvrier « classique », et une non moins grande méconnaissance du rôle et de la fonction sociale des délégués d'usine. Cette forme de mépris social pour le délégué ouvrier (vite assimilé à un « gueulard ») a une histoire, qui est intimement liée à celle du PCF et à sa réussite historique : assurer une représentation ouvrière qui soit le fait d'élus du peuple[2], imposer aux « dominants » les ouvriers sur la scène publique (cf. l'irruption de la parole ouvrière sur le petit écran ou à la radio). La crise, en détruisant les anciens bastions industriels et une large partie du groupe des ouvriers professionnels, a laminé la représentation ouvrière du monde ouvrier, portée par le PCF et la CGT (mais aussi par la CFDT et les différents courants du catholicisme de gauche). Bref, on a bien assisté, au cours de ces années de modernisation conservatrice, à une revanche de classe, qui s'est d'abord exprimée au niveau symbolique à travers la dévalorisation systématique des représentants ouvriers.

Or, ce système, quel que soit l'aveuglement où il pouvait conduire, assurait le maintien d'une qualité morale remarquable, une forte autonomie symbolique et la mise à distance des milieux dominants, la production de militants à forte stature qui « en imposaient ».

La victoire triomphante de l'anticommunisme a fait passer aux oubliettes de l'histoire ce fait majeur que des ouvriers pouvaient se voir représenter par leurs pairs à l'Assemblée nationale. Aujourd'hui, une particularité de la France est que, à la différence de ce qui existe en Allemagne, en Espagne et en Italie, il n'existe pas (ou il n'existe plus) de gauche ouvrière.

Aujourd'hui, donc, changement de décor complet,

---

1. Il faut faire référence ici au travail entrepris par François Clerc, ouvrier professionnel à Sochaux, au sein de la CGT, pour faire reconnaître juridiquement l'étendue de cette discrimination anti-syndicale.

2. Cf. le livre fondamental sur cette question de Bernard Pudal, *Prendre parti. Pour une sociologie historique du PCF*, FNSP, 1989.

tournant brutal[1] : l'accent doit être mis au contraire sur la perte de l'autonomie symbolique du groupe ouvrier, qui est survenue en lien étroit avec la disparition de ceux qu'on appelait les « métallos », figure majeure de la classe ouvrière d'après guerre et fer de lance du mouvement syndical, ainsi qu'avec l'effondrement de la culture des « métallos »[2]. Rien n'a remplacé ce groupe qui symbolisait la « classe » dans le monde ouvrier atomisé d'aujourd'hui. Et faute du ciment politique et idéologique on assiste à la décomposition de l'ancienne culture ouvrière et, en profondeur, à une dévalorisation de la figure de l'ouvrier[3].

Ce qui reste du groupe est alors atteint dans son moral, dans sa morale et dans ses croyances. On peut étudier objectivement cette dévalorisation à partir des indicateurs économiques classiques (salaires, revenus, patrimoines, destins sociaux des enfants...), mais on doit aussi l'analyser relationnellement, c'est-à-dire en référence à la situation des groupes socioprofessionnels proches d'eux : les petits fonctionnaires, les ouvriers d'État, les employés communaux, les postiers, etc.

Or, il apparaît qu'il s'est produit un double mouvement au cours de ces vingt dernières années : d'une part, un « décrochement » des classes populaires dans l'espace social et, d'autre part, un clivage de plus en plus accentué en leur sein entre, d'un côté, leur fraction numériquement la plus importante, liée au secteur privé – les ouvriers d'usine, les employés de service –, qui apparaît de plus en plus soumise au diktat des marchés et à l'arbitraire des « chefs » sur les lieux de travail et, d'un autre côté, la fraction du secteur protégé sur le marché du travail, qui bénéficie peu ou prou de la sécurité d'emploi et qui, parce qu'elle est fortement

---

1. Voir le film de Gilles Balbastre, *Le chômage a une histoire*, un document passionnant qui retrace l'histoire de la défaite idéologique de la gauche de ces trente dernières années.

2. La Maison des métallos, rue Jean-Pierre Timbaud, dans le XIe, sauvée de la démolition, est en train de devenir un haut lieu de la culture artistique parisienne.

3. L'actualité de ces deux ou trois dernières années n'a fait que confirmer les analyses faites à partir du cas particulier des ouvriers Peugeot de Sochaux-Montbéliard. De Cellatex en 2000 à Metaleurop ou Daewoo-Longwy en 2002-2003, en passant par le désastre économique et social de Moulinex (douze suicides parmi les salariés licenciés), on mesure l'ampleur des ravages provoqués par le cynisme de « patrons voyous » et le dramatique état de faiblesse collective des salariés.

syndiquée, est parvenue à se défendre (cheminots de la SNCF bien sûr, mais aussi postiers, ouvriers d'État, petits fonctionnaires).

D'où une rivalité croissante qui, dans l'espace social local, est perceptible à travers les ragots et commérages entretenus par les membres du premier groupe et qui visent presque toujours les « planqués » des services publics. En fait, tout s'est passé comme si la mécanique de diffusion des acquis sociaux, le bénéfice des luttes, qui unifiait et homogénéisait le groupe des classes populaires (*cf.* le cas toujours évoqué des ouvriers de Renault), s'était enrayé lors de ces deux dernières décennies, les luttes, toujours plus défensives, des salariés du secteur privé (éviter les fermetures d'usine et les licenciements, freiner la dégradation des conditions de travail, assurer la survie des organisations syndicales dans l'entreprise, etc.) contrastant avec la capacité de résistance maintenue des salariés du secteur public.

3. De la classe-sujet à la classe-objet[1]

Au cours des quinze à vingt dernières années, l'espace social des classes populaires françaises a connu de profondes transformations. Globalement, le système de différences et d'oppositions (hommes/femmes, jeunes/vieux, Français/immigrés, qualifiés/non qualifiés, etc.) qui organisait et structurait le groupe a changé. Des sous-groupes nouveaux sont apparus dans la terminologie administrative – familles monoparentales, jeunes immigrés, « opérateurs bacheliers » – qui ont compliqué l'ancien système de classification sociale. Parallèlement se sont développés dans les classes populaires de véritables processus de paupérisation – liés aux vagues de licenciements, aux maladies de longue durée et aux invalidités – et, au niveau spatial, des logiques de concentration des individus et des familles les plus fragilisés en certains quartiers devenus des lieux de relégation sociale. Divorces et séparations ont provoqué des ravages dans les familles populaires. Un « sédiment », pour

---

1. Nous reprenons là, sous une forme remaniée, des idées développées par nous dans « Pourquoi la gauche a-t-elle perdu les classes populaires ? Petit détour par l'histoire », *in A gauche !*, Paris, La Découverte, 2002.

reprendre une métaphore certainement critiquable, s'est déposé : des zones marquées d'habitat se sont constituées, où personne ne veut aller, et, dans ces zones, des dynamiques négatives se sont mises en marche.

En conséquence, les logiques d'identification qui pendant longtemps ont contribué à l'unification des différentes fractions des classes populaires n'opèrent plus. Il en va ainsi de la promotion ouvrière. On pense ici au cas exemplaire des ouvriers qualifiés (des ouvriers professionnels) qui, on l'a dit, ont longtemps constitué la colonne vertébrale de l'ensemble ouvrier : à la fois groupe d'aspiration pour les fractions inférieures du monde et vivier de militants, de délégués, qui portaient haut et fort la parole ouvrière dans les ateliers (face aux « chefs »), à l'occasion des réunions avec les patrons, dans l'espace social et politique local, au sein des multiples associations qui irriguaient les quartiers. Dans la configuration ouvrière issue de 1936, pour le dire vite, marquée par l'existence d'une « génération singulière[1] », il existait un système de promotion au sein même du monde ouvrier. Aujourd'hui, force est de constater que ce système est cassé. D'abord, parce que la réorganisation des entreprises, qui a permis le contournement des anciennes forteresses ouvrières et l'atomisation de la main-d'œuvre dans des PME souvent sous-traitantes, a donné naissance à un monde fait, d'une part, de techniciens et, d'autre part, d'opérateurs, mis sous pression constante et en concurrence permanente au travail. Aujourd'hui, les nouveaux ouvriers qualifiés, bac pro ou ouvriers à profil technicien, sont, dans leurs aspirations, fortement tournés vers les classes moyennes, tentés de se démarquer de ce qui est ou « fait » ouvrier (d'ailleurs, ce sont eux qui repoussent le plus spontanément le mot ouvrier pour se définir). Par ailleurs, le sentiment de déclassement est si fort pour les fractions inférieures du groupe qu'elles se sentent dupées par l'État-providence et menacées par leur rapprochement objectif avec les « exclus » et les RMIstes. D'où le souci de se distinguer de ces derniers, bien souvent accusés d'être de « faux chômeurs »...

Le groupe ouvrier est ainsi un groupe social en déclin, dont les membres, individuellement et collectivement, ont l'impression d'avoir été les victimes de l'histoire récente. Et

---

1. Voir Gérard Noiriel, *Les Ouvriers dans la société française, op. cit.*

il faut avoir en tête la toile de fond sur laquelle prend sens l'enracinement du vote ouvrier aux extrêmes : le développement de l'insécurité sociale, la formidable déstabilisation des anciennes identités ouvrières, la perte de la « classe », des protections et de la force d'identification qu'elle assurait, le brouillage complet des oppositions qui structuraient le monde ouvrier, dont la plus forte était celle qui séparait objectivement les ouvriers qualifiés des nonqualifiés (enregistrée par le droit et les conventions collectives en 1945, et ensuite par la statistique publique et le premier code des CSP en 1954). Aujourd'hui, les logiques et les modèles d'identification se sont effrités. Au fur et à mesure que les forces sociales d'identification au groupe (les militants à l'usine, les représentants des associations dans la sphère du hors-usine, les élus du PCF, etc.) et que le groupe ouvrier se sont dispersés dans l'espace géographique et frottés au monde des classes moyennes dans les zones résidentielles, on tente de se différencier par la consommation. La peur de la déchéance, la hantise de (re)tomber dans le sous-prolétariat, sont à mettre en rapport avec cette déstabilisation multiforme des identités.

La classe ouvrière en France, modèle s'il en fut de la classe-sujet[1], s'est, en peu de temps finalement, fragmentée. Dépossédé de ses outils symboliques de résistance, un nombre croissant de ses membres est désormais tenté d'exprimer sa colère en votant FN à chaque grande élection[2]. C'est dans ce contexte de déstructuration de la classe qu'a surgi chez des ouvriers fragilisés une tendance, multiforme, à projeter sur les autres leurs propres craintes ou angoisses. Les « autres », ce peut être ceux qui ont pu et su conserver des avantages sociaux (les fameux « acquis » des fonctionnaires, fussent-ils petits), ceux qui ont du pouvoir sur vous (les travailleurs sociaux ou les profs qui ont barre sur les

---

1. Pierre Bourdieu oppose la classe-objet (comme les paysans) à la classe-sujet, classe mobilisée et mobilisable. S'agissant des paysans, il relève une tendance à l'émiettement et à la fragmentation, une incapacité à se constituer au niveau symbolique, à s'unifier, à surmonter les divisions, à agréger autour de soi des sous-groupes. *Cf.* Pierre Bourdieu, « Une classe objet », *Actes de la recherche en sciences sociales*, n° 17, 1976.
2. Alors que la bourgeoisie est devenue aujourd'hui, comme le montrent les recherches de Michel Pinçon et Monique Pinçon-Charlot, la classe sociale par excellence, classe en soi et classe pour soi...

enfants et sur les possibilités de promotion sociale[1]) et, bien sûr, les « jeunes » issus de l'immigration qui « font le bordel » et qui font peur.

Il faudrait étudier attentivement, à la manière des ethnographes, le point de vue des ouvriers « français » pour donner à voir et à comprendre la peur qu'ils éprouvent. Par exemple, on est frappé par le fait que nombre d'entre eux aspirent, sur le mode honteux, à faire jouer les seules ressources qui leur restent : la nationalité française, pour décrocher des places plus sûres ou obtenir de menus avantages ; mais aussi, au plan symbolique, le drapeau français et la *Marseillaise*[2], ce qui peut expliquer une bonne part de l'émoi provoqué par les incidents du match France-Algérie.

4. Les difficultés du mouvement syndical : impensés et non-dits

Les militants ouvriers, notamment les ouvriers professionnels, de la période 1945-80 avaient souvent connu le parcours suivant : études techniques en CET ou dans un centre d'apprentissage, obtention du CAP, entrée à l'usine, progression dans la hiérarchie des ouvriers qualifiés, choix décisif entre le bleu (rester ouvrier) et la blouse (passer chef d'équipe ou contremaître) : ceux qui choisissaient le « bleu », c'est-à-dire de rester fidèles à leur origine ouvrière et aux valeurs de solidarité propres à ce monde, le faisaient aussi pour continuer à « militer », à « aider les copains », à résister et à espérer en un autre monde, un autre avenir (l'utopie du « grand soir » ou l'attachement aux pays de l'Est). Ces militants ouvriers affichaient un rapport révérenciel au savoir, lisaient la presse syndicale ou les revues du PC (ou catholiques), étaient en contact avec certains enseignants et la petite bourgeoisie intellectuelle locale. Très présents dans les quartiers ouvriers et dans la cité, ils possédaient une ouverture d'esprit qui alimentait leur combat militant.

---

1. C'est là la faute – impardonnable – de Claude Allègre que d'avoir cherché à surfer sur l'hostilité anti-profs qui n'a cessé de croître dans la plupart des milieux populaires confrontés à la crise sociale et atomisés.

2. Lors de la grande grève du dimanche 25 mai 2003 contre le projet Fillon sur les retraites, des grévistes ouvriers, en attendant le départ de l'immense cortège, se sont mis à chanter la *Marseillaise* en affirmant : « Elle n'est pas qu'à eux [la droite], elle est aussi à nous !... »

Qu'est-ce aujourd'hui qu'un bon militant ouvrier ? Tout le monde semble s'accorder, du côté des syndicalistes d'usine, sur la répudiation du modèle du militant « sacrificiel », celui qui se dévouait corps et âme à l'institution, qui sacrifiait parfois sa vie personnelle, sa famille et ses enfants (il y a beaucoup de ruptures et de divorces dans les couples de militants...) pour la cause, qui acceptait d'être pénalisé financièrement (quand il dépassait ses heures de délégation, amputant ainsi le petit budget familial), qui savait aussi se mettre en danger personnellement. Parallèlement au renoncement à cette figure du militant sacrificiel, la condamnation de l'« ouvriérisme » gagne. Mais cette double condamnation, qui semble faire l'unanimité chez les militants, n'indique en rien par quoi doivent être remplacés ces valeurs et ces modèles d'identification.

Le drame, si l'on peut dire, c'est qu'il y a des militants qui continuent à se dévouer mais qui, souvent, au bout d'un moment, voyant ce qui se passe autour d'eux, disent : « Moi, j'en ai marre de me sacrifier pour les autres. » À Sochaux, comme dans bien d'autres sections syndicales où les militants vieillissent et ne se sentent plus portés par le souffle de l'histoire, se développent parallèlement, de manière larvée ou ouverte, des luttes de clans fondées parfois sur des clivages politiques. Or, elles apparaissent aux jeunes comme autant de luttes de « cliques » opposant des individus qui appartiennent tous à une même génération ouvrière (ils ont entre 45 et 55 ans), embauchée lors de la période de plein emploi. Ce triste spectacle syndical – fait de divisions, de bagarres autour d'enjeux souvent mineurs – pourrait bien avoir à terme des effets désastreux.

Cette forme d'enfermement empêche les élites politiques du groupe ouvrier, de comprendre que ce qui se passe du côté des jeunes issus de l'immigration est essentiel[1]. Qu'il

---

1. À partir de notre présence sur le terrain, nous livrons un exemple de cet appauvrissement de la vie syndicale qui est rien moins qu'anecdotique. Nous avons participé en septembre 2001 dans une ville ouvrière du district de Montbéliard, à une réunion organisée par le MRAP pour débattre de la « discrimination vis-à-vis des enfants d'immigrés dans le pays de Montbéliard ». L'assistance ce soir-là : une cinquantaine de personnes, plutôt âgées, quelques jeunes issus de l'immigration, lycéens ou étudiants, plus de filles que de garçons. Aucun jeune de cité tel que nous les avons présentés. À part quelques retraités du syndicat CGT, aucun militant n'était présent. Manque de temps (« Un vendredi soir, ce n'est pas la meilleure date »), etc., les arguments ne manquaient pas pour

y a nécessité, pour le mouvement syndical, d'intégrer ces derniers à leur combat.

Car l'état du syndicalisme ouvrier en usine a pour effet de détourner encore plus les jeunes des sections syndicales. Dans les grandes usines de France, comme celles de Sochaux, et a fortiori dans les PME, la relève s'opère de plus en plus difficilement. Les jeunes ouvriers se tiennent très éloignés du syndicat parce que, d'une part, ils ne pensent pas rester à l'usine et que, d'autre part, l'offre syndicale actuelle ne satisfait pas leurs attentes. Les logiques d'individualisation (comme celles du salaire, des primes) tendent à être davantage acceptées par les jeunes opérateurs qui ont envie, comme ils disent, d'« évoluer », c'est-à-dire d'accéder aux outils modernes (notamment tout ce qui touche à l'informatique), de sortir de l'isolement dans lequel les cantonne leur poste de travail, de comprendre l'ensemble du processus de production dans lequel ils sont impliqués. Et il faut bien apercevoir la séduction qu'exerce ce que Boltanski et Chiapello ont appelé le « nouvel esprit du capitalisme » sur ces jeunes. Entrer dans la modernité leur offre des perspectives d'identification tout autres que celles que leur propose le mouvement ouvrier traditionnel, qui ne leur apparaît plus porteur d'un véritable espoir collectif et semble souvent les enfermer dans un monde définitivement vieux à leurs yeux.

Aux yeux des jeunes ouvriers auprès desquels nous avons enquêté, le syndicalisme a partie liée avec la politique perçue presque toujours comme étrangère au monde où ils vivent, comme quelque chose dont il vaut mieux ne pas se mêler. Le fait est que, dans les entretiens, dès qu'on aborde

---

expliquer l'absence des syndicats. Un ancien responsable CGT du comité d'entreprise à la retraite, avec lequel à la fin de la réunion nous revenions sur cette absence, se déclara frappé depuis quelque temps par ce qu'il appela l'enfermement du syndicat [CGT] dans les problèmes de l'usine, son retranchement sur des questions catégorielles, son manque d'ouverture intellectuelle. Lui qui avait contribué, avec bien d'autres, à l'ouverture culturelle du syndicat n'hésitait pas à parler de son appauvrissement intellectuel. Les liens avec les autres sections dans l'entreprise étaient ténus, les unions locales avaient perdu de leur ancien rôle de fédérateur et de pourvoyeur d'informations. Conséquence de cet isolement syndical : le groupe ouvrier produit des militants qui luttent souvent au jour le jour, pied à pied, qui sont par ailleurs, comme ils le disent tous, « bouffés par la réunionnite », et qui, le plus souvent, sont à la remorque des événements.

la question du syndicalisme, les enquêtés, s'ils se soumettent de bonne grâce aux interrogations de l'enquêteur, ne relancent jamais d'eux-mêmes la discussion comme s'ils n'avaient rien à en dire de particulier et, surtout, comme s'ils abordaient un terrain dangereux et tabou.

Cette prise de distance à l'égard du syndicalisme et de la politique est attestée, d'une part, par l'ignorance fréquente des différentes sections syndicales (CGT, CFDT, FO...) de leur entreprise (il faut toujours relancer pour tenter d'identifier le syndicat majoritaire, voire le seul syndicat) et, d'autre part, par la méconnaissance du vocabulaire de base du syndicalisme d'entreprise : seul le CE semble jouir de visibilité et de reconnaissance (il offre des bons de réduction et des avantages...). Lors des entretiens, nos questions sur les « tracts syndicaux » ont parfois laissé sans voix les enquêtés, qui ne comprenaient même pas le sens de l'expression. (Avant de se reprendre parfois. C'est ainsi que l'un d'entre eux, ouvrier intérimaire titulaire d'un BTS de plasturgie, nous a dit : « Vous voulez dire les prospectus ? »)

Cette confusion parfois faite entre tracts et prospectus en dit long sur la distance prise à l'égard du syndicalisme dans l'entreprise : « Le syndicat, ça ne sert à rien, ça ne nous défend pas, c'est réservé aux vieux et aux embauchés », ou, sur un autre registre, plus offensif cette fois, tenu par ceux qui sont en attente de défense syndicale, et qui reconnaissent le besoin d'être informés, entendus : « Les délégués, on ne les voit pas... ils sont tout le temps en réunion », etc.

Au cours des années 1990, au fur et à mesure que s'est intensifié le travail ouvrier, il semble que se soit renforcée cette vision des délégués comme autant de privilégiés qui échappent aux postes les plus durs et qui jouent un jeu personnel « en se mettant au syndicat », comme nous l'a dit l'un de ces jeunes. Il faudrait évidemment distinguer ici les embauchés et les précaires (intérimaires ou CDD), ces derniers étant souvent les plus sévères vis-à-vis des syndicats, accusés plus ou moins ouvertement de se désintéresser de leur situation, de n'avoir de considération que pour les embauchés.

5. Les effets sociaux de la précarité structurelle sur les jeunes

Pour comprendre le désarroi des militants, l'absence de relève syndicale, il faut insister sur les changements – particulièrement repérables dans la filière automobile – qui sont survenus dans l'espace économique et dans l'organisation du travail des entreprises depuis une quinzaine d'années. Lorsque « Taylor va au marché », pour reprendre l'expression suggestive de Michel Gollac[1], c'est-à-dire quand les contraintes du marché pénètrent en profondeur à l'intérieur des entreprises, il s'ensuit une intensification et une densification du travail qui sont spectaculaires mais qui – fait capital – restent mal perçues et largement méconnues. Car beaucoup de ce qui se trame aujourd'hui à l'intérieur des entreprises est classé « top secret », et soustrait de ce fait aux regards extérieurs. Or, la forte précarisation du travail est bien la face cachée de la modernisation, sa face noire aussi, celle que les décideurs et les « politiques » ne veulent pas voir – ou sur laquelle ils préfèrent jeter un voile pudique, sous prétexte de sauvegarder l'emploi. Il faut des ergonomes et des médecins du travail « indépendants » des patrons (il en existe...) pour oser dénoncer l'explosion de la souffrance au travail.

Une caractéristique majeure du nouveau mode de production est le durcissement des logiques de sélection (donc d'exclusion) sur le marché du travail. Tout se passe comme si une machine à éliminer ou, pour le dire moins brutalement, un dispositif de sélection/élimination s'était imposé au cours des quinze dernières années, en créant simultanément une norme d'« employabilité » beaucoup plus contraignante qu'auparavant. Cette norme, parce qu'elle s'appuie sur des critères flous et non objectivables (comme le fameux « savoir être »), contribue à exclure objectivement ceux qui sont suspectés d'être de mauvais sujets sociaux. Par ce biais, on élimine ceux qui ont un profil devenu complètement inadapté et qui, à la longue,

---

1. Michel Gollac, « Quand Taylor va au marché », *Travail et Emploi*, n° 76, 1999.

finissent par apparaître comme des « anormaux d'entreprise », selon l'expression bien trouvée de Serge Ebersold[1].

On a ainsi assisté, tout au long des années 1990, à un durcissement des politiques de gestion de la main-d'œuvre et à une série de glissements qui vont tous dans le sens d'une rigueur accrue. Si l'on a la curiosité d'aller voir ce qui se passe dans les ateliers de fabrication, on s'aperçoit que les dispositifs de gestion mis en place, au-delà des effets d'annonce et de leurs intitulés « modernes », visent tous (ou presque) à la recherche de la transparence, c'est-à-dire à l'élimination des zones de clair-obscur qui permettaient à bien des salariés d'exécution de résister aux pressions, de « tenir », de s'accommoder de leur travail[2].

Dans l'entreprise fordiste, même quand la concurrence imposait sa pression sur les collectifs de travail, des formes de solidarité et d'entraide plus ou moins clandestines permettaient aux plus fragiles et à ceux qui traversaient une mauvaise passe de s'en sortir. Dans les entreprises d'aujourd'hui, les dispositifs de suivi individuel assurent le tri : objectifs individuels, entretiens annuels d'évaluation, procédures d'individualisation des salariés. Chaque salarié a un dossier où sont consignés les observations de ses supérieurs, et celui-ci, on l'a dit, sera consulté le moment venu. On s'efforce ainsi de repérer ceux qui sont susceptibles d'« évoluer » (et on garde la trace de ce repérage). Une sélection pèse ainsi tout au long de la vie professionnelle, et elle place le salarié sous la menace permanente du licenciement et du déclassement, bref, de la précarité structurelle.

Dans les entreprises ainsi gérées, il existe évidemment des candidats naturels à l'exclusion : les malades, par exemple. Le mal de dos ou un embonpoint accusé sont autant de signes qui prédisposent à figurer sur la liste des sureffectifs. Les médecins du travail sont ainsi conduits de plus en plus souvent à déclarer inaptes des personnes

---

1. *Cf.* Serge Ebersold, *La Naissance de l'inemployable. Ou l'insertion aux risques de l'exclusion*, Presses universitaires de Rennes, 2001.
2. On sait bien que tout cela s'accomplit selon une logique pyramidale, que les salariés d'exécution n'en sont pas les seules victimes, que la pression au travail touche aussi les techniciens, les cadres, moyens et supérieurs. Sur ce point, voir le compte rendu de la grande enquête statistique dirigée par Christian Baudelot et Michel Gollac (sous la direction de), *Travailler pour être heureux ? Le bonheur et le travail en France*, Fayard, 2003.

devenues incapables de satisfaire aux normes de productivité exigées, aux nouvelles normes de la santé au travail. Bien sûr, les entreprises ont toujours sélectionné, promu et rejeté certaines catégories de la main-d'œuvre. La nouveauté réside dans l'ampleur du flux et dans le caractère de plus en plus finement sélectif des filtres utilisés. À mesure que s'élève le niveau de performance requis par les directions, sous l'aiguillon des exigences croissantes des actionnaires, un nombre croissant de salariés se trouvent dépassés. Avec la hausse du niveau global de formation des jeunes, ceux qui n'ont pas de diplôme, qui sont stigmatisés par tel ou tel trait de comportement ou qui sont trop âgés, n'arrivent plus à suivre la course, glissent vers l'exclusion. Les politiques de formation professionnelle, qui devraient théoriquement remettre à flot les salariés menacés de décrocher, se font elles-mêmes de plus en plus discriminantes.

En fait, on voit bien aujourd'hui, en 2003, au moment où l'euphorie économique est retombée, où la récession s'annonce et où les plans de licenciements se multiplient, comment les processus de sélection/élimination se remettent à fonctionner de plus belle[1]. Le nouveau cycle économique risque, sans nul doute, de reléguer dans la marginalité sociale la fraction la plus déshéritée de la jeunesse des cités. Et certainement dans des conditions plus « dures » qu'autrefois, puisqu'un certain nombre de filets de sécurité ont entre-temps disparu (en premier lieu, le dispositif des emplois jeunes).

Le patronat, relayé fidèlement par la majorité issue des élections de 2002, travaille d'arrache-pied à la reconstitution, via les contrats jeunes (16-22 ans), d'une réserve de main-d'œuvre taillable et corvéable à merci. En fait, ce qui s'est passé sous nos yeux, tout au long de nos dix années d'enquête à Sochaux-Montbéliard, c'est la mise en place d'un système dualiste dont le développement fulgurant de la précarité et de l'intérim constitue un symptôme fort. Et insistons bien sur ce point : il ne s'agit pas seulement de la précarisation de l'emploi (au sens du statut juridique de

---

1. On remarque aussi que la presse économique, autrefois volontiers néolibérale d'inspiration, semble désormais (re)découvrir avec effroi les lois d'airain du capitalisme. On y parle à longueur de colonnes de la « violence de l'entreprise », des « patrons voyous », de l'abandon de toute éthique manageriale, etc. Versatilité des temps et des humeurs...

celui-ci) mais aussi de la précarisation du travail. Pour le dire autrement, on assiste à la constitution de groupes stabilisés relativement protégés et de groupes instables et en permanence « instabilisés », et les seconds progressent. Or, problème capital, les premiers sont défendus syndicalement (et politiquement) alors que les seconds sont plongés dans une sorte de vide politique et syndical. Les jeunes issus de l'immigration sont les premiers frappés par cette dynamique d'exclusion.

Il faut avoir à l'esprit que les changements qui surviennent dans la sphère économique se développent à des rythmes beaucoup plus rapides que ceux qui se produisent dans l'espace social. Ils s'exercent avec des hauts et des bas et produisent des effets puissants sur les structures mentales des salariés, contraints de vivre au rythme alterné du fol espoir en période de reprise économique – selon la situation de chacun : trouver une place, fût-ce en intérim ou en CDD, être embauché et décrocher le mythique CDI, éviter d'être licencié, etc. – et de la douche froide en période de récession – la décision brutale de non-reconduction de contrat annoncée le dernier jour de la mission d'intérim, le CDD de dix-huit mois qui ne débouche sur rien, l'affectation d'un « embauché » sur un poste de travail dur que tout le monde cherche à éviter dans l'atelier, le licenciement annoncé par voie postale ou, pis encore, par la presse locale, qui vous fait comprendre que vous n'êtes qu'un numéro. Même si cette analyse vaut pour toutes les catégories de salariés, il ne faut pas oublier que ce sont les jeunes qui, forte spécificité française, sont le plus atteints par ce processus de précarité structurelle. Ils le paient à un prix considérablement élevé, tant au niveau matériel – extrême difficulté à « faire sa vie » pour les moins diplômés d'entre eux – qu'au niveau symbolique – impression, à mesure que passent les missions d'intérim, d'être de la « chair à canon » pour patrons, sans compter le sentiment d'être « rabaissé », pris en toute occasion pour un « con », un « sous-diplômé », privé de droits et de parole[1].

---

1. On ne peut pas s'empêcher de penser qu'il y a une grande hypocrisie de la part de nos élites économiques, politiques et médiatiques, lorsqu'elles disent leur sentiment d'horreur en s'apercevant que 21 % des jeunes de 18 à 24 ans qui ont voté au premier tour de l'élection présidentielle d'avril 2002 ont choisi Le Pen, sans jamais rapprocher ce choix de la situation matérielle dans laquelle ils vivent.

La mise en concurrence des jeunes exerce aussi des effets violents. Les exclus du système tendent à s'abstenir aux élections (c'est le cas des jeunes des cités), et ceux qui ont encore un espoir d'y entrer expriment souvent leur rage sociale et/ou leur refus de la délinquance, leur adhésion à l'ordre national[1], en votant pour l'extrême droite.

Si nous avons tant insisté sur les transformations du marché du travail, ce n'est pas parce qu'elles expliqueraient directement à elles seules le surgissement des violences urbaines mais parce que, en lien étroit avec les transformations du système scolaire, elles sont au fondement du rapport que les jeunes entretiennent avec le monde social. Pour saisir la dimension autodestructrice de ces conduites, il faut absolument prendre en compte les ressorts sociaux de ce *no future*, de cette absence d'avenir.

6. Jeunes des cités abandonnés à eux-mêmes

La montée des exigences des entreprises et la construction sociale de l'« inemployabilité » frappent donc avant tout les jeunes issus de l'immigration, surtout lorsqu'ils sont peu ou non diplômés. L'expérience scolaire et le début de leur entrée dans la vie active – l'expérience des stages, les rencontres avec les divers conseillers d'emploi – ont convaincu ces derniers, s'ils en doutaient encore, que leurs chances de s'en sortir sont très faibles, que non seulement le signe de leur appartenance à l'univers de la cité – leur nom, leur faciès, la façon dont ils s'habillent et s'affichent – les dessert fortement et de manière durable, mais aussi qu'il leur sera très difficile de changer le regard que portent les « Français » sur eux.

La comparaison historique est, à cet égard, instructive :

---

1. Lors du match France-Urugay du Mondial 2002, auquel j'ai assisté dans un café d'une rue piétonne de Montbéliard (l'un des lieux de rendez-vous des supporters du FC Sochaux), je me souviens d'avoir vu, lors des hymnes nationaux, les « jeunes Blancs » (cheveux coupés court, certains bossant à l'usine) entonner à pleins poumons la *Marseillaise*, regardant intensément autour d'eux si les beurs voisins, attablés par groupes de deux ou trois, allaient suivre ou réagir. Silence gêné de la part de ces derniers, qui attendirent patiemment que les hymnes finissent pour attaquer les choses sérieuses : suivre le match...

il y a trente ans, les possibilités de s'établir professionnellement (ou même de « monter » dans les usines) pour les
jeunes issus de l'immigration – espagnole, portugaise, mais
aussi pour les enfants d'Algériens – étaient perçues comme
beaucoup plus grandes. L'absence de diplôme n'apparaissait pas comme un obstacle irrémédiable. Une fois qu'ils
maîtrisaient la langue, ils ne se sentaient plus isolés ou
coupés du gros de la troupe, des Français issus des familles
populaires. Alors que les jeunes issus de l'immigration
maghrébine ou africaine, nés dans les années 1970, qui ont
grandi dans les cités paupérisées par le chômage et la
précarité, ont plus de chances de se retrouver en échec
scolaire : ils sont donc voués, au mieux, aux petits boulots
et, au pire, au chômage de longue durée. Beaucoup d'entre
eux rêvent de créer leur propre entreprise en France, ou
mieux « au pays » (le pays d'origine est plus que jamais
construit comme une figure inversée du pays d'accueil,
comme une « patrie imaginaire »), d'émigrer au Canada ou
en Angleterre. Les plus réalistes d'entre eux tentent néanmoins de s'accommoder de la réalité du marché du travail
en mettant au point des microstratégies de résistance
comme, par exemple, celle qui consiste à travailler juste
assez pour faire le plein des allocations Assedic potentielles
puis profiter de la vie, voyager, financer ses autres rêves
(souvent tournés vers la musique...), faire la nique aux gens
d'en haut (« Ils veulent pas de nous mais, nous, on veut pas
d'eux »), s'appuyer sur le droit (droit social et droit de la
nationalité) pour faire face aux divers dénis d'existence
sociale qu'ils subissent.

Ces jeunes des cités, promis à un avenir peu radieux,
ruminent la façon dont ils sont traités. Faute de supports
collectifs pour se construire, ils penchent plutôt vers une
sorte d'individualisme et/ou un communautarisme assez
spécifique. Pour calmer les banlieues, pour s'attirer la
neutralité bienveillante des jeunes (garçons et filles), faute
de pouvoir leur donner un vrai travail, leur assurer une véritable insertion professionnelle et donc un avenir vrai, on
voit, en regard, se dessiner une politique qui consiste à les
abandonner à une religion consolatrice, à faire opérer l'au-
tocontrôle des cités par les « barbus » ou autres associations
musulmanes tout en s'assurant de la bonne formation des
imams. Le risque est ainsi de tirer un trait sur l'intégration
par le travail et de considérer les enfants d'immigrés les

moins qualifiés a priori comme « non intégrables ». On a l'impression que l'alternative aujourd'hui proposée à beaucoup de jeunes des cités dotés de faibles ressources scolaires et tenus à l'écart du marché du travail est la suivante : soit le retour à l'islam (pour ceux qui acceptent de rentrer dans le rang et de se soumettre à l'ordre social et symbolique), soit les centres d'éducation ou plus simplement la prison (pour ceux qui auraient des velléités de révolte sociale ou de rébellion).

Pour savoir comment on en est arrivé là, il faut revenir sur le passage à droite d'un nombre croissant d'enfants d'immigrés qui semblaient être acquis naturellement à la gauche, notamment dans les années 1980 (avec les lois de 1982, le couple épouvantail à immigrés Pasqua-Pandraud, les projets de remise en cause du Code de la nationalité). Et puis la gauche a déçu, et simultanément les diplômés ont eu les plus grandes peines du monde à se faire une place sur le marché du travail. Au sein de cette population spécifique s'est alors diffusée la conviction que le « piston » était indispensable pour réussir.

Bien entendu, il ne faut pas focaliser sur le seul groupe des jeunes immigrés mais, au contraire, élargir la question à la jeunesse populaire en général en mobilisant les analyses qui contribuent à mettre au jour les logiques d'action des institutions d'encadrement (l'école, le travail social, la police...). Si l'on reprend les conclusions des principaux travaux récents sur l'encadrement des classes populaires[1] et les travaux des sociologues consacrés à la police et à la justice[2], quelques conclusions fortes peuvent être dégagées.

Tout d'abord la moindre tolérance sociale aux comportements déviants (ou supposés tels) des jeunes de milieu populaire par les diverses institutions en charge de leur socialisation et de leur encadrement, ce qui signifie en pratique le rétrécissement de leur marge de manœuvre. Commençons par l'institution scolaire, surtout au niveau du collège : les chefs d'établissement, plus ou moins relayés par les profs ou les surveillants, portent de plus en plus

---

1. *Cf.* le numéro d'*Actes de la recherche en sciences sociales* dirigé par Gérard Mauger, *op. cit.*

2. Sur la police, on se reportera aux travaux respectifs de Fabien Jobard, Dominique Monjardet, Laurent Mucchielli, et au collectif *La Fabrique de la haine*, Paris, Dagorno, 2002.

souvent plainte pour « violence » (malgré le flou de la notion). En fait, ce qui était réglé autrefois en interne, sans bruit, par le biais de négociations individuelles et/ou par la médiation des conseillers pédagogiques, dans les établissements « à problèmes » se judiciarise de plus en plus. Tout se passe comme si, face à l'injonction sécuritaire, on plaçait les élèves « sous contrôle » : le « sauvageon », doit être domestiqué et recivilisé. Mais il se trouve que le « sauvageon » en question pousse en des lieux touchés de plein fouet, et souvent depuis plus de vingt ans, par une crise sociale multiforme[1]. Il se trouve aussi que, du fait de l'absence d'une politique volontariste de la ville, ces « sauvageons » sont concentrés dans les banlieues et sont très largement issus de l'immigration postcoloniale (« blacks » et « beurs », comme on dit dans la presse). Par ailleurs, l'obligation de résultats rapides à laquelle la politique sécuritaire astreint les forces de police et de gendarmerie, conduit à ce que, dans l'espace public – dans la rue, les cafés, les boîtes de nuit, les stades de foot, etc. –, les agents de ces institutions sont incités à ne plus rien laisser passer. Comme en outre le niveau social de recrutement des gendarmes et des policiers s'est considérablement élevé (on y recrute de plus en plus des jeunes issus des classes moyennes qui ont grandi à l'écart des cités, voire dans la peur de ces lieux), on constate chez eux une évidente méconnaissance de ces types d'univers populaire et une grande ignorance sociale des codes de conduite en vigueur dans la jeunesse des cités – et donc une plus grande appréhension du face-à-face. Conséquences : davantage d'incidents, une plus grande sévérité. De la police comme de la justice.

Les analyses sociologiques qui tendent à « blâmer les victimes » (*Blame the Victim*) et qui, de ce fait, reçoivent un grand écho du côté des faiseurs d'opinion (on vous l'avait bien dit, ils sont responsables de leurs actes, donc il faut les punir) – formidable alibi et légitimation de l'ordre social établi –, négligent ou oublient l'intensification des formes de contrôle social qui pèsent aujourd'hui sur la jeunesse des milieux populaires. Or, on assiste, pour de multiples raisons

---

1. En disant cela, nous n'oublions pas pour autant la vitalité sociale qui existe parfois dans ces quartiers. Sur ce point, voir Liane Mozère, Henri Rey, *L'Intelligence des banlieues*, Paris, Éditions de l'Aube, 1993, et Michel Kokoreff, *La Force des quartiers*, Paris, Payot, 2003.

– politique de lutte contre l'insécurité comme seul horizon de l'action sociale visant à encadrer les jeunes, transformation du corps des professionnels intervenant en première ligne dans les quartiers –, à la progressive disparition (à l'usine comme en dehors) des espaces de transaction où se négociait l'application des règles locales, à la généralisation du « je ne veux pas le savoir... ». Parallèlement, les analyses sociologiques des comportements déviants de la jeunesse populaire, sont présentées – et ridiculisées – comme autant d'« excuses sociologiques »...

Pourtant, lorsqu'on a à l'esprit la persistance d'un chômage proportionnellement bien plus élevé pour les enfants de l'immigration postcoloniale, la montée de formes ouvertes de discrimination à leur égard[1] mises en place par les employeurs, on a de bonnes raisons de poser la question sociale de manière tout à fait dramatisée : face à ce qu'il est convenu d'appeler la panne du modèle français d'intégration, que faire de ces jeunes « inutiles au monde » que l'on retrouve en nombre non négligeable dans les « cités » françaises[2] ? Les États-Unis, si l'on suit les conclusions de Loïc Wacquant, semblent avoir trouvé la solution pour traiter le problème posé par les enfants de familles pauvres des *inner cities* : la pénalisation de la misère.

7. *Une nouvelle classe dangereuse*

C'est ainsi qu'au cours de ces vingt dernières années s'est développée la peur des jeunes des cités, cette nouvelle classe dangereuse engendrée par une société qui a fini par accepter le chômage de masse des jeunes. Mais comment en est-on arrivé à la peur des « petits immigrés » ? Nous voudrions ici signaler quelques pistes de réflexion en nous aidant du travail de certains de nos collègues, sociologues et historiens.

Sur ce thème des jeunes de banlieue, de l'« intégration », la littérature sociologique est florissante mais, à nos yeux,

---

1. *Cf.* Véronique de Rudder, François Portet, Françoise Vourc'h, *La Discrimination raciste*, Paris, PUF, 2000.
2. Rappelons que le taux de chômage des jeunes d'origine immigrée dans les quartiers sensibles était voisin de 40 % en moyenne dans les années 1990.

n'accorde pas toujours assez d'attention à la manière dont s'est construite historiquement cette nouvelle question sociale, notamment à la production des représentations sociales de ce groupe particulier. Rappelons avec Pierre Bourdieu que « l'histoire sociale des représentations du monde social fait partie des préalables critiques de la science du monde social ». Dans le cas présent, on voit bien que les changements sociaux affectent le regard qu'on porte sur les enfants d'immigrés et, simultanément, sur la représentation qu'on s'en fait – et aussi sur l'idée qu'ils se font d'eux-mêmes. En même temps que la crise (économique, sociale, politique) s'est installée dans le pays, que le chômage s'est fixé sur les jeunes de banlieue, que la pauvreté s'est enkystée dans les territoires déshérités de la République, que le travail social à mener auprès de ces populations y a été sous-estimé, les cités se sont fermées sur elles-mêmes et ont semblé vouloir « faire sécession ».

Parallèlement se sont imposées des représentations cultur-alistes des jeunes issus de l'immigration – on s'est mis à les appeler les « Musulmans » dans la presse depuis le milieu des années 1990 – tandis que se multipliaient les affirma-tions « identitaires » de la part d'une fraction croissante des jeunes issus de l'immigration maghrébine : ritualisation de l'appartenance communautaire, retour à la religion, affi-chage dans l'espace public d'une ethnicité symbolique (comme le port du voile ou du foulard chez certaines filles). Contre ce culturalisme pratique, nous souhaitons redonner droit de cité à un point de vue sociologique. Et, au risque de donner le sentiment que nous tordons le bâton dans l'autre sens, nous pensons qu'il y a un intérêt scientifique à réinscrire l'histoire des jeunes des cités dans l'histoire collective des classes populaires françaises.

D'abord, en commençant par les présenter avant tout comme une fraction de plus en plus importante démo-graphiquement de la classe ouvrière française. Ensuite, en marquant fortement la spécificité de cette génération d'en-fants d'immigrés : élevée dans (et marquée par) la période socialement désastreuse des « vingt piteuses », ce qui suffit à la distinguer des précédentes « secondes générations » qui ont fourni nombre de militants aux mouvements ouvrier (les garçons) et féministe (les filles). Aujourd'hui, la fraction des enfants d'immigrés nés après 1970 fait objectivement partie d'une classe qui ne parle plus, qui ne peut plus parler, dont les porte-parole traditionnels sont devenus muets. Bref, une fraction de classe qu'on pourrait dire orpheline de la classe ouvrière d'autrefois. Au fond, cette fraction de classe particulière que constituent les enfants de l'immigration postcoloniale se retrouve « coincée » entre, d'un côté, un héritage ouvrier aujourd'hui racorni, peu attirant, et, de l'autre, un héritage colonial à la fois mal connu d'eux et traumatisant. Seul un tel travail de contextualisation historique peut permettre d'appréhender la spécificité des nouvelles générations d'enfants d'immigrés. Bref, pour comprendre les jeunes des cités d'aujourd'hui, nous pensons qu'il faut étudier d'un peu plus près le double héritage qui est le leur : ouvrier et colonial.

Du côté de l'héritage ouvrier de leurs pères, le bilan est assez facile à dresser : les jeunes des cités répugnent à se penser comme les héritiers de cette classe ouvrière à laquelle ils n'assimilent d'ailleurs pas leur père et dont ils ne connaissent pas l'histoire. Mais, pour expliquer cette rupture de transmission, ne peut-on pas avancer l'idée qu'ils ont tout simplement hérité de la représentation, largement négative, construite au cours des vingt dernières années, qu'ont les Français de « leurs » ouvriers ?

Leur héritage colonial, en tant qu'enfants de parents ayant grandi comme sujets coloniaux (pour les Algériens), n'est pas plus facile à assumer pour eux, quand bien même ils tendent à le revendiquer haut et fort. « Issus de l'immigration », dit-on d'eux, c'est-à-dire de pères durement exploités au travail, usés précocement et vieillis prématurément, de mères qui ont, elles aussi, beaucoup enduré dans l'immigration, sans compter, pour les cadets de grandes fratries, les histoires douloureuses des grands frères (fréquence des expériences de chômage, délinquance, prison, troubles psychiatriques pour ceux qui ont cherché à s'insérer professionnellement dans les années de crise) et des grandes sœurs (gestion difficile d'identité propre aux « enfants illégitimes », ces filles élevées dans les années 1970). Dans cet héritage-là, à de rares exceptions près, la fierté n'a pas vraiment sa place. Et ce qui domine, c'est au contraire le souvenir de la surexploitation, de la domination culturelle, du mépris trop souvent affiché à l'égard des Arabes de la part de petits fonctionnaires (la préfecture, la justice, les services d'état civil de la mairie, etc.), bref, le souvenir de l'humiliation sociale. Ce qui explique, au fond, la « rage » qui les habite, leur extrême susceptibilité.

C'est ainsi que, confrontés à un double héritage négatif, les jeunes des cités se regardent tout simplement eux-mêmes comme des « jeunes de banlieue », à la fois en réaction au stigmate social que l'expression signale aujourd'hui mais aussi pour revendiquer la positivité des pratiques sociales de cette jeunesse : la « richesse » de cette vie comme ils disent, l'intensité et la densité des relations sociales entre jeunes[1], la diversité des expériences sociales, la confrontation, à un âge précoce, à la dureté de la vie qui accélère la maturation sociale, une fierté relative de ne pas ressembler à ces « bourgeois » qui ont devant eux une vie toute tracée.

8. L'intégration, c'est aussi la responsabilité des syndicats et de l'ensemble du mouvement ouvrier

On ne saurait oublier que, ne serait-ce que par leur poids simplement démographique, ces jeunes – garçons et filles – vont tenir de plus en plus de place et constituer un élément central de la société française. Mais comment va s'établir le lien entre ces jeunes et le reste des classes populaires, ces autres couches sociales qui jouissent de longue date de la nationalité française ? Ces jeunes, dont on a vu que beaucoup se comportaient, au travail, comme des écorchés vifs, qu'ils développaient une susceptibilité à fleur de peau et dont on se dit que certains pourraient faire des militants formidables, en quoi se sentent-ils ouvriers ? On ne peut qu'être frappé par le fait qu'à l'occasion des fermetures récentes d'usines – Cellatex dans les Ardennes, Daewoo à Longwy et Metaleurop dans le Nord – ce sont des « beurs » de 30 à 40 ans qui, ouvriers et délégués CGT, sont apparus comme les porte-parole du mouvement et de leurs camarades. Il faut voir là, bien sûr, un effet direct de l'ancienneté de l'immigration maghrébine dans ces vieilles régions industrielles. Mais pour le reste : que sera le rapport à l'ancienne classe ouvrière ? Intégration ou prise de distance ?

---

1. David Lepoutre, dans *Cœur de banlieue, op. cit.*, a fait compter à quelques jeunes collégiens de La Courneuve auprès desquels il a enquêté le nombre de personnes qu'ils connaissaient « de vue » : un de ses partenaires d'enquête approche le chiffre de 1 000...

Possibilité d'une conscience de classe qui transcenderait l'origine nationale ?

Si l'on réfléchit aujourd'hui à ce qu'il convient d'appeler les « ratés » de l'intégration, il est de bonne méthode d'analyser les dysfonctionnements ou les pannes de ce qui a été l'un des grands mécanismes intégrateurs des immigrés (premières puis secondes générations) : le travail, l'usine, les syndicats, la socialisation professionnelle et militante. Ce qui a très bien marché pour les immigrés italiens, polonais, espagnols, juifs ashkénazes[1] a beaucoup moins bien fonctionné pour les immigrés du Sud (Algériens, Marocains, Turcs...). Bien sûr, la conjoncture économique n'était pas la même, mais il y a autre chose : le fait que, dans les années 1970-80, les immigrés de la première génération (présents en nombre dans les ateliers d'OS) puis ceux de la seconde génération (recrutés de manière parcimonieuse) ont été intégrés à la marge du mouvement syndical[2]. Au fond, dans le monde ouvrier, on n'a jamais vraiment permis aux immigrés de progresser au travail et/ou dans l'appareil syndical. Pourquoi ? Parce que, semble-t-il, et sous réserve d'études approfondies, on a eu peur que la prise de responsabilités des « immigrés » (des plus immigrés d'entre eux, si l'on ose dire) effraie les militants et les adhérents, fasse se hérisser ceux qui, appartenant à la génération de la guerre d'Algérie, n'ont jamais « digéré » les années passées là-bas...

Même si quelques individualités très remarquables ont pu percer, le fait est que bien souvent la plupart se sont lassés, ont passé la main, renoncé à leur mandat (sans faire de bruit) et/ou ont quitté l'usine discrètement, sur la pointe des pieds, amers et déçus (« J'ai vu des choses pas très belles », disent-ils, sans vouloir en rajouter, des choses peu conformes aux canons de la geste ouvrière et militante). Ce sont parfois les mêmes qui se replient sur la religion ou qui opèrent un retour vers leurs racines, revisitent leur patrimoine culturel.

Et puis, il y avait, dans la sociabilité militante, ces

---

1. Voir les travaux des historiens de l'immigration : Catherine Blanc-Chaléard, Nancy Green, Gérard Noiriel, Janine Ponty.

2. Voir, dans le cas de Renault-Billancourt, les travaux de Laure Pitti, notamment « Grèves ouvrières versus luttes de l'immigration : une controverse entre historiens », *Ethnologie française*, juillet-septembre 2001.

manières de les tenir à l'écart, de les marginaliser qui étaient à la fois insidieuses et efficaces (les plaisanteries sur les interdits religieux des musulmans pouvaient être corsées et insistantes...). Sans compter que des événements politiques qui, comme la guerre du Golfe, ont radicalisé les attitudes, aggravé le fossé entre Français et immigrés qui s'était creusé à partir de la crise économique de la fin des années 1970 ont servi de révélateur au racisme, resté enfoui, des vieux ouvriers qui trouvèrent là l'occasion de l'exprimer, parfois violemment.

Sur ce point, les syndicats, la CGT notamment, ont été assez lents à réagir. Et il nous semble honnête de dire aujourd'hui, avec le recul, que le refus d'accorder une place pleine et entière aux immigrés dans les syndicats a été une constante dans un nombre non négligeable d'entreprises.

Jusqu'à très récemment, ces questions étaient ignorées, voire taboues, jusqu'au moment où, refoulées, elles ont explosé brutalement, obligeant les acteurs à un travail d'analyse pour faire apparaître en quoi les attitudes traditionnelles (« naturelles ») des ouvriers établis vis-à-vis des immigrés – un mélange de sollicitude et de discret paternalisme, voire de condescendance – avaient été intériorisées en profondeur par les gens les plus sincèrement dévoués à la « cause immigrée ». En ces temps d'aggiornamento politique et idéologique, d'examen de conscience, du côté de la gauche politique et syndicale, après la débâcle du 21 avril 2002, il est indispensable que le mouvement ouvrier s'empare de la question et entreprenne une véritable anamnèse sur son rapport aux immigrés et – pourquoi pas ? – en sollicitant, pour mieux l'éclairer, des analyses sociologiques et historiques.

Il convient aussi de dire que l'assignation des immigrés, et surtout de leurs enfants, à une place marginale dans les différents espaces sociaux (professionnel, syndical, municipal...) est douloureusement perçue et vivement ressentie par les membres de la « seconde génération ». Il y a chez eux le soupçon, sans cesse alimenté par les faits (« Vous ne pouvez pas dire le contraire », ne cesse de dire Malik dans son entretien), que les gens en place, les « Français », ne cessent de prendre prétexte d'un certain nombre de choses pour les tenir écartés ou, ce qui n'est guère mieux, en ne leur accordant qu'une petite place, celle du « beur de service » pour reprendre une expression consacrée. Et cela, la jeune génération ne le supporte plus[1].

Bien entendu, la question de l'immigration, comme l'ont très bien montré dans des registres différents les recherches de Gérard Noiriel, Abdelmalek Sayad, Étienne Balibar, a pour effet de révéler les contradictions qui travaillent la société française tout entière depuis plus de deux cents ans : d'un côté, un universalisme hautement proclamé mais fort abstrait et, de l'autre, des discriminations de fait bien réelles et qui ne cessent de s'accentuer depuis vingt-cinq ans. Et aujourd'hui, il faut être aveugle pour ne pas apercevoir l'acuité du problème qui se trouve posé : la prise en charge de ces enfants d'immigrés qui ont été relégués et concentrés dans les mauvaises classes, les mauvaises banlieues, les emplois précaires et autres stages bidon. L'abandon des cités à elles-mêmes, le sous-encadrement des jeunes des cités à l'école comme dans le travail social, l'échec scolaire de plus en plus coûteux des plus défavorisés, l'acceptation de la précarité structurelle, l'absence de solidarité avec cette jeunesse sacrifiée, le racisme ordinaire et la discrimination à l'embauche, etc., entretiennent jour après jour le désespoir et un ressentiment croissants chez ces jeunes. Autant de « bombes à retardement ».

---

1. Voir Olivier Masclet, *La Gauche et les cités. Enquête sur un rendez-vous manqué*, Paris, La Dispute, 2003.

Remerciements

L'enquête qui a nourri ce livre s'est déroulée tout au long des années 1990 et au début des années 2000. Si elle a pu se faire, c'est grâce au concours actif de nombreuses institutions et personnes que nous voulons ici remercier.

Sur place, à Sochaux, nous avons continué notre collaboration avec Christian Corouge, guide et informateur toujours aussi précieux, qui nous a aidés a comprendre les transformations de l'usine et nous a fait rencontrer de nombreux jeunes, nouveaux venus à l'usine de Sochaux. Nous avons aussi largement bénéficié de longues discussions avec des militants syndicaux du bassin d'emploi, notamment Bruno Lemerle, secrétaire du syndicat CGT de Sochaux, et Jean-François Kieffer, secrétaire du syndicat CGT d'Audincourt, qui ont toujours été d'une grande disponibilité, nous aiguillant sur telle ou telle piste d'enquête, nous mettant en contact avec les militants adéquats ou avec des ouvrier(e)s ordinaires. Nous avons aussi tiré grand profit de la collaboration avec Patrick Jan, cinéaste documentariste, avec lequel nous avons beaucoup discuté lorsqu'il tournait son film, *Ouvrier, c'est pas la classe*, sur les intérimaires de Sochaux.

Nous avons aussi bénéficié d'un excellent accueil à la Mission locale de la part de ses directeurs successifs et de tous les conseillers d'emploi. Nous remercions tous particulièrement ces derniers pour leur aide active à l'enquête, l'autorisation qu'ils nous ont accordée de passer des heures à leurs côtés, observant leur travail. Prenant le risque parfois de voir les résultats de l'enquête objectiver durement leurs conditions de travail. De même, nous souhaitons remercier tout particulièrement Annie Dechaux, responsable administrative du DEUG-SHS de la faculté de Montbéliard pour nous avoir permis de mener dans les meilleures conditions l'enquête sur les « bac pro à l'université ». Enquête réalisée grâce à la sollicitude de Daniel Blondet et Fabienne Maillard qui ont lu les résultats de notre recherche avec un sens critique aiguisé et bienvenu.

Pour le travail mené sur la ZUP, nous avons reçu de nombreuses aides et soutiens. D'abord, ceux d'André Bourdin, qui nous a logés dans son appartement de fonction d'une école primaire de la ZUP. Ensuite, tous les animateurs, travailleurs sociaux, employés de la mairie (qu'on nous pardonne de ne pas les nommer individuellement ici) qui nous ont donné accès à de nombreuses données et qui nous ont aidés à mieux comprendre l'histoire de la ZUP.

En ce qui concerne le travail par entretiens mené auprès des jeunes ouvriers, nous avons largement utilisé le réseau déjà constitué de jeunes lycéen(e)s interviewés en 1990-95 et devenus « adultes » depuis. Que tous soient vivement remerciés pour leur collaboration à l'enquête : en tout premier lieu, Sabrina et Dalila, Samir et Suleyman, et tous les autres qui ont accepté de passer des heures à répondre à nos questions.

Dans la mesure où l'enquête de terrain exige du temps et de la disponibilité, nous tenons à remercier :

– d'une part, l'université de Nantes et le département de sociologie (notamment Charles Suaud, directeur de l'UFR) d'avoir accepté la demande de délégation au CNRS de Stéphane Beaud ; ainsi que le laboratoire « Cultures et sociétés urbaines », et sa directrice Susanna Magri, de l'avoir accueilli dans les meilleures conditions ;

– d'autre part, le Centre d'études de l'emploi dont la directrice, Annie Fouquet, a accepté le détachement de Michel Pialoux dans cette institution, détachement qui lui a permis de bénéficier de nombreuses discussions avec des chercheurs, sociologues et économistes, notamment, Gabrielle Balazs, Jean-Pierre Faguer, Michel Gollac, Armelle Gorgeu, René Mathieu, Robert Vrain. Tous deux avons par ailleurs continué de bénéficier de notre rattachement au laboratoire de Sciences sociales de l'ENS, de la vie scientifique et amicale qui y règne. Nous tenons aussi à remercions ici ses deux directeurs – Christian

Baudelot et Florence Weber – pour le soutien constant qu'ils ont apporté à notre entreprise scientifique.

Enfin, un grand merci à nos lecteurs et relecteurs, souvent très patients. Parmi nos collègues, citons tout particulièrement Jean-Pierre Faguer et Jean-Claude Combessie, et parmi nos plus jeunes collègues, particulièrement attentifs et exigeants : Marie Cartier, Marie-Hélène Lechien, Olivier Masclet, Nicolas Rénahy. Sans oublier notre éditeur, Olivier Bétourné qui non seulement s'est montré d'un soutien sans faille dans cette entreprise mais a aussi contribué grandement avec Yun Sun Limet à améliorer le manuscrit original.

Bibliographie indicative

LIVRES

Abecassis, Frédéric et Roche, Pierre (dir.), *Précarisation du travail et lien social : des hommes en trop ?*, Paris, L'Harmattan, 2001.

À gauche ! Paris, La Découverte, 2002.

Arliaud, Michel et Eckert, Henri, *Quand les jeunes entrent dans l'emploi*, Paris, La Dispute, 2002.

Appay, Béatrice et Thébaud-Mony, Annie, *Précarisation sociale, travail et santé*, Paris, IRESCO-CNRS, 1999.

Aubert, France, Tripîer, Maryse et Vourc'h François, *Jeunes issus de l'immigration : de l'école à l'emploi*, Paris, L'Harmattan, 1997.

Balibar, Étienne et Wallerstein, Immanuel, *Race, nation, classe. Les identités ambiguës*, Paris, La Découverte, 1988.

Balibar, Étienne, *Droit de cité. Culture et politique en démocratie*, Paris, Éditions de l'Aube, 1997 (réédition PUF, *Quadrige*, 2002).

Bachmann, Christian et Le Guennec, Nicole, *Violences urbaines. Ascension et chute des classes moyennes à travers cinquante ans de politique de la ville*, Paris, Albin Michel, 1996.

Id., *Autopsie d'une émeute urbaine*, Paris, Albin Michel, 1997.

Balazs, Gabrielle, « Les sections d'éducation spécialisée », *Dossier du Centre d'Études de l'Emploi*, 1986.

Baudelot, Christian et Establet, Roger, *Avoir trente ans*, Paris, Seuil, 1999.

Baudelot, Christian et Gollac, Michel, (dir.), *Travailler pour être heureux ? Le bonheur et le travail en France*, Paris, Fayard, 2003.

Beaud, Stéphane, Pialoux, Michel, *Retour sur la condition ouvrière*, Paris, Fayard, 1999.

Beaud, Stéphane, *80 % au bac. Et après ?... Les enfants de la démocratisation scolaire*, Paris, La Découverte, 2002.

Bolstanski, Luc et Chiapello, Ève, *Le Nouvel esprit du capitalisme*, Paris, Gallimard, 1999.

Bonelli, Laurent et Sainati, Gilles (dir.), *La Machine à punir*, Paris, L'esprit frappeur, 2001.

Bourdieu, Pierre *et alii*, *Travail et Travailleurs en Algérie*, Paris, Mouton, 1964.

Id., *La Misère du monde*, Paris, Seuil, 1993.

Id., *Les Structures sociales de l'économie*, Paris, Seuil, 2000.

Id., *Interventions (1961-2001)*, Marseille, Agone, 2002.

Bourgois, Philippe, *En quête de respect. Le crack à New York*, Paris, Seuil, 2001.

Cartier, Marie, *Les Facteurs et leurs tournées. Un service public au quotidien*, Paris, La Découverte, 2003.

Castel, Robert, *Les Métamorphoses de la question sociale. Chronique du salariat*, Paris, Fayard, 1995.

Chauvel, Louis, *Le Destin des générations. Structure sociale et cohortes en France au XXᵉ siècle*, Paris, PUF, 1998.

Coutant, Isabelle, *Politiques du squat*, Paris, La Dispute, 2000.

Dejours, Christophe, *La Souffrance au travail*, Paris, Seuil, 1988.

Duclert, Vincent et Prochasson, Christophe (dir.), *Il s'est passé quelque chose le 21 avril 2002*, Paris, Denoël, 2003.

Duprez, Dominique et Kokoreff, Michel, *Les Mondes de la drogue. Usages et trafics dans les milieux populaires*, Paris, Odile Jacob, 2000.

Durand, Jean-Pierre et Hatzfeld, Nicolas, *La Chaîne et le réseau. Peugeot Sochaux, ambiances d'intérieur*, Lausanne, Éd. Page Deux, 2002.

Ebersold, Serge, *La Naissance de l'inemployable. Ou l'insertion aux risques de l'exclusion*, Rennes, Presses universitaires de Rennes, 2001.

La Fabrique de la haine, (collectif), Paris, Dagorno, L'Esprit frappeur, 2002.

Kokoreff, Michel, *La Force des quartiers*, Paris, Payot, 2003.

Gollac, Michel et Volkoff, Serge *Les Conditions de travail*, Paris, La Découverte, 2002.

Gorgeu, Armelle, Mathieu, René et Pialoux, Michel, « Organisation du travail et gestion de la main-d'œuvre dans la filière automobile », *Cahiers du CEE*, 1998.

Goux, Jean-Paul, *L'Enclave*, nouvelle édition, Paris, Babel, 2003.

Hatzfeld, Nicolas, *Les Gens d'usine. Cinquante ans d'histoire à Peugeot-Sochaux*, Paris, Éditions de l'atelier, 2002.

Hierle, Jean-Paul, *Pour une approche ethno-historique du travail*, Paris, L'Harmattan, 2000.

Jobard, Fabien, *Bavures policières ? Donner force à la loi*, Paris, La Découverte, 2002.

Lagrange, Hugues, *De l'affrontement à l'esquive*, Paris, Syros, 2001.

Lepoutre, David, *Cour de banlieue*, Paris, Odile Jacob, 1998.

Linhart, Danièle (avec B. Rist et E. Durand), *Perte d'emploi, perte de soi*, Paris, Eres, 2002.

Maruani, Margaret, *Les Mécomptes du chômage*, Paris, Bayard, 2002.

Martinez, Daniel, (préface de Michel Pialoux), *Carnets d'un intérimaire*, Marseille, Agone, 2003.

Masclet, Olivier, *La Gauche et les cités. Enquête sur un rendez-vous manqué*, Paris, La Dispute, 2003.

Monjardet, Dominique, *Ce que fait la police. Sociologie de la force publique*, Paris, La Découverte, 1996.

Montlibert (de), Christian, *La Violence du chômage*, Strasbourg, Presses universitaires de Strasbourg, 2001.

Rudder (de) Véronique, Poiret Christian et Vourc'h, François, *L'Inégalité raciste. L'universalité républicaine à l'épreuve*, Paris, PUF, 2000.

Moussaoui, Abd Samad (avec Florence Bouquillat), *Zacarias Moussaoui, mon frère*, Paris, Denoël, 2002.

Mucchielli Laurent, *Violences et insécurité. Fantasmes et réalités dans le débat français*, Paris, La Découverte, 2002.

Muel-Dreyfus, Francine, *Le Métier d'éducateur*, Paris, Minuit, 1983.

Murard, Numa, *La Morale de la question sociale*, Paris, La Dispute, 2003.

Noiriel, Gérard, préface à la nouvelle édition, *Les Ouvriers dans la société française*, Paris, Seuil, coll. « Points », 2002.

Paugam, Serge, *L'Exclusion, L'état des savoirs*, Paris, La Découverte, 1998.

Id., *Le salarié de la précarité*, Paris, PUF, 2000.

Pudal, Bernard, *Prendre parti. Pour une sociologie historique du PCF*, Paris, FNSP, 1989.

Robert, Philippe et Mucchielli, Laurent, *Crime et sécurité : un état des savoirs*, Paris, La Découverte, 2002.

Sayad, Abdelmalek, *L'Immigration ou les paradoxes de l'altérité*, Bruxelles, De Boeck, 1991.

Id., *La Double Absence. Des illusions de l'émigré aux souffrances de l'immigré*, Paris, Seuil, 1999.

Olivier Schwartz, *Le Monde privé des ouvriers*, Paris, PUF, 1991 (réédition coll. « Quadrige », 2002).

Tevanian, Pierre et Tissot Sylvie, *Dictionnaire de la lepénisation des esprits*, Paris, Dagorno, L'Esprit frappeur, 2002.

Thébaud-Mony, Annie, *L'Industrie nucléaire : sous-traitance et servitude*, Paris, INSERM, 2000.

Loïc Wacquant, *Les Prisons de la misère*, Paris, Raisons d'agir, 1999.

Id., *Corps et âme. Carnets ethnographiques d'un apprenti boxeur* Marseille, Agone, 2001.

ARTICLES

Andréo, Christophe, « La transition vers l'âge adulte de jeunes marseillais issus de milieux populaires dans les années 1990 », *Déviance et société*, nᵒ 3, 2001.

Balazs, Gabrielle et Faguer, Jean-Pierre, « Un conseil de classe très particulier », *Actes de la recherche en sciences sociales* nᵒ 62-63, 1986.

Beaud, Stéphane et Pialoux, Michel, « Jeunes ouvrier(e)s à l'usine. Notes de recherche sur la concurrence garçons/filles et sur la remise en cause de la masculinité ouvrière », *Travail, genre et sociétés*, « Ouvriers, ouvrières », nᵒ 8 : 4ᵉ trimestre 2002.

Id., « Changements dans les rapports entre générations ouvrières. Les années 1990 à Sochaux-Montbéliard », *Retraite et société*, nᵒ 35, 2002.

Id., « Le syndicaliste. Un jeune ouvrier qui franchit le pas », *in* Viviant, Arnaud (dir.), *Les Français peints par eux-mêmes*, tome 4 : *L'entreprise*, La Découverte, 2003.

Beaud, Stéphane, « Un fils d'immigrés, pris dans la crise : rupture biographique et configuration familiale », *Genèses, sciences sociales et histoire*, nᵒ 24, 3ᵉ trimestre 1996.

Id., « Un cas de sauvetage social : histoire d'une jeune précaire racontée par un conseiller de mission locale », *Travail et Emploi*, nᵒ 80, septembre 1999.

Id., « Paroles de militants beurs ». Notes sur les contradictions d'une mobilisation politique », *Genèses*, nᵒ 40, mars 2000.

Begag, Azouz et Delorme, Christian, « Rites sacrificiels des jeunes dans les quartiers en difficultés », *Annales de la recherche urbaine*, nᵒ 54, 1992.

Burnod, Guillaume, Cartron, Damien et Pinto, Vanessa, « Étudiants en fast-food : les usages sociaux d'un "petit boulot" », *Travail et Emploi*, nᵒ 83, juillet 2000.

Castel, Robert, « De l'indigence à l'exclusion : la désaffiliation », *in* Donzelot, Jacques (dir.), *Face à l'exclusion*, Paris, Éditions Esprit, 1995.

Chamboredon, Jean-Claude et Lemaire, Madeleine « Proximité spatiale et distance sociale. Les grands ensembles et leur peuplement », *Revue française de sociologie*, t. XI, 1970, n° 1, p. 3-33.

Id., « Classes scolaires, classes d'âge, classes sociales :les fonctions de scansion temporelle du système de formation », *Enquête*, n° 6, juin 1991.

Champagne, Patrick, « La vision médiatique », *in* Bourdieu Pierre (dir.), *La Misère du monde*, Paris, Seuil, 1993.

Duprez, Dominique, « Entre discrimination et désaffiliation. L'expérience des jeunes issus de l'immigration maghrébine », *Les Annales de la recherche urbaine*, n° 76, 1997.

Eckert, Henri, « L'émergence d'un ouvrier bachelier : « Les "bac pro" entre déclassement et recomposition de la catégorie des ouvriers qualifiés », *Revue française de sociologie*, XL (2), 1999.

Faguer, Jean-Pierre, « Pour une histoire de la précarité : transformation des emplois précaires et des modes de management », *Lettre n° 57 du CEE*, 1999.

Faure-Guichard, Catherine et Fournier, Pierre, « *L'intérim, creuset de main-d'œuvre permanente ?* », *Genèses*, n° 42, mars 2001.

Fossé-Poliak, Claude et Mauger Gérard, « La politique des bandes », *Politix*, n° 14, 2e trimestre 1991.

Frickey, Alain et Primon, Jean-Luc, « Jeunes issus de l'immigration. Les diplômes de l'enseignement supérieur ne garantissent pas un égal accès au marché du travail », *Formation-Emploi*, n° 79, 2002.

Gollac, Michel et Volkoff, Serge « Citius, altius, fortius. L'intensification du travail », *Actes de la Recherche en sciences sociales*, n° 114, 1996.

Gorgeu, Armelle et Mathieu, René, « Compétence et sélectivité dans le recrutement. L'exemple des usines de la filière automobile », *Travail et emploi*, n° 83, 2000.

Guenif-Souilamas, Nacira, « Des garçons enfermés dans leur virilisme », *Cosmopolitiques*, n° 2, 2002.

Kergoat, Danièle, « Ouvriers = ouvrières ? Proposition pour une articulation théorique de deux variables : sexe et classe sociale », *Critiques de l'économie politique*, n° 5, octobre-décembre 1978.

Id., « Le syllogisme de la constitution du sujet sexué féminin. Le cas des ouvrières spécialisées », *Travailler*, n° 6, 2001, p. 105-114.

Lagrange, Hugues, « La pacification des mœurs et ses limites. Violence, chômage et crise de la masculinité », *Esprit*, 1998.

Magri, Susanna, « Villes, quartiers : proximités et distances sociales dans l'espace urbain », *Genèses*, n° 13, automne 1993.

Masclet, Olivier, « Les familles immigrées prises au piège de la cité », *Cultures et conflits*, n° 46, été 2002.

Mauger, Gérard, « Bandes et valeurs de virilité », *Regards sur l'actualité*, n° 243, juillet-août 1998.

Id., « La reproduction des milieux populaires « en crise », *Ville-École-Intégration*, n° 113, 1998.

Id., « Les politiques d'insertion. Une contribution paradoxale à la déstabilisation du marché du travail », *Actes de la recherche en sciences sociales*, n° 136-137, mars 2001.

Monjardet, Dominique, « Réinventer la police urbaine. Le travail policier à la question dans les quartiers », *Les Annales de la recherche urbaine*, n° 83-84, 1999.

Noiriel, Gérard, « Les "jeunes d'origine étrangère" n'existent pas », *in* Lorreyte B. (dir.), *Les Politiques d'intégration des jeunes issus de l'immigration*, Paris, CIEMI et L'Harmattan, 1993.

Pialoux, Michel, « Jeunesse sans avenir et travail intérimaire », *Actes de la recherche en sciences sociales*, n° 26, 1979.

Id., « L'ouvrière et le chef d'équipe ou comment parler du travail ? », *Travail et Emploi*, n° 52, 1996.

Id. (avec Weber, Florence), « La gauche et les classes populaires », *Mouvements*, n° 23, septembre 2002.

Pitti, Laure, « Grèves ouvrières versus luttes de l'immigration : une controverse entre historiens », *Ethnologie française*, juillet-septembre 2001.

Pudal, Bernard, « La beauté de la mort communiste », *Revue française de science politique*, vol 52, n° 5-6, octobre-décembre 2002.

Rénahy, Nicolas, « Générations ouvrières et territoire industriel. La transmission d'un ordre ouvrier localisé dans un contexte de précarisation de l'emploi », *Genèses*, n° 42, mars 2001.

Retière Jean-Noël, « Être sapeur-pompier volontaire. Du dévouement à la compétence », *Genèses*, n° 16, juin 1994.

Sayad, Abdlemalek, « Les enfants illégitimes », *Actes de la recherche en sciences sociales*, n° 25, janvier-février 1979 et n° 26-27, mars-avril 1979.

Id., « La malédiction », *in* Bourdieu, Pierre (dir.) *La Misère du Monde*, Seuil, 1993.

Singly (de), François, « Les habits neufs de la domination masculine », *Esprit*, mars 1993.

Supiot, Alain, « Les nouveaux visages de la subordination », *Droit social*, 2000.

Tissot, Sylvie, « De l'emblème au "problème" : histoire des grands ensembles dans une ville communiste », *Les Annales de la recherche urbaine*, nº 93, mars 2003.

Tripier, Maryse, « L'immigration dans la classe ouvrière en France : quelques propositions », *Société Française*, avril-juin 1998.

Verdier, Éric, « Politiques de formation des jeunes et marché du travail, la France des années 80 », *Formation Emploi*, nº 50, octobre-décembre 1995.

Id., « La France a-t-elle changé de régime d'éducation et de formation ? », *Formation-emploi*, nº 76, 2001.

Zehraoui, Ahcene, « Processus différentiels d'intégration au sein des familles algériennes en France », *Revue française de sociologie*, XXXVII, 1996.

Table

TABLE 425

Impression réalisée sur CAMERON par
BRODARD ET TAUPIN
La Flèche

pour le compte des Éditions Fayard
en septembre 2003

Imprimé en France
Dépôt légal : septembre 2003
N° d'édition : 32330 – N° d'impression : 20515
ISBN : 2-213-61457-1
35-57-1657-01/2